S0-BZU-740

Gerd Lüdemann

Paulus, der Heidenapostel

Band II

To Colleagues and Students
in the Vanderbilt Divinity School
1979—1982

GERD LÜDEMANN

Paulus, der Heidenapostel

BAND II

Antipaulinismus im frühen Christentum

GÖTTINGEN · VANDENHOECK & RUPRECHT · 1983

Forschungen zur Religion und Literatur
des Alten und Neuen Testaments
Herausgegeben von
Wolfgang Schrage und Rudolf Smend
130. Heft der ganzen Reihe

CIP-Kurztitelaufnahme der Deutschen Bibliothek

Lüdemann, Gerd:
Paulus, der Heidenapostel / Gerd Lüdemann. — Göttingen : Vandenhoeck und Ruprecht
Bd. 2. Antipaulinismus im frühen Christentum. — 1983
(Forschungen zur Religion und Literatur des Alten und Neuen Testaments ; H. 130)
ISBN 3-525-53801-4
NE : GT

Gedruckt mit Unterstützung der Deutschen Forschungsgemeinschaft
 Gesamtherstellung: Hubert & Co., Göttingen

VORWORT

Die vorliegende Arbeit ist der zweite Band meiner Paulustrilogie. Er behandelt ein Thema, mit dem ich zum ersten Mal in Berührung kam, als mich Prof. Georg Strecker im WS 1968/69 mit Indexarbeiten zu den pseudoklementinischen Homilien betraute. Die Arbeit bemüht sich, unter dankbarer Verwertung dessen, was ich bei meinen Lehrern und von der gegenwärtigen Forschung gelernt habe, an die Einsichten der Tübinger Schule anzuknüpfen und sie unter veränderter Fragestellung und bei abweichenden Ergebnissen im einzelnen weiterzuführen. Mir hat sich bei dieser Arbeit die Einsicht bestätigt, daß es durch die Jahrhunderte hindurch und über die Erdteile hinweg eine Kontinuität der Kritik gibt. Ihr ist das vorliegende Werk verpflichtet.

Die vorbereitenden Arbeiten für das nachfolgende Werk gehen zurück auf meine zweijährige Teilnahme (1977–79) am McMaster Projekt „on normative Self-Definition in Judaism and Christianity", das vom ‚Social Sciences and Humanities Research Council of Canada' finanziert wurde. Es ist mir eine große Freude und Verpflichtung, dem genannten Council und meinem Freund Prof. E. P. Sanders, dem Direktor des Projekts, für die Einladung nach Kanada zu danken.

Mein Dank geht ebenfalls an das Vanderbilt Research Council, das meine Forschungen an der Vanderbilt University unterstützt hat.

Den größten Dank schulde ich der Deutschen Forschungsgemeinschaft für die hohe Auszeichnung mit einem Heisenbergstipendium (1980–1983), das mir eine ungestörte und unabhängige wissenschaftliche Arbeit in den USA an der Vanderbilt University ermöglicht hat. Die Deutsche Forschungsgemeinschaft hat auch durch einen namhaften Zuschuß die Publikation dieses Werkes ermöglicht. Ich kann nur hoffen, daß der Inhalt des vorliegenden Bandes die an das Stipendium geknüpften hohen Erwartungen erfüllt.

Bei der Abfassung hatte ich das Glück, von vielen Seiten durch Kritik unterstützt zu werden. Die Herren Professoren Hans Dieter Betz (Chicago), Ulrich Luz (Bern), Georg Strecker (Göttingen) und Eugene TeSelle (Vanderbilt) lasen eine frühere Fassung des Manuskripts. Professor Morton Smith (Columbia) versah fast jede Seite des Manuskripts mit Kommentaren, die er mir freundlicherweise zu zitieren erlaubte. Den genannten Lehrern, Kollegen und Freunden sei von Herzen gedankt.

Frühere Fassungen von zwei Kapiteln wurden bei verschiedenen Jahrestagungen der ‚Society of Biblical Literature' vorgetragen: Kap. 1 im Oktober 1978 in New Orleans und Kap. 11.1 im November 1980 in Dallas (beide im Rahmen des von H. D. Betz und mir geleiteten Seminars über ‚Jewish Christianity'). Einen Aufriß der ganzen Arbeit durfte ich im August 1979 auf der SNTS-Tagung in Durham (England) im Rahmen des Seminars ‚Jewish Christianity' der SNTS vortragen. Bei allen drei Anlässen half mir die Kritik von Professor Nils Dahl (Yale), dem hiermit öffentlich gedankt sei.

Jürgen Wehnert (Göttingen) hat mir auch bei diesem Werk sehr geholfen. Ihm sowie F. Stanley Jones und Larry Welborn gilt für Vorschläge zur inhaltlichen und technischen Verbesserung des Manuskriptes mein herzlicher Dank.

Der abschließende dritte Band wird in absehbarer Zeit nachfolgen. Meine Schrift ‚Paulus und das Judentum' (TEH 215, München 1983) vermittelt einstweilen (neben Band I, Kap. 5) einen ersten Einblick in ihn.

Vanderbilt University Divinity School — Gerd Lüdemann
Nashville, Tennessee, USA
28. Mai 1982
Göttingen, den 31. Oktober 1982

INHALT

Abkürzungen

Die Abkürzungen folgen dem Abkürzungsverzeichnis zur TRE (ed. S. Schwertner), Berlin – New York 1976. Ferner bzw. abweichend davon bedeuten:

A	Anmerkung
AJ	Anabathmoi Jakobou
Cont	Contestatio
EpPetr	Epistula Petri
FS	Festschrift
H	Homilien
HNTC	Harper's New Testament Commentaries, New York
Luk	Lukasevangelium
pskl, PsKl	pseudoklementinisch, Pseudoklementinen
R	Rekognitionen

1. GESCHICHTE DER ERFORSCHUNG DES JUDENCHRISTENTUMS ALS PROBLEMSTELLUNG

1.1. Ferdinand Christian Baur und seine Vorgänger

Im allgemeinen herrscht darüber Einverständnis, daß F. C. Baur als erster die Aufmerksamkeit der Forschung auf das Judenchristentum als Schlüssel für das Verständnis des Christentums der ersten beiden Jahrhunderte gelenkt hat. Über Baur konnte daher berechtigterweise kürzlich in einem Forschungsbericht gesagt werden, mit ihm habe die moderne Erforschung des Judenchristentums begonnen[1]. So legt

---

[1] Klijn, Study, S. 419. Vgl. auch die Forschungsgeschichte von Hoennicke, Judenchristentum, S. 1–19, beginnend mit Baur. Die Forschungsgeschichte der PsKl bei Strecker, Judenchristentum, S. 1–34, setzt ebenfalls mit Baur ein. Vgl. zu dem obigen Kapitel noch Ropes, Age, S. 289–324, und Koch, Investigation, S. 5–107 (Geschichte der Erforschung von Epiphanius, haer 30). – Viel für unsere Frage ist auch zu lernen von Mattill, Luke. Es ist bedauerlich, daß diese Vanderbilt-Diss. nicht gedruckt worden ist. Andererseits wundert man sich, daß Haenchen, Apg, in seiner Forschungsgeschichte (S. 29–63) für das 19. Jahrhundert teilweise von McGiffert, in: Beg. I.2, S. 363–395, abhängig ist, weil ihm verschiedene Beiträge (weitgehend aus Hilgenfelds ZWTh [sic!]) „nicht zu beschaffen waren" (Haenchen, Apg, S. 29 A 2). Dazu: Haenchens Forschungsgeschichte kann nicht zum gelungensten Teil seines Werkes gerechnet werden, da sie zu große Lücken und Unkenntnis für den englischen und amerikanischen Raum aufweist. So stellt Haenchen (ähnlich selbst G. Klein, in: ZKG 68. 1957, S. 362 A 2) „The Beginnings of Christianity" als angelsächsisches (statt amerikanisches) Produkt hin (a.a.O., S. 50f); Cadbury ist doch geborener Amerikaner (über ihn: A.N. Wilder, in: NTS 21. 1975, S. 313–317), Lake und Jackson lehrten später (und hauptsächlich) in den USA: vgl. darüber den instruktiven Aufsatz von K. Lake, The Problem of Christian Origins, in: HThR 15. 1922, S. 97–114. Weiter widmet Haenchen J.B. Lightfoot nur gut zwei Zeilen und schreibt: „F. Chr. Baur fand in England, wo der große Gelehrte J.B. Lightfoot den Tübinger Thesen entgegentrat, keine Anhänger außer Samuel Davidson und W.R. Cassels" (a.a.O., S. 36). Ein Kommentar zu dieser Beschreibung der englischen Forschung erübrigt sich schon deshalb, weil die obigen Angaben wiederum nur aus zweiter Hand geschöpft sind.
Am Rande sei hier noch auf Mackay, School, verwiesen, der die Forschungspositionen der (älteren) Tübinger Schule instruktiv zusammenfaßt. (Der offensichtliche Hintergrund eigener Kirchenkritik ist allerdings bei der Lektüre stets zu berücksichtigen.) Vgl. ferner zu Baur die tiefschürfenden Bemerkungen von Bartsch, Frühkatholizismus, S. 103–131. 481–502 und passim.

es sich auch für unseren Forschungsbericht nahe, beim Altmeister der Tübinger Schule einzusetzen.

Im Jahre 1831 veröffentlichte Baur einen Aufsatz mit dem Titel „Die Christuspartei in der korinthischen Gemeinde, der Gegensatz des petrinischen und paulinischen Christenthums in der ältesten Kirche, der Apostel Petrus in Rom"[2]. Im Rahmen einer Untersuchung der Korintherbriefe kam Baur zu dem Schluß, das Verhältnis der Heidenchristen zu den Judenchristen sei nicht so harmonisch gewesen, wie gemeinhin angenommen. Vielmehr spiegele sich ein Gegensatz zwischen den Anhängern der älteren Apostel und Paulus in den korinthischen Parteien wider. Die Christuspartei und die Kephaspartei, die zusammen eine Gruppe bildeten[3], waren der Paulusparte entgegengesetzt[4]. Sie stellten Pauli Autorität als Apostel dadurch in Frage, daß sie erklärten, ihr eigenes Oberhaupt, Petrus, sei Paulus überlegen: Petrus habe nämlich Jesus wirklich gesehen[5]. Dieselben antipaulinischen Judenchristen begegneten auch in Phil und Gal. So bekämpfe Phil 3,1f Irrlehrer, „die auf die Beschneidung und alles, was zum angestammten Judenthum gehörte, ein großes Gewicht legten"[6], was eine Parallele in 2Kor 11,22f habe. Denn an beiden Stellen mache Paulus dieselben Vorzüge für seine Person geltend[7]. Freilich liefere vorzüglich der Gal eine Parallele zu den polemischen Partien der Korintherbriefe, woraus weiteres Licht auf die Gegnerschaft falle: In Galatien seien die Gegner in ihren Gesetzesforderungen nicht so zurückhaltend gewesen wie in Korinth[8]. Doch sei der Angriff auf das apostolische Ansehen des Paulus mit dem in Korinth

---

[2] TZTh 1831, S. 61–206, wiederabgedruckt in: Baur, Untersuchungen, S. 1–146. Die Seitenangaben beziehen sich im folgenden auf die Ausgabe von 1831. Vgl. zur oben im Text gegebenen Darstellung Baurs meine Bemerkungen in Lüdemann, Antipaulinismus, S. 437f, die teilweise wörtlich mit ihr übereinstimmen.

[3] „Sie nannte sich τοὺς Κηφᾶ, weil Petrus unter den Judenaposteln den Primat hatte, τοὺς Χριστοῦ aber, weil sie die unmittelbare Verbindung mit Christus als Hauptmerkmal des ächten apostolischen Ansehens aufstellte" (Baur, Christuspartei, S. 84).

[4] Die Apollosleute gehören zur Paulusparte: a.a.O., S. 77.

[5] Die Gegner sprachen Paulus den apostolischen Charakter ab, „weil er nicht wie sie oder vielmehr wie die von ihnen an die Spitze ihrer Parteien gestellten Apostel den Herrn gesehen und in unmittelbarer Verbindung mit ihm gelebt hatte" (a.a.O., S. 86).

[6] A.a.O., S. 107.

[7] A.a.O., S. 107f.

[8] In Galatien „suchten sie dem Apostel nach der Verschiedenheit der Verhältnisse auf verschiedene Weise entgegenzuwirken" (a.a.O., S. 108).

identisch, und die von den Gegnern aufgeworfene Frage habe daher gelautet, „welche Auctorität überhaupt ein Apostel haben könne, der nicht wie die übrigen in der Schule Jesu selbst zum Apostelamt gebildet worden war, sondern erst später wie aus eigener Vollmacht apostolische Auctorität anzusprechen gewagt hatte.“[9]

Für Baur stand damit fest, daß sich schon in frühester Zeit „zwei entgegengesetzte Parteien mit einem sehr bestimmten Gegensatz der Ansichten gebildet“[10] hatten. Freilich sei gleichzeitig klar: die antipaulinische judenchristliche Partei habe ohne Billigung der Urapostel gehandelt (s.u. A 34).

Baurs Aufweis der Existenz einer antipaulinischen judenchristlichen Partei wurde bekräftigt durch die Ebionitenreferate der Kirchenväter (besonders: Irenäus, haer I 26; Epiphanius, haer 30), die eine Ablehnung des Paulus für diese Gruppe bezeugen, und durch die aus dem späten zweiten Jahrhundert stammenden pskl Homilien[11], in denen der Heidenapostel unter der Maske des Simon Magus attackiert wird[12]. Diese Quellen bewiesen ferner, daß ein antipaulinisches Christentum im zweiten Jahrhundert nicht untergegangen sei. Vielmehr werde aus ihnen eine genetische Beziehung zwischen den Antipaulinern des zweiten Jahrhunderts und den Gegnern des Paulus ersichtlich.

Freilich blieb ein Problem ungelöst in Baurs kühner These eines historischen Zusammenhangs zwischen den Antipaulinern des ersten und zweiten Jahrhunderts: der große chronologische Abstand von mindestens 120 Jahren zwischen den Paulusbriefen einerseits und den PsKl und Irenäus, haer, andererseits. Baur war sich dieses Problems bewußt und versuchte, den chronologischen Abstand dadurch zu überbrücken, daß er die *Entwicklung* des antipaulinischen Judenchristentums[13] und sein Verhältnis zum Heidenchristentum in der Zwischenzeit zu beschreiben unternahm.

Für die römische Gemeinde wurde diese Aufgabe im letzten Teil seines Aufsatzes aus dem Jahre 1831 durchgeführt, im Abschnitt

---

9 A.a.O., S. 109.

10 A.a.O., S. 114.

11 A.a.O., S. 116.

12 Es war nicht Baurs Entdeckung (so Dilthey, Baur, S. 417), daß Simon Magus in den PsKl an manchen Stellen für den Apostel Paulus steht, sondern A. Neanders (s.u. A 24).

13 Man muß wissen, daß Baur bereits 1831 implizit und ab 1845 explizit Judenchristentum und Antipaulinismus als identisch ansieht. Zu Recht und Unrecht einer solchen Annahme s.u. S. 55.

mit dem Titel „der Apostel Petrus in Rom" (S. 137–206). Baur sieht hier die Tradition von Petri Aufenthalt und Tod in Rom – zuerst[14] belegt durch Dionysius von Korinth (bei Euseb, KG II 25,8) – als unhistorisch an und schreibt ihren Ursprung einer starken judenchristlichen Partei in Rom zu[15]. Damit hat Baur die Fortdauer des Judenchristentums in einem Fall für die Zeit zwischen der Abfassung der paulinischen Briefe und den pskl Homilien sowie dem genannten Irenäusreferat aufgezeigt. Der Einfluß jener Partei könne ferner aus Folgendem erwiesen werden: aus Suetons Bericht über die Vertreibung von Juden-(christen) aus Rom (Caes. Claudius 25), der somit schon für die vierziger Jahre des ersten Jahrhunderts eine Anwesenheit von Judenchristen in Rom belege[16], aus Röm[17] und aus der Existenz von Gestalten wie Aquila und Priscilla[18], die in Rom Christen geworden seien. Sodann belege Herm[19] den nicht abreißenden Einfluß jener Gruppe, in deren Interesse es gelegen habe, durch Berufung auf Petrus den Heidenapostel anzugreifen[20].

Der soeben referierte Aufsatz aus dem Jahre 1831 erwies ohne Zweifel seinen Verfasser als originellen Gelehrten, der in der Lage war,

---

[14] Nicht in 1Clem 5! Darüber schreibt Baur, Christuspartei, S. 151: „er wußte nur im Allgemeinen, er sey als Märtyrer gestorben, wo aber und wie, wie es scheint, nicht". Zum Problem aus heutiger Sicht vgl. Cullmann, Petrus, S. 74–171.

[15] Baur, Christuspartei, S. 153ff, bemerkt zu Recht, die Zuverlässigkeit des Dionysius-Berichts hänge davon ab, ob die Tradition einer zweiten römischen Gefangenschaft des Petrus historisch zutreffe.

[16] Baur, Christuspartei, S. 164.

[17] Es „ist auch aus der ganzen Tendenz und Anlage des Briefs, aus den Vorurtheilen und Irrthümern, die er bestreitet, aus der Beschaffenheit der Lehren, die er als die wesentlichen Bestandtheile des Christenthums vorträgt, klar zu ersehen, dass es der Apostel in demselben als seine Hauptaufgabe betrachtet, dem überwiegenden Einflusse, welchen der Judaismus in der Gemeinde theils schon wirklich erhalten hatte, theils noch weiter zu erhalten drohte, so viel möglich zu begegnen" (Baur, Christuspartei, S. 164f).

[18] Baur, Christuspartei, S. 164.

[19] Baur, Christuspartei, S. 169ff.

[20] Wir brauchen Baurs Argumentation hier nicht in allen Einzelheiten zu verfolgen. Im Aufsatz aus dem Jahre 1831 sieht er den *unmittelbaren* Grund für die Behauptung, daß Petrus sich in Rom aufgehalten und hier gestorben sei, in der Identifizierung einer Semo-Statue als einer zu Ehren des Simon Magus, der aus diesem Grunde in Rom gewesen sein müsse. Also sei auch Petrus in Rom gewesen, da er immer dem Simon auf den Spuren gewesen sei: vgl. Baur, Christuspartei, S. 176ff. Später änderte Baur seine Meinung bezüglich der Entwicklung der Petrus-Simonlegende. Er vertrat nun die Ansicht, 1Clem 5 harmonisiere bereits eine Antithese zwischen Petrus und Paulus und gehe nicht auf die Behauptung von Petrinern zurück, daß ihr Hero ebenfalls wie Simon Magus in Rom gewesen sein müsse. Vgl. zu den Einzelheiten Lüdemann, Untersuchungen, S. 11f.

neutestamentliches und patristisches Wissen zu kombinieren und zu neuen kritischen Erkenntnissen vorzustoßen. Baurs Schlußfolgerungen führten jedoch nicht zu einer Revolution in der neutestamentlichen und kirchenhistorischen Wissenschaft. Sie brachten ihm in einzelnen Punkten sogar Anerkennung und Zustimmung von einem konservativen Gelehrten wie A. Neander ein, der sich Baurs Leugnung des Aufenthalts und des Todes Petri in Rom[21] anschloß[22, 22a].

Derselbe Gelehrte hatte Baurs Aufmerksamkeit auf die pskl Homilien gelenkt, wie aus Baurs Selbstzeugnis ersichtlich wird[23]. Gleichzeitig sollte bemerkt werden, daß unabhängig von Baur nicht nur Neander[24], sondern bereits J. K. L. Gieseler[25] und K. A. Credner[26] die Bedeutung der pskl Literatur für das frühe Christentum hervorgehoben und Vorschläge über das literarische Verhältnis der Quellen[27] und den religionsgeschichtlichen Hintergrund der Ebioniten gemacht hat-

---

[21] Vgl. Neander, Geschichte II, S. 458–463; Fraedrich, Baur, S. 151. Vgl. noch Uhlhorn, Kirchengeschichte, S. 283–302 (hiergegen nimmt Baur, Schule, Stellung; zur Kontroverse Uhlhorn-Baur vgl. Harris, Tübingen, S. 78–88).

[22] Das beachtet Cullmann, Petrus, S. 77f, nicht, der S. 75–82 gleichwohl eine interessante Forschungsgeschichte zur Frage nach dem römischen Aufenthalt Petri bietet.

[22a] An dieser Stelle ist kurz darauf hinzuweisen, daß Baur 1836 in einem weiteren Aufsatz (Baur, Zweck) die Tradition vom Aufenthalt und Tod Petri in Rom als unhistorisch zu erweisen (zu Dionysius: a.a.O., S. 172ff; zu Gajus: a.a.O., S. 166ff) und weiter den judenchristlichen Charakter der römischen Gemeinde zu erhärten suchte. Baur geht davon aus, die pskl Homilien seien eine römische Schrift, und bemüht sich, Parallelen zwischen den in Röm vorausgesetzten Anschauungen und den PsKl zu finden. So polemisiere Röm 13 gegen einen Typ von Zweiäonenlehre, wie sie in den PsKl (Hom XV 7; vgl. Epiphanius, haer XXX 16) sichtbar werde (a.a.O., S. 131ff), und das Verbot des Fleischgenusses (Röm 14) habe eine Entsprechung in den PsKl (Hom XII 6; vgl. Epiphanius, haer XXX 15) (a.a.O., S. 128f). Baur ist sich in diesem Aufsatz des chronologischen Abstands zwischen Röm und den PsKl bewußt (a.a.O., S. 132: daher „dürfen wir [. . .] die Vergleichung der spätern Ebioniten mit den römischen Judenchristen nicht zu weit ausdehnen") und unterscheidet in ihm auch die ersten Judenchristen von den Ebioniten. Gleichwohl rückt er beide eng zusammen (a.a.O., S. 128): „die römischen Judenchristen, wie die Judenchristen der ältesten Kirche überhaupt, (sc. hatten) beinahe durchaus mehr oder minder ebionitische Grundsätze"; vgl. ebenso a.a.O., S. 129.138.

[23] Baur, Kirchengeschichte, S. 395.

[24] Vgl. dazu Uhlhorn, Homilien, S. 10–12, und Neander, Entwickelung, S. 361–421 (Beilage: Über die pseudoclementinischen Homilien, ein Beytrag zur Geschichte der Ebioniten).

[25] Gieseler, Nazaräer.

[26] Credner, Essäer. Zur weiteren Forschung über die PsKl vor Baur vgl. Uhlhorn, Homilien, S. 1–10; Credner, Beiträge, S. 364–374.

[27] Z.B. darüber, welches literarische Verhältnis zwischen den Referaten der Kirchenväter und den PsKl besteht.

ten. So ist seit der Arbeit Credners die Frage einer möglichen Beziehung zwischen Essenern[28] und Ebioniten immer wieder gestellt worden. Ebenso unbeantwortet wie heiß umstritten ist die von Gieseler eingeführte Unterscheidung der verschiedenen Arten von Ebioniten, nämlich den „vulgären" und „gnostischen", d.h. den Nazaräern als den toleranten Judenchristen (ohne eine höhere Christologie: daher vulgäre Ebioniten), die in einer direkten Beziehung zur Jerusalemer Urgemeinde ständen, einerseits und den häretischen antipaulinischen (= gnostischen) Ebioniten andererseits[29].

Baurs eigene Arbeit stand in kritischer Kontinuität zur Forschung vor ihm. Das wird vollends klar aus einem Werk, das aus demselben Jahr stammt wie der obige Aufsatz über die Parteien in Korinth. Es trägt den Titel „De Ebionitarum origine et doctrina, ab Essenis repetenda"[30]. In diesem Schulprogramm benutzte Baur wie Neander primär die Berichte des Epiphanius und sekundär die der pskl Homilien als Quellen für die Theologie der Ebioniten[31]. In der Nachfolge Credners sah er den historischen Ursprung der Ebioniten in der Zeit nach 70 nChr in der Gegend Pellas, das in der Nachbarschaft der Wohnsitze der Essener liegt, und führte folgende Ähnlichkeiten zwischen den Lehren der Essener und denen der Ebioniten des Epiphanius sowie der PsKl auf: 1. das Armutsideal, 2. das

---

28 Zur Erforschung der Essener im 19. Jahrhundert vgl. Wagner, Essener (zur Beziehung zwischen Essenern und Ebioniten vgl. Wagner, a.a.O., S. 185–189. 231–233; für diese Frage ist in heutiger Zeit wichtig Braun, Qumran, S. 211–228: „Die Ebioniten und die Pseudoklementinen" [Lit.]).

29 Wir brauchen hier die Einzelheiten nicht zu behandeln und können verweisen auf Schliemann, Clementinen, der S. 17–48 eine Forschungsgeschichte bietet. Er selbst unterscheidet zwei Gruppen Judenchristen, und zwar Nazaräer und Ebioniten (a.a.O., S. 445ff; vgl. ähnlich Credner, Beiträge, S. 269ff, Gieseler, Nazaräer, passim, und Lutterbeck, Lehrbegriffe, S. 109ff). Die Ebioniten seien häretisch und müßten ferner in zwei Gruppen unterteilt werden, in vulgäre und gnostische Ebioniten (a.a.O., S. 481ff). Die Nazaräer seien die toleranten Judenchristen und mit einer der beiden Parteien in Justin, Dial 47, identisch. Erst seit der Gründung von Aelia (136 nChr) gebe es Ebioniten und Nazaräer (a.a.O., S. 406ff). Die Judenchristen hatten sich zu entscheiden, entweder Mitglieder der neuen heidenchristlichen Gemeinde Aelias zu werden oder sie zu tolerieren (d.h. Nazaräer zu werden) oder sich abzuspalten (d.h. Ebioniten zu werden). – Strekker, Judenchristentum, bespricht Schliemanns Werk zusammen mit den Arbeiten Baurs und Schweglers unter der Überschrift „Die Tübinger Schule" (S. 4). Das ist irreführend, da Schliemann Baurs Gebrauch der PsKl widerlegen will und als Schüler Neanders natürlich nicht zur Tübinger Schule gehört. Vgl. noch Baurs scharfe Kritik an Schliemanns Arbeit in: ThJb (T) 3.1844, S. 536–585.

30 Vgl. Fraedrich, Baur, S. 66f.

31 Die Anschauungen der pskl Homilien sieht dabei Baur im Anschluß an Neander „als die weitere Entwiklung und Ausbildung der in der Secte der Ebioniten gegebenen Lehren und Vorstellungen" an (Baur, Gnosis, S. 403).

Festhalten am Beschneidungsritus, 3. die Verwerfung von Opfern, des Schwures und des Blutgenusses, 4. die Hochschätzung des Moses, 5. die Betonung der Wichtigkeit von Reinigungsbädern, 6. die differenzierte Stellung zu den Propheten sowie dem Alten Testament überhaupt[32].

Es ist zu betonen, daß Baur im Aufsatz von 1831 die antipaulinischen Ebioniten *nicht* als der Periode vor 70 nChr zugehörig betrachtete[33]. Obgleich er den Gegensatz zwischen Paulus- und Kephaspartei betonte, judenchristliche Einflüsse in Rom herausstellte und den Finger auf die antipaulinischen Partien der PsKl legte, sah Baur keine grundsätzlichen Differenzen zwischen Paulus und den Uraposteln und stufte daher unbefangen die Antipauliner in Korinth, Galatien und Philippi als *Pseudo*apostel ein[34]. Dies dürfte u.a. damit zusammenhängen, daß für Baur zu jener Zeit der neutestamentliche Kanon eine größere Dignität hatte als andere Quellen[35]. Aus diesem Grund äußerte Baur auch zu jenem Zeitpunkt weder Zweifel an der historischen Glaubwürdigkeit der Apg[36] noch Bedenken gegenüber der Authentizität der Past[37, 38].

---

32 Vgl. Fraedrich, Baur, S. 67f.

33 Vgl. hierzu Neander, Entwickelung, S. 362.

34 „Auf seine (sc. des Jakobus) und des Petrus Auctorität vorzüglich beriefen sich die Pseudoapostel dieser Partei bei der Verbreitung ihrer Grundsätze, so wenig sich auch denken läßt, daß die Judenapostel selbst dieselben billigten und vorgebliche Emissäre dieser Art anerkennen konnten" (Baur, Christuspartei, S. 114; vgl. S. 83: „Petrus selbst hatte an dieser seinen Namen in Korinth führenden Partei keinen Antheil, wie schon daraus zu schließen ist, daß Petrus nicht selbst nach Korinth gekommen war, wohl aber müssen, wie aus allem hervorgeht, umherreisende Pseudoapostel, die sich auf den Namen des Petrus beriefen, auch nach Korinth gekommen sein").

35 Zutreffend hervorgehoben von Uhlhorn, Kirchengeschichte, S. 296.

36 Baur, Programma, erörtert noch nicht einmal die Möglichkeit, daß Apg 7 unzuverlässig berichte.

37 Vgl. Fraedrich, Baur, S. 75.

38 Vgl. zusammenfassend zum Problem Dilthey, Baur, S. 417: „Aber mitten im Fortgang dieser Entdeckungen, wie weit entfernt ist Baur noch, Konsequenzen zu ziehen, welche uns heute von seinen Sätzen unabtrennbar erscheinen! Wenn sich die judenchristliche Partei in Korinth auf die palästinensischen Apostel berief, so war ihm das damals noch ein falsches Vorgeben derselben. Der erste Petrusbrief gilt ihm als echt. Die Erzählung der Apostelgeschichte vom Magier Simon für geschichtlich. Ja, wie Zeller berichtet, welcher 1833 seine Vorlesungen über die Apostelgeschichte hörte, er zweifelte damals noch weder an der Authentie noch an der geschichtlichen Abzweckung dieser Schrift, deren völlig tendenziöser Charakter und deren Stellung inmitten eines sehr späten Stadiums dieser Kämpfe zwischen Paulinismus und Judenchristentum das sicherste Resultat seiner später voranschreitenden Kritik ist."

Die soeben aufgeführten Positionen wurden freilich bald verlassen. Baurs Buch über die Past (1835)[39], das er auch „als einen Beitrag zu der immer noch nicht (...) abzuschließenden Kritik des Kanons betrachten zu dürfen"[40] glaubte, unternahm es, einerseits negativ die Nichtauthentizität der Past aufzuzeigen[41], um sodann positiv ihren wahren historischen Ort im frühen Christentum zu ermitteln: Sie befänden sich in aktueller Frontstellung gegen Marcion (1Tim 6,20!) und seien der Versuch eines römischen Pauliners, sich durch Übernahme judaisierender Lehren[42] den alten römischen Judenchristen anzunähern, „sobald diese Partei sich dazu verstund, die Auctorität des Apostels anzuerkennen, und das, was er wirklich war, nicht mit dem, wozu ihn die Marcioniten machen wollten, zu verwechseln."[43]

Methodisch ähnlich wie bei seiner Arbeit über die Past verfuhr Baur in verschiedenen Beiträgen zur Apg. Er destruierte die Annahme, sie sei von einem Paulusbegleiter verfaßt (eine kirchliche Tradition, der die Forschung vor Baur unbeschränkt Glauben schenkte), um sodann ihren wahren Ort im frühen Christentum aufzuzeigen, der im übrigen dem der Past auffällig ähnelte.

Baur äußerte sich erstmalig ausführlich zur Apg in seiner großen Paulusmonographie aus dem Jahre 1845[44]. Er stellte einleitend fest:

> „Zwischen der Apostelgeschichte und den paulinischen Briefen, soweit sie sich ihrem geschichtlichen Inhalte nach mit der Apostelgeschichte vergleichen lassen, findet im Allgemeinen ein ähnliches Verhältniss statt, wie zwischen dem johanneischen Evangelium und den synoptischen. Die Vergleichung dieser beiden Quellen muss zu der Überzeugung führen, dass bei der grossen Differenz der beiderseitigen Darstellungen die geschichtliche Wahrheit nur entweder auf der einen oder der anderen Seite sein kann."[45]

---

39 Baur, Pastoralbriefe.

40 A.a.O., S. IIIf.

41 Baurs wichtigste Gründe: a) die Häretiker der Past seien Marcioniten (a.a.O., S. 8–39), wobei 1Tim 6,20 auf Marcions Hauptwerk anspiele (a.a.O., S. 26f), b) die kirchlich-hierarchische Tendenz weise in eine spätere Zeit, und zwar nach Rom (a.a.O., S. 78–89), c) verschiedene Züge wie das Lehrverbot für Frauen (1Tim 2,11) oder die Existenz des Witwenstands in der Gemeinde der Past (1 Tim 5,3ff.9.11.16) gehörten der nachpaulinischen Zeit an (a.a.O., S. 40–42. 48f).

42 Baur verweist besonders auf den Begriff ‚gute Werke' (a.a.O., S. 58 A*).

43 A.a.O., S. 58.

44 Baur, Paulus.

45 A.a.O., S. 5 (^{2}I, S. 7).

Da aber die Apg u.a. ein mit den Briefen nicht zu vereinbarendes Bild von Pauli Anzahl der Jerusalemreisen[46], vom Apostelkonvent[47] sowie Pauli Stellung zum Judentum[48] vermittle, könne eine Entscheidung in der obigen Frage nicht zweifelhaft sein: Leben und Theologie des Heidenapostels müßten auf der alleinigen Grundlage der Briefe rekonstruiert werden[48a].

Andererseits eröffneten die apologetischen Tendenzen der Apg die Möglichkeit, Entstehungszeit und -ort zu bestimmen: Die von Baur 1838[49] zuerst erkannte Tendenz der Apg, Paulus petrinisch und Petrus paulinisch darzustellen[50], zeige den Zweck des Werkes auf. Es sei eine in Rom von einem Pauliner verfaßte Schrift, die durch eine judaisierende Zeichnung des Paulus ihn gegenüber judenchristlichen Vorwürfen in Schutz nehmen wolle und gleichzeitig die Unterschiede zwischen Paulus und Petrus als unwesentlich hinstelle[51]. Damit habe die Apg ebenso wie die Past eine Annäherung an die judenchristliche Fraktion Roms vollzogen.

Von nun an wurde die an der Apg und den Past gewonnene Hypothese, daß frühchristliche Gruppen sich in der zweiten und dritten Generation einander annäherten, von großer Wichtigkeit für Baurs Theorie der Entstehung der katholischen Kirche am Ende des zweiten Jahrhunderts. Die katholische Kirche gehe nämlich auf die Synthese von Paulinismus und Ebionitismus (= Judenchristentum) zurück, und die von der Apg und den Past vollzogenen Annäherungen an die Gegenseite fänden ebendort Entsprechungen, wenn z.B. der Jak die Beschneidungsforderung nicht mehr vertritt[52].

Man liest sehr oft, Baurs Arbeiten zum frühen Christentum seien nichts anderes als eine mit Vorurteilen belastete Rekonstruktion auf der Basis der Philosophie Hegels[53]. Hier ist aber Differenzierung von-

---

46 A.a.O., S. 112–115 (²I, S. 129–132).
47 A.a.O., S. 115–144 (²I, S. 132–165).
48 A.a.O., S. 193–212 (²I, S. 220–242).
48a Zur Ausführung dieses Programms vgl. Band I.
49 Vgl. Baurs Hinweis a.a.O., S. 6 A* (²I, S. 8f A 2).
50 Vgl. dazu Schneckenburger, Zweck. Vgl. Baurs Besprechung dieser Arbeit in: Jahrbücher für wissenschaftliche Kritik 15. 1841, Sp. 369–375. 377–381. Über Schneckenburger, Zweck, vgl. Mattill, Luke, S. 20–46; ders., Purpose. Schneckenburger hielt gleichwohl an der Verfasserschaft des Paulusbegleiters Lukas fest, worin ihm Mattill gefolgt ist.
51 Baur, Paulus, S. 5f (²I, S. 8f).
52 Vgl. Baur, a.a.O., S. 689 (²II, S. 336f); s. noch Baur, Christenthum, S. 122f.
53 Vgl. dazu Pfleiderer, Theologie, S. 234: „Diese Sage gehört zu jenen fables convenues, welche die Unwissenheit weiterzutragen pflegt (. . .). In Wahrheit

nöten, zu der die meisten, die einen solchen Vorwurf erheben, leider nicht in der Lage oder willens sind. Die oben gegebene Skizze, wie Baur wirklich zu seinen Ergebnissen kam, mag genügen, um diese Vorwürfe zu widerlegen, die nur beweisen, daß Baurs exegetische Arbeiten einem Teil der heutigen Forschergeneration[54] unbekannt sind[55]. Man wird demgegenüber darauf hinweisen: Baur kam zu den meisten seiner Ergebnisse auf der Basis einer rein historischen Exegese, die dem alten supranaturalen Ansatz der Bibelexegese endgültig den Abschied gegeben hatte[56]. Nachdem Baur nach anfänglichem Zögern

---

ist Baurs Ansicht aus den mühsamsten und gründlichsten biblischen und patristischen Studien erwachsen, ein Ergebnis der exakten Detailforschung, das sich langsam, schrittweise, unwillkürlich dem gewissenhaften Forscher aufgedrängt hat und mit welchem die Hegelsche Philosophie nichts, schlechterdings gar nichts zu schaffen hatte." Vgl. noch ders., Entstehung, wo in Kap. I (bes. S. 11ff) Baurs wissenschaftsgeschichtliche Bedeutung aufgezeigt wird, und die bei Pfleiderer, Entwicklung, S. 277f, zitierten Worte C. Weizsäckers. – Eine hervorragende Einführung in die Arbeit Baurs gibt ferner Holtzmann, Baur. Zur hier verhandelten Frage vgl. noch Kümmel, Testament, S. 156ff; Bruce, History, S. 42; Morgan, Classics, S. 4; ders., Baur, S. 202f.

[54] Vgl. nur das Fehlurteil von Eckert, Verkündigung, S. 4 A 3, über Baur: „Seine neue Konzeption von der Geschichte des Urchristentums veröffentlichte Baur erstmals in seinem Aufsatz ‚Die Christuspartei ...'." Eckerts Satz zeigt, daß Baur selbst solchen Forschern unbekannt sein kann, die ihm von ihren eigenen Ergebnissen her gar nicht so fern stehen.

[55] Vgl. nur Longenecker, Christology, S. 5: „It was Ferdinand Christian Baur who, on a theory of antithetical relations between Petrine and Pauline Christianity, first clearly treated Jewish Christianity as an entity"; Hoennicke, Judenchristentum, S. 2; Ellis, Prophecy, S. 87. Dieser Vorwurf gegen Baur hat seinen Ursprung in der Generation Baurs selbst. Er verteidigt sich hiergegen in Baur, Lehrbuch, S. VI: Ein Kritiker behauptet, daß „ich nur nach den vorgefassten Ansichten eines speculativen Systems, nur nach einem voraus fertigen Schematismus, welchem alles Einzelne sich fügen müsse, die Geschichte construire"; Baurs Antwort: „Nur der roheste Empirismus kann meinen, dass man den Dingen sich schlechthin hingeben, die Objecte der geschichtlichen Betrachtung nur gerade so nehmen könne, wie sie vor uns liegen" (a.a.O., S. VII). Vgl. auch das Vorwort zu Baur, Christenthum (1. Auflage), S. IVf: „Mein Standpunkt ist mit Einem Worte der rein geschichtliche, auf welchem es einzig darum zu thun ist, das geschichtlich Gegebene, so weit es überhaupt möglich ist, in seiner reinen Objectivität aufzufassen." Zum Wahrheitsgehalt der hier referierten Vorwürfe vgl. das oben im Text Gesagte. – Zur Frage der Abhängigkeit Baurs von der Philosophie Hegels vgl. P.C. Hodgson, The Formation of Historical Theology, New York 1966, S. 1–8 (zu diesem Buch vgl. K. Penzel, in: JR 48.1968, S. 310–323). – Die Wellhausen-Kritik arbeitete übrigens mit denselben Mitteln und verschrie Wellhausen als Hegelianer; vgl. hierzu L. Perlitt, Vatke und Wellhausen, BZAW 94, Berlin 1965, bes. S. 153–243.

[56] Eine wichtige Frage in dieser Hinsicht war die nach dem Wunder. Baur schloß es, da es Naturgesetze aufhebe, als Kategorie für seine historische Arbeit von

ohne Seitenblick auf die Apg fundamentale Unterschiede zwischen den älteren Aposteln und Paulus festgestellt hatte, sah er sich unter Abänderung seines früheren Urteils über die Gegner des Paulus als Pseudoapostel und über den Verfasser der PsKl als eines Außenseiters gezwungen, ihren Antipaulinismus als allgemeines Kennzeichen des Judenchristentums anzusehen. Es war dann nur folgerichtig, die Gegner des Paulus und die Ebioniten des zweiten Jahrhunderts immer näher an die Urapostel heranzurücken. Auf der anderen Seite sieht der genannte Vorwurf darin etwas Richtiges, daß Baur in seinem Bestreben, die Entstehung der kath. Kirche am Ende des 2. Jahrhunderts zu erklären, die frühchristlichen Texte zu einseitig dem Paulinismus *oder* dem Judenchristentum zuwies. Hier wirkte sich das Hegelsche Schema hemmend dabei aus, die Vielfältigkeit des frühen Christentums und seiner Texte zu erkennen (s. dazu weiter unten).

Es muß jedoch zum Schluß nochmals festgehalten werden, daß die meisten der oben referierten Einzelanalysen Baurs mit einer vorgefaßten Theorie nichts zu tun haben und sich, wie wir unten zeigen werden, gegenüber der nachfolgenden Kritik durchweg als überlegen erweisen sollten.

---

vornherein aus. Vgl. dazu Lipsius, Baur, S. 237ff. Man kann daher sagen, daß Baur das Analogieprinzip gebrauchte, das E. Troeltsch später theoretisch fundierte (vgl. ders., Über die historische und dogmatische Methode in der Theologie, in: ders., Gesammelte Schriften II: Zur religiösen Lage, Religionsphilosophie und Ethik, Tübingen[2] 1922, S. 729–753).

Die Bemerkungen von Zeller, Schule, verdienen hier aufgeführt zu werden: „Die Pflicht dieser geschichtlichen Gerechtigkeit nach beiden Seiten hin gegen das Christenthum und die christliche Kirche zu üben, von ihrer Entstehung und ihrer Entwicklung ein möglichst treues, dem wirklichen Thatbestand entsprechendes mit dem geschichtlich Möglichen und Wahrscheinlichen übereinstimmendes Bild zu gewinnen, dieß ist die Aufgabe, welche die ‚Tübinger Schule‘ sich gesetzt hat. (...) ihr letztes Ziel (sc. ist) das rein positive der geschichtlichen Erkenntniß (...), und wie weit auch über ihre einzelnen Ergebnisse die Ansichten auseinandergehen mögen, die Anerkennung wird man ihr nicht versagen dürfen, dass ihre leitenden Grundsätze nur dieselben sind, welche außerhalb der Theologie die ganze deutsche Geschichtschreibung seit Niebuhr und Ranke beherrschen" (S. 172). Dagegen attestiert Lightfoot, Essays, S. 25, Baur und Niebuhr „scepticism", ohne zu erkennen, daß die Kritik der Tradition (methodische Skepsis) unabdingbare Voraussetzung der historischen Kritik ist: vgl. hierzu Fueter, Geschichte, S. 461ff (zur philologisch-historischen Methode). Zum Verhältnis Baurs zu Niebuhr vgl. Scholder, Baur, S. 437ff; Geiger, Spekulation, S. 175.

1.2. Albert Schwegler

Ein enger Schüler Baurs, Albert Schwegler[57], veröffentlichte im Jahre 1847 die erste Geschichte des frühen Christentums aus Tübinger Perspektive[58]. Er stützte sich auf die exegetischen Resultate Baurs, verteidigte dessen Positionen gegen inzwischen geäußerte Kritik und versuchte, neue Gründe für Baurs These eines Gegensatzes zwischen Paulus und den Uraposteln beizubringen. Schwegler bemühte sich darüber hinaus, eine Theorie der Entstehung der katholischen Kirche vorzulegen, die von der Baurschen abwich und sich durch eine größere Vollständigkeit bei der Benutzung der Quellen auszeichnete. (Baur war mit der Entstehung der katholischen Kirche bis zu jenem Zeitpunkt noch nicht thematisch befaßt gewesen, obgleich für ihn das Ergebnis in den Grundzügen feststand.) Doch sollte gerade Schweglers ehrgeizige Ausführung jenes Plans zum Ansatzpunkt der späteren Kritik werden.

Schwegler anerkannte wie Baur nur eine Klasse von Ebioniten[59] und bestritt geschickt Schliemanns Ansicht, der Ebionitismus habe im Jahre 136 nChr begonnen, als die Judenchristen zu wählen hatten, ob sie sich der heidenchristlichen Kirche Aelias anschließen oder sie tolerieren oder sich zurückziehen sollten, um damit (häretische) Ebioniten zu werden[60]. Da auch Schliemann die Meinung vertrat, daß eine genetische Beziehung zwischen Judenchristen vor und nach 136 nChr bestehe, könne die einzige Frage nur sein: Von welcher Zeit an wurden die Judenchristen (= Ebioniten) als Häretiker angesehen? und nicht: Wann begann der Ebionitismus?[61] Sodann rekonstruierte Schwegler wie Baur eine Entwicklungslinie des Ebionitismus und unterschied drei Phasen:

1. die Nazaräer als Repräsentanten des vorpaulinischen Judenchristentums,

---

[57] Zu A. Schwegler, der der heutigen Forschung fast unbekannt ist, vgl. Zeller, Schwegler, und Baurs Brief an Hilgenfeld vom 17.1.1857, abgedruckt in: Pölcher, Hilgenfeld, Teil IV, S. 180f. Vgl. noch Harris, Tübingen, S. 78–88, und jetzt E. Bammel, Albert Schwegler über Jesus und das Urchristentum, in: ZKG 91.1980, S. 1–10. Eine Erinnerung an Schwegler findet sich bei Krüger, Dogma, S. 27: „Schwegler gehört zu den wenigen deutschen theologischen Historikern, die nicht unter der Herrschaft bestimmter, theologischer oder philosophischer, Kategorieen stehen"; vgl. auch noch Holtzmann, Baur, S. 183ff, und neuerdings Bartsch, Frühkatholizismus, S. 138–144.503–506.

[58] Schwegler, Zeitalter.

[59] Schwegler, Zeitalter I, S. 179ff.

[60] Schliemann, Clementinen, S. 459ff.

[61] Schwegler, Zeitalter I, S. 196.

2. die essenischen Judenchristen (= Gegner des Paulus in seinen Gemeinden),

3. die Judenchristen der pskl Homilien.

Aus dem, was Schwegler über die verschiedenen Phasen des Ebionitismus ausführt, geht freilich hervor, daß er eher an eine logische denn chronologische Sequenz denkt. Laut Schwegler wurden essenische Lehren bereits den ersten Christen in Galiläa[62] vermittelt, und er kann zusammenfassend wie folgt formulieren:

„wo wir im apostolischen und nachapostolischen Zeitalter auf Judenchristentum stoßen, von den ältesten Zeiten an, in allen Theilen der christlichen Welt, in Jerusalem, in Korinth, in Rom – – finden wir es immer in stärkerer oder schwächerer Mischung mit solchen Elementen gesättigt, die man neuerdings gewöhnlich unter dem Namen des gnostischen Ebionitismus zusammenzufassen pflegt.“[63]

Das Hebräerevangelium sei das älteste Evangelium[64] und der Mittelpunkt der judenchristlichen Evangelienliteratur, die sich in den kanonischen Evangelien niedergeschlagen habe. Die Benutzung des Hebräerevangeliums könne in den Fragmenten des Papias und Hegesipps sowie in den PsKl und in den ignatianischen Briefen nachgewiesen werden[65]. Die Apomnemoneumata Justins hätten es sogar vollständig aufbewahrt[66].

Anders als Baur faßte Schwegler die Entstehung der katholischen Kirche auf. Die Kirche der ersten beiden Jahrhunderte könne mit dem Ebionitismus gleichgesetzt werden: Wichtige ebionitische Texte für die Geschichte der römischen Kirche seien Herm sowie die Schriften Justins und Hegesipps. Zeugnis für den Ebionitismus der kleinasiatischen Kirche im sog. johanneischen Zeitalter[67] legten ab: die galatischen Gegner des Paulus, die Apk, die Papiasfragmente, die Gegner in Kol/Eph und in Hebr sowie schließlich das montanistische Schrifttum[68].

---

62 Schwegler, Zeitalter I, S. 23f.
63 Schwegler, Zeitalter I, S. 187.
64 Schwegler, Zeitalter I, S. 197ff.
65 Schwegler, Zeitalter I, nennt weitere Zeugen: Euseb (S. 203), Kerinth und Karpokrates (S. 204), Jak und 2Petr (S. 209).
66 Schwegler, Zeitalter I, S. 216ff.
67 „Mit der Uebersiedlung des Apostels Johannes nach Ephesus beginnt das johanneische Zeitalter der kleinasiatischen Kirche, d.h. die Herrschaft jenes jüdischen, apokalyptischen Christenthums, als deren Träger die johanneische Apokalypse gelten kann“ (Schwegler, Zeitalter I, S. 257).
68 „Am schärfsten und schroffsten hat sich der Typus des johanneischen Zeitalters im Montanismus angezeigt“ (Schwegler, Zeitalter I, S. 259).

Der Einfluß der paulinischen Partei, deren Geschichte in Rom ebenfalls in einer Entwicklungsreihe beschrieben wird[69], auf die ebionitische Partei sei unbedeutend gewesen. Das katholische Christentum Roms und Kleinasiens gehe hauptsächlich[70] auf eine Entwicklung innerhalb des Ebionitismus zurück[71] und nicht, wie Baur angenommen hatte, auf eine Synthese von Paulinismus und Ebionitismus.

Bei der kritischen Besprechung der Schweglerschen Thesen müssen zwei Fragen auseinandergehalten werden:

1. Wie sind Schweglers Textanalysen zu beurteilen?

2. Trifft seine Auffassung von der Entstehung der katholischen Kirche zu?

Die letzte Frage wurde sogar von solchen Forschern verneint, die zur Tübinger Schule gehörten[72]: L. Georgii[73], K. Planck[74] und K. R. Köstlin[75] hoben zwei schwache Punkte der Position Schweglers heraus: a) habe er einen zu weiten Begriff von Ebionitismus (bes. im 2. Jahrhundert) und b) unterschätze er den Einfluß, den Paulus und seine Schüler im 2. Jahrhundert gehabt hätten.

Andererseits stimmten die soeben genannten Forscher Schweglers in Anschluß an Baur geäußerten Thesen zu, daß ein Gegensatz zwi-

---

69 Schwegler, Zeitalter II, S. 1–244. Für die Geschichte der kleinasiatischen Kirche bietet Schwegler keine Entwicklungsreihe. Freilich erkennt er folgenden Schriften Kleinasiens einen paulinischen Charakter zu: Kol, Eph, Hebr, Joh (a.a.O. II, S. 270ff).

70 Die Entwicklungen in Kleinasien und Rom seien analog verlaufen. Sie stellen jeweils „das stufenweise Werden des Ebionitismus zum Katholizismus dar. Wie die römische Kirche beginnt sie (sc. die kleinasiatische Kirche) mit dem schroffsten Antagonismus des jüdischen d.h. ebionitischen und des christlichen d.h. paulinischen Prinzips: dem Römerbrief tritt in dieser Hinsicht der Galaterbrief gegenüber; ebenso endigt sie mit der Erringung des Standpunkts der Katholicität: die ignatianischen Briefe haben zum Gegenbild das johanneische Evangelium" (a.a.O. II, S. 245f).

71 Schwegler, Zeitalter I, S. 33: „Eben das nachapostolische Zeitalter wird (...) nachgewiesen werden als eine Reihe von Entwicklungsstufen, die der Ebionitismus unter sollicitirender Einwirkung des Paulinismus durchlief, um Katholizismus zu werden."

72 Vgl. zum folgenden noch Pfleiderer, Entwicklung, S. 281–283.

73 Georgii, Charakter. Dieser Aufsatz wurde vor dem Erscheinen von Schwegler, Zeitalter, veröffentlicht und richtet sich gegen Schwegler, Montanismus. Da Schwegler, Zeitalter, nur wiederholt, was Georgii kritisiert, erscheint es als gerechtfertigt, Georgiis Kritik im obigen Zusammenhang zu besprechen. Zur Kritik Georgiis vgl. Schwegler, Zeitalter I, S. 20ff, und ders., Charakter.

74 Planck, Judenthum; ders., Princip.

75 Köstlin, Geschichte.

schen Paulus und den Uraposteln vorliege und daß die ebionitische Partei auch im zweiten Jahrhundert einen starken Einfluß besessen habe: so seien der Verfasser von Jak und Hegesipp antipaulinisch und ständen in genetischer Beziehung zu Pauli Gegnern und den Säulenaposteln. Die pskl Homilien seien ein wichtiger Beleg für zwei grundsätzlich verschiedene Parteien an der Wurzel des Christentums.

Freilich: Waren sich die Tübinger nicht darüber einig, welcher Entwicklungsreihe gewisse Texte aus dem zweiten Jahrhundert zuzuweisen seien, so mußte über kurz oder lang die Frage aufkommen, ob die Kategorien ‚Paulinismus' und ‚Ebionitismus' überhaupt zur historischen Erfassung des Christentums der ersten beiden Jahrhunderte taugten und ob nicht neue Kategorien erforderlich seien. Bevor wir diese ebenfalls im Tübinger Lager aufgeworfenen Fragen weiterverfolgen, ist zu beschreiben, wie die Reaktion die von Baur und seiner Schule vorgelegten Einzelanalysen beurteilte.

1.3. Die Reaktion auf den Tübinger Ansatz

Scharfe Kritik erhielt der Tübinger Ansatz im allgemeinen und die Exegese der Quellen im besonderen. Wir besprechen im folgenden *nicht* jene Kritiker, die nur den harmonischen Charakter des apostolischen Zeitalters gegen die Tübinger Kritik behaupteten[76], sondern wenden uns der Reaktion soweit zu, als sie eine andere Einzelexegese vertrat[77]. War es möglich, Baurs kritisches Ergebnis durch eine gründlichere Analyse der betreffenden Texte zu widerlegen?

---

76 Ein Beispiel mag genügen: Nach der Meinung von Lange, Geschichte, verwechsle Baur andauernd das zweite mit dem ersten Jahrhundert (S. 57) und kehre so die Reihenfolge 1. gesunde Lehre, 2. Ketzerei um (S. 58). Die Tübinger Kritik sei ein negatives Verhalten gegenüber dem wunderhaften Charakter des frühen Christentums (ähnlich Beckh, Schule). Wer immer heute – wenn auch nicht so offen – gegen Baur ähnliche Vorwürfe äußert, sollte wissen, in welcher Gesellschaft er ist.

77 Im folgenden werden auch J.B. Lightfoots Beiträge besprochen, obgleich Lightfoot das Ritschlsche Werk bereits voraussetzt (vgl. Lightfoot, Paul, S. 295 A 1). Das geschieht auch deswegen, weil im angelsächsischen Bereich Lightfoot als *der* Kritiker Baurs verstanden wird (und auch ist). Lightfoots Arbeiten werden nicht zusammen mit denen Ritschls erörtert, weil er anders als Ritschl nicht am Thema ‚*Entstehung* der katholischen Kirche' interessiert ist. Wir besprechen Lightfoot nicht *nach* Ritschl (wie wir es etwa mit Hort tun), weil er unabhängig von Ritschl gearbeitet hat.

Baurs Kritiker[78] zeichneten ein Bild des apostolischen Zeitalters, das sich nicht mit den Baurschen Resultaten vereinbaren ließ: So sei eine wirkliche Übereinkunft auf der Jerusalemer Konferenz erzielt worden, und der Bericht hierüber, Apg 15, stehe in keinem Widerspruch zu Gal 2[79]. Es ist nur klar, daß – auf der Basis einer solchen Quellenbenutzung – die Gegner des Paulus nicht berechtigt waren, sich auf die Jerusalemer Apostel und auf das Abkommen zu berufen[80]. Der Zwischenfall von Antiochien habe den apostolischen Frieden nur für kurze Zeit unterbrochen. Die Apg sei ein glaubwürdiger Zeuge der Geschichte der ältesten Gemeinde und befinde sich niemals in Widerspruch mit den paulinischen Briefen. Die Past stammten vom historischen Paulus[81]. Jak sei ein Brief des Herrenbruders und nicht gegen Paulus oder seine Theologie gerichtet[82]: Jak 2,14ff greife entweder eine vorpaulinische jüdische Ansicht an[83] oder einen Mißbrauch der paulinischen Theologie[84]. Hegesipp sei kein Ebionit und das durch den Monophysiten Stephanus Gobarus überlieferte Fragment aus dem 5. Buch der Hypomnemata[85] nicht als Beleg für He-

78 Schliemann, Clementinen; Lechler, Zeitalter: Die erste Auflage dieses Buches aus dem Jahre 1851 war eine von der Teylerschen theologischen Gesellschaft gekrönte Preisschrift. Die Preisaufgabe, deren Text bei Lechler, Zeitalter, S. IIIf, abgedruckt ist, verlangte eine Widerlegung der kritischen Ergebnisse Baurs. Sie beginnt mit einem Satz, der keines Kommentars bedarf: „Es ist bekannt, dass die sogenannte Tübinger Schule ihre Befeindung des Christenthums namentlich dadurch zu begründen sucht, dass sie eine absolute Differenz zwischen der Lehre und Richtung des Apostels Paulus und der übrigen Apostel annimmt" (ebd.); Schaff, History (zu Schaff vgl. Penzel, Church History); Lightfoot, Gal; ders., Essays.

79 Lightfoot, Gal, S. 124–126; Lechler, Zeitalter, S. 243ff (1. Aufl.).

80 Lightfoot, Gal, bespricht interessanterweise die Frage, ob Pauli Gegner u.a. persönliche Jünger Jesu gewesen sein mögen. Doch gelingt es ihm, diese gefährliche Möglichkeit theologisch unschädlich zu machen: „There are some faint indications that such was the case; and, remembering that there was a Judas among the Twelve, we cannot set aside this supposition as impossible" (S. 372).

81 Lechler, Zeitalter, enthält keine explizite Quellenkritik und setzt stillschweigend die Past als echt voraus.

82 Schliemann, Clementinen, S. 380; Lechler, Zeitalter, S. 139ff (1. Aufl.); Schaff, History, S. 744; Lightfoot, S. 369ff.

83 Vgl. Lightfoot, Gal, S. 164 (vgl. S. 370); Schaff, History I, S. 744: „Its doctrine of justification is no protest against that of Paul, but prior to it, and presents the subject from a less developed, yet eminently practical aspect, and against the error of a barren monotheism rather than Pharisaical legalism, which Paul had in view".

84 Lechler, Zeitalter, S. 141 (1. Auflage), als Möglichkeit neben der anderen, daß Jak wirklich einen paulinischen Lehrsatz bestreitet. Lechler fährt fort: „Es ist aber auch auf der andern Seite nicht zu rechtfertigen, wenn man den Gegensatz verschärft und zu einer Kluft erweitert (. . .)" (ebd.).

85 Zum Text s.u. S. 212–217.

gesipps antipaulinische Haltung zu benutzen. Denn der Spruch, den Hegesipp in jenem Fragment angreift, sei bereits in 1Kor 2,9 ein Zitat und werde vorzugsweise von Gnostikern benutzt[86]. Da Hegesipp schrieb, er habe eine gesunde Lehre in Rom und in Korinth angetroffen, wo die paulinischen Briefe um 165 nChr in Ansehen standen, sei Hegesipp sowieso nicht als Antipaulinist einzustufen[87].

Wie ordneten nun die Kritiker Baurs die PsKl ein?

Die PsKl hätten für das älteste Christentum nicht die Bedeutung, welche ihnen die Tübinger Schule zuschrieb. Obwohl sie ins zweite Jahrhundert gehörten, seien sie doch das Werk eines Außenseiters[88] und ihre antipaulinischen Partien wie z.B. Hom XVII 19 nur sporadisch[89]. Ihr Anspruch auf die apostolische Autorität Petri[90] und des Jakobus sei im übrigen unberechtigt[91]. Ihre Anschauungen ähnelten denen der Elkesaiten, deren Ursprung im zweiten Jahrhundert liege. Die Judenchristen der PsKl repräsentierten daher nur die Ansichten einer bestimmten Gruppe, die von anderen judenchristlichen Parteien zu unterscheiden sei. In der Nachfolge Gieselers und Credners[92] pflegten die Kritiker gewöhnlich die Existenz von mindestens zwei verschiedenen judenchristlichen Fraktionen hervorzuheben[93]:

1. die antipaulinischen, gnostischen Ebioniten, deren häretische Lehren in den pskl Homilien und bei Epiphanius, haer 30, aufbewahrt seien,

2. die Nazaräer, die in Frieden mit der Heidenkirche lebten, die den Apostel Paulus anerkannten und deren Ursprung in der Jerusalemer Urgemeinde liege.

Ein Überblick über die Reaktion auf die Arbeiten Baurs und seiner Schüler sollte folgendes festhalten:

a) Die Tübinger Schule vermittelte für die Erforschung des frühen Christentums viele Anregungen. Als Antwort[94] auf Baurs und seiner

---

86 Vgl. u. S. 214 A 13.

87 Vgl. Lightfoot, Gal, S. 334 A 1; Schliemann, Clementinen, S. 428ff; Lechler, Zeitalter (1. Aufl.), S. 295.

88 Lange, Geschichte, S. 39ff; Lechler, Zeitalter (1. Aufl.), S. 288f A 1. 293; Lightfoot, Gal, S. 341f.

89 Schaff, History II, S. 436

90 Lightfoot, Gal, S. 352f.

91 Vgl. Lightfoot, Gal, S. 370f, zur ebionitischen Darstellung des Jakobus.

92 Zu beiden Forschern vgl. oben S. 17f.

93 Vgl. Schliemann, Clementinen, S. 29ff.493ff; Lightfoot, Gal, S. 318ff; Lechler, Zeitalter (1. Aufl.), S. 285ff, wendet sich gegen Schliemanns Unterscheidung von Ebioniten und Nazaräern.

94 „In the past century the English were in the habit of deriving the subject of their research from themes of German historiography, producing those solutions

Schüler Thesen[95] wurden zahlreiche Bücher und Aufsätze geschrieben, wobei die Kritiker direkt oder indirekt dem Ansatz Baurs verpflichtet waren.

b) Diese Arbeiten führten zu einer erneuten Beschäftigung mit fast jedem christlichen Dokument aus der Zeit vor 180 nChr, und zwar sowohl in literarkritischer Hinsicht als auch unter der Fragestellung, ob es dem paulinischen oder ebionitischen Strom im frühen Christentum zuzuweisen sei.

c) In vielen Fällen kehrten die Kritiker der Tübinger zu Positionen zurück, die erst Baurs Kritik hervorgerufen hatten, zur Vorstellung einer Harmonie im apostolischen Zeitalter (o.ä.) oder zur Annahme der Echtheit aller kanonischen Schriften.

Die einzigen Arbeiten, die aus der soeben vorgestellten Forschungsepoche m.E. andauernden Wert besitzen, sind die Lightfoots, welche – obwohl beeinträchtigt durch einen dogmatischen Ansatz[96] –

based on ‚judicial' examination of documents and on simple common sense that the Germans have always found difficult to reach" (Momigliano, Studies, S. 229). Dieses allgemeine Urteil scheint auch für den Bereich der Kirchengeschichtsschreibung über die hier und im folgenden gegebenen Beispiele hinaus gültig zu sein.

95 Leider wird zu häufig vergessen, daß unabhängig von der Frage, ob Baurs historische Thesen zutreffen, der kritische Impuls, den Baur der Forschung vermittelte, von höchster Bedeutung war. Ellis, Prophecy, S. 80–115, behandelt diesen Aspekt nicht und weist Baur – gestützt auf die Autorität J.B. Lightfoots – „Fehler" nach. Es klingt fast wie eine Erleichterung, wenn Ellis über die englische Forschung bemerkt: Lightfoots Werk „largely accounts for the failure of Baur's Tübingen School ever to gain a sizable following among English speaking scholars, as E. Haenchen (...) has rightly noted. It remains instructive today, especially for a generation that ‚knew not Joseph' and is attracted to the view of a more recent Bauer on *Orthodoxy and Heresy in earliest Christianity*" (Ellis, a.a.O., S. 89f A 28). Ein Kommentar erübrigt sich.

96 Der dogmatische Ansatz besteht in folgendem: 1. Lightfoot hatte ein großes Vertrauen zu den Verfasserangaben neutestamentlicher Schriften und zu der historischen Zuverlässigkeit der Apg. Hieraus wird deutlich, daß – anders als beim gereiften Baur (s.o. S. 22f) – dem Kanon eine höhere Dignität als anderen Quellen zugeschrieben wird. 2. Lightfoot war nicht willens, auf die supranaturale Kategorie ‚Wunder' für die Beschreibung des Christentums zu verzichten. In dieser Hinsicht hatte er dem bemerkenswerten Teil I von Cassels, Religion I, S. 1–124, nichts entgegenzusetzen, sosehr er sich auch dem (seinerzeit) anonymen Verfasser an Kenntnis der Texte überlegen zeigte: vgl. Lightfoot, Essays, passim, und die m.E. zutreffende Beurteilung der Kontroverse Lightfoot – Cassels durch Conybeare, History, S. 154–157, bes. S. 157: „in critical outlook Lightfoot held no superiority, though he was a better scholar and, within the narrow circle of his premises, a more careful and accurate worker." Vgl. ferner Pfleiderer, Entwicklung, S. 484–487, der Lightfoots Entgegnungen auf Cassels „ausserordentlich schwach" (a.a.O., S. 486) nennt. Unangemessen über die obige Kontroverse urteilen m.E. Ropes, Age, S. 313; Chadwick, Church, S. 71, und Gasque, History, S. 114–117.

reichhaltiges Material zusammenstellen, das für jeden Erforscher des Judenchristentums unentbehrlich[97] ist[98].

Eine echte Infragestellung der Baurschen Analysen konnte jedoch nur von solchen Arbeiten ausgehen, die

a) dem supranaturalen Ansatz den Abschied gegeben hatten,

b) Baurs Theorie auf der Basis von Einzelexegesen bestreiten konnten,

c) neue geeignete Kategorien zu entwickeln verstanden, welche die Entstehung (oder auch Nicht-Entstehung) der katholischen Kirche aus dem Urchristentum besser verständlich machten als die Baurschen.

Diese schwierige Aufgabe wurde durchgeführt von einem der engsten Schüler Baurs, Albrecht Ritschl.

1.4. Albrecht Ritschl und seine Nachfolger

In der zweiten Auflage seines Werkes „Die Entstehung der altkatholischen Kirche“[99] widmet Ritschl dem „jüdische(n) Christenthum“[100] ausführlich seine Aufmerksamkeit. Nach einer Kritik daran, daß Baurs Behandlung des Judenchristentums auf einer Kombination der in den

---

97 Vgl. besonders Lightfoot, Dissertations. Von großem Wert sind ferner Lightfoots Arbeiten zu den Apostolischen Vätern: vgl. dazu Neill, Interpretation, S. 40ff; Kümmel, Testament, S. 544 A 223.

98 Es sei vermerkt, daß leider auch Lightfoot zumindest teilweise von jenem Urteil besessen war, das später von Sir W. Ramsay und heutzutage von W.W. Gasque verbreitet wird, nämlich die deutsche Forschung sei skeptisch und spekulativ. Vgl. Lightfoot, Essays, S. 24: „It would be difficult, I think, to find among English scholars any parallel to the mass of absurdities, which several intelligent and very learned German critics have conspired to heap upon two simple names in the Philippian Epistle, Euodia and Syntyche“.

99 Die Unterschiede zwischen erster und zweiter Auflage beschreibt O. Ritschl, Leben, S. 151–166.284–294. Im Vorwort zur zweiten Auflage schreibt Ritschl, daß er in der ersten einige Resultate der Tübinger Schule habe kritisieren können. Er fährt fort: „aber ich hatte noch nicht diejenige Stellung des Gegensatzes gegen dieselbe erreicht, welche den Widerspruch zu einem principiellen und durchgreifenden gemacht hätte“ (a.a.O., S. V). Im folgenden halten wir uns ausschließlich an die zweite Auflage. Zu diesem Buch vgl. noch Bartsch, Frühkatholizismus, S. 144–155.506–511.

100 Wir sollten gleich zu Anfang herausheben, daß für Ritschl „jüdisches (=judaistisches) Christentum“ nicht identisch ist mit „judenchristlichem Christentum“. Gruppen, die wie Ritschls Nazaräer tolerant gegenüber den Heidenchristen waren, gehören dem jüdischen, nicht dem judenchristlichen Christentum der Ebioniten an.

pskl Homilien und bei Epiphanius, haer, aufbewahrten Traditionen mit den Lehren der Gegner Pauli und der Jerusalemer Apostel beruhe[101], schreitet Ritschl zur Definition dessen fort, was unter Judenchristentum zu verstehen sei: Dies sei gut beschrieben in Barn 4,6, wo der Verf. seine Leser vor Leuten warnt, die sagen: „Der Bund gehört ihnen (sc. den Juden) und uns". Daher gelte der folgende Satz als judenchristlich: „Das Gesetz, welches Gott durch Moses gegeben hat, ist auch das Wesen des Christenthumes"[102], d.h., das Christentum ist identisch mit dem Judentum[103]. Eine solche Definition von Judenchristentum passe auf die Theologie der Gegner des Paulus.

Freilich sei ein so gewonnenes Verständnis der Vokabel „judenchristlich" von dem Begriff „judaistisch" zu unterscheiden, der nur einen jüdischen Einfluß, nicht aber eine Identität von Judentum und Christentum ausdrücke[104].

Danach behandelt Ritschl Jak, 1Petr und Apk als authentische Schriften der drei „Säulen", mit denen Paulus auf der Jerusalemer Konferenz zusammengetroffen ist[105]. Es könnten weder jene drei Dokumente noch die Haltung ihrer drei Verfasser, wie sie in Gal 2 deutlich wird, als judenchristlich angesehen werden. Pauli Gegner in Galatien hätten sich nämlich zu Unrecht auf sie als solche berufen, die ihre Ansprüche unterstützten[106]. Obwohl die Säulen keine Heidenmission unternahmen, hätten sie trotzdem (nach Gal 2/Apg 15) die Freiheit der Heiden vom Gesetz anerkannt. Die einzige Differenz zwischen Jakobus und Paulus habe darin bestanden, daß Paulus die Aufteilung der Missionen (Gal 2,7ff) geographisch, Jakobus dagegen ethnographisch verstanden hätte[107]. Daher sei nach paulinischem Verständnis das Aposteldekret nur in Palästina gültig, wo Heidenchristen sowieso in

101 Ritschl, Entstehung, S. 104.

102 Ritschl, Entstehung, S. 106 (bei R. gesperrt gedruckt).

103 Ritschl, Entstehung, S. 107.

104 Viele judaistische Elemente fänden sich auch bei Paulus (Ritschl, Entstehung, S. 107).

105 Auch später bleibt Ritschl dabei, 1Petr und Jak „als Dokumente der vor Paulus bestehenden Auffassung des Christenthums" zu verwerten (ders., Lehre II, S. 317).

106 Ritschl, Entstehung, S. 147: „Wenn nun die Judenchristen in Galatien und wahrscheinlich auch anderwärts ihre Pläne gegen die Freiheit der Heidenchristen vorgeblich unter der Auktorität der Urapostel verfolgten, so haben sie deren Namen mißbraucht, sei es aus bewußter Absicht, sei es im Mißverständnis der jüdischen Praxis, welche beide Theile verband."

107 Ritschl, Entstehung, S. 151.

der Minderheit gewesen seien[108], nicht außerhalb dieses Gebiets. Nur wegen jenem unterschiedlichen Verständnis der Aufteilung der Evangeliumspredigt habe der antiochenische Konflikt entstehen können, der jedoch nur eine Episode gewesen sei.

Das eigentliche Judenchristentum habe keinerlei apostolische Autorität und gebe keinen Anlaß, an eine Spaltung zwischen dem Apostel der Heiden, Paulus, und den persönlichen Jüngern Jesu an der Wurzel des Christentums zu denken[109], denn die letzteren hätten Paulus immer anerkannt. Ihr judaistisches Christentum werde in nachapostolischer Zeit repräsentiert durch die Nazaräer, die – zuerst beschrieben von Hieronymus (!) – Paulus ebenfalls anerkannten und von den pharisäischen Judenchristen zu unterscheiden seien[110]. Die letzteren hätten sich nicht mit der Zerstörung Jerusalems abfinden können und darum auf eine Erneuerung des Tempelkults gehofft[111]. Die Haltung der Nazaräer sei aufbewahrt in Hebr, der an die Jerusalemer Gemeinde[112] gerichtet und eindeutig durch die Ansicht[113] bestimmt sei, Opfer und christliches Bekenntnis könnten nicht miteinander versöhnt werden[114]. Die Testamente der zwölf Patriarchen[115] seien ein Dokument der Nazaräer-Partei[116], die zumindest bis ins vierte Jahrhundert der ursprünglichen Lehre der Säulenapostel treu geblieben sei.

Einen weiteren Typ von Judenchristentum (neben dem pharisäischen Typ) repräsentiere jene Essenergruppe, die nach dem Jüdischen Krieg den Glauben an Jesus angenommen habe. Ihre christianisierten An-

---

108 Ritschl, Entstehung, S. 143.
109 Ritschl, Entstehung, S. 152.
110 Ritschl, Entstehung, S. 152f.
111 Ritschl, Entstehung, S. 171.
112 Ritschl, Entstehung, S. 159–171 zum Hebr.
113 Ritschl, Entstehung, vermag sogar den unmittelbaren Grund für die Abfassung des Hebr anzugeben: Pharisäische Christen begannen, die christliche (nazaräische) Gemeinde zu verlassen (S. 159.170).
114 Der Verfasser des Hebr „hat es vermocht, die christliche Ansicht der Urapostel so zu entwickeln, daß die Überflüssigkeit des Opferdienstes und die Unverträglichkeit desselben mit dem christlichen Bekenntnis in das Licht trat" (Ritschl, Entstehung, S. 169). Insofern stellt Hebr „eine spätere Entwickelungsstufe der christlichen Ansicht der Apostel dar" (ebd., bei R. gesperrt gedruckt). Diese Weiterentwicklung der urapostolischen Ansicht sei z.T. durch den Abfall von pharisäischen Christen veranlaßt worden (s. vorige Anmerkung). Zur Kritik vgl. Hilgenfeld, Einleitung, S. 359.379ff; Holtzmann, in: JPTh 2.1876, S. 258ff.
115 Slingerland, Testaments, S. 8–18, bietet eine Forschungsgeschichte zu Test XII im 19. Jahrhundert; zu Ritschl vgl. Slingerland, a.a.O., S. 9ff.
116 Ritschl, Entstehung, S. 171ff. TestBenj 11 beziehe sich positiv auf Paulus (a.a.O., S. 177).

schauungen seien in Epiphanius, haer 30, und den PsKl aufbewahrt und hätten auffällige Ähnlichkeiten mit essenischen Lehren[117]: Die essenischen Judenchristen enthalten sich des Fleischgenusses, reinigen sich im fließenden Wasser, untersagen die Ehe[118] und verbieten den Eid. Sie verwerfen ferner das mosaische Opferinstitut[119]. Ihr Salz- und Brotmahl sei nichts anderes als die Fortsetzung des täglichen Opfermahls der Essener[120]. Dieser essenische Typ von Judenchristentum stehe in Verbindung mit dem pharisäischen. Freilich unterscheide er sich von ihm durch seine genetische Beziehung zu den Elkesaiten[121], die selbst essenische Merkmale aufwiesen[122].

Nicht lange, nachdem die offizielle Kirche den Kampf gegen die Gnosis aufgenommen hatte, seien Judenchristen und jüdische Christen (= Nazaräer) als Häretiker[123] betrachtet worden. Dieses Faktum und der weitere Befund, daß die meisten der sogenannten judenchristlichen Dokumente (1Clem, Papiasfragmente, Justins Dialog mit Trypho) dem Heidenchristentum zuzuschreiben seien[124], schließe Baurs Sicht aus, das Judenchristentum habe bis zur Mitte des zweiten Jahrhunderts die herrschende Rolle gespielt[125]. Sogar Hegesipp, der laut Ritschl offenbar noch dem Judenchristentum zugehört[126],

---

117 Vgl. dazu Ritschl, Entstehung, S. 205f.

118 Ritschl, Entstehung, S. 207. Da Epiphanius und die pskl Homilien die ebionitische Tradition enthielten, die Ehe hoch zu schätzen, betrachtet Ritschl dies als Entwicklung innerhalb der Gruppe: „Die ältere Sitte der Ebioniten hat also vielmehr dem Grundsatz der strengeren Essener entsprochen" (ebd.).

119 Ritschl, Entstehung, S. 208f.

120 Ritschl, Entstehung, S. 206.

121 Ritschl, Entstehung, S. 204. R. faßt Elkesai nicht als historische Person, sondern als Namen eines Buches auf (a.a.O., S. 245). Man könne kein präzises Datum für den Beginn der elkesaitischen Bewegung ermitteln. Sie sei wahrscheinlich gegen Ende des 2. Jahrhunderts entstanden (a.a.O., S. 246f). Zu Elkesai vgl. u. S. 180–193.

122 Ritschl, Entstehung, S. 234ff.

123 Sogar Ritschl stellte fest, daß eine Meinung für häretisch erklärt wurde, welche die Urapostel selbst vertreten hatten (Entstehung, S. 257). Es ist aufschlußreich zu sehen, wie Ritschl sich die Ausschließung des jüdischen Christentums (der Urapostel) durch die heidenchristliche Kirche erklärt: „Allerdings tragen die nie ruhenden Zudringlichkeiten der strengen Judenchristen gegen die Heidenchristen einen großen Theil der Schuld an jenem Erfolge (sc. der Ausschließung des jüdischen Christentums); derselbe wäre jedoch auch abgesehen davon eingetreten" (ebd.).

124 Vgl. den Abschnitt „Das Heidenchristenthum bis in die Mitte des zweiten Jahrhunderts" (Ritschl, Entstehung, S. 271–311).

125 Ritschl, Entstehung, S. 266.

126 Vgl. seine vorsichtigen Bemerkungen: „Auch die Polemik gegen Paulus liegt nicht so klar am Tage, als Schwegler und Baur angeben" (Ritschl, Entstehung, S. 267). „Mag nun aber die persönliche Ansicht des Hegesipp viel deutlicher den Stempel des Judenchristenthums tragen, als wir anerkennen können . . ." (a.a.O., S. 268).

bezeuge den nichtjudenchristlichen Charakter der Kirche seiner Zeit, wenn er schreibt: „In jeder Nachfolge (sc. der Bischöfe) und in jeder Stadt verhielt es sich so, wie das Gesetz verkündigt, die Propheten und der Herr“ (Euseb, KG IV 22,3). Denn jene Triade „Gesetz, Propheten, Herr“ sind die auch anderwärts[126a] belegten „*Auktoritäten der katholischen Kirche*, mit denen dieselbe gerade in der Zeit des Hegesipp sich gegen die Gnosis richtete.“[127]

Wir können Ritschls Beitrag zur Erforschung des Judenchristentums wie folgt zusammenfassen:

1. Ritschl engte das Judenchristentum auf einen Bruchteil von Texten ein, unterschied es vom judaistischen Christentum und ordnete darüber hinaus selbst die judenchristlichen Zeugnisse mindestens zwei verschiedenen Gruppen zu.

2. Ritschl bestärkte die alte These eines harmonischen Verhältnisses zwischen Paulus und den Säulenaposteln, deren Ansichten durch die Nazaräer gewahrt worden seien.

3. Nach einer solchen Einschränkung des judenchristlichen Einflusses richtete Ritschl sein Augenmerk auf die Bedeutung des Heidenchristentums, zu dem die Mehrzahl der aus dem zweiten Jahrhundert stammenden Quellen gehöre. *Jenes Heidenchristentum sei verantwortlich für die Entstehung der katholischen Kirche.*

Ritschls Werk bedeutete eine Wende in der Forschungsgeschichte. In den nachfolgenden 60 Jahren bezog sich fast jeder Kritiker der Tübinger Schule auf Ritschl, weil dieser ein für allemal Baurs Auffassung des Judenchristentums widerlegt habe. Obgleich Ritschls Resultate gelegentlich in der Einzelexegese modifiziert wurden, wiederholten die Arbeiten nach ihm im allgemeinen seine Ergebnisse. Bevor wir einen Überblick über die Beiträge der Nachfahren Ritschls geben, sei eine Kritik des Werkes von A. Ritschl im Verhältnis zur Tübinger Schule versucht:

Wenden wir uns zunächst Ritschls Einzelexegesen zu! Ritschl vertritt weitgehend Positionen, die Baurs Kritik erst veranlaßten: das harmonische Verhältnis zwischen Paulus und den Uraposteln, die Echtheit von Jak, 1Petr[128] und Apk, die historische Zuverlässigkeit

---

126a Ritschl nennt ApConst II 39; Tert, Praescr 36; Irenäus, haer II 35,4; Diogn 11 (Entstehung, S. 268 A 3). Zur Kritik vgl. u. S. 216 A 26.

127 Ritschl, Entstehung, S. 268.

128 Vgl. dazu den ungemein aufschlußreichen und wichtigen Kommentar von Holtzmann, Baur, S. 234f.

der Apg[129]. Wir brauchen hier nicht viel Zeit für diese Fragen zu verbringen. Im Lichte der modernen Kritik ist Baurs Position zu den angeschnittenen Punkten angemessener: Keine der obigen Schriften ist echt und „Lukas“ ist keinesfalls ein Paulusbegleiter[130]. Daher bedeutete „der Bruch mit den Tübingern den Rückgang zu einem wissenschaftlich unfruchtbaren Standpunkt in den meisten die historische Kritik des neuen Testaments betreffenden Fragen.“[131]

Verdienstvoller war jedoch Ritschls Drängen auf präzise Terminologie beim Umgang mit dem frühen Christentum. Zwar war es *einerseits* künstlich, die Bezeichnung „judenchristlich“ nicht auf die Urapostel und ihre Nachfolger, die Nazaräer[132], anzuwenden, und man kann nur vermuten, daß bei einem solchen Vorgehen deutlich der neutestamentliche Kanon im Hintergrund stand, der Ritschl vorschrieb, jene am Anfang des Christentums stehende Gruppe von der judenchristlichen Häresie auszunehmen. Doch stellte *andererseits* Ritschls „Erinnerung an das selbstverständlich wachsende unreflektierte Heidenchristentum[133] und das selbstverständlich vermöge der Ungunst des Bodens absterbende Judenchristentum eine fruchtbare geschichtliche Einsicht heraus“[134]. In dieser Hinsicht verstärkte Ritschl die Einwände gegen Baurs und vor allem Schweglers Gesamtverständnis, die bereits von Planck, Georgii und Köstlin geäußert worden waren[135], und konnte ferner durch seine Analyse sämtlicher in Frage kommender Quellen eine wirksame und z.T. überzeugende Gegen-

---

129 Es ist kurios und ärgerlich zugleich, daß Harris, Tübingen, – bei ansonsten hervorragender Dokumentation – gestützt auf die Zuverlässigkeit der Apg und auf die Autorität von F.F. Bruce der Tübinger Schule den Strick zu drehen versucht. Vgl. zu Harris, Tübingen, die vorzügliche Besprechung von R. Morgan, in: HeyJ 17.1976, S. 357–361.

130 Vgl. Kümmel, Einleitung, S. 146ff.

131 Hirsch, Geschichte V, S. 557.

132 Ritschls in diesem Zusammenhang (vgl. die oben A 29 aufgeführten Vorgänger Ritschls) vorgenommene Differenzierung zwischen Nazaräern und Ebioniten steht auf schwachen historischen Füßen. S.u. S. 38. 43

133 Ich möchte hier nicht die systematischen Grundlagen von Ritschls Darstellung des Heidenchristentums behandeln, das ebenso entfernt von dem paulinischen Christentum ist, wie das ebionitische Christentum Schweglers es war. Vgl. Wagner, Ursprünge, S. 276ff, der m.R. in Ritschls Auffassung des Heidenchristentums einen Angriff gegen die zeitgenössische katholische Kirche sieht. – Zur Systematik von Ritschls historischer Arbeit vgl. noch Hefner, Baur: Ein wichtiges Ergebnis der Arbeit Hefners ist es, daß Ritschl sich bemüht, die Entwicklung des Heidenchristentums zur katholischen Kirche als Gipfel der Entfremdung vom Erbe Jesu darzustellen.

134 Hirsch, Geschichte V, S. 557.

135 Ritschl, Entstehung, S. 20ff.

position zur Frage der Entstehung der katholischen Kirche[136] aufbauen.

Wir wiesen oben darauf hin, daß die Nachfahren Ritschls im wesentlichen in engem Anschluß an ihn das Judenchristentum darstellten. Daher erscheint es unnötig, jedes Werk im einzelnen vorzustellen. Stattdessen stellen wir bestimmte für die Erforschung des Judenchristentums wichtige Themen zusammen und referieren die Ansichten der verschiedenen Forscher[137] dazu.

A. v. Harnack betont im Anschluß an Ritschl die Wichtigkeit, den Begriff „Judenchristentum" (= Ebionitismus[138]) zu definieren.

Er sei nur „für solche Christen zu verwenden, welche im ganzen Umfange oder in irgend welchem Masse, sei es auch in einem Minimum, die nationalen und politischen Formen des Judenthums und die Beobachtung des mosaischen Gesetzes ohne Umdeutung als für das Christenthum, mindestens für das Christenthum geborener Juden, wesentlich festhielten oder diese Formen zwar verwarfen, aber doch eine Prärogative des jüdischen *Volkes* auch im Christenthum annahmen (Clem., Homil. XI, 26: *ἐὰν ὁ ἀλλόφυλος τὸν νόμον πράξῃ, Ἰουδαῖός ἐστιν, μὴ πράξας δὲ Ἕλλην*). Diesem Judenchristenthum steht nicht das Heidenchristenthum gegenüber, sondern die christliche Religion, sofern sie als universalistisch und antinational im strengsten Sinne gedacht wird (...), resp. die grosse Christenheit, sofern sie sich vom Judenthum als Nation befreit hat."[139]

---

136 Ritschls (antithetische) Abhängigkeit von Baur ist bezüglich der Kirchengeschichtsschreibung m.R. von Andresen, Kirchen, S. 15, herausgestellt worden. Für den Bereich der systematischen Theologie zeigt Slenczka, Geschichtlichkeit, S. 184–187 („Der Entwicklungsgedanke") gut auf, wie bei Ritschl der Evolutionismus Baurs im geschichtlichen Offenbarungsprozeß unter dem Begriff des Reiches Gottes in der Verwirklichung des sittlichen Ideals verdeckt wieder auftritt.

137 Wir behandeln folgende Arbeiten: Sorley, Christians; Harnack, Lehrbuch I; Purves, Christianity; Ropes, Age; McGiffert, History; Hort, Christianity. – Ein kurzer Kommentar zu Hoennicke, Judenchristentum, ist wegen des vielversprechenden Titels angebracht: H. setzt Judenchristen und Judaisten gleich und meint, nach Pauli Kampf gegen seine Gegner (=Judaisten) sei die Gefahr der „Verjudung des Evangeliums" (S. 348) vorüber gewesen. Auf der anderen Seite gebraucht H. den Begriff Judenchristentum für die Anerkennung des Evangeliums unter den Juden, also auch in Bezug auf Gestalten wie Barnabas und Paulus. Dazu: H.s nicht einheitliche Terminologie stiftet Verwirrung. Seine These, Paulus habe seine Gegner zum Schweigen bringen können, trifft kaum zu. Zu Hoennickes Arbeit vgl. noch Holtzmann, Literatur, S. 397f, der meint, das Judenchristentum habe darin nur eine „relative Rehabilitation" erfahren (a.a.O., S. 397). An anderer Stelle (Holtzmann, Lehrbuch I) beanstandet er m.R., daß die pskl Literatur bei Hoennicke „merkwürdigerweise außer Spiel bleibt" (a.a.O., S. 468 A 1).

138 Harnack, Lehrbuch I, S. 311 A 1.

139 Harnack, Lehrbuch I, S. 312f. Die erste Auflage (1886, S. 216f) weicht nur unwesentlich ab. Sie enthält noch nicht das Zitat aus den PsKl (das sich tatsächlich H XI *16,3* findet).

Gegen Ritschl sei das älteste Christentum judenchristlich (während es für Ritschl zum jüdischen Christentum gehört hat), und seine Einteilung der Judenchristen in Nazaräer und Ebioniten könne nicht aufrechterhalten werden[140].

Andererseits folgten fast alle Forscher Ritschl in seiner Gruppierung der Judenchristen: Hort unterscheidet die liberalen Judenchristen Pellas und Jerusalems von den Ebioniten[141]. McGiffert differenziert zwischen Ebionitismus und tolerantem Judenchristentum, indem er das letztere der Periode vor 70 nChr zuweist, während der Ebionitismus erst dem 2. und 3. Jahrhundert entstamme[142]. Sorley[143] unterscheidet mit Ritschl drei Gruppen: Nazaräer, Ebioniten, essenische Christen. Harnack scheint, wie oben gezeigt wurde, der einzige zu sein, der eine Kontinuität zwischen Judenchristentum (= Ebionitismus) vor und nach 70 nChr anerkennt[144].

Es ist klar, daß die Ansicht über die verschiedene Anzahl von judenchristlichen Gruppen in enger Beziehung zu der Meinung der Forscher über das Ergebnis der Jerusalemer Konferenz, über Pauli Verhältnis zu den Säulenaposteln und über den Ursprung der Gegner des Paulus steht: Die meisten Verfasser betonen die Kritik der Urapostel an Pauli Gegnern[145] und heben weiter heraus, daß die Gegner nicht berechtigt waren, sich auf die Säulenapostel zu berufen[146]. Man habe auf der Jerusalemer Konferenz eine wirkliche Übereinkunft erzielt[147], und der Zwischenfall von Antiochien sei eine Episode geblieben[148].

Die meisten der hier besprochenen Autoren tendieren dahin, eine Übereinstimmung zwischen Pauli Eigenbericht in Gal 2 und Apg 15 hervorzuheben, und setzen ferner zumeist (besonders nachdrücklich Harnack) Lukas als Begleiter des Paulus und als Verfasser der Apg

---

140 Harnack, Lehrbuch I, S. 323; vgl. auch Nitzsch, Grundriss, S. 42, und oben S. 36 A 132.

141 Hort, Christianity, S. 180.200f.

142 „Thus the Jewish Christianity of the Mother Church finally eventuated in the heretical Ebionism of the second and following centuries (. . .)" (McGiffert, History, S. 567).

143 Sorley, Christians, S. 74–84.

144 Und zwar deswegen, weil er sich m.R. dagegen sperrt, Nazaräer und Ebioniten in zwei verschiedene Gruppen aufzuteilen, s. Harnack, Lehrbuch I, S. 323.

145 Sorley, Christians, S. 43.

146 McGiffert, History, S. 557.

147 Hort, Christianity, S. 66f.

148 Hort, Christianity, S. 81–83; Sorley, Christians, S. 40–44.

voraus[149]. Der Jak wird von einigen als echt[150] betrachtet. In diesem Fall ist Jak 2,14ff entweder nicht gegen Paulus[151] gerichtet oder bekämpft lediglich ein falsches Verständnis der Theologie des Heidenapostels[152]. Andererseits hält McGiffert nicht den Herrenbruder für den Verfasser des Jak und meint sogar, Jak 2,14ff greife paulinische Theologie an. Doch sei das noch lange kein Angriff gegen den Heidenapostel selbst (!)[153].

Auch Hegesipp sei kein Antipauliner. Da das von Stephanus Gobarus überlieferte Fragment nicht den *Namen* des Paulus enthalte, sei es nicht gegen Paulus gerichtet[154]. Die anderen durch Euseb, KG, überlieferten Fragmente bewiesen, daß Hegesipp mit den Lehren der katholischen Kirche übereinstimme[155], d.h. mit vulgär-heidenchristlichem Denken[156].

Die PsKl, der Hauptbeleg der Tübinger Schule für ein im 2. Jahrhundert weiterbestehendes Judenchristentum, werden normalerweise ziemlich spät datiert[157], ihre Bedeutung wird herabgesetzt oder ihr polemischer Bezug auf Paulus sogar in Frage gestellt[158]. Manchmal berücksichtigen die Arbeiten die in der Zwischenzeit intensivierte PsKl-Forschung[159], die die Eruierung einer antipaulinischen Quellenschrift (= Kerygmata Petrou) zum Ergebnis hatte: Hort glaubt jedoch, daß weder die Kerygmata Petrou noch die Elkesaiten dem zweiten Jahrhundert angehören[160].

Ein Einfluß des Judenchristentums auf die Entstehung der katholischen Kirche wird allgemein verneint. Es entwickelte sich zurück zu

---

149 Ropes, Age, S. 236; Purves, Christianity, S. 5f; Hort, Christianity, setzt das stillschweigend voraus.
150 Sorley, Christians, S. 24; Hort, Christianity, S. 147ff; Purves, Christianity, S. 133ff; dagegen: McGiffert, History, S. 579ff; Ropes, James, S. 43–52.
151 Purves, Christianity, S. 126.
152 Hort, Christianity, S. 148.
153 McGiffert, History, S. 584.
154 Hort, Christianity, S. 165.
155 Ropes, Age, S. 95.
156 Harnack, Lehrbuch I, S. 317 A 2 (auf S. 319).
157 Ropes, Age, S. 96: gegen Ende des zweiten Jahrhunderts.
158 „It is a glorification of Peter, in which Paul is perhaps not attacked but only ignored" (Ropes, Age, S. 96). Vgl. auch Hort, Notes, S. 120–132.
159 Zur Forschungsgeschichte s. Strecker, Judenchristentum, S. 1–34. Freilich bleibt Hort, Notes, ein wichtiger Beitrag zur Erforschung der PsKl.
160 Hort, Christianity, S. 201ff; ders., Notes, S. 85f.; ähnlich Harnack, Lehrbuch I, S. 332f.

einer unwichtigen Gruppe und verschwand[161] von der Bühne der Kirchengeschichte. Normalerweise hätte es keinen Platz in der Dogmengeschichte[162].

So schien es, daß der alte Tübinger Standpunkt ein für allemal widerlegt worden sei, bis schließlich ein letzter Schüler der Tübinger Schule im vorigen Jahrhundert das Wort ergriff[163], Adolf Hilgenfeld.

1.5. Adolf Hilgenfeld[164]

Hilgenfelds zahllose Arbeiten zum Judenchristentum erstrecken sich über eine Periode von rund 60 Jahren[165]. Es gibt kaum einen Jahrgang der von ihm 1858 gegründeten und bis zu seinem Tod (1907) herausgegebenen ZWTh, in der er nicht zum angezeigten Thema (oft polemisch gegen andere) Stellung nahm. In allen Arbeiten ist das Bestreben leitend, die Bedeutung des Judenchristentums Tübinger Prägung gegen die Ritschlschule hervorzuheben.

Bezüglich der Jerusalemer Konferenz und der Gegner des Paulus in seinen Gemeinden ist Hilgenfeld mit Baur einer Meinung: Der Kon-

---

161 Ropes, Age, S. 321f; vgl. ders., Epistle, S. 364: „The Judaizing propaganda seems to have died down after the Galatian episode, checked by the prompt and effective counter of Paul".

162 Harnack, Lehrbuch I, S. 313.

163 Es sei hier noch vermerkt, daß es an kritischen Stimmen gegenüber einzelnen der soeben besprochenen Arbeiten nicht gefehlt hat, obgleich kein Forscher wie Hilgenfeld das Thema monographisch behandelte. Folgende Kritik sei notiert: Zu Hort, Christianity, vgl. H. Lüdemann, in: ThJber 14.1895, S. 172: „Der Vf. will dabei unter Judenchristenthum stricte nur das am mosaischen Gesetz festhaltende pharisäische Judenchristenthum verstehen, glaubt aber trotzdem so bewiesen zu haben, daß ‚die Tübingische These von einem judenchristlichen Sauerteig in zahlreichen urchristlichen Schriften' auf Irrthum beruhe – ein überflüssiger Nachweis, wenn der Terminus verstanden wird wie oben. Bekanntlich aber schließt der Vf. sich mit diesen Lufthieben einer ganzen Armee von anderen wackeren Streitern an. Die Tübinger Schule wird als ausgestorben behandelt. Dem Ausländer fehlt, wie es scheint, die Erkenntnis, dass dieselbe in Deutschland nicht etwa wissenschaftlich widerlegt, sondern auf dem wesentlich einfacheren Verwaltungswege eliminirt ist, resp. wird. Als ‚Books for students' werden empfohlen, Ritschl, Lechler, Ewald etc., mit einigen Cautelen sogar Weizsäcker. Aber von Baur, Hilgenfeld, Holsten, Hausrath, Lipsius u.A. darf ‚the english student' bei Leibe nichts lesen oder auch nur erfahren." Zu Harnacks Auffassung des Judenchristentums vgl. H. Lüdemann, in: ThJber 6.1887, S. 115f.

164 Zu Person und Werk vgl. Pölcher, Hilgenfeld (Teildruck und Gesamtdissertation).

165 Letzte Arbeit m.W. Der Clemens-Roman, in: ZWTh 49.1906, S. 66–133, erste Arbeit: Die clementinischen Recognitionen und Homilien, Jena 1848.

vent und der Zwischenfall von Antiochien offenbarten die schwerwiegenden Differenzen zwischen Paulus und den Uraposteln, auf die sich die Gegner m.R. in ihrer Pauluskritik beriefen[166]. Ritschls Annahme der Echtheit von Jak und 1Petr wird dabei einer Kritik unterzogen. Die Apk, die (mit Ritschl) aus der Feder des Zebedaiden Johannes stamme, sei u.a. darin antipaulinisch-judenchristlich, daß sie absichtlich keinen Raum für Pauli Apostolat lasse (Apk 21,14)[167].

Über die Periode nach 70 nChr und den religionsgeschichtlichen Ort des Judenchristentums äußerte sich Hilgenfeld monographisch in einer Eduard Zeller gewidmeten Schrift „Judenthum und Judenchristenthum" (1886). Die polemische Abzweckung des Büchleins kommt auch darin zum Ausdruck, daß die Einleitung (S. 9–20) die Arbeiten Ritschls und Harnacks kritisch beleuchtet. Danach analysiert Hilgenfeld die Kirchenväterberichte über die judenchristlichen und vorchristlichen jüdischen Sekten mit der weiteren Frage, ob beide genetisch miteinander verbunden seien.

Im einzelnen weicht Hilgenfeld in folgenden Punkten von Ritschls und Harnacks Behandlung des zweiten Jahrhunderts ab:

a) Die römische Gemeinde sei judenchristlich (Herm!)[168].

b) Justin gehöre vor allem wegen seiner den Judenchristen erwiesenen Toleranz (Dial 47) zum Judenchristentum[169].

c) Das Hegesipp-Fragment des Stephanus Gobarus habe klar antipaulinische Züge[170]. Es sei ferner nicht klar, ob Hegesipp den 1Clem anerkennt, der Paulus in Kap. 5 positiv erwähnt. Aus Euseb, KG IV 22,2, folge nur, daß Hegesipp den 1Clem *erwähnt* habe. Das andere Argument gegen den judenchristlichen Charakter der Theologie Hegesipps, sein Einverständnis mit der Kirche seiner Zeit, schlage nicht durch, da Hegesipps Haltung ebenso dem toleranten von Justin, Dial 47, beschriebenen Judenchristentum entspringen könne, das trotz Kritik an Paulus (und 1Clem) letztere nicht automatisch als Ketzer angesehen haben muß[171].

d) Gegen Harnack seien die pskl Rekognitionen und Homilien in das zweite Jahrhundert zu versetzen[172].

---

166 Hilgenfeld, Urchristenthum (1855), S. 56ff.
167 Hilgenfeld, Urchristenthum (1855), S. 67.
168 Hilgenfeld, Darstellung, passim.
169 Vgl. Hilgenfeld, Urchristenthum (1886), S. 427–431.
170 Hilgenfeld, Judentum, S. 43ff; ders., Hegesippus, S. 203–206; ders., Noch einmal Hegesippus, S. 320f. Anders vorher ders., Urchristenthum (1855), S. 88.
171 Hilgenfeld, Judentum, S. 45.
172 Hilgenfeld, Judentum, S. 46.

Nachdem Hilgenfeld auf diese Weise dem Judenchristentum auch nach 70 nChr eine größere Bedeutung als seine Zeitgenossen zugeschrieben hatte, äußerte er sich wie folgt zur Geschichte des Judenchristentums:

Die Mitglieder der Urgemeinde Jerusalems – auch Nazoräer genannt – seien die ersten Judenchristen gewesen. Während des Jüdischen Kriegs flüchteten die Nazoräer, die u.a. wegen Apg 21,20f („Zeloten des Gesetzes") als paulusfeindlich anzusehen seien, nach Transjordanien[173]. Ihr Evangelium sei die hebräische Vorlage des Mt gewesen[174]. An ihrem neuen Wohnort kamen sie in Kontakt mit einem heterodoxen, opferfeindlichen Mosaismus, wie ihn die Nasaräer vertraten (Epiphanius, haer 18). Andere judenchristliche Gruppen bildeten sich dadurch, daß Anfang des zweiten Jahrhunderts der Prophet Elkesai den Nasaräern und den Ossäern Adam-Christus predigte[175]. Alle jene Gruppen seien paulusfeindlich gewesen.

Freilich begann der eigentliche Ebionitismus erst zu jenem Zeitpunkt, da Ebion (nach Hilgenfeld seltsamerweise eine historische Person[176]) auftrat. Im Gegenüber zu einer ständig sich vergrößernden Heidenchristenheit, die die Gottgleichheit Jesu lehrte, vertrat Ebion, der sich auf Zypern, in Kleinasien und in Rom aufgehalten habe, ein mosaisches Christentum. Dabei bestand er auf der Verwerfung des Paulus und milderte die phantastischen Spekulationen des Elkesai. (Hilgenfeld entdeckte im Verfolg seiner Suche nach dem historischen Ebion Fragmente Ebions im Anhang zur „Antiquorum patrum doctrina" des Presbyters Anastasius [7. Jahrhundert].)

Das Judenchristentum ist somit laut Hilgenfeld ein komplexes Phänomen. In den beiden ersten Jahrhunderten bestand es aus verschiedenen Gruppen und verschmolz schließlich in der 2. Hälfte des zweiten Jahrhunderts unter Abwehr der Gnosis mit einem gemäßigten Paulinismus zur katholischen Kirche[177].

Eine Würdigung der Arbeiten Hilgenfelds muß folgende Punkte festhalten:

---

173 Hilgenfeld, Judentum, S. 117.

174 Ebd.

175 Ebd.

176 Die ältesten erhaltenen Texte, die einen historischen Ebion nennen, sind Hipp, Ref VII 35; Tert, De Carne 14; Tert, De virginibus velandis 6; Tert, Praescr 35. Vgl. Hilgenfeld, Ketzergeschichte, S. 422f; ders., Judentum, S. 101.

177 Hilgenfeld, Urchristenthum (1855), S. 88f. Zu beachten ist die Kritik an Baur in dieser Auffassung.

1. Hilgenfelds detaillierte Kritik an Ritschls Rekonstruktion der Jerusalemer Konferenz und an dessen Annahme der Echtheit von Jak und 1Petr war vollauf berechtigt.

2. Sein Protest gegen die späte Datierung der PsKl bzw. ihrer Quellen bestand zu Recht.

3. Er unternahm als erster Forscher umfangreiche literarkritische Studien zu den PsKl[178], die in Zukunft unabdingbare Voraussetzung jeder seriösen Arbeit über das Judenchristentum sein sollten.

4. Hilgenfeld hob – wie Credner, Baur, Neander und Ritschl vor ihm – die Ähnlichkeiten zwischen den Berichten des Epiphanius über die judenchristlichen und jüdischen Sekten hervor und wies erneut auf das Problem der religionsgeschichtlichen Einordnung des Judenchristentums hin.

5. Gleichwohl war Hilgenfeld gegenüber den Kirchenväterberichten nicht kritisch genug und übernahm von ihnen die Existenz des historischen[179] Ebion[180] sowie die Unterscheidung zwischen Nazaräern und Ebioniten. Doch konnte Harnacks Einwand einfach nicht entkräftet werden, daß diese Unterscheidung[181] auf der Basis von Zeugen des vierten Jahrhunderts, nämlich Epiphanius und Hieronymus, getroffen war, die in ihrer Differenzierung zudem nicht einheitlich sind.

6. Hilgenfeld konnte nur mit Gewaltsamkeiten Gestalten wie Justin und den Verfasser von Herm dem Judenchristentum zuweisen. Hier erwies sich – trotz der (von Baur abweichenden) kirchengeschichtlichen Einordnung der Gnosis – der von Baur übernommene Schematismus als wenig hilfreich für die Erforschung des historischen Details.

---

178 Hilgenfeld, Recognitionen (s.o. A 165); vgl. Strecker, Judenchristentum, S. 5f; Pölcher, Hilgenfeld, Teil II, S. 68–71.

179 Zum angeblichen Fragment Ebions bemerkt Koch, Epiphanius, zutreffend: „Actually, a study of these fragments shows an interest in the monotheletic controversy, as Hilgenfeld admits. They can hardly be introduced, then, as evidence for earliest Ebionitism" (S. 31).

180 Dagegen bereits Gieseler, Nazaräer, S. 299ff; Credner, Beiträge, S. 365; Lutterbeck, Lehrbegriffe, S. 71ff.

181 Vgl. dagegen bereits die Einwände durch G. Uhlhorn, Art. Ebioniten, in: RE^3 II, S. 125–128, S. 126. Anders freilich Zahn, Geschichte II, S. 642–723, bes. S. 648ff.668ff.721ff, und neuestens Simon, Migration, S. 47ff.

1.6. Hans-Joachim Schoeps

Obgleich eine abrißhafte Behandlung der judenchristlichen Texte in den Geschichten des frühen Christentums nicht fehlte[182] und einige Einzelstudien verfaßt wurden[183], so ließ doch im ganzen das Interesse am Judenchristentum Tübinger Prägung in der Folgezeit merklich nach.

Diese Lage wurde mit einem Mal durch Schoeps' Arbeiten beendet[184]. Schoeps sah es als seine Aufgabe an, eine Geschichte und Theologie derjenigen Gruppe zu schreiben, die unter den Kirchenvätern als judenchristliche Häresie angesehen wurde[185], d.h. jener Partei in Justins Referat (Dial 47), die von den Heidenchristen die volle Übernahme des jüdischen Gesetzes verlangte[186].

Schoeps' Rekonstruktion beruht vorwiegend auf der pskl Literatur. Unter kritischer Weiterführung der inzwischen erarbeiteten Ergebnisse beruft sich Schoeps auf zwei ebionitische Quellen:

1. die Kerygmata Petrou[187] und

2. die Anabathmoi Jakobou (ebionitische Apostelakten = AJ), die in Buch I der pskl Rekognitionen (= R) enthalten seien[188].

Beide Quellen zeichneten sich durch einen schroffen Antipaulinismus aus und stammten aus der Mitte des 2. Jahrhunderts. Die ebionitischen Apostelakten seien z.T. sogar älter als die kanonische Apg, da Apg 7 von ihnen abhänge.

Schoeps zieht über die PsKl hinaus alle verfügbaren patristischen Quellen[189] heran und rekonstruiert daraus Theologie und Geschichte der Ebioniten:

---

182 Vgl. Knopf, Zeitalter, S. 1–30; Dobschütz, Probleme, S. 23ff. 81ff (zu beiden vgl. A. Hilgenfeld, in: ZWTh 48.1904/5, S. 260–304.517–559); Weiß, Urchristentum, S. 550ff; Weizsäcker, Zeitalter, S. 343–369.

183 Ich weise hin auf die fortgeführte Diskussion der PsKl vom literarkritischen (Waitz, Rehm, Schwartz, Strecker) oder primär religionsgeschichtlichen (Thomas, Cullmann) Standpunkt aus.

184 Vgl. das Literaturverzeichnis und besonders H.J. Schoeps, Ja – Nein und trotzdem, Mainz 1974, S. 216ff (Rückblick auf die eigenen Arbeiten zum Judenchristentum).

185 Schoeps, Theologie, S. 7.

186 Schoeps, Theologie, S. 7f.

187 Schoeps, Theologie, S. 45–61.

188 Schoeps, Theologie, S. 381–456.

189 Justin, Dial 47; Irenäus, haer 26; Epiphanius, haer 29f.

Sie verließen Jerusalem vor dem Jüdischen Krieg und siedelten sich um Pella herum an[190]. Ihre Theologie zeichne sich durch zwei Besonderheiten aus: Die *Christologie*[191] sei adoptianisch (vgl. Apg 2,36; 13,33). Jesus ist der wahre Prophet (Dtn 18,15. 18). Durch die Lehre von Jesus dem Propheten hätten die Ebioniten das Gesetz verteidigt und Paulus angegriffen. Ihre *Gesetzeslehre*[192] beruhe völlig auf dem mosaischen Gesetz, das von ihnen von falschen, später hinzugefügten Perikopen befreit werde. Jene späteren Hinzufügungen bezogen sich auf Opfer und auf Passagen aus den Prophetenbüchern, die sich nicht in Einklang mit dem Pentateuch befanden.

Laut Schoeps standen jene Ebioniten in einer aktuellen Auseinandersetzung mit Marcion über das Alte Testament[193]. Auf diese Weise stellt Schoeps überraschend die Auffassung auf den Kopf, die nach Transjordanien geflohenen Judenchristen seien dem gnostischen Synkretismus erlegen[194]. Die Ebioniten wurden nicht das Opfer der Gnosis, sondern schlugen diese (besonders die Marcioniten) mit ihren eigenen Waffen[195]. Sie hätten daher auch nichts mit den (gnostischen) Elkesaiten zu tun[196].

Religionsgeschichtlich sieht Schoeps die Ebioniten als Ausläufer der Essener, die selbst von den Rechabiten stammen, und ordnet auch Jesus von Nazareth dieser Entwicklungslinie zu[197].

Ein Referat von Schoeps' Beitrag zur Erforschung des Judenchristentums wäre unvollständig ohne Erwähnung seiner These zum AT-Übersetzer Symmachus. Schoeps geht aus von der altkirchlichen Tradition[198], Symmachus sei Ebionit gewesen, und bemüht sich, sie durch den Aufweis ebionitischer Theologumena in der Bibelübersetzung des Symmachus abzustützen[199]. Denn für Schoeps ist klar, daß die „griechisch sprechenden Ebioniten das Alte Testament in der Übersetzung

190 Schoeps, Theologie, S. 262ff.
191 Vgl. Schoeps, Theologie, S. 71–116.
192 Vgl. Schoeps, Theologie, S. 117–218.
193 Vgl. Schoeps, Theologie, S. 305ff.
194 Vgl. für eine solche These Goppelt, Christentum, S. 167ff; O. Cullmann, Art. Ebioniten, in: RGG³ II, Sp. 237f.
195 Schoeps, Theologie, S. 305–315; ders., Urgemeinde, S. 61–67.
196 Schoeps, Theologie, S. 325–334.
197 Schoeps, Theologie, S. 247–255.315–320.
198 Euseb, KG VI 17: Es „ist zu bemerken, daß Symmachus Ebionäer war. (...) Noch heute sind Schriften des Symmachus erhalten, in welchen er unter Berufung auf das Matthäusevangelium die erwähnte Häresie zu bekräftigen scheint."
199 Schoeps, Theologie, S. 350–365; ders., Zeit, S. 82–89.

ihres gelehrten Mitgliedes Symmachus gelesen"[200] haben. Ferner verberge sich hinter den von Euseb genannten Hypomnemata nichts anderes als ein Kommentar zum Ebionitenevangelium aus der Feder des Symmachus, dessen Reste aus den Kerygmata Petrou zu rekonstruieren seien[201]. Der bisher nicht recht beachtete Symmachus sei daher ein wichtiger Zeuge für den Ebionitismus.

Wie ist Schoeps' Beitrag zu unserem Thema zu würdigen? Schoeps' Arbeiten zeichnen sich durch einen Materialreichtum bezüglich sowohl der Sekundärliteratur als auch der Quellen aus und sind schon aus diesem Grund für künftige Forschungen unentbehrlich. Viele seiner Einzelvorschläge verdienen ernsthafte Prüfung, so z.B. seine Ansicht, die gnostischen Elemente in pskl Lehren seien durch eine aktuelle gnostische Front bedingt. Andererseits fragt es sich, ob Schoeps' in diesem Zusammenhang vorgenommene scharfe Abgrenzung der Ebioniten von den Elkesaiten überzeugt (s.u. S. 188f).

Schoeps' Erinnerung daran, daß Essener und Ebioniten Gemeinsamkeiten haben, ist zweifellos wichtig. Jene Beobachtung wurde, wie wir aus der Forschungsgeschichte ersehen können, immer wieder gemacht. Doch hat Schoeps sie m.E. auf eine breitere Basis gestellt.

Andererseits schweben einige Thesen von Schoeps zu sehr in der Luft, als daß sie in der jetzigen *Form* akzeptiert werden könnten: so die allzu hurtige Erhebung von judenchristlichen Quellen aus den PsKl, die antipaulinischen Apostelakten, die älter als die Apg seien, und die Kerygmata Petrou[202]. Hier war weitere Arbeit und eine verfeinerte Methodologie erforderlich.

Mit Skepsis ist schließlich seinen Ausführungen zu Symmachus zu begegnen, denn a) ist Eusebs Verständnis des Symmachus als eines Ebioniten nicht über jeden Zweifel erhaben[203], b) scheitert die These eines Symmachuskommentars zum Ebionitenevangelium daran, daß die PsKl wohl nur die kanonischen Evangelien benutzen[204] und c) ist

---

200 Schoeps, Theologie, S. 33.

201 Schoeps, Theologie, S. 366–380.

202 Zu beachten ist jedoch, daß Schoeps auch ohne quellenkritische Entscheidungen die PsKl für eine Darstellung des Judenchristentums benutzen zu können glaubt (vgl. ders., Theologie, S. 457–479). In einer Besprechung von Strecker, Judenchristentum (Schoeps, Studien, S. 91–97), äußert er selbst grundsätzliche Zweifel an der Möglichkeit, die Kerygmata Petrou zu rekonstruieren, obgleich er ebionitische Elemente in den PsKl (weniger als ein Drittel) weiter annimmt.

203 Vgl. Schmidtke, Fragmente, S. 236 A 2.

204 Strecker, Judenchristentum, S. 117–136; vgl. ders., Eine Evangelienharmonie bei Justin und Pseudoklemens?, in: NTS 24.1978, S. 297–316 (Lit.).

der Aufweis ebionitischer Theologumena in der Bibelübersetzung des Symmachus nicht gelungen[205].

Ein Zeitraum wurde von Schoeps mit Absicht nur am Rande behandelt, die Periode vor 70 nChr. Obgleich sich Schoeps, wie in unserem Referat deutlich wurde, zuweilen zum frühesten Christentum äußerte, beschäftigte er sich gleichwohl *thematisch* weder mit dem Christentum vor 70 nChr[206] noch mit der Frage, ob die toleranten Judenchristen[207] (= die andere bei Justin, Dial 47, genannte Gruppe) mit der Urgemeinde zusammenhängen. Es war daher nur natürlich, daß andere Forscher in der einen oder anderen Weise diese Fragen thematisieren sollten.

1.7. Johannes Munck[208]

Wir hatten oben gesehen, daß Baur und seine Schüler von der historischen Kontinuität des Judenchristentums vor und nach 70 nChr ausgingen. Diese These wurde in der nachfolgenden Forschung zwar weitgehend global bestritten, aber eigentlich nie eigens thematisiert. Welche Gründe auch immer hierfür maßgeblich waren, jedenfalls wurde die Kritik an Baur vorwiegend auf dem Wege der Quellenanalyse geführt, und zwar derart, daß eine Quelle nach der anderen dem Judenchristentum Baurscher Prägung abgesprochen und dem Heidenchristentum Ritschlscher Art zugewiesen wurde. Dabei konnte gelegentlich, wie bei Harnack, unbefangen die Kontinuität mancher judenchristlicher Gruppierungen vor und nach 70 nChr zugestanden werden[209].

---

205 Vgl. die vernichtende Kritik von D. Barthélemy, Qui est Symmaque?, in: CBQ 36.1974, S. 451–465 (=in: ders, Études d'histoire du texte de l'Ancien Testament, OBO 21, Fribourg/Göttingen 1978, S. 307–321).

206 Die Kritik an Schoeps' Arbeiten entzündete sich vorwiegend an seiner Darstellung der Periode vor 70 nChr: s. Kümmel, Theologie, S. 192f; ders., Urchristentum (ThR 1954), S. 148ff; Bornkamm, in: ZKG 64.1952/53, S. 196–204; Schneemelcher, Problem, S. 237f.

207 Vgl. Schoeps' Analyse des Jak (Theologie, S. 343–349): Jak sei nicht ebionitisch, sondern judenchristlich und gehöre daher (!) zur katholischen Kirche.

208 Vgl. das Literaturverzeichnis s.v. Munck.

209 Vgl. Harnack, Lehrbuch I, S. 310ff. Harnack kann unbefangen zugeben, daß die Judenchristen (zur Definition dieses Begriffs durch Harnack s.o. S. 37) bis zur Mitte des zweiten Jahrhunderts in Palästina in der Mehrheit und Nachfahren der Urgemeinde waren.

Es war daher überfällig, daß schließlich auch die Frage der genetischen Beziehung zwischen Judenchristentum vor und nach dem Jüdischen Krieg thematisiert und gegen Baur verneint wurde. Der maßgebliche Vertreter dieses Ansatzes ist J. Munck. Seine Argumentation verläuft in zwei Richtungen:

1. Munck stellt die These auf, die Opposition gegen Paulus im Gal habe nichts mit Jerusalemer Judenchristen zu tun. Sie sei vielmehr ein heidenchristliches Phänomen[210] ebenso wie die in der korinthischen Korrespondenz sichtbar werdende Gegnerschaft[211]. Paulus und Jakobus hätten keine grundsätzlichen Differenzen austragen müssen.

2. Munck legt m.R. den Finger auf den großen chronologischen Abstand der sicher bezeugten Judenchristen des zweiten Jahrhunderts zu denen aus der Periode vor 70[212], eine Schwierigkeit, die bereits Baur klar erkannt[213] und durch die oben beschriebene Konstruktion zu überwinden gesucht hatte. Überdies glaubt Munck, das historische Bindeglied zwischen dem Judenchristentum vor und nach 70 nChr, nämlich die von Euseb, KG III 5,3, berichtete Flucht der Jerusalemer Gemeinde nach Pella, als unhistorisch erweisen zu können[214].

Mit den oben beschriebenen Argumentationsgängen – bei relativ ausführlicher Behandlung der Periode vor 70 nChr, die man bei Schoeps noch vermißt hatte – verbannte Munck das Judenchristentum Baurscher Prägung in die zweite Hälfte des 2. Jahrhunderts und machte judenchristliche Spuren aus der Periode vor 70 nChr noch unkenntlicher als die Ritschl-Schule.

Die Ergebnisse der Arbeiten Muncks wurden von der Forschung überwiegend abgelehnt[215]. In der Tat war evident, daß die galatische Opposition von außerhalb stammte und mit Jerusalemer Christen in

---

210 Munck, Paulus, S. 79–126.

211 Munck, Paulus, S. 127–189. Eigentümlicherweise vertritt auch Schmithals, Paulus, passim, und ders., Gnosis, passim, eine ähnliche Auffassung, obgleich Einzeldifferenzen zwischen Munck und Schmithals nicht geleugnet werden können (vgl. auch die Kritik an Schmithals, Gnosis, durch Munck, New Testament). Jedenfalls entspricht auch bei Schmithals die nicht-judaistische Auffassung der paulinischen Gegnerschaft einem harmonischen Verhältnis zwischen Paulus und Jakobus. Beide verstehen den eigentlichen Judaismus als Phänomen der Periode nach 70 nChr, obwohl Schmithals, Paulus, S. 96 A 1, den Untergang der Jerusalemer Gemeinde im Jüdischen Krieg *nicht* vertritt.

212 Vgl. Munck, Primitive Jewish Christianity, S. 90f; ähnlich Keck, Saints, ein zu wenig beachteter Aufsatz, auf den unten zurückzukommen sein wird.

213 S.o. S. 17 A 22a.

214 Munck, Jewish Christianity, S. 103f; ders., Primitive Jewish Christianity, S. 89f.

215 Vgl. Band I, S. 59 A 3.

Verbindung stand. Ferner konnte niemand übersehen: Das paulinische Selbstzeugnis Gal 2 berichtete von Spannungen zwischen dem Heidenapostel und den Jerusalemern. Schließlich war es ein Kurzschluß, aus der Unhistorizität der Pellatradition den völligen Untergang des Judenchristentums von Jerusalem zu folgern. Eine derartige Logik müßte ja auch zur Meinung führen, die jüdische Gemeinde Jerusalems sei als ganze im Jüdischen Krieg zugrundegangen, weil wir keine Tradition über ihre Flucht besitzen.

Andererseits muß man Munck bescheinigen, daß er in seinen als endgültige Widerlegung Baurs geschriebenen Arbeiten aus einer Art Haßliebe gegenüber den Tübingern heraus die Probleme scharf gesehen hatte und in mancher Hinsicht viel kritischer als seine Vorgänger und Nachfolger war[216]. Seine These, daß die „neuere Paulusforschung (...) zwar mit der literarischen Theorie der Tübinger Schule gebrochen hat, aber nicht mit ihrer historischen"[217], ist zutreffend. Sie hätte die nachfolgenden Arbeiten über Paulus und das Judenchristentum in die hinfort einzuschlagende Richtung weisen können, nämlich entweder den Munckschen Ansatz weiterzuführen oder sich kritisch auf das Erbe der Tübinger Schule zu besinnen. Beides ist bisher leider nicht erfolgt.

1.8. Jean Daniélou[218]

Nach der Meinung Daniélous hatte Schoeps nur die synkretistischen Judenchristen behandelt. Der Gegenstand einer Theologie des Judenchristentums sei dagegen beträchtlich zu erweitern, denn die nichtsynkretistischen Judenchristen müßten in die Darstellung mit einbezogen werden. Es gelte dabei, die Denkform herauszuarbeiten, die das Christentum vom Judentum bis in die Mitte des zweiten Jahrhunderts übernommen habe. Das bedeute: Jede christliche Quelle außerhalb des Neuen Testaments aus dieser Zeit (vgl. u. A 219) gehöre in den Bereich des Judenchristentums. Wie führt Daniélou sein Programm im einzelnen aus?

---

216 Vgl. auch die Anerkennung durch Schmithals, Paulus, S. 7f. In den Bahnen Muncks wandelt neuerdings Brown, James (dazu s.u. S. 245).
217 Munck, Paulus, S. 69.
218 Daniélou, Théologie. Die im Text in Klammern gegebenen Seitenzahlen beziehen sich auf dieses Hauptwerk Daniélous. Eine Übersicht über seine Arbeiten zum Judenchristentum findet sich in: RSR 60.1972, S. 11–18. Die dogmengeschichtliche Bedeutung von Daniélous Beitrag würdigt Grillmeier, Hellenisierung, S. 540–547.

In seinem Buch ‚Théologie du Judéo-Christianisme' faßt Daniélou nach einem Überblick über die Quellen (S. 17–98) und einer Einführung in das intellektuelle Milieu des Judenchristentums (S. 101–164) die Lehren derjenigen Schriften des ersten und zweiten Jahrhunderts (unter verschiedenen Überschriften wie ‚Trinité et angelologie' [S. 167–198], ‚Les titres du fils de dieu' [S. 199–226], ‚L'incarnation' [S. 227–255], ‚La théologie de la rédemption' [S. 257–287] usw.) zusammen, die in der einen oder anderen Weise jüdisch-apokalyptische Züge tragen. Ohne sein Vorgehen je methodisch zu begründen, entwarf so Daniélou eine Theologie jüdischer Denkformen in der christlichen Kirche für die Zeit zwischen dem Neuen Testament und den Anfängen hellenistisch-apologetischer Theologie[219].

Der Zielsetzung und der Durchführung eines solchen Programms stehen schwerste Bedenken[220] entgegen:

1. Daniélous Voraussetzung, das Judentum jener Zeit sei apokalyptisch, ist in dieser Allgemeinheit unzutreffend;

2. die Abtrennung des Neuen Testaments von dem eigentlichen Gegenstand einer Theologie des Judenchristentums ist aus chronologischen[221] und sachlichen[222] Gründen nicht vertretbar[223]. Damit hängt der nächste Einwand zusammen:

3. Daniélous Arbeitsweise ist unhistorisch. Das Judenchristentum, das er in seinem Werk behandelt, hat es historisch in dieser Form nie gegeben. Es ist ein Kunstprodukt[224] und bezeichnet nicht mehr wie in der älteren Forschung einen historisch zu bestimmenden Typos von Christentum, sondern eine ideale Größe, die der Verfasser sich für eine bestimmte Zeit vorstellt.

4. Einen anderen wichtigen Einwand gegen Daniélou, der sich gleichfalls auch gegen die bisherige Forschung richtete, erhob M. Simon.

---

219 „En effet entre le Nouveau Testament et les débuts de la théologie hellénistique, telle qu'elle apparaît chez les Apologistes, il existe une période intermédiaire dont la physionomie est peu connue" (Daniélou, Théologie, S. 17).

220 Vgl. A. Orbe, in: RSR 47.1959, S. 544–559; H. Doerrie, in: Erasm. 15.1963, S. 713ff; Murray, Studies, S. 414–426.

221 Das Neue Testament (2Petr!) reicht selbst ins 2. Jahrhundert.

222 Das Neue Testament ist vom hellenistischen Geist schon deswegen berührt, weil das palästinische Judentum des ersten Jahrhunderts hellenisiert war.

223 Vgl. auch die berechtigte Kritik von Murray, Studies, S. 419f.

224 „What *is* the Judaeo-Christianity, if not merely an aspect of the Great Church? And if it is only an aspect, how can its ‚theology' be summed up in abstraction from the N.T. canon?" (Murray, Studies, S. 420).

Er stellte die Frage, ob es angemessen sei, das Judenchristentum aufgrund von Lehreigentümlichkeiten oder Denkkategorien (Daniélou) zu beschreiben. Müsse nicht auch für das Judenchristentum dasselbe gelten wie für das Judentum, nämlich daß es sich primär durch Gesetzesobservanz auszeichne und nicht durch (dogmatische) Lehren? Diese Frage leitet Simon bei seiner eigenen Beschäftigung mit dem judenchristlichen Phänomen, auf die im folgenden unser Blick sich richten muß.

1.9. Marcel Simon

Simons Beiträge zum Judenchristentum finden sich über zahlreiche Werke verstreut[225]. Obgleich er sich monographisch nie zum Thema geäußert hat, wird doch ein ziemlich geschlossenes, eindrucksvolles Bild sichtbar. Simon geht von der richtigen Beobachtung aus, daß die Kirchenväter in der Regel in ihren Referaten über die Judenchristen diese lehrmäßig in derselben Weise klassifizierten wie andere ‚Ketzer'[226] auch. Hatte Harnack noch bedauert, daß Justin (Dial 47) so wenig über die Judenchristen mitteile, so meint demgegenüber Simon, die Art und Weise des Justinschen Referats sei sachgemäß und hebe auf das Wesentliche[227] ab. Ja, vom Inhalt seines Referats sei überhaupt erst zu lernen, welche Kategorie für die Beschreibung des Judenchristentums adäquat sei: die Observanz des jüdischen Gesetzes. Sie schließe inhaltlich die rituellen Gesetze ein und gehe über die Forderungen des Aposteldekrets hinaus[228].

Weiter sei der Begriff des Judenchristentums primär im *religiösen* Sinne zu verwenden, um so mehr, als die jüdische Proselytenmission um die Zeitenwende beträchtliche Erfolge zu verzeichnen hatte[229]. Eine Rede vom „Judenchristentum ohne gesetzliche Bindungen"[230] stifte daher nur Verwirrung[231].

Die von der bisherigen Forschung gestellte Frage nach judenchristlichen Lehren bzw. judenchristlichen Denkkategorien (Daniélou) sei, wie bereits eingangs erwähnt, unangemessen, da im Judentum wie

---

225 S. Literaturverzeichnis s.v. Simon.
226 Simon, Israel, S. 291.
227 Ebd., S. 283.
228 Vgl. Simon, Judaïsme, S. 268 (vgl. auch S. 104, wo Simon von einer „observance rigoureuse de la Loi juive" spricht).
229 Simon, Israel, S. 308f.482ff.
230 So Bauer, Rechtgläubigkeit, S. 91.
231 Simon, Israel, S. 308 A 5; vgl. ders, Judaïsme, S. 259.

Judenchristentum die Orthopraxie von ungleich höherer Bedeutung als die Orthodoxie ist[232].

Historisch konkretisiere sich das Judenchristentum in einem Antipaulinismus[233]. Simon scheut sich nicht, von Jakobus als „adversaire notoire de l'apôtre des Gentils“[234] zu sprechen, den Antipaulinismus in den paulinischen Gemeinden als Fortsetzung der Auseinandersetzungen auf der Jerusalemer Konferenz anzusehen[235] und unter ausdrücklicher Kritik an Munck die genetische Beziehung zwischen dem Judenchristentum vor und nach 70 nChr hervorzuheben[236]. Simon lenkt dabei dankenswerterweise das Augenmerk auf die Komplexität des Judenchristentums. So schließt er darin auch den Stephanuskreis ein und kann daher die kultkritischen Passagen in den PsKl als Ausläufer der theologischen Anschauungen des Stephanuskreises ansehen[237].

Historisches Bindeglied zwischen dem Judenchristentum vor und nach dem Jüdischen Krieg ist für Simon die von Euseb, KG III 5, 3, berichtete Flucht der Jerusalemer Gemeinde nach Pella, deren Historizität er ausführlich in einem Aufsatz (1972) zu begründen suchte (dazu s.u. S. 265ff). Hier spricht sich Simon außerdem erneut[238] für eine Differenzierung zwischen den Nazaräern (als Nachfolger der Urgemeinde) und den Ebioniten aus, welch letztere sich in Transjordanien von der Urgemeinde abgespalten hätten und mit der vorchristlichen Sekte der Nasaräer in Berührung gekommen seien.

Sieht man einmal davon ab, daß die Tradition von der Pellaflucht der Jerusalemer Gemeinde schweren historischen Bedenken unterliegt und daß ferner die Unterscheidung zwischen Nazaräern und Ebioniten ungenügenden Anhalt an den Quellen hat, so ist gleichwohl festzustellen, daß Simons Beitrag zur Erforschung des Judenchristentums von höchster Bedeutung ist. Sein methodischer Zugang zum Problem steht einzig dar und verdient uneingeschränkte Zustimmung. Es ist bedauerlich, daß die neuere Forschung z.T. an Simons Arbeiten vorbeigegangen ist[239].

---

232 Simon, Problèmes, S. 6f. .
233 Simon, Israel, S. 290.
234 Ebd., S. 304.
235 Ebd., S. 309–311.
236 Ebd., S. 509–512.
237 Simon, Stephen, S. 113f.
238 Vgl. bereits Simon, Israel, S. 286f; ders., Stephen, S. 91ff; ders., Migration, S. 47ff.
239 Seine Arbeiten werden in Klijn-Reinink, Evidence, nicht ein einziges Mal genannt.

1.10. Gegenwärtige Tendenzen in der Erforschung des Judenchristentums. Problemstellung der vorliegenden Arbeit

Der folgende Abschnitt bemüht sich, unter Verarbeitung der Forschungsgeschichte eine Fragestellung zu entwickeln, die die Schwächen der oben referierten Beiträge vermeidet und die erreichten Resultate kritisch weiterführt. Zu diesem Zweck wird dann endlich eine eigene Definition von Judenchristentum in Auseinandersetzung mit den im Forschungsbericht dargelegten und sonst möglichen Auffassungen zu leisten sein.

Wir beginnen mit der Darstellung der gegenwärtigen Tendenz(en) in der Erforschung des Judenchristentums, um im engen Anschluß daran die soeben genannte Absicht in die Tat umzusetzen.

Falls unser Eindruck nicht täuscht, ist gegenwärtig der Auffassung Daniélous trotz z.T. scharfer Kritiken größter Erfolg beschieden[240]. So konnte A. F. J. Klijn in seinem programmatischen Aufsatz schreiben:

> "Daniélou took a step which had to be taken sooner or later. It is impossible to isolate the Jerusalem Church, Palestinian or Syriac Christianity from the rest of the Church in the Graeco-Roman world. We are dealing with one Christian movement in which the Jewish ideas and practices and the Jews themselves played their part in Jerusalem and Rome, Ephesus and Alexandria. For this reason it is impossible to define the term 'Jewish Christian' because it proved to be a name that can readily be replaced by 'Christian'."[241]

R. N. Longenecker verfaßte in der Nachfolge Daniélous stehend ein Buch mit dem Titel ‚Die Christologie des frühen Judenchristentums', in dem er die Christologie der zwischen 30 und 135 nChr bestehenden Gemeinden behandelte, die entweder in Jerusalem zu lokalisieren waren oder Jerusalem als ihre Mutterkirche betrachteten, so daß sie nur Titel jüdischen Ursprungs gebrauchten. Auf diese Weise ist er in der Lage, ein einheitliches Bild der frühen christlichen Christologie zu zeichnen[242].

---

240 Daniélous Fragestellung wird u.a. aufgenommen von Bagatti, Eglise; F. Manns, Essais sur le Judéo-Christianisme, SBFA 12, Jerusalem 1977, und I. Mancini, Archaeological Discoveries Relative to the Judaeo-Christians, SBFA 10, Jerusalem 1970. Zur (archäologischen) Kritik vgl. Meyers-Strange, Archaeology, S. 103f und passim.

241 Klijn, Study, S. 426.

242 Vgl. Simon, Réflexions, S. 66ff, zur Kritik an Longenecker, Christology. Positiv über Longeneckers Werk urteilt überraschenderweise Murray, Christianity, S. 450.

Ebenfalls in der Nachfolge Daniélous konnte G. Quispel durch eine breite Verwendung des Begriffs ‚Judenchristentum' die Anfänge des Christentums in Syrien, Alexandrien und Nordafrika als judenchristlich einstufen[243].

Den soeben angeführten, in der Nachfolge Daniélous stehenden Ansätzen ist gemeinsam, daß sie von Judenchristentum überall dort sprechen, wo christliche Texte sich Vorstellungen jüdischen Ursprungs bedienen. Ein derartiger Begriff von Judenchristentum ist aber zu weit, um zur historisch präzisen Erfassung frühchristlicher Texte und Gruppen zu dienen, um so mehr, als dann nichts weiter als die allgemeine Feststellung Klijns herauskommt, das frühe Christentum sei judenchristlich gewesen.

Andere Forscher gebrauch(t)en den Begriff Judenchristentum im ethnischen Sinn[244]. Das Adjektiv ‚judenchristlich' ist dann nähere Bestimmung derjenigen Mitglieder der christlichen Gemeinden, die geborene Juden sind. Ein solcher Ansatz trägt aber nicht dem religiösen, besonders von M. Simon in seinen einschlägigen Beiträgen hervorgehobenen Sinn Rechnung, den das Judentum unter geborenen Heiden hatte. Sodann dürfte es wenig sinnvoll sein, Gestalten wie Paulus, die die Tora im Verkehr mit Heiden absichtlich nicht beobachteten, Judenchristen zu nennen.

Eine weitere Definition von Judenchristentum ist am Schema von Orthodoxie und Häresie orientiert[245]. In diesem Fall werden die Kategorien frühchristlicher Häresiologen zugrundegelegt und die (häretischen) Ebioniten des zweiten Jahrhunderts als Folge jener Vorentscheidung von den (rechtgläubigen) Judenchristen der Urgemeinde unterschieden. Für ein solches Verständnis spielt ferner der neutestamentliche Kanon eine wichtige Rolle, enthält er doch keine einzige ebionitische Schrift. Doch dürfte klar sein, daß auch ein solcher Ansatz ausscheiden muß, der in seiner Unreflektiertheit ebenso verblüfft (die Frage, wodurch sich Judenchristentum konstituiere, wird selten gestellt), wie sein Erfolg seit Euseb grenzenlos war.

Ein die Schwächen der obigen Definitionen vermeidender Vorschlag stammt bekanntlich von M. Simon (s.o. S. 51f): Judenchristentum sei

---

243 Quispel, Discussion. Da Quispel in seinem Aufsatz den Ausdruck ‚judenchristlich' synonym mit ‚judaic' verwendet, sind wir berechtigt, Quispel zusammen mit Daniélou zu besprechen.

244 In diese Richtung *tendiert* von Harnack (trotz des Zitats oben S. 37).

245 So die meisten der oben unter 1.3 und 1.4 referierten Arbeiten.

Bezeichnung für diejenigen christlichen Gruppen, die eine (rituelle) Gesetzes*observanz* ausübten[246]. Ein solcherart konstituiertes Judenchristentum sei nicht mit Christentum identisch. Es schließe aber das Gesetz beobachtende Heiden ebenso ein, wie es das Gesetz nicht praktizierende Juden ausschließe. Simons in diesem Zusammenhang eher beiläufig gemachte Bemerkung, jenes Judenchristentum zeichne sich weiter durch eine Paulusablehnung aus, weist auf F. C. Baurs (und der Tübinger Schule) Auffassung des Judenchristentums zurück, nach der ein Antipaulinismus wesentliches Kennzeichen des Judenchristentums sei (s.o. S. 15). Jenes Judenchristentum war für Baur der Schlüssel zum Verständnis der ersten beiden christlichen Jahrhunderte, denn die katholische Kirche am Ende des zweiten Jahrhunderts habe sich dialektisch aus der Synthese von antipaulinischem Judenchristentum und paulinischem Heidenchristentum entwickelt. Doch war gerade Baurs spekulative Verwendung des Judenchristentums seine größte Schwäche in historisch-kritischer Hinsicht. Konnte er doch nur mit Gewaltsamkeiten den großen chronologischen Abstand zwischen antipaulinischen Zeugnissen aus der Periode vor und nach 70 nChr überbrücken, indem er Texte als Bindeglieder aufbot, die Paulus entweder gar nicht (Herm, Papias) oder nur beiläufig (1Clem) erwähnten.

Die Berechtigung eines solchen Verfahrens wurde Baur von der nachfolgenden Forschung nachdrücklich und m.R. bestritten (s.o. S. 27ff). Das frühe Christentum der ersten beiden Jahrhunderte war zu vielfältig, als daß es schematisch entweder dem judenchristlichen oder heidenchristlichen Strom zugewiesen werden konnte. Das Heidenchristentum nach 70 nChr hatte, wie Ritschl historisch richtig aufzeigte, eine ungleich größere Bedeutung als das Judenchristentum. Gleichzeitig ist hinzuzufügen: Selbst das Judenchristentum (entsprechend seiner Definition durch M. Simon) ist keineswegs auf antipaulinische Gruppen zu beschränken. Es hat mit Sicherheit ein von Paulus weder negativ noch positiv berührtes Judenchristentum gegeben[247].

---

[246] Vgl. jetzt ähnlich Strecker, Gnosis, S. 263, der zusätzlich noch „auf die Bewahrung der Einheit mit der jüdischen Nation und Religion" (ebd.) durch die Judenchristen hinweist.

[247] Hierher gehören z.B. die vormatthäische und vorjohanneische Gemeinde sowie die Gegner des Ignatius (hierzu vgl. P.J. Donahue, Jewish Christianity in the Letters of Ignatius of Antioch, in: VigChr 32.1978, S. 81–93; C.K. Barrett, Jews and Judaizers in the Epistles of Ignatius, in: R. Hamerton-Kelly/R.Scroggs [edd.], Jews, Greeks, and Christians [FS W.D. Davies], SJLA 21, Leiden 1976, S. 220–244 [Lit.]). – Ich danke U. Luz für weiterführende Fragen an diesem Punkt.

Freilich ist nach diesen kritischen Bemerkungen zu Baur und seinen Nachfahren darauf hinzuweisen, daß der Tübinger trotz seiner abwegigen Theorie von der Entstehung der katholischen Kirche seinen Gegnern in der historischen Kritik durchweg überlegen war und daß er wie kein anderer vor und nach ihm das Faktum einer antipaulinischen Haltung in Quellen des ersten und zweiten Jahrhunderts als Problem erkannt hatte. Der Forschungsbericht legt es daher nahe, uns noch einmal um die historisch-kritische Analyse des Antipaulinismus im frühen Christentum zu bemühen und gleichzeitig zu fragen, ob auf ihn die Bezeichnung ‚judenchristlich' im Sinne der von M. Simon gegebenen Definition des Judenchristentums zutrifft.

Dabei beschränken wir uns aus methodischen Gründen darauf, nur solche Texte zu behandeln, die eindeutig Antipaulinismus voraussetzen, sei es daß sie eine Attacke gegen Paulus bzw. gegen paulinische Briefe enthalten oder daß sie einen Schluß auf einen Angriff gegen Paulus oder seine Theologie zulassen[248]. Diese Beschränkung ist notwendig, weil die Baurschule – wie aus der obigen Forschungsgeschichte ersichtlich – aus spekulativ-historischem Interesse zu oft Gestalten wie Papias und Justin oder Texte wie die Apk, Herm u.a. e silentio als antipaulinisch[249] eingestuft hat oder in der neutestamentlichen Gegnerdebatte vorwiegend aus hermeneutischem Interesse hinter nicht wenigen paulinischen Passagen eine antipaulinische Front vermutet wurde. Bezüglich des ersten Punktes mögen wir dadurch zwar auf wichtige Zeugen einer antipaulinischen Haltung verzichten, da nicht auszuschließen ist, daß die genannten Autoren in verlorengegangenen Schriften gegen Paulus polemisiert haben. Trotzdem ist es aus methodischen Gründen geboten, von den eindeutigen Quellen auszugehen. Bezüglich der Paulusbriefe ist hier nur zu bemerken, daß nicht jeder, der von Paulus angegriffen wurde, auch selbst den Heidenapostel attackiert hat. Darum ist auch hier der Aus-

---

248 Die (Unsicherheit gegenüber Paulus verratende) Bemerkung 2Petr 3,15f ist ebensowenig Antipaulinismus wie die polemische Uminterpretation des 1Thess durch 2Thess (vgl. dazu Lindemann, Paulus, S. 42ff.91ff).

249 Ein Angriff gegen Paulus ist von einer Ignorierung bzw. Nichtberücksichtigung seiner Person oder Briefe unbedingt zu unterscheiden. Diese Unterscheidung passim (in extremer Weise: S. 84f) unterlassen zu haben, ist ein schwerer methodischer Fehler von Müller, Theologiegeschichte. Wer ferner m.R. der Meinung Müllers ist, es sei „mit der Möglichkeit einer kontinuierlichen Gegnerschaft gegen Paulus durch die Jahrzehnte hindurch (sc. zu) rechnen" (a.a.O., S. 84), kann die sogenannten nomistischen Judenchristen aus der Darstellung nicht ausklammern (zu Müller, a.a.O., S. 11).

gang von Stellen geboten, die ohne jeden Zweifel einen Angriff gegen Paulus reflektieren.

Unser Einsatzpunkt ist natürlich das Leben des Paulus und nicht die Nachgeschichte des Apostels, obgleich diese eine wichtige Aufgabe bleibt[250]. Die nachfolgende Darstellung hat somit zwei Hauptteile: I Antipaulinismus zu Lebzeiten des Paulus, II Antipaulinismus in nachpaulinischer Zeit.

Um dem von J. Munck m.R. betonten chronologischen Problem Rechnung zu tragen, behandeln wir die betreffenden Ereignisse und Texte in ihrer mutmaßlichen (in der Analyse jeweils zu begründenden) chronologischen Reihenfolge. Als obere äußere Grenze sei das antihäretische Werk des Irenäus gewählt, da es die offizielle Ächtung der antipaulinischen Gruppen bedeutete und Paulus zu diesem Zeitpunkt Bestandteil des Kanons geworden war.

Jeder einzelne Abschnitt wird in der Regel vier verschiedene Fragen zu klären haben (wobei ihre Reihenfolge angesichts der spezifischen Probleme der jeweiligen Texte variieren kann): a) Warum liegt Antipaulinismus vor? b) Welches Verhältnis hat er zur Theologie seiner Träger? c) Ist er judenchristlich? d) Wie läßt er sich historisch verständlich machen? Sodann ist am Schluß zusammenfassend zu fragen, ob die antipaulinischen Äußerungen in den ersten beiden Jahrhunderten isoliert zu sehende Phänomene sind oder ob sie genetisch zusammenhängen. In jedem Fall dürfte mit der vorliegenden Arbeit die Erforschung des Judenchristentums[251] auf eine feste Grundlage gestellt und schließlich auch die Paulusinterpretation gefördert werden.

---

250 Seltsamerweise befaßt sich weder Lindemann, Paulus, noch Dassmann, Stachel, mit dem Paulusbild der antipaulinischen Zeitgenossen des Apostels.

251 Es versteht sich von selbst, daß im obigen Forschungsbericht nicht sämtliche neueren Beiträge zum (antiken) Judenchristentum berücksichtigt werden konnten; vgl. aber noch Schille, Judenchristentum; B.J. Malina, Jewish Christianity: A Select Bibliography, in: AJBA 2.1973, S. 60–65; ders., Jewish Christianity and Christian Judaism, in: JSJ 7.1976, S. 46–57; S.K. Riegel, Jewish Christianity: Definitions and Methodology, in: NTS 24.1978, S. 410–415 (zu Malinas und Riegels Aufsätzen vgl. die [berechtigte] Kritik von Strecker, Gnosis, S. 262 mit A 5). – Begreiflicherweise blieben auch Arbeiten wie Pieper, Kirche, oder Schlatter, Geschichte, die – bei aller Intuition ihrer Verfasser – nur unkritische Paraphrasen des biblischen Textes darstellen, von näherer Betrachtung ausgenommen.

Hauptteil I: Antipaulinismus zu Lebzeiten des Paulus

2. DIE ÄLTESTEN ERKENNBAREN FÄLLE VON ANTIPAULINISMUS[1]

Die älteste Kritik an Paulus wird deutlich im Zusammenhang der Jerusalemer Konferenz und des mit ihr verbundenen Zwischenfalls von Antiochien. Für beide Ereignisse besitzen wir Primärquellen, d.h. Stellungnahmen eines Augenzeugen. Sie sind im folgenden zugrundezulegen[2]. Freilich ist gleichzeitig einschränkend folgendes zu bemerken: Paulus bekämpft im Gal Gegner und berichtet in seinem Brief über mehrere Jahre zurückliegende Ereignisse. Daher besteht die Möglichkeit, daß Paulus Streitfragen aus der gegenwärtigen Kontroverse in die auf der Konferenz ausgefochtene übertragen und somit einen nicht exakten Bericht über den Konvent gegeben hat. Aus diesem Grund empfiehlt sich der Einsatz bei eindeutig mit der Konferenz zusammenhängenden *Traditionen* bzw. bei zweifelsfrei auf der Konferenz behandelten Fragen.

2.1. Antipaulinismus auf der Jerusalemer Konferenz

Auf dem Jerusalemer Konvent steht die Forderung zur Debatte, ob Heidenchristen beschnitten werden sollten, um Mitglieder der christlichen Gemeinde werden zu können (Gal 2,3). Dieses Ansinnen[3]

---

1 Zu diesem Kapitel ist zu vergleichen Lüdemann, Antipaulinismus, S. 442ff, mit dem sich Teile des Folgenden z.T. wörtlich berühren.

2 Vgl. Band I, S. 94–105, zur Konferenz und zum Zwischenfall von Antiochien. Das dort Ausgeführte wird hier zusammengefaßt und aufgrund der veränderten Fragestellung freilich anders akzentuiert. Ich benutze ferner die Gelegenheit, auf wichtige Literatur einzugehen, die mir in der genannten Arbeit noch nicht bekannt war oder die wegen der hauptsächlich an der Chronologie orientierten Fragestellung nicht berücksichtigt wurde.

3 Die Forderung wurde von Judenchristen erhoben, nicht von Juden, „die in amtlichem Auftrag die Einstellung der Christengemeinde untersuchten" (Schmithals, Paulus, S. 89). Gegen derartige Thesen vgl. bereits Pfleiderer, Studien, S. 80f, und (gegen Schmithals) Georgi, Geschichte, S. 16 A 19.

richtet sich gegen die paulinische Praxis, Heiden ohne Beschneidung in die Gemeinde aufzunehmen. Die Forderung wurde nicht erst zur Zeit der Konferenz erhoben, sondern bereits vorher, und zwar in der gemischten Gemeinde Antiochiens, in die sich die „falschen Brüder" (Gal 2,4) eingeschlichen hatten[4].

Darauf zieht Paulus mit Barnabas nach Jerusalem und nimmt auch den Heidenchristen Titus mit, um auf diese Weise grundsätzlich die Zustimmung der Jerusalemer Gemeinde zu seiner eigenen gesetzesfreien Praxis zu erlangen.

Aus dem paulinischen Bericht lassen sich zwei Verhandlungsgänge voneinander unterscheiden: einer findet im Rahmen einer Gemeindeversammlung (Gal 2,2a), der andere mit den Angesehenen bzw. Säulen im kleinen Kreise statt (Gal 2,2b.6ff). Das zeitliche Verhältnis der Unterredungen ist unklar. Ist „die besondere Besprechung mit den Geltenden (...) vielleicht in V. 6–10 als zeitlich auf die öffentliche Verhandlung folgend dargestellt? Oder ging sie dieser zeitlich voran und ist nur aus sachlichen Gründen (weil sie das positive Resultat enthält) von Paulus jener nachgestellt worden? Oder endlich ist sie vielleicht mitten zwischen die öffentlichen Verhandlungen zu verlegen?"[5]

Paulus kann den Säulen die Zustimmung abringen, daß die Heidenchristen nicht beschnitten werden müßten. Der Begleiter des Paulus, der Heidenchrist Titus, wird jedenfalls nicht zur Beschneidung gezwungen (Gal 2,3). Gleichwohl war die Zustimmung hart umkämpft, und man wird annehmen müssen, daß die „falschen Brüder" eine erhebliche Unterstützung seitens der Jerusalemer Gemeinde bei ihrer Forderung nach der Beschneidung des Titus und anfangs wohl auch die Säulen auf ihrer Seite hatten[6]. „Wie konnte man denn überhaupt in Jerusalem, unter den Augen der angesehensten Apostel nur daran denken, die Beschneidung des Titus zu *erzwingen*, wenn dieselbe

---

[4] Vgl. Lietzmann, Gal, zSt; Georgi, Geschichte, S. 15; vgl. bereits Pfleiderer, Studien, S. 82f. 246. Anders Suhl, Paulus, S. 65f, dessen Vorschlag auf seiner m.E. unzutreffenden Auffassung des Anlasses der zweiten Jerusalemreise des Paulus beruht (s. Band I, S. 107 A 111. 101 A 97). Vgl. jetzt m.R. Eckert, Kollekte, S. 67f. – Borse, Paulus, vertritt erneut die Ansicht, Paulus habe zur Konferenz eine Kollekte nach Jerusalem gebracht (a.a.O., S. 52). Doch begeht Borse in seiner fleißigen Studie den schweren Fehler der Harmonisierung von Apg und Paulusbriefen.

[5] Pfleiderer, Studien, S. 249.

[6] Vgl. sogar Ritschl, Entstehung, S. 150f: „Die Urapostel ließen sich doch, wie es scheint, eine Zeit lang von den strengen Judenchristen imponiren, da Paulus andeutet, dass es Mühe gekostet habe, den Titus der Beschneidung zu entziehen."

nicht eben im Sinne der Urapostel und der Urgemeinde war!"[7] Zumindest ein großer Teil der Gemeinde muß die „Falschbrüder" unterstützt haben, denn sonst hätten sie die Beschneidungsforderung nicht so wirkungsvoll erheben können[8].

Nun steht aber fest, daß Paulus sich dieses Ansinnens erwehren konnte und die grundsätzliche Zustimmung der Säulen zu seiner gesetzesfreien Heidenmission erhielt. Der Grund für die mit einem feierlichen Handschlag besiegelte Einigung[9] war offensichtlich der Erfolg der paulinischen Heidenmission, vor dem die Jerusalemer die Augen nicht verschließen konnten, und die Bereitschaft der heidenchristlichen Gemeinden, die Gemeinschaft mit einer Geldgabe zu dokumentieren[10]. Andererseits muß darauf hingewiesen werden, daß die „falschen Brüder" trotz des Konkordats der Jerusalemer mit Paulus natürlich Mitglieder der Jerusalemer Gemeinde blieben und – die Einigung nach Kräften bekämpft haben werden. Ihr offener Antipaulinismus ist jedenfalls als maßgeblicher Faktor auf der Konferenz und in der Folgezeit vorauszusetzen.

Wenn die obige Rekonstruktion im wesentlichen zutrifft, sollte man annehmen, daß die „falschen Brüder" trotz der Niederlage in der Beschneidungsfrage doch von (indirektem) Einfluß auf die Einzelheiten des Verhandlungsergebnisses gewesen sind. Diese Annahme wird bestätigt durch eine genaue Betrachtung der rechtlichen Charakter aufweisenden[11] Einigungsformel Gal 2,9: *ἡμεῖς εἰς τὰ ἔθνη*,

---

7 Hilgenfeld, Urchristentum (1858), S. 79.

8 Vgl. m.R. Pfleiderer, Studien, S. 88.

9 Vgl. zum Begriff *κοινωνία* Hainz, Gemeinschaft, der (bei umfassender Berücksichtigung der Sekundärliteratur) nachweisen möchte, daß jener Begriff „ekklesiologisch von größter Bedeutung" (S. 42) für Paulus und die Jerusalemer gewesen sei. Die ebd. betonte hermeneutische Relevanz eines solchen Ergebnisses für die heutigen Konfessionen ist m.E. aber zweifelhaft, da beide Seiten, wie die nachfolgenden Konflikte lehren, diese ‚Gemeinschaft' verschieden aufgefaßt haben (vgl. hierzu besonders Brown, Community, S. 209 mit A 71). Zu *κοινωνία* bei Paulus vgl. noch Panikulam, Koinonia, passim.

10 Smith, Problems, weist m.R. auf die Bedeutung der Kollekte für die Einigung hin und umschreibt gut die Haltung der Jerusalemer zu Paulus: „The Jerusalem group my have been of two minds about Paul's work: On the one hand, it was inadequate, since his converts did not keep the Law, and even dangerous, since it might lead Jews to transgression; on the other hand it was better than nothing, since it did preach Christ, and it created centers in which further work by their own representatives could easily be started. In the event of such a balancing of considerations, a generous gesture on the part of Paul my have been enough to turn the balance, temporarily, at least, to the side of approval" (S. 122). Vgl. noch Hurd, Origin, S. 263f, und bereits Wrede, Paulus, S. 43.

11 Vgl. Georgi, Geschichte, S. 21; Betz, Gal, zSt.

αὐτοὶ ... εἰς τὴν περιτομήν. Das Missionsfeld wird aufgeteilt[12]. Die Heidenmission ist fortan Aufgabe des Paulus und des Barnabas, die Judenmission die der Jerusalemer Jakobus, Kephas, Johannes. Die Wendungen *εἰς τὰ ἔθνη* bzw. *εἰς τὴν περιτομήν* lassen vom Wortlaut her nur ein exklusives Verständnis[13] der in ihnen anvisierten Bezugsgruppen zu[14]. Das bedeutet: *ἔθνη* und *περιτομή* haben ethnographischen Sinn[15]. Die obige Formel sicherte zwar Paulus das uneingeschränkte Recht zur Heidenmission zu. Andererseits konnte sie auch dazu benutzt werden, um eine Mission an Heiden *und* Juden rückgängig zu machen. D.h., die obige Regelung schloß nicht aus, daß in Zukunft Juden, die gesetzeslos in einer heidenchristlichen Gemeinde lebten, auf das Halten des jüdischen Gesetzes verpflichtet werden konnten.

Damit ist deutlich, daß zumindest ein potentiell antipaulinisches Element im Verhandlungsergebnis einen Niederschlag gefunden hatte. Denn Paulus erwartete von Judenchristen im Verkehr mit den Heidenchristen eine Nichtbeachtung des Gesetzes (Gal 2,11ff).

Ein weiteres virtuell antipaulinisches Element der Einigungsformel betrifft Pauli Apostolat: Die Regelung, wie sie sich in Gal 2,9 niederschlägt, enthält nicht die Anerkenntnis von Pauli Apostolat, sondern spricht lediglich von der Heidenmission des Paulus[16]. Auch die

---

12 Nach Smith, Problems (ähnlich Weiß, Urchristentum, S. 200f; Holmberg, Paul, S. 29f [Lit.]), „it is most probable that Paul is not here talking about the division of the mission field at all, but about his previous subject, the authority of the gospel" (S. 123f), denn „Paul's purpose (...) was not to report a division of the mission field, but to insist on the approval of his gospel by the Jerusalem group" (S. 125). Zwischen der Absicht des Paulus und den Abmachungen auf der Konferenz ist in der Tat zu unterscheiden. Die Frage lautet, ob Paulus in Gal 2 *Traditionen* der Konferenz wiedergibt. Daran kann aus syntaktischen, sprachlichen und inhaltlichen Gründen kein Zweifel möglich sein (vgl. Band I, S. 91ff).

13 „So war der Einigungsvertrag der Apostel zugleich ein Scheidungsvertrag der beiderseitigen Kirchen, der gesetzestreuen und der gesetzesfreien" (Pfleiderer, Studien, S. 96). Vgl. auch Wrede, Paulus, S. 43.

14 Schmithals, Paulus, S. 35ff, stellt völlig zu Recht heraus, daß jede andere Auffassung dem Wortlaut von Gal 2,9 Gewalt antut. Vgl. noch Brown, Community, S. 207; Eckert, Kollekte, S. 71.

15 Georgi, Geschichte, wendet stellvertretend für viele gegen den obigen Vorschlag ein: In Gal 2,9 sei „nicht an eine Scheidung in heidnische und jüdische Missionsobjekte zu denken. Dies wäre schwer mit der wirklichen historischen Lage in Einklang zu bringen" (S. 21). Die Frage ist doch, ob nicht eine von Ausdruck und Grammatik gebotene Interpretation zur Einsicht führt, daß die Formel eine wirkliche historische Lage *rückgängig* zu machen sucht.

16 Daß immer wieder eine Anerkennung des paulinischen *Apostolats* in Gal 2,7ff hineingelesen wird (vgl. zuletzt Holmberg, Paul, S. 54: freilich nur „privately"), ändert nichts an der Richtigkeit der obigen Feststellung; vgl. jetzt Betz, Gal, zSt.

Parallelisierung Petri mit Paulus (V. 8) spricht nur von der ἀποστολή des Petrus, aber nicht vom Apostolat des Paulus[17]. Dieser Befund ist seltsam, denn a) war das Bewußtsein, Apostel der Heiden zu sein, bei Paulus sehr früh ausgebildet (Gal 1,16: bei der Berufung) und wichtiger Bestandteil seines Selbstverständnisses[18], und b) hätte sich Paulus zwecks Widerlegung der gegnerischen Anwürfe in Galatien kaum eine Konferenz-Tradition entgehen lassen, die seinen eigenen Apostolat zum Inhalt hatte.

Die Spannung zwischen dem niedergelegten Verhandlungsergebnis und dem soeben aufgezeigten Befund läßt nur den Schluß zu: Entweder wurde Pauli Apostolat in Jerusalem verworfen oder Paulus hielt es aus taktischen Gründen nicht für geraten, seinen Apostolat zu thematisieren[19], weil das die erzielte Einigungsformel hätte gefährden können[20]. Im ersten Fall läge ein eindeutiger antipaulinischer Akt vor. Sollte die letzte Möglichkeit zutreffen, hätte Paulus einer antipaulinischen Aktion vorgebeugt. In jedem Fall ist klar, daß die Nichterwähnung des paulinischen Apostolats im Verhandlungsergebnis antipaulinischer Opposition in Jerusalem entspringt.

---

17 Vgl. dazu Band I, S. 103. Gegen Oepke, Gal, S. 81: „Die Behauptung, Paulus vermeide diesen Ausdruck (sc. ἀποστολή) für sich mangels voller Anerkennung seines Apostolats in Jerusalem, konnte nur übertriebenem sachlichen, mangelndem sprachlichen Feingefühl entspringen."

18 Betz, Gal, schließt anscheinend aus seiner zutreffenden Erkenntnis, daß Pauli Apostolat in Jerusalem nicht anerkannt worden sei, zu Unrecht, Paulus habe sich zur Zeit der Konferenz (noch) nicht Apostel genannt (vgl. a.a.O., S. 98f A 394f).

19 Man darf voraussetzen, daß Paulus in Jerusalem auch andere Fragen nicht angeschnitten hat (z.B. seine Auffassung vom Ende des Gesetzes in Christus), über die er anders dachte als die Jerusalemer (vgl. zum Problem noch Hengel, Ursprünge, S. 21).

20 Vgl. Pfleiderer, Urchristentum I, S. 84: „Damit hatte Paulus das erreicht, um was es ihm zunächst allein zu tun war: die Anerkennung der Freiheit seiner Heidenchristen vom jüdischen Gesetz; weitergehende Forderungen zu stellen und die Verbindlichkeit des Gesetzes für die Christen überhaupt, einschliesslich der Judenchristen, zu bekämpfen, dazu hatte er gar keinen Grund, er würde dadurch nur seinen nächsten Zweck vereitelt haben (. . .); aber freilich war diese Verständigung in Jerusalem nur dadurch erreicht worden, dass man die prinzipielle Frage nach dem Verhältnis des Christusglaubens und der Christusgemeinde zum jüdischen Gesetz umging."

2.2. Antipaulinismus beim Zwischenfall von Antiochien[21]

Der Hergang kann auf der Grundlage von Gal 2,11ff wie folgt rekonstruiert werden: In der gemischten Christengemeinde Antiochiens hatten geborene Juden[22] mit Heiden Tischgemeinschaft gehalten. Dieser Praxis schloß sich Petrus an, als er in Antiochien weilte. Als einige von Jakobus kamen, zogen sich Petrus, Barnabas und die übrigen Juden aus Furcht[23] vor den Beschneidungsleuten (*οἱ ἐκ περιτομῆς*)[24] zurück, worauf Paulus den Petrus vor allen als schuldig anklagte: Durch diese Aktion zwinge Petrus die Heiden, die jüdische Lebensweise anzunehmen (*ἰουδαΐζειν*), was unvereinbar mit der Wahrheit des Evangeliums sei[25].

Der Gal 2,11ff berichtete Vorgang erlaubt folgende Schlüsse:

1. Die *τινὲς ἀπὸ Ἰακώβου* sind Abgesandte des Herrenbruders Jakobus und kommen in seinem Auftrag nach Antiochien.

2. Sie[26] betreiben[27] die Trennung der Judenchristen von den Heidenchristen und sind mit den Beschneidungsleuten identisch. Der Grund

---

[21] Zur Lit. vgl. jetzt Betz, Gal, zSt. Noch immer wichtig auch für die Interpretation ist Overbeck, Auffassung, weil er passim Apologeten älterer und jüngerer Zeit den Spiegel vorhält.

[22] Vom Kontext her gehören diese Juden eindeutig zur christlichen Gemeinde Antiochiens: gegen Richardson, Israel, S. 93–95.

[23] Das Verb *φοβεῖν* hat hier den Sinn einer theologisch begründeten Furcht: Petrus ließ sich von der Autorität des Jakobus beeindrucken. Suhl, Paulus, schreibt zwar: „es sei durch nichts zu belegen, daß durch das bloße Auftreten der Jakobusleute plötzlich eine Gefährdung von seiten der ungläubigen Juden in Antiochien entstand“ (S. 72). Doch ist hier a) fälschlich vorausgesetzt, die Beschneidungsleute seien die ungläubigen Juden (s. nächste Anmerkung), und b) werden als Gegenstand der Furcht unnötigerweise physische Bedrohungen seitens der antiochenischen Judenschaft angesehen.

[24] Die Beschneidungsleute sind Mitglieder der christlichen Gemeinde Jerusalems (s. Band I, S. 101 A 97).

[25] V. 15ff führen in das Briefkorpus über und sind nicht mehr Bestandteil der Rede des Paulus. Es geht daher nicht an, mit Suhl, Paulus, daraus, „daß Paulus Gal 2, 15–17 noch zur Zeit des Gal an die allen Judenchristen gemeinsame Glaubensentscheidung appellieren kann“ (S. 72), zu folgern, die Furcht sei nicht theologisch begründet gewesen.

[26] Ward, James, S. 176, bringt es in der Nachfolge von Munck fertig, selbst auf der Grundlage von Gal 2, 11ff ein ungetrübtes Freundschaftsverhältnis zwischen Jakobus und Paulus zu konstatieren. Petrus habe nämlich nicht die Sendlinge des Jakobus, sondern die Juden gefürchtet. Warum fürchtet er sie erst, als die Jakobusleute kommen?

[27] Gegen Lietzmann, Gal, zSt: Es stehe in Gal 2,11ff nur, daß einige Jakobus nahestehende Leute sich weigern, sich den Heidenchristen, Judenchristen und Petrus beim Mahl zuzugesellen. Dann wird die Reaktion des Petrus und Barnabas doch unverständlich.

für die Separation dürfte in jüdischen Gesetzesvorschriften liegen, die in aller Regel die Trennung des Juden vom heidnischen Tisch forderten[28]. Den Vorfall taktisch[29] oder politisch[30] zu erklären und damit theologisch herunterzuspielen, überzeugt nicht. Denn es ging ebenso wie auf der Jerusalemer Konferenz um die Frage nach der theologischen Bedeutung des Gesetzes. Jakobus war sowohl auf der Konferenz als auch jetzt der Meinung, daß Juden sich vom unreinen Tisch der Heidenchristen fernzuhalten hätten, während Paulus von Judenchristen im Verkehr mit Heidenchristen die Nichtbeachtung der Speisegesetze erwartete. Daher muß die besagte Aktion des Herrenbruders als antipaulinisch[31] eingestuft werden[32].

Damit sind die beiden frühesten Beispiele für antipaulinische Aktionen bzw. Haltungen im jungen Christentum zur Sprache gekommen. Sie gehören *chronologisch* den ersten beiden Jahrzehnten der christlichen Bewegung an und betreffen *sachlich* die Stellung der Heiden in den christlichen Gemeinden. Diesen wird von den Antipaulinisten nur dann eine Mitgliedschaft zugestanden, wenn sie sich vorher entschließen, das Gesetz zu beachten. Die antipaulinische Gegnerschaft ist daher judenchristlich im oben (S. 54f) definierten Sinn. Die Beispiele stehen *örtlich* jeweils in direktem Zusammenhang mit Jerusalem und betreffen *persönlich* die gesetzesfreie Verkündigung des

---

28 Vgl. Bill. IV. 1, S. 374–378; Moore, Judaism II, S. 75f; Apg 10,28; Joh 18,28; Jub 22, 16; Tob 1, 10f.

29 Schmithals, Paulus, S. 51–64. Dietzfelbinger, Irrlehre, passim, zeigt gegen Schmithals gut, daß die Haltung der Jerusalemer auf keinen Fall in solchem Maße taktisch bedingt war, wie Schmithals es darstellt.

30 Suhl, Paulus, S. 70ff.

31 Schmithals, Paulus, weist darauf hin, „daß Paulus die Abgesandten des Jakobus oder diesen selbst mit keinem Wort der Kritik bedenkt" (S. 56), und will das als Indiz für eine freundliche Haltung zwischen Paulus und Jakobus werten. Das ist m.E. methodisch unerlaubt, da doch auch Jakobus durch die Attacke gegen Petrus angegriffen wird. Beide gehören zu den Säulen. – Goguel, Apôtre, S. 472, meint, ‚einige von Jakobus' seien nicht notwendigerweise *Abgesandte* des Herrenbruders. Dagegen spricht die plötzlich einsetzende Furcht des Petrus vor den Beschneidungsleuten (vgl. oben A 26). – Eine andere Variante der Harmonisierung findet sich bei Howard, Paul, S. 42: Paulus greife Jakobus nicht öffentlich an „without first having faced him personally in order to see if Peter's reaction to the envoys was warranted (. . .). Secondly, it may be that Paul suspected that Peter's reaction to the envoys was due to a misunderstanding of what James meant." Ein Kommentar erübrigt sich.

32 Meiner Meinung nach liegt der Zwischenfall vor der Konferenz (Band I, S. 101ff), was aber hier unerörtert bleiben kann, da es uns um das antipaulinische Phänomen geht und in jedem Fall beide Ereignisse nicht allzu fern voneinander liegen dürften.

Paulus. Aus Gal 2,11ff ersahen wir überraschenderweise eine direkte Beteiligung des Herrenbruders Jakobus am Antipaulinismus, angesichts dessen Petrus und Barnabas zurückweichen. Aber selbst die Abmachungen auf der Jerusalemer Konferenz trugen z.T. die Handschrift der unerbittlichen Antipauliner und waren weit davon entfernt, ein Sieg für Paulus zu sein.

Die beiden letzten Punkte leiten zur Aufgabe über, die im nächsten Kapitel zu stellen ist. Hier ist das Jerusalemer Christentum zu behandeln, das von einem bestimmten Zeitpunkt an, wie aus den beiden obigen Schlaglichtern hervorging, an antipaulinischen Aktionen beteiligt war. Jenes Kapitel wird dabei das Problem mitzuerhellen haben, wie Jakobus, der Herrenbruder, die Führungsstellung in Jerusalem einnehmen und warum er an den besagten Aktionen beteiligt sein konnte. Insofern hat jenes Kapitel im *Rückblick* das Aufkommen des Antipaulinismus zu erklären. Andererseits wird auch im *Vorblick* die Geschichte der Jerusalemer Gemeinde von der Konferenz bis zum Jüdischen Krieg darzustellen sein, um damit dem nachfolgenden Kapitel eine tragfähige Basis zu liefern.

3. ANTIPAULINISMUS IN JERUSALEM UND DER HERRENBRUDER JAKOBUS[1]

3.1. Das Jerusalemer Christentum vor Pauli erstem Besuch

Obgleich die Apg sicher unzutreffend von einem Uranfang der christlichen Bewegung in Jerusalem weiß[2], so kann kein Zweifel darüber bestehen, daß nicht lange nach der Kreuzigung Jesu ein Großteil seiner Anhänger nach zeitweiligem Verlassen der Hauptstadt in Jerusalem eine Gemeinde bildete, die bis zum Jüdischen Krieg von entscheidender Bedeutung für das Christentum innerhalb und außerhalb Palästinas war.

Bevor wir unsere Aufmerksamkeit der Geschichte der Jerusalemer Gemeinde zuwenden, muß zunächst von dem eigentlichen Beginn der (nachösterlichen) christlichen Bewegung berichtet werden, ihrem Uranfang in Galiläa, um so mehr, als das für die Frage nach den Autoritätsverhältnissen in der frühesten Jerusalemer Gemeinde von Bedeutung sein wird.

Die ältesten Auferstehungserscheinungen fanden in Galiläa statt (Mk 16,7; Mt 28,16ff; Joh 21), wohin sich die Jünger Jesu nach seiner Kreuzigung fluchtartig[3] begeben hatten. Hier erschien der Auferstandene zuerst dem Herrenjünger Simon Petrus. Diese Behaup-

---

[1] Vgl. zum Folgenden die betreffenden Kapitel in den einschlägigen Geschichten des Urchristentums (s. Lit.verz.). Vgl. noch bes. Goguel, Naissance, S. 105–154; Longenecker, Paul, S. 271–288; W.D. Davies, in: PCB 760a–770c (S. 870–881). Die Aufsatzsammlung Gaechter, Petrus, bleibt hier (wie bereits auch in Kap. 2) überall außer Betracht, da ihr Verfasser trotz großer Belesenheit mit Absicht psychologische Exegese (a.a.O., S. 9) betreibt und in Einleitungsfragen z.B. Jak und 1Petr für echt und die Apg für durchweg historisch zuverlässig hält.

[2] Vgl. Schille, Anfänge; ders., Judenchristentum; ders., Osterglaube. Schille hebt in seinen Arbeiten die Bedeutung Galiläas als des ältesten Missionszentrums heraus (so auch Schmithals, Paulus, S. 25f A 5). Gegen die Annahme von ältesten Ostererscheinungen in Galiläa wenden sich Burkitt, Beginnings, S. 76–97; Weiß Urchristentum, S. 10ff; dagegen K. Lake, in: Beg I.5, S. 7–16. Vgl. noch die Übersicht bei Kasting, Anfänge, S. 85f A 24. Ich halte es für *sicher*, daß die ersten Erscheinungen in Galiläa stattgefunden haben. Noch niemand hat erklären können, wie es zu den galiläischen Erscheinungen *nach* den jerusalemischen überhaupt hätte kommen können (vgl. noch Vögtle, in: Lohse/Vögtle, Geschichte, S. 26).

[3] Vgl. Mk 14,27f.50; Joh 16,32; Joh 21. Zur Historizität der Jüngerflucht vgl. Gräßer, Problem, S. 21ff. Dagegen freilich Klein, Verleugnung, S. 69 u.ö.

tung kann sich auf folgende Beobachtungen stützen: a) Sowohl in Mk 16,7[4] als auch in Joh 21 (Luk 5)[5] ist Petrus Hauptperson und wird von den übrigen Jüngern abgesetzt. b) Andere Traditionen, die freilich die Ortsangabe Galiläa nicht mehr besitzen, berichten von einer *Erst*erscheinung vor Petrus: Luk 24,34 („Der Herr ist wirklich auferweckt worden und dem Simon erschienen"); 1Kor 15,5 ([Jesus erschien] „dem Kephas, dann den Zwölfen"). c) Die vier erhaltenen Namenslisten der Zwölf (Mk 3,16ff; Mt 10,2ff; Luk 6,14ff; Apg 1,13) haben einhellig den Petrus an der ersten Stelle[6], obgleich sie voneinander unabhängig sind[7].

Wahrscheinlich fand in Galiläa eine *zweite* Christophanie statt, als Jesus dem Petrus und den übrigen Mitgliedern des Zwölferkreises erschien (1Kor 15,5)[7a].

Historisch gesehen, bedeutet die obige Rekonstruktion, daß Petrus in Galiläa den Jüngerkreis reorganisierte und mit ihm nach Jerusalem zurückzog[8]. Dabei hatte der Zwölferkreis – ob er nun auf eine Gründung des historischen Jesus zurückgeht oder nicht[9] – mit Pe-

---

4 Ein solches Urteil gilt unabhängig davon, ob Mk mit 16,8 geendet hat oder nicht. Denn auch wenn Mk keine Ostergeschichte ausgeführt hat, ist mit Mk 16,7 die Ersterscheinung vor Petrus reflektiert. Dabei ist freilich vorausgesetzt, daß V. 7 *nicht* auf die Parusie verweist (vgl. Pesch, Mk II, zSt) und ferner, daß jener Vers nicht redaktionellen Ursprungs ist (vgl. Pesch, a.a.O., zSt).

5 „Jh 21, 1–17 (19b) und Lk 5,4–11 sind zwei Varianten eines Grundberichts, der von einem wunderbaren Fischzug (unter der Leitung) des Petrus erzählte, für den dieses Ereignis irgendwie zu einer besonderen Offenbarung des Auferstandenen wurde" (Kasting, Anfänge, S. 51).

6 Das ist aber nur denkbar auf dem Hintergrund einer Ersterscheinung vor Petrus (zu Kattenbusch, Vorzugsstellung, S. 322 und passim). Kattenbuschs Aufsatz ist trotzdem in vieler Hinsicht notwendiges Korrektiv zu Holl, Kirchenbegriff, der aus den oben im Text gegebenen Gründen zu viel über die Theologie der Jerusalemer Gemeinde weiß. – Daß die Reihenfolge von Namen im NT eine *Rangordnung* bezeichnet, zeigt Hengel, Maria, S. 248ff.

7 Zur Begründung vgl. Klein, Verleugnung, S. 76f (Lit.).

7a Gewöhnlich sieht man in 1Kor 15,5 *zwei* Christophanien reflektiert (vgl. z.B. Kasting, Anfänge, S. 89). Doch ist auch nicht völlig auszuschließen, daß es sich nur um *eine* gehandelt hat (vgl. in diesem Kap. S. 78 A 55). Die obigen Darlegungen lassen sich mit beiden Vorschlägen vereinbaren, obgleich m.E. der erstere vorzuziehen ist.

8 Weizsäcker, Zeitalter, S. 1–6; Kasting, Anfänge, S. 86–89 (Lit.): ‚Der Urmissionar Petrus'; Kraft, Entstehung, S. 209–211.

9 Vgl. die Übersicht durch W. Trilling, Zur Entstehung des Zwölferkreises. Eine geschichtskritische Überlegung, in: R. Schnackenburg u.a. (edd.), Die Kirche des Anfangs (FS H. Schürmann), Leipzig 1977, S. 201–222 (Lit.).

trus als Primus eine leitende Stellung inne, wofür besonders die alte Formel 1Kor 15,5 Zeugnis ablegt (dazu s.u. S. 77ff).

Die Erscheinungen setzten sich in Jerusalem fort. Wir wissen von Jesu Erscheinung vor 500 Brüdern[10], der vor den Frauen[11] und der vor Jakobus samt allen Aposteln (1Kor 15,7). Eigentümlicherweise hatte der Zwölferkreis keinen langen Bestand. Zum Zeitpunkt des ersten Besuchs des Paulus in Jerusalem (Kephasbesuch) scheint er überhaupt nicht mehr bestanden zu haben[12].

Aber auch weitere einschneidende Entwicklungen in der Jerusalemer Gemeinde jener Frühzeit sind zu vermelden: Bald nach der Rückkehr der Jesusgemeinde aus Galiläa schlossen sich ihr griechischsprechende Juden, die sogenannten Hellenisten, an, die alsbald eigene Gottesdienste in griechischer Sprache abhielten und sich als Folge der primär aus Sprachgründen erfolgten Separation von der aramäischsprechenden Urgemeinde aus ihrer Mitte ein Vorstehergremium der Sieben wählten[13]. Die Apg 6,5 überlieferte Liste dürfte auf Tradition zurückgehen und ist wohl historisch zuverlässig. Mitglieder des Siebenerkreises, über die weitere Traditionen zur Verfügung stehen, sind Philippus, Nikolaos und Stephanus:

Philippus lebte später mit seinen vier prophetischen Töchtern in Cäsarea am Meer und beherbergte Paulus mit seinen Begleitern vor dem entscheidenden Gang nach Jerusalem (Apg 21,8). Philippustraditionen scheinen ferner in Apg 8 verarbeitet worden zu sein[14].

Nikolaos erscheint in Irenäus, haer I 25, und wohl auch in Apk 2,6.15 als Ahnherr der Nikolaiten, wobei die Frage eines genetischen Zusammenhangs zwischen den Mitgliedern des Hellenistenkreises und den späteren Nikolaiten offenbleiben muß[15].

Von *Stephanus* berichtet Lukas in Apg 7 ein Martyrium. Obgleich die ihm zugeschriebene Rede schwerlich in die Anklagesituation paßt[16] und überhaupt als lukanische Komposition anzusehen ist,

---

[10] Vgl. Holl, Kirchenbegriff, S. 47 A 1. Gegen Jerusalem als Erscheinungsort: Schille, Anfänge, S. 198 A 134. Vgl. die Übersichten bei Kremer, Zeugnis, S. 71ff (Lit.); Graß, Ostergeschehen, S. 99ff (Lit.).

[11] Zu der Erscheinung vor den Frauen vgl. Hengel, Maria.

[12] Vgl. Schmithals, Apostelamt, S. 72.

[13] Vgl. hierzu Hengel, Jesus, S. 178; ders., Geschichtsschreibung, S. 63–70.

[14] Vgl. Lüdemann, Untersuchungen, S. 39–42.

[15] Vgl. Lüdemann, Untersuchungen, S. 121f A 17.

[16] Vgl. Conzelmann, Apg, zSt.

geht doch Apg 6,11 auf Tradition zurück[17] und dürfte eine Gesetzeskritik des historischen Stephanus reflektieren.

Der Exodus der Hellenisten aus Jerusalem war vor allem durch ihre Gesetzeskritik[18] bedingt, und der gewaltsame Tod eines der Sieben, Stephanus, bildete den unmittelbaren Grund zum Auszug.

Die nächste Analogie im jüdischen Bereich für einen Exodus aus Jerusalem sind der Auszug nach Leontopolis[19] im 2. Jahrhundert vChr und der nach „Damaskus"[20] etwa zur gleichen Zeit. Sie dürften durch abweichende Einstellungen zum Kult[21] hervorgerufen worden sein[22]. Falls Apg 6,13f auf Tradition zurückgeht, ist auch für die Hellenisten eine Kultkritik vorauszusetzen (s.o. A 17).

Außerhalb Jerusalems begannen die Hellenisten die Heidenmission und trugen das Evangelium bis hin nach Phönizien, Antiochien und Cypern (Apg 11,19). Ihre gesetzeskritische Verkündigung im syrisch-kilikischen Raum löste ihre Verfolgung durch den Tarser Paulus aus[23], bis er bei Damaskus den auferstandenen Jesus „sah" (1Kor

---

17 Vgl. Hengel, Jesus, S. 187; Köster, Einführung, S. 523. Hengel vermutet, daß auch Apg 6,13f trotz redaktioneller Anklänge an Mk 14,58 Tradition reflektiert (Hengel, a.a.O., S. 190–194). M.E. kann bes. das Motiv der Gesetzes*veränderung* (Hengel, a.a.O., S. 191f) den historischen Tatbestand reflektieren.

18 Zu beachten ist, daß jene Kritik ein innerjüdisches Phänomen (vgl. hierzu vorzüglich Simon, Stephen, S. 46ff. 78ff) und von der Gesetzeskritik des Paulus qualitativ verschieden ist (vgl. hierzu Band III).

19 Vgl. Schürer III, S. 144ff; J.A. Goldstein, I Maccabees, AncB 41, New York 1976, S. 547.

20 Vgl. Maier–Schubert, Qumran, S. 36ff; Murphy-O'Connor, Essenes. Falls, wie Murphy-O'Connor will, es sich bei den Essenern um Rückwanderer aus Babylon gehandelt hat, die Jerusalem (aus kultischen Gründen) den Rücken kehrten, läge neben dem Exodus aus Jerusalem eine weitere Parallele vor: der ursprüngliche Zuzug nach Jerusalem.

21 Als weitere Analogie für einen Auszug ist auf den Rat in 1Clem 54,1f hinzuweisen, daß die (Führer der) Dissidenten in Korinth die Stadt am besten verlassen mögen. Hier im christlichen wie dort im jüdischen Bereich bedeutet ein Exodus noch keinen Bruch mit der jeweiligen Religion.

22 Ob die Hellenisten die Träger jener enthusiastischen Tauftraditionen sind, die uns z.B. Gal 3,28 (dazu Band I, S. 89) wiederbegegnen, ist freilich nicht sicher. Hengel, Geschichtsschreibung, kombiniert m.R. (wegen Apg 21,9; Euseb, KG III 31.39) die Betonung des Geistes und der Gabe der Prophetie mit einem „archaisch-enthusiastischen, für die ‚Hellenisten' typischen Zug" (a.a.O., S. 69). Doch ist das natürlich noch kein Antinomismus. Man wird vielmehr damit rechnen müssen, daß erst im Zuge der Mission die tastende Gesetzeskritik der Hellenisten in grundsätzliche Gesetzesabrogation umgeschlagen sein kann: „‚mission' and ‚Hellenization' must necessarily have become one and the same thing" (Betz, Gal, S. 191b).

23 Paulus hat nicht in Jerusalem Christen verfolgt. Eine solche These (zuletzt mit Vehemenz vertreten von Hengel, Jesus, S. 172 A 80; ders., Geschichtsschreibung, S. 65) kann sich nicht auf Apg 7,58 berufen (vgl. Band I, S. 51f A 86).

9,1). Seine Bekehrung ist Gegenstand des Lobpreises der syrisch-kilikischen Gemeinden, der von den judäischen Gemeinden ebenso dankbar aufgenommen wird (Gal 1,22).

Die „hellenistische" Phase des Jerusalemer Christentums war somit für die ältere Gemeinde nur eine Episode. Als Paulus zum ersten Mal nach Jerusalem kam, hat er dort die Hellenisten aus den oben angegebenen Gründen mit Sicherheit nicht mehr angetroffen.

Aber auch das ursprüngliche Leitungsgremium der älteren Gemeinde, die Zwölf, dürfte, wie oben bereits erwähnt, zur Zeit des Kephasbesuchs nicht mehr bestanden haben. Paulus erwähnt es nicht, sondern spricht stattdessen von den „Apostel(n) vor mir in Jerusalem" (Gal 1,17). Zu diesen Aposteln gehören bestimmt Kephas und höchstwahrscheinlich Jakobus. In Gal 1,19 heißt es: *ἕτερον δὲ τῶν ἀποστόλων οὐκ εἶδον, εἰ μὴ Ἰάκωβον τὸν ἀδελφὸν τοῦ κυρίου*. Nun ist vorgeschlagen worden, *εἰ μή* mit ‚sondern' zu übersetzen: „Ich sah keinen anderen von den Aposteln, sondern nur noch Jakobus."[24] Das hätte zur Folge, daß Jakobus nicht zu den Aposteln zu rechnen wäre. Doch ist die Übersetzung[25] von *εἰ μή* durch ‚außer' sprachlich ebenso möglich[26], was die Zugehörigkeit des Herrenbruders zum Apostelkreis erweisen würde. Für die letzte Übersetzung ergibt sich aus 1Kor 15,7[27] (s. dazu u. S. 78ff) ein weiteres Argument, und ferner scheint der Kontext[28] des Gal dafür zu sprechen: Paulus klärt

---

24 Vgl. besonders Koch, Jakobusfrage.

25 Die Übersetzung „other than the apostles I saw none except James, the Lord's brother" (so Trudinger, Note, S. 201) geht in die Irre und liest Apg 9,26f in Gal 1 hinein (vgl. a.a.O., S. 202). Vgl. die Kritik an Trudinger von Howard, in: NovTest 19.1977, S. 63f, die freilich nicht ganz trifft, da es Trudinger primär nicht darum ging, Jakobus' Apostelamt zu bestreiten, sondern aufzuzeigen, daß Paulus auch noch andere Apostel über Kephas hinaus gesehen habe. Howard weist aber richtig darauf hin, daß „the ambiguity that does remain lies within the force of *εἰ μή*, not *ἕτερον*" (a.a.O., S. 64).

26 Vgl. den gleichartigen Fall 1Kor 1,14f, welche Parallele Koch, Jakobusfrage, S. 208, zu Unrecht herunterspielt.

27 Bleibt Gal 1,19 für unsere Frage auch letztlich zweideutig, so ergibt sich der Aposteltitel für Jakobus eindeutig aus 1Kor 15,7 (so m.R. Roloff, Apostolat, S. 64 A 82; ders., Art. Apostel, in: TRE III, S. 433). Vgl. noch Holl, Kirchenbegriff, S. 49: Jakobus „hat in ihr (sc. der Jerusalemer Gemeinde) nicht nur die Stellung eines gewöhnlichen oder eines nur angesehenen Glieds gehabt, sondern ist mit zu den Aposteln gerechnet worden (. . .). Aber auch 1. Kor. 9,5 *οἱ λοιποὶ ἀπόστολοι καὶ οἱ ἀδελφοὶ τοῦ κυρίου καὶ Κηφᾶς* setzt das gleiche voraus." Vgl. ebenso K. Lake, in: Beg. I.5, S. 55; Wilckens, Ursprung, S. 67f; Bruce, Men, S. 89f. Anders Schmithals, Apostelamt, S. 70f; Klein, Apostel, S. 46 A 190.

28 Die Bedeutung des Kontexts für unsere Frage betont m.R. Roloff, Apostel, S. 64 A 82.

in Gal 1 sein Verhältnis zu Jerusalem, d.h. zu jenen, die vor ihm Apostel waren (V. 17). Wenn er daher im Nachsatz V. 19 sinngemäß sagt, er habe neben dem Apostel Kephas auch noch Jakobus gesehen, so ist vom Kontext her eine Apostelwürde des Jakobus wahrscheinlicher als umgekehrt[29].

Petrus scheint gleichwohl zZt des ersten Besuchs des Paulus noch die führende Autorität unter den Aposteln gewesen zu sein. Das wird *einmal* nahegelegt durch seine Rolle als Reorganisator des Zwölferkreises, der z.T. (Petrus ist der beste Beweis hierfür) in die Apostelgruppe übergegangen sein dürfte. *Sodann* ergibt sich der obige Schluß aus dem Zweck der Reise des Paulus, der nur verständlich wird aus dem Wunsche des Paulus, die führende Gestalt der Urgemeinde kennenzulernen[30].

Zum Abschluß dieses Abschnitts muß wegen unserer Themenstellung die Frage gestellt werden, ob Texte bzw. Traditionen aus der Zeit des Kephasbesuchs oder aus der Zeit davor zur Verfügung stehen, die in irgend einer Weise eine negative Reaktion auf Pauli (christliche) Verkündigung enthalten. Die Antwort hierauf hat folgende Punkte zu berücksichtigen:

a) In Gal 1,20 berichtet Paulus von einer *positiven* Reaktion der judäischen Christen auf seine Bekehrung und seine Verkündigung.

b) Während des ersten Besuchs scheint eine Absprache zwischen Paulus und Petrus über die Missionierung von Juden und Heiden zustande gekommen zu sein, die auf der späteren Konferenz vorausgesetzt und anerkannt wird (Gal 2,7): „als sie sahen, daß ich mit dem Evangelium der Unbeschnittenheit wie Petrus mit dem der Beschneidung betraut worden bin, (...)". Zwar ist kaum vorstellbar, daß Petrus den Paulus als *gleichwertigen* Partner anerkannt hat. Doch ist an einer in Gal 2,7 reflektierten positiven Einschätzung des Paulus durch Petrus kein Zweifel möglich, und die in Gal 2,7 enthaltene Tradition stammt eindeutig aus der Zeit vor der Konfe-

---

[29] Anders z.B. Klein, Apostel, der fragt: Wenn Jakobus Apostel gewesen wäre, „wäre es sonst denkbar, daß Pls den Herrenbruder in einem derartig beiläufigen Nachtrag erwähnt hätte ...? "(S. 46 A 190). Ich meine ‚ja', da es Paulus um die Unabhängigkeit seines Apostolats ging. Es war in seinem Interesse, seinen Kontakt mit Jakobus herunterzuspielen.

[30] Campenhausen, Amt, S. 20f (ähnlich Berger, Auferstehung, S. 623) streitet vergeblich ab, daß Pauli Besuch *auch* das Ziel gehabt haben muß, den Leiter der Gemeinde kennenzulernen. Stauffer, Petrus, S. 365f, scheint mir trotz einiger Überspitzungen näher bei der historischen Wahrheit zu liegen.

renz. Da Paulus den Petrus zwischen Kephas- und Konferenzbesuch nicht gesehen hat, hängt die Tradition mit dem ersten Besuch zusammen[31].

Nun hat E. Haenchen folgendes hiergegen eingewandt: „hätte man dieses Thema (sc. der missionarischen Sendung zu den Juden bzw. zu den Heiden) damals schon 14 Tage diskutiert[32], dann bliebe es völlig unbegreiflich, daß nach weiteren 14 Jahren diese Frage immer noch ungeklärt und nicht aus der Welt geschafft war"[33]. Das Argument Haenchens überzeugt schwerlich, weil die Umstände beider Besuche andere waren. Bei der Konferenz ging es um die *gesetzesfreie* Heidenmission, beim Kephasbesuch um die Heidenmission überhaupt[34].

Nach der Verteidigung unserer Auffassung des ersten Jerusalembesuchs des Paulus bleibt bezüglich eines evtl. Antipaulinismus des Kephas bzw. von Jerusalemer Christen zu dieser Zeit festzuhalten: An der Person des Kephas aus jener Periode haftet keine antipaulinische Tradition. Paulus wurde von ihm und von Jerusalemer Christen als neues Mitglied der Gemeinde willkommen geheißen.

Nun war es freilich die Frage, wie lange das Heidenevangelium des Paulus in Jerusalem gutgeheißen wurde, ob und wie lange Kephas eine positive Stellung zu Paulus aufrechterhalten würde und schließlich, wie die Machtverhältnisse in der Jerusalemer Gemeinde sich auf das Verhältnis zu Paulus auswirken würden.

Damit kommen wir zur Geschichte des Jerusalemer Christentums zwischen Kephas- und Konferenzbesuch.

3.2. Das Jerusalemer Christentum zwischen Pauli erstem und zweitem Besuch

Ein bedeutender Einschnitt in der Geschichte der Jerusalemer Gemeinde kam dadurch zustande, daß Petrus Jerusalem verließ. Apg 12 berichtet von einer Verfolgung unter Agrippa[35] in Jerusalem, von

---

31 Vgl. Band I, S. 91ff.

32 Stuhlmacher, Evangelium, S. 84, führt verschiedene mögliche Gesprächsgegenstände auf.

33 Haenchen, Petrusprobleme, S. 56.

34 Vgl. richtig bereits Holsten, Evangelium, S. 11.

35 Hengel, Mission, meint, Herodes „Agrippa I habe weniger mit den Pharisäern als mit dem sadduzäischen Adel im Bunde" (S. 30 A 53) gestanden. Aus diesem

der auch Petrus mitbetroffen war und bei der der Zebedaide Jakobus den Tod fand[36]. Zur chronologischen Ansetzung der Maßnahme des Agrippa ist zu bemerken, daß Lukas in der Regel eine ihm aus der *Tradition* vorgegebene Nachricht korrekt wiedergibt[37]. Freilich hilft das uns in diesem Fall kaum weiter, da die Person Agrippas nicht organisch mit der in Apg 12,3ff einsetzenden Legende verknüpft ist und diese dem Lukas als Folie für das in Apg 12,20ff berichtete Strafwunder an Agrippa[38] dient.

Andererseits dürften folgende Überlegungen dafür sprechen, daß die in Apg 12,3ff berichtete Legende *historische* Reminiszenzen enthält: Agrippa trug in Jerusalem ein striktes Judentum zur Schau[39]. Der Zebedaide Jakobus war offensichtlich wenige Jahre später bei der Konferenz nicht mehr am Leben (sonst wäre er im Paulusbericht genannt worden). Allerdings existiert über ihn und seinen Bruder ein vaticinium ex eventu über beider Märtyrertod (Mk 10,39)[40], den Jakobus zwischen Jesu Tod und der Konferenz erlitten haben mag, wofür der Opportunismus Agrippas verantwortlich zu machen wäre. Trifft damit die Nachricht Apg 12,2 (Agrippa „ließ Jakobus .. mit dem Schwert hinrichten") zu, so spricht einiges dafür, daß er auch eine Maßnahme gegen Petrus plante, der als führende Persönlichkeit

---

Grunde habe er die Hinrichtung des Zebedaiden Jakobus veranlaßt (ebd.). Hengels Behauptung trifft nicht zu. Vgl. Schürer I, S. 549–564 (engl. Neuausgabe I, S. 442–454), der m.R. den pro-pharisäischen Charakter der Politik Agrippas aufweist. Eine solche Politik war schon deswegen notwendig, weil Agrippa gegenüber dem von den Pharisäern beherrschten Volk den (berechtigten) Verdacht abwenden mußte, unjüdisch zu denken. Vgl. als Beispiel Josephus, Ant XIX 332–334: Simon war *ἐξακριβάζειν δοκῶν τὰ νόμιμα* (332) und wohl Pharisäer; vgl. zSt Le Moyne, Sadducéens, S. 395 A 4, der S. 394ff überhaupt zu den hier angeschnittenen Fragen zu vergleichen ist; vgl. ferner die zutreffenden Ausführungen von Smith, Jesus, S. 29. 173; Reicke, Zeitgeschichte, S. 148f; Kraft, Entstehung, S. 281f.

[36] Vgl. zum Martyrium des Jakobus in Apg 12 die Ausführungen von Cullmann, Courants, die freilich nur zeigen, daß die Frage nach dem unmittelbaren Grund der Hinrichtung des Zebedaiden auf der Basis der vorhandenen Quellen unlösbar ist. (Cullmann glaubt, daß Jakobus zelotische Tendenzen hatte.) Zu Apg 12 vgl. noch Suhl, Paulus, S. 316–321 (Lit.), der – m.E. verfehlt – zu zeigen versucht, daß „Lukas den Tod des Johannes (sc. im Zusammenhang von Apg 12 bewußt) verschwieg" (a.a.O., S. 318).

[37] Vgl. Band I, Kap. 3.

[38] Vgl. Conzelmann, Apg, zSt.

[39] Schürer I, S. 553ff (engl. Neuausgabe I, S. 445ff).

[40] Klassischer Nachweis von Schwartz, Tod. Vgl. jetzt Pesch, Mk II, S. 159f. Der mit dieser Erkenntnis bei Schwartz u.a. verbundene Frühansatz der Jerusalemer Konferenz läßt sich jedoch nicht halten (s. Band I, S. 198 A 102).

der Jerusalemer Urgemeinde dafür ein willkommenes Opfer war. Wollte Petrus sich vor der Gefahr retten, so bot dazu das Verlassen Jerusalems die sicherste Gewähr (Apg 12,17)[41].

Es war ferner von großer Bedeutung, daß in dem Zeitabschnitt zwischen Kephas- und Konferenzbesuch Juden von strenger Gesetzesobservanz sich der christlichen Gemeinde anschlossen. „Sie können derselben unmöglich schon angehört haben in der ganzen Zeit, so lange die judäischen Gemeinden mit Befriedigung dem Werke des Paulus in Syrien und Cilicien zusahen."[42] Nun beobachteten wir aber im vorigen Kapitel, daß gesetzesstrenge Christen sich dem Heidenapostel sowohl im syrischen Gebiet als auch in Jerusalem auf der Konferenz widersetzten. Freilich konnten sie die Mehrheit der Jerusalemer Gemeinde und vor allem die maßgeblichen Leute nicht auf ihre Seite ziehen. Gleichwohl war ein Einfluß ihrerseits auf das Verhandlungsergebnis überdeutlich.

Auch bezüglich der Leitung der Jerusalemer Gemeinde war ein Wandel unübersehbar. War bis zum ersten Jerusalembesuch des Paulus Kephas die maßgebliche Autorität, so scheint in der Zeit bis zur Konferenz, mitveranlaßt durch den Weggang des Petrus, der Herrenbruder Jakobus zur entscheidenden Person geworden zu sein. Denn in der auf die Konferenz zurückgehenden „Einigungsformel" (Gal 2,9) erscheint er an der Spitze des Säulenkollegiums[43]. (Petrus war offensichtlich wieder nach Jerusalem zurückgekehrt[44].)

Nun reichen die Quellen nicht aus, um Amt und Funktion der drei Säulen näher zu bestimmen. Es ist m.E. sogar zuviel geschlossen, wenn man den Begriff der Säulen ekklesiologisch mit dem Fundament vergleicht, auf dem die Kirche ruht[45], denn wir wissen zu wenig über das Kirchenverständnis der frühen Jerusalemer Gemeinde. Sicher ist nur, daß der Ausdruck *στῦλοι* im übertragenen Sinn[46] auf eine leitende Funktion der mit diesem Titel bezeichneten Personen

---

41 Brandon, Jesus, S. 196ff, spekuliert, der ‚andere Ort' (Apg 12,17) sei Alexandrien.

42 Weizsäcker, Zeitalter, S. 154.

43 Kraft, Entstehung, S. 124–139, rechnet es zu den vom historischen Jesus (!) eingerichteten Ämtern (vgl. a.a.O., S. 220f.275). M.E. geben die Texte eine solche These einfach nicht her.

44 Gegen Suhl, Paulus, S. 320. Warum sollte nicht Kephas zeitweise nach Jerusalem zurückgekehrt sein, wenn selbst Paulus – und dies zweimal! – nach Jerusalem zurückging?

45 So Wilckens, Art. *στῦλος*, in: ThWNT VII, S. 735.

46 Vgl. Lietzmann, Gal, zSt.

schließen läßt, wobei der Einfluß der einzelnen Säulen und ihr Verhältnis zueinander unbestimmt bleibt.

Gleichwohl ließ die Reihenfolge der Namen Gal 2,9 die Annahme zu, daß zZt der Konferenz Jakobus der primus inter pares gewesen sei[46a]. Daß in der Tat eine solche Annahme richtig ist, geht aus der Aktion des Jakobus in Antiochien (Gal 2,11ff) hervor, als die an zweiter Stelle stehende Säule aus Angst vor den Beschneidungsleuten einlenken mußte. Dieses Argument ist unabhängig von der zeitlichen Reihenfolge der Konferenz und des Zwischenfalls von Antiochien. Zeigt die Aktion doch in jedem Fall den maßgeblichen Einfluß des Herrenbruders kurz vor oder kurz nach der Konferenz auf.

Schließlich vermögen traditionsgeschichtliche und formgeschichtliche Beobachtungen zu 1Kor 15,3ff die obige Rekonstruktion der Entwicklung der Leitung der Jerusalemer Gemeinde abzustützen und werden Aufklärung über den anhebenden Antipaulinismus in Jerusalem erbringen.

In 1Kor 15,3–7 führt Paulus eine Reihe von Auferstehungszeugen auf und schließt sich ihnen in apologetischer Weise als letzter an. Zwecks Klärung der Frage, ob 1Kor 15,3–7 einen Aufschluß über die Geschichte der Jerusalemer Gemeinde geben kann, müssen zunächst folgende Fragen beantwortet werden:

a) Wie weit reicht die Formel, die Paulus beim Gründungsbesuch in Korinth mitgeteilt hat?

b) Welches formgeschichtliche Verhältnis besteht zwischen einzelnen Traditionselementen in V. 3–7?

Zu a): Für den Vorschlag, daß die den Korinthern beim Gründungsbesuch mitgeteilte Überlieferung bis *εἶτα τοῖς δώδεκα* reicht, spricht folgendes: 1. Nach *εἶτα τοῖς δώδεκα* setzt eine andere Konstruktion ein[47]. 2. Die Worte *ἐξ ὧν οἱ πλείονες* ... gehören sicher nicht zur Überlieferung. „Aber dann ist doch die Annahme viel einfacher, daß er (sc. Paulus) hier überhaupt nicht mehr referiert, sondern selbst erzählt.“[48] 3. „Die drei Schlußsätze (*ἔπειτα ... ἔπειτα ... ἔσχατον*) sind formell ebenso gleichartig gebaut wie die vier mit *ὅτι* eingeführten voranstehenden Sätze; der dritte von ihnen ist aber sicher nicht mehr ein Teil der Überlieferung (...), also werden auch die beiden ersten *nicht zur Überlieferung* zu rechnen sein.“[49]

46a Vgl. Band I, S. 92 mit A 74 (anders Conzelmann, Geschichte, S. 41).

47 Harnack, Verklärungsgeschichte, S. 63.

48 Harnack, Verklärungsgeschichte, S. 63.

49 Harnack, Verklärungsgeschichte, S. 63.

Damit dürfte zwingend erwiesen worden sein, daß die von Paulus beim Gründungsbesuch überlieferte Formel nur bis Vers 5 gereicht hat[50].

Nun ist freilich klar, daß die beim Gründungsbesuch überlieferte Tradition V. 3–5 noch in sich disparat ist. So stehen z.B. die Aussage von Jesu Auferstehung und von Jesu Tod für unsere Sünden sonst nicht nebeneinander und sind auf der Stufe der vorpaulinischen Redaktion zusammengestellt worden. Das viermal erscheinende *ὅτι*-recitativum[51] gibt dabei auch äußerlich zu erkennen, daß *verschiedene* kerygmatische Formeln aneinandergereiht wurden.

Doch kann der disparate Charakter[52] der Verse 3–5 nicht die obige These erschüttern, daß Paulus jenes komplexe Überlieferungsstück[53] bereits beim Gründungsbesuch den Korinthern übermittelte.

Damit kommen wir zur Frage nach dem formgeschichtlichen Verhältnis der in V. 3–7 enthaltenen Traditionen zueinander. Wegen unserer an den Machtverhältnissen in Jerusalem orientierten Fragestellung beschränken wir uns auf einen Vergleich der Kephas und Jakobus betreffenden Passagen.

Zu b): Aus der von Paulus beim Gründungsbesuch überlieferten Tradition läßt sich der Satz *ὅτι ὤφθη Κηφᾷ, εἶτα τοῖς δώδεκα* als selbständiges Traditionselement herauslösen.

Dafür spricht ein traditionsgeschichtliches Argument: Die Erscheinung vor Petrus ist unabhängig von 1Kor 15,5 in Luk 24,34[54] reflektiert: *ὄντως ἠγέρθη ὁ κύριος καὶ ὤφθη Σίμωνι.* – Obgleich die ‚Zwölf' in Luk 24,34 nicht erscheinen, dürfen sie dennoch zum Bestandteil der Tradition in 1Kor 15,5 gerechnet werden, denn *οἱ δώδεκα* ist hapax legomenon bei Paulus, und gegen den Vorschlag,

---

50 Diese Schlußfolgerung Harnacks hat sich vielerorts durchgesetzt: vgl. Kümmel, Kirchenbegriff, S. 3; Schmithals, Apostelamt, S. 65; Klein, Apostel, S. 39; Kasting, Anfänge, S. 59. Anders freilich: Stuhlmacher, Evangelium, S. 267ff; Schmahl, Zwölf, S. 20–24; Hahn, Apostolat, S. 56f A 16. – Leider stellt Alsup, Appearance, S. 56, nicht die Frage nach einer Schichtung von V. 3–7.

51 Es stammt vielleicht von Paulus (vgl. als Parallele 1Kor 8,4; s. Murphy-O'Connor, Tradition, S. 583f [Lit.]; Schille, Osterglaube, S. 17 [Lit.]).

52 Zum disparaten Charakter von V. 3–5 vgl. Wilckens, Ursprung, S. 73f.

53 Für seinen Traditionscharakter sprechen unpaulinische Vorstellungen und Vokabular; vgl. dazu J. Jeremias, Die Abendmahlsworte Jesu, Göttingen[4] 1967, S. 95–97; Schmahl, Zwölf, S. 21. Die Argumentation im Text ist unabhängig von der Frage der Herkunft des Traditionsstückes 1Kor 15, 3–5; zu ihrer Diskussion (Lit.) vgl. Schmahl, a.a.O., S. 21f.

54 Vgl. Harnack, Verklärungsgeschichte, S. 68ff.

Paulus habe εἶτα τοῖς δώδεκα hinzugefügt[55], spricht (neben dem Traditionscharakter von οἱ δώδεκα bei Paulus) die oben gemachte Beobachtung, daß erst ab V. 6 eine neue Satzkonstruktion einsetzt. Bereits hier kann die Tradition in zwei Punkten spezifiziert werden: a) Sie enthält den Anspruch der Ersterscheinung vor Petrus; b) sie drückt die Sonderstellung Petri im Zwölferkreis aus.

Damit kommen wir zur Analyse von 1Kor 15,7:

Traditionsgeschichtlich findet die Erscheinung vor Jakobus eine Parallele im Hebräerevangelium[56]. – Obwohl hier nicht von einer Christusschau aller Apostel berichtet wird, wird man es trotzdem für wahrscheinlich halten, daß in V. 7 eine vorpaulinische Formel vorliegt, um so mehr, als V. 7b auf Tradition zurückgeht (s.u. S. 78f) A 57).

Die V. 7 vorliegende Tradition kann in zwei Punkten spezifiziert werden: a) Sie enthält den Anspruch der Ersterscheinung vor Jakobus (s. die Parallele im Hebräerevangelium!); b) sie drückt die Sonderstellung des Jakobus gegenüber allen Aposteln aus.
Die soeben vertretenen Thesen, in V. 5 und V. 7 lägen traditionelle Formeln vor, werden vollends durch einen Vergleich von V. 5 mit V. 7 bestätigt. Beide Traditionen sind in derselben Weise konstruiert, wobei abgesehen von Kephas/Jakobus und die Zwölf/alle Apostel dieselben Ausdrücke gebraucht werden:

vgl. ὤφθη Κηφᾷ , εἶτα τοῖς δώδεκα
mit: ὤφθη Ἰακώβῳ, εἶτα τοῖς ἀποστόλοις πᾶσιν.

Wenn die Annahme auszuscheiden hat, daß Paulus selbst V. 7 analog der Tradition in V. 5 formulierte[57], so wird die Parallelität am besten

---

[55] So Strecker, Evangelium, S. 200 (dagegen schon Wilckens, Ursprung, S. 63 A 15). Allenfalls kann man erwägen, ob εἶτα „von Paulus im Hinblick auf die weiteren Erscheinungen, die er anzufügen beabsichtigte, statt eines ursprünglichen *καί* eingefügt worden ist" (Seeberg, Katechismus, S. 57).

[56] Hieronymus, de vir.inl. 2: ... euangelium quoque, quod appellatur Secundum Hebraeos et a me nuper in Graecum sermonem Latinumque translatum est, quo et Origenes (v. Adamantius) saepe utitur, post resurrectionem saluatoris refert: Dominus autem cum dedisset sindonem seruo sacerdotis, iuit ad Iacobum et apparuit ei; iurauerat enim Iacobus se non comesurum panem ab illa hora, qua biberat calicem Domini, donec uideret eum resurgentem a dormientibus; rursusque post paululum: Adferte, ait dominus, mensam et panem, statimque additur: Tulit panem et benedixit ac fregit et dedit Iacobo iusto et dixit ei: Frater mi, comede panem tuum, quia resurrexit filius hominis a dormientibus.

[57] Wenn man mit Kümmel, Kirchenbegriff, S. 5, freie Formulierung des Paulus annimmt, setzt man voraus, daß Paulus eine Behauptung aus der Luft greift, um sich gegen sie zu verteidigen. Wir wissen doch noch aus einer anderen Stelle des *1Kor*

durch die Annahme von vorpaulinischen Formeln in V. 5 und V. 7 erklärt. Im folgenden geht es darum, diese Formeln über das oben bereits Gesagte hinaus formgeschichtlich einzuordnen:

Die in 1Kor 15,5.7 wiedergegebenen Formeln enthalten in knappen Worten die Mitteilung, daß einer bestimmten Gruppe von Christen eine Erscheinung des Auferstandenen widerfahren ist. Die mögliche *Funktion* einer solchen Formel erhellt aus einem Blick auf das paulinische Schrifttum: Paulus verweist im Kampf gegen Widersacher an mehreren Stellen auf seine Schau des Auferstandenen (1Kor 9,1; Gal 1,15), und zwar deshalb, um seine Autorität zu legitimieren. Eine ähnliche Funktion haben m.E. die in 1Kor 15,5.7 vorliegenden Formeln, die deswegen im Anschluß an U. Wilckens als ‚Legitimationsformeln' zu bezeichnen sind[58]. Gleichwohl unterscheiden sich die Formeln von 1Kor 15,5.7 darin von den paulinischen Parallelen, daß sie jeweils *einem* Zeugen eine den anderen übergeordnete Autorität zusprechen, wobei die überragende Stellung des einen in dem Anspruch der Erstvision begründet ist.

Die Kephas und die (übrigen) Zwölf betreffende Formel hat mit ihrem Anspruch darin einen historischen Anhalt, daß in der Tat Petrus als erster (in Galiläa) den Auferstandenen sah[59] und deswegen als primus des Zwölferkreises die maßgebliche Autorität der ersten Jerusalemer Gemeinde war.

(!), daß Pauli Apostolat in Korinth zZt des 1Kor angegriffen wurde (9,1ff; dazu s.u. S. 105ff). Kümmel, a.a.O., schreibt folgendes, um πᾶσιν als freie Formulierung des Apostels zu erweisen: „einerseits kann sich ja Paulus nicht in diesen Begriff (sc. des Apostels) einschliessen, da seine Berufung erst nachher erfolgt, andererseits beansprucht Paulus gerade in diesem Zusammenhang den Aposteltitel. Daraus ergibt sich aber mit Notwendigkeit (?, G.L.), dass hier schwerlich eine Formulierung der Urgemeinde vorliegt, die den Anspruch enthielt, mit der Erscheinung des Auferstandenen vor dem geschlossenen Kreis ‚aller Apostel' seien die Erscheinungen des Auferstandenen grundsätzlich abgeschlossen gewesen; denn einer solchen Formel gegenüber hätte Paulus doch begründen müssen, warum er trotzdem aus der ihm nachher noch zuteil gewordenen Schauung und Berufung das Recht ableite, sich Apostel zu nennen" (a.a.O., S. 6f). Paulus stellt seine Vision doch als große Ausnahme hin! Gegen Kümmel, Kirchenbegriff, vgl. noch m.R. Wilckens, Ursprung, S. 70f A 32. Zum Traditionscharakter von V. 7 vgl. noch Hahn, Apostolat, S. 56f; Klein, Apostel, S. 40f mit A 167. – Murphy-O'Connor, Tradition, meint neuerdings, Paulus habe πᾶσιν in 1Kor 15,7 hinzugefügt, um zu zeigen „that ‚the apostles' could and should be extended" (a.a.O., S. 589). Doch ist *πᾶσιν exklusiv* zu verstehen!

[58] Wilckens, Ursprung, S. 70f; ders., Auferstehung, S. 26.

[59] Falls 1Kor 15,5 nur *eine* Christophanie reflektiert (s.o. S. 68 A 7a und u. S. 78 A 55), so bleibt bezeichnend, daß Kephas eigens genannt wird.

In welchem Verhältnis steht die Formel von 1Kor 15,7 hierzu? Sollte die obige Form- und Funktionsbestimmung zutreffen, so stände jene Formel zu der in 1Kor 15,5 in Widerspruch, da Jesus nicht zugleich Kephas *und* Jakobus zuerst erschienen sein kann (I).

Daran schließt sich die weitere Frage an, welches Verhältnis die Zwölf zu allen Aposteln haben (II).

Und schließlich ist im Falle der Richtigkeit der obigen Form- und Funktionsbestimmung das Problem zu lösen, wie überhaupt Paulus zwei konkurrierende Traditionen hintereinander stellen konnte. Schließt nicht die chronologische Aufzählung der Auferstehungszeugen es geradezu aus, daß Paulus zwei miteinander konkurrierende Formeln zitiert (III)?

Wir gehen die drei aufgeführten Fragen der Reihe nach durch.

I: Das Konkurrenzverhältnis der beiden Formeln zueinander läßt sich m.E. noch weiter spezifizieren, und zwar wenn man versucht, sie der Entwicklung der Jerusalemer Urgemeinde in den ersten beiden Jahrzehnten ihrer Existenz zuzuordnen[60]: Petrus hatte, historisch gesehen, die Ersterscheinung. Die ihn und die Zwölf betreffende Legitimationsformel war älter als die Formel von 1Kor 15,7. Sie stammt aus der Zeit der Existenz des Zwölferkreises und wurde auf einer vorpaulinischen Traditionsstufe mit dem christologischen Kerygma verknüpft.

Die Formel 1Kor 15,7 entstand dadurch, daß Anhänger des Jakobus die Erstzeugenschaft des Kephas für Jakobus beanspruchten. Sie bildeten zu diesem Zwecke die Formel von 1Kor 15,7 der in 1Kor 15,5 nach[61]. Ob dieser Vorgang bereits vor dem ersten Jerusalembesuch des Paulus anzusetzen ist, bleibt, obwohl Paulus in 1Kor 15,3ff chro-

---

60 Es ist also methodisch unzureichend, wenn Kümmel, Kirchenbegriff (ähnlich: Kremer, Zeugnis, S. 83f; Klein, Apostel, S. 40; Schmithals, Apostelamt, S. 65), gegen die obige Rekonstruktion einwendet: „die beiden angeblich konkurrierenden Formeln 15,5 und 15,7 (sc. haben) keinerlei polemische Note und weisen durch nichts darauf hin, dass sie einen ausschliessenden Charakter haben wollen" (a.a.O., S. 4). Damit ist nicht der Beobachtung Rechnung getragen, daß beide Formeln in der Struktur übereinstimmen. Ferner ist es sicher richtig zu sagen, daß die Formeln so, wie sie dastehen, keinen einander ausschließenden Charakter haben. Die eigentliche Frage ist aber doch die nach ihrem historischen Ort. Die obige Argumentation beruht daher auf einer Vielzahl von exegetisch-historischen Schritten und kann nicht so einfach abgetan werden, wie es bei Kümmel u.a. geschieht.

61 Anders Klein, Apostel, S. 40 A 167: „die Formulierung von (sc. 1Kor 15,) 7 (sc. lag) ohne weiteres nahe".

nologisch berichtet[62], fraglich. Gleichwohl hatte Jakobus bereits zu jenem Zeitpunkt eine Anhängerschaft in Jerusalem, obgleich Kephas noch der führende Mann war. Doch war der Vorgang einer allmählichen Machtverschiebung von Kephas zu Jakobus in der Jerusalemer Gemeinde bis zur Konferenz festzustellen. Dabei hilft die Formel von 1Kor 15,7, jenen Vorgang zu verstehen, und ist ein weiteres Argument für die Einflußverschiebung.

II.: A. von Harnack[63], der m.W. als erster 1Kor 15,5.7 als Reflex einer Machtverschiebung in der Jerusalemer Gemeinde ansah[64], hatte gleichzeitig die Meinung vertreten, die Zwölf in 1Kor 15,5 seien identisch mit allen Aposteln in 1Kor 15,7[65]. Diese Ansicht von Harnacks steht noch im Banne der lukanischen Anschauung der Identität der Zwölf mit den Aposteln[66]. Sie ist jetzt jedoch m.R. allgemein aufgegeben worden, denn ‚alle Apostel' umfaßt einen größeren Kreis als die Zwölf, obgleich man die Möglichkeit offenhalten muß, daß der Zwölferkreis in den Apostelkreis übergegangen ist.

Welches Verhältnis besteht nun zwischen den Zwölfen und allen Aposteln?

Wir gehen von dem oben erreichten Ergebnis aus, daß Petrus mit den (übrigen) Zwölfen das älteste uns bekannte Leitungsgremium der Jerusalemer Gemeinde bildete.

---

62 Assoziierendes Verständnis von ἔπειτα in V. 7 (so Bammel, Herkunft, S. 414; Winter, Corinthians, passim; Bartsch, Argumentation, S. 264 A 10) kompliziert die Sache zu sehr und ist zudem angesichts des sonstigen Gebrauchs von ἔπειτα bei Paulus schwierig (s. Band I, S. 85).

63 Harnack, Verklärungsgeschichte, S. 62–68.

64 Ihm folgten u.a. Wagenmann, Stellung, S. 16; H. Rückert (mündliche Nachricht von H. Conzelmann); Kemler, Herrenbruder, S. 32ff (Lit.). – Ähnlich wohl auch Berger, Auferstehung, der zwar den Konkurrenzcharakter der in 1Kor 15,5 und 1Kor 15,7 zugrundeliegenden Traditionen bestreitet, diese aber gleichwohl „im Sinne der Geltung von Autoritäten in verschiedenartigen Konstellationen und unter je anderen Aspekten" (a.a.O., S. 217) versteht. Auch nach Berger gehen 1Kor 15,5 und 15,7 auf ursprünglich isolierte Traditionen zurück (a.a.O., S. 471). An anderer Stelle gesteht Berger „eine faktische Konkurrenz von 1Kor 15,5 und 7" zu, aber „für eine Ablösung der Autorität des Petrus durch die des Jakobus in Jerusalem gibt es keine Anzeichen" (a.a.O., S. 623). Diese Behauptung trifft aus den oben im Text gegebenen Gründen wohl nicht zu.

65 Harnack, Verklärungsgeschichte, S. 67. Ihm folgt Winter, Corinthians, S. 145 (ohne Harnack zu nennen).

66 Vgl. dazu grundlegend Klein, Apostel. Gegen Klein ist aber die Frage nach vorhandenen Vorstufen dieser Anschauung zu stellen (vgl. E. Gräßer, Actaforschung seit 1960, in ThR NF 41. 1976, S. 278f [Lit.]).

Als zweites sicheres Ergebnis darf eingeführt werden, daß es sich bei den hier zur Debatte stehenden Aposteln um einen festen, abgeschlossenen Kreis handelt, der nach Jerusalem gehört[67]. Es sollte nicht bestritten werden, daß *πάντες* im Ausdruck *τοῖς ἀποστόλοις πᾶσιν* Bestandteil der Tradition[68] ist, denn Paulus hat in 1Kor 15,7ff ja gerade darum zu kämpfen, daß er einem bereits abgeschlossenen Kreis dennoch zugehört (s.u. S. 115ff).

Von diesem geschlossenen, nach Jerusalem gehörenden Kreis der Apostel[69] sind die *ἀπόστολοι ἐκκλησιῶν* (2Kor 8,23; Phil 2,25) zu unterscheiden. Es handelt sich hier um Abgesandte von Gemeinden, für die die Bezeichnung ‚Apostel' nur für die Zeit ihres Dienstes gilt, d.h. ihr Apostelamt erlischt mit der Erfüllung eines bestimmten Auftrags[70]. Wahrscheinlich ist auch der Apg 14,14 („die Apostel Barnabas und Paulus") sichtbar werdende Sprachgebrauch dem soeben erwähnten zuzuordnen: Barnabas und Paulus sind Abgesandte der Gemeinde Antiochiens und während dieser Zeit ‚Apostel'[71].

Nach dem Gesagten ergibt sich folgendes Verhältnis zwischen den Zwölfen und allen Aposteln: Die letzteren begreifen die Zwölf mit ein, aber umschließen zweifellos einen größeren Kreis mit Jakobus,

---

67 Vgl. Hengel, Mission, S. 32: „In Gal 1,17ff, 1Kor 9,5 und 15,7f setzt Paulus voraus, daß es sich bei den *ἀπόστολοι* um einen festen, abgeschlossenen Kreis handelt, der seinen Ausgangspunkt in Jerusalem bzw. Palästina hatte"; vgl. Holl, Kirchenbegriff, S.51.

68 Gegen Kümmel, Kirchenbegriff, S. 7.

69 Die Stelle Röm 16,7 kann unser oben dargelegtes Verständnis eines in Jerusalem beheimateten Apostolats nur bekräftigen. *ἐπίσημοι ἐν τοῖς ἀποστόλοις* heißt natürlich, daß Andronikus und Junias berühmte Mitglieder des Apostelkreises waren (vgl. K. Lake, in: Beg I. 5, S. 55f). Um so bezeichnender ist es, daß Paulus auch hier (wie in 1Kor 15,7f) auf den chronologischen Abstand zwischen den beiden Aposteln und sich abhebt. Vgl. noch Roloff, Art. Apostel etc., TRE III, S. 434.

70 Es dürfte sich in beiden Fällen um Abgesandte der paulinischen Gemeinden handeln; vgl. Ollrog, Paulus, S. 79f. In ihnen bezüglich 2Kor 8,23 „agents from the Judaean churches" (Holmberg, Paul, S. 47 [Lit.], ebenso Hurd, in: IDBSV, S. 650b), zu sehen, ist m.E. abwegig und wegen der Zusammengehörigkeit von 2Kor 8,18f mit 8,23 auszuschließen. Von einer direkten Beteiligung der judäischen Kirchen an der Kollekten*einsammlung* wissen wir gar nichts.

71 Roloff, a.a.O. (A69), S. 435f, sieht hier, bei den Gegnern des 2Kor, in der synoptischen Aussendungstradition und in der Didache einen in Syrien beheimateten, pneumatisch-charismatischen Wanderapostolat wirksam, der von dem Jerusalemer Erscheinungsapostolat zu unterscheiden sei. Die Schwierigkeit einer solchen Unterscheidung liegt darin begründet, daß sich bei Paulus *beide* Typen finden. Hervorzuheben ist, daß Roloff sich m.R. weigert, den Jerusalemer Erscheinungsapostolat als gegenüber dem Wanderapostolat sekundär einzustufen. In diesem Fall würde „der Streit des Paulus um seinen Namen und seine Würde als Apostel zum vollkommen historischen Rätsel" (H. Lüdemann, in: ThJber 4.1885, S. 106).

den Brüdern Jesu, Andronikus, Junias u.a. Gegenüber dieser erweiterten Gruppe[72] hat Jakobus – so der Anspruch der Formel 1Kor 15,7 – eine ähnliche Bedeutung wie Kephas im Kreis der Zwölf.

Schließlich ist ein Letztes zur Formel 1Kor 15,7 zu bemerken: Ihr exklusives Verständnis des Apostelkreises ist ein starkes Argument für ihre Intaktheit. Da sie nach Jerusalem gehört, ist bereits hier zu fragen, ob nicht das in ihr sichtbar werdende Programm von den Jakobusanhängern während der Konferenz gegen Paulus vertreten worden ist. In diesem Fall wäre das seltsame Übergehen der Frage des paulinischen Apostolats auf der Konferenz nicht verwunderlich, und wir hätten ein weiteres Argument a) für ein starkes antipaulinisches Element auf der Konferenz und b) für eine Nähe der Antipauliner in Jerusalem zu Jakobus gewonnen.

III. Das oben vorgetragene Verständnis der beiden Texte 1Kor 15,5 und 1Kor 15,7 läßt sich durchaus dem Ziel der paulinischen Argumentation in 1Kor 15 zuordnen. Paulus schließt an das beim Gründungsbesuch mitgeteilte Kerygma, das von Tod und Auferstehung Christi sowie seiner Erscheinung vor Kephas und den Zwölfen sprach, die ihm bekanntgewordenen Erscheinungen Jesu an. Ersteres war ihm wohl von den hellenistischen Gemeinden Syriens überliefert worden. Letztere stammen mit der Ausnahme von V. 6b aus der mündlichen Tradition, wobei der Ursprung von V. 7 in Jerusalem liegt.

Ob Paulus um den Konkurrenzcharakter der Formeln V. 5 und V. 7 wußte, ist kaum noch zu entscheiden. Vermutlich hätte er sich hierfür wenig interessiert. Vielmehr lag ihm daran, die den Korinthern beim Gründungsbesuch überlieferte Paradosis, zu der bereits Jesu Erscheinung vor Kephas gehörte, bis zu sich hin fortzuführen. Dann aber war es notwendig, Erscheinungen derselben Art, die zeitlich der seinigen vorangingen, anzufügen, damit klar würde: Paulus hat dieselbe Schau empfangen wie *alle* (V. 8) in der Reihe aufgeführten Personen[73]. Dabei verlieren nun freilich die Formeln V. 5 und V. 7 die Funktion, die sie auf der Stufe der Tradition gehabt haben. Sie werden ja jetzt von Paulus benutzt, um die *Tatsache* der Erscheinung zu bezeugen (vgl. hierzu besonders den redaktionellen V. 6b[74]), während sie ursprünglich primär die Legitimität und die Erstvision des Kephas bzw. des Jakobus betonten.

---

[72] Vgl. Bammel, Herkunft, S. 417 A 71: Jakobus „setzte das bisherige Führungsgremium der Gemeinde matt, indem er es erweiterte".

[73] Vgl. von der Osten-Sacken, Apologie, S. 256.

[74] Vgl. dazu besonders Murphy-O'Connor, Tradition, S. 583ff.

Damit dürfte klar geworden sein, daß Pauli Benutzung der Formeln 1Kor 15,5 und 1Kor 15,7 kein Argument gegen ihren ursprünglichen Charakter als Legitimationsformeln sein kann. Der Sinn der Redaktion pflegt auch in der Briefliteratur von dem der Tradition zu differieren[75].

Summa der Analyse von 1Kor 15,3–7: Vers 5 und Vers 7 werfen ein Licht auf den Machtwechsel in der Jerusalemer Gemeinde zwischen Kephas- und Konferenzbesuch.

3.3. Das Jerusalemer Christentum zwischen Pauli zweitem und drittem Besuch

Aus dem Bericht des Paulus Gal 1f ging deutlich hervor, daß spätestens zZt der Konferenz ein Teil der christlichen Gemeinde die Beschneidung der Heidenchristen für notwendig erachtete. Dies kam in der Forderung zum Ausdruck, Titus zu beschneiden, den der Apostel mit nach Jerusalem genommen hatte, damit die aus Juden *und Heiden* bestehende eschatologische Gemeinde dokumentiert würde. Oben wurde ausgeführt, daß Paulus sich dieser Forderung erwehren konnte, was aber nicht bedeutet, daß jener Teil der Jerusalemer Gemeinde fortan zu existieren aufhörte. Im Gegenteil! Er verblieb zweifellos innerhalb der Gesamtgemeinde, und seine Mitglieder haben sicher Jakobus als Autorität anerkannt, wie sich, über das oben Ausgeführte hinaus (s.S. 83), aus Beobachtungen zum dritten Jerusalembesuch des Paulus ergeben wird.

Die Quelle für die Ereignisse während jenes Besuchs ist Apg 21. Hinzu kommen einige Andeutungen aus den Paulusbriefen.

3.3.1. Gliederung von Apg 21

Unser Text läßt sich in folgende Abschnitte gliedern:

I.	Apg 21,1–9:	Reise von Milet nach Cäsarea
II.	Apg 21,10–14:	Agabusprophezeiung und Reaktion des Paulus
III.	Apg 21,15–16:	Reise nach Jerusalem. Unterkunft im Hause von Mnason

[75] Zu Lehmann, Tag, S. 31: „die Deutung einer ‚rivalisierenden' Aufzählung (sc. wird) zusehends abgelehnt", weil Paulus „die ‚Zeugenreihe' als eine chronologische Aufzählung der Christophanien versteht"; ebenso wie Lehmann argumentiert Güttgemanns, Apostel, S. 82 (Lit.).

IV.	Apg 21,17–20a:	Empfang des Paulus durch die Brüder. Berichterstattung vor den Ältesten und Jakobus über den Erfolg der Heidenmission
V.	Apg 21,20b–21:	Die christlichen Zeloten und die ihnen über Paulus zugetragenen Gerüchte
VI.	Apg 21,22–26:	Der Paulus gegebene Rat zum Nasiräat und zur Auslösung von 4 Nasiräern und seine Ausführung. Erinnerung des Lesers an das Aposteldekret (V. 25)
VII.	Apg 21,27–40:	Aufruhr im Tempel durch Anstiftung von asiatischen Juden. Festnahme des Paulus

3.3.2. Gedankengang und lukanische Redaktion des Textes

I: Paulus befindet sich auf seiner letzten Jerusalemreise. Nachdem er sich von den ephesinischen Ältesten in Milet verabschiedet hat (20,38), fährt der Apostel mit seiner Gefolgschaft über Kos und Rhodos nach Patara.

Nun setzt in 21,1 unvermittelt das ‚Wir' wieder ein, das vorher in Apg 16,10–17 und 20,5–15 verwendet worden war. An unserer Stelle reicht es bis 21,18 und wird in 27,1–28,16 (Reise von Cäsarea nach Rom) wieder aufgenommen.

Von Patara geht die Fahrt nach Tyrus, wo Paulus und seine Gefolgschaft bei Jüngern der dortigen Gemeinde für 7 Tage bleiben. Die Jünger warnen Paulus vor dem Gang nach Jerusalem (21,4), ohne freilich an seinem Vorsatz etwas ändern zu können. Nach gemeinsamem Gebet am Strand geht die Fahrt über Ptolemaïs nach Cäsarea am Meer. Hier kehrt Paulus mit seiner Begleitung im Hause des Hellenisten Philippus ein.

II: Der Prophet Agabus sagt Paulus voraus, er werde in Jerusalem von den Juden an die Heiden ausgeliefert. Paulus wird darauf von seiner Gefolgschaft und den Christen in Cäsarea davor gewarnt, nach Jerusalem zu gehen. Doch Paulus will für den Namen des Herrn Jesus in Jerusalem sterben.

Die Paulus wiederholt erteilten Warnungen, nicht nach Jerusalem zu ziehen (21,4b; 21,12), entspringen lukanischer Redaktionsarbeit[76]. Sie sind eng mit dem Geistmotiv verbunden: So gehen die obigen

---

[76] Vgl. auch Radl, Paulus, S. 135f.

Warnungen einerseits auf den heiligen Geist zurück, andererseits schreibt der heilige Geist Paulus geradezu vor, nach Jerusalem zu ziehen (vgl. 20,22: „Als vom Geist Gebundener gehe ich nach Jerusalem"; vgl. 19,21)[77].

Ein weiterer redaktioneller Zug im Zusammenhang der letzten Jerusalemreise des Paulus ist das Gebetsmotiv (vgl. 20,36; 21,5)[78].

III: Jünger aus Cäsarea bringen Paulus und sein Gefolge nach Jerusalem in sein dortiges Quartier, wo sie der alte Jünger Mnason beherbergt.

IV: In Jerusalem werden Paulus und seine Begleiter von den Brüdern willkommen geheißen, und Paulus kann am folgenden Tag Jakobus und den Presbytern von seinen Missionserfolgen unter den Heiden berichten.

Da der Wortlaut von 21,19 sich eindeutig auf Apg 15,4.12 zurückbezieht[79], entspringt er der lukanischen Redaktion[80]. Aber auch die übrigen Verse sind von Redaktion geprägt. Im einzelnen ergibt sich folgender Befund:

a) *ἀποδέχομαι*[81] und *ἀδελφοί*[82] sind lukanische Lieblingsvokabeln;

b) in V. 18 erscheint dasselbe Leitungsgremium der Jerusalemer Gemeinde wie in Apg 15: die Presbyter;

c) in V. 17 wird eine Naht sichtbar. Obgleich Paulus mit seinem Gefolge bereits in Jerusalem ist (V. 16), werden mit Hilfe einer Partizipialkonstruktion im Gen.abs., die in der Apg häufig[83] vorkommt, Paulus und seine Begleitung nochmals dorthin befördert.

---

77 Vgl. Radl, a.a.O., S. 140–145.
78 Vgl. Radl, a.a.O., S. 159–162.
79 Gegen Schmithals, Paulus, S. 71, legt das doch die Annahme von Redaktion nahe, um so mehr, als Apg 15,4 sich wiederum auf Apg 14,27 bezieht.
80 Schmithals, Paulus, S. 73 u.ö., geht freilich von der Voraussetzung aus, daß V. 17f übernommenes Quellenmaterial ist. Dazu vgl. die obigen Darlegungen.
81 7mal im NT, davon 2mal in Luk und 5mal in der Apg.
82 57mal in der Apg. Natürlich hat der Ausdruck „die Brüder" die Gesamtheit der Gemeinde im Blick (vgl. Overbeck, Apg, S. 380). Der als Gegenargument gedachte Hinweis auf V. 22 (Conzelmann, Apg, zSt; Haenchen, Apg, zSt; Suhl, Paulus, S. 290) überzeugt nicht, da V. 22 Tradition ist.
Historisierende Exegese alter und neuer Zeit sieht in den Brüdern „in erster Linie Mnason und seine Hausgenossen" (Herzog, Gefangennehmung, S. 211). Vgl. Haenchen, Apg, zSt: Mnason und die sich bei ihm versammelnden hellenistischen Christen. Dagegen: Schmithals, Paulus, S. 72.
83 100mal; vgl. Bl-Debr[14] § 423_2 (S. 352).

d) V. 17 steht in unauflösbarer Spannung zu V. 22: In V. 17 begrüßt die Gemeinde (= die Brüder) Paulus, während laut V. 22 (die) Mitglieder der Gemeinde hören *werden*, daß Paulus in der Stadt weilt. Falls V. 22 auf Tradition zurückgeht, so läßt sich V. 17 nur als Redaktion verstehen.

Damit kommen wir zum redaktionellen Sinn von V. 17–20a: Lukas will das bis zum Ende gute Verhältnis der Jerusalemer Gemeinde zu Paulus aufzeigen. (Unter dem theologischen Zwang einer solchen Anschauung unterläuft ihm dabei die Ungeschicklichkeit, daß er alle Brüder den Paulus begrüßen läßt, obwohl die meisten der ‚Brüder' von Pauli Ankunft in der Stadt erst noch hören werden.)

V. VI: Die Präsenz von unzähligen christlichen Zeloten des Gesetzes in Jerusalem und die Existenz von Gerüchten, daß Paulus die Juden in der Diaspora den Abfall vom Gesetz lehre, veranlassen Jakobus und die Presbyter, Paulus zu einem demonstrativen Akt seiner eigenen Gesetzestreue aufzufordern. Er soll sich mit 4 Nasiräern heiligen und die Kosten für das Schneiden ihrer Haare zu übernehmen, damit alle erkennen: Paulus erfüllt treu das Gesetz.

Dem Rat leistet Paulus Folge, was der Jerusalemer Gemeindeleitung von Anfang an klar war. Denn sie hatte seine treue Gesetzesbeobachtung nie in Zweifel gezogen.

Der lukanische Sinn des Abschnitts ist deutlich: Paulus wandelt bis zuletzt im Judentum. Er macht sich keiner Gesetzesübertretung schuldig. Im Gegenteil: Er beschnitt Timotheus (Apg 16,3) und übt sich auch während seines letzten Jerusalembesuchs in der Befolgung des Gesetzes.

Es ist freilich merkwürdig, daß überhaupt Gerüchte über Pauli Kritik am Gesetz in Jerusalem umliefen. Denn die Apg hatte bisher in ihrer jüdischen Zeichnung des Paulus keinerlei Anlaß zu den obigen Gerüchten gegeben. Daraus folgt zwingend, daß die Gerüchte Bestandteil der Lukas überkommenen Tradition waren, die der Verfasser der Apg im Sinne seines eigenen Paulusbildes zu korrigieren trachtet. (Zur weiteren Eruierung der Tradition in V.VI s.u. S. 89f).

VII: Als Paulus sich beim Abschluß des Nasiräats im Tempel aufhält, wird er von asiatischen Juden entdeckt. Sie ergreifen ihn und klagen ihn der Lehren gegen das Volk, gegen das Gesetz und gegen den Tempel an. Außerdem habe er einen Griechen, Trophimus, in den Tempel geführt. Danach wird Paulus unter tumultuarischen Umständen von römischen Soldaten festgenommen.

Der redaktionelle Sinn besteht darin, daß er die Erfüllung der Prophezeiung erbringt: Paulus wird von den Juden an die Heiden ausgeliefert (Apg 21,11). Damit ist die Voraussetzung für die folgenden apologetischen Reden Pauli geschaffen, die alle Schuld an der Auseinandersetzung zwischen Christen und Juden auf die letzteren wälzen und den Römern das Christentum angelegentlich empfehlen. Im einzelnen ist 21,28 darin lukanisch, daß a) Pauli Predigt gegen Volk, Gesetz und Tempel mit der des Stephanus parallelisiert wird (Apg 6,13) und b) der Eingriff der staatlichen Behörden in die Auseinandersetzung Pauli mit den Juden nach dem bekannten Schema (vgl. nur Apg 18,14ff) erfolgt.

3.3.3. Die Traditionselemente in Apg 21

I: Dem Bericht liegt ein Stationenverzeichnis zugrunde. Freilich liefert nicht der Wir-Stil einen Beweis für diese These, sondern der summarische Charakter des Berichts. Die Einzelheiten des Aufenthalts bei Philippus dürften z.T. Bestandteil der Quelle gewesen sein. Lukas erfindet nicht Geschichten, sondern berichtet im Anschluß an Tradition. Die Nachricht von den vier prophetischen Töchtern des Philippus gehört mit großer Wahrscheinlichkeit zur Tradition, denn sie ist eine interessante Einzelheit.

II: Die Agabusgeschichte dürfte Bestandteil der Lukas vorliegenden Tradition gewesen sein. Zwar sind redaktionelle Züge nicht zu übersehen: so formal die einleitende Partizipialkonstruktion (vgl. V. 17!) und inhaltlich die Ansage, daß Paulus in Jerusalem gebunden und den Heiden übergeben werde (s.o. S. 85). Ferner ist V. 10 sprachlich lukanisch[84]. Doch entspringt der Name Agabus und seine prophetische Tätigkeit sicher Tradition: Freilich ist nun sofort zu fragen, ob sie an dieser Stelle der Apg zeitlich richtig eingeordnet ist. Denn in Apg 11,27ff erscheint Agabus ebenfalls im Zusammenhang einer Jerusalemreise des Paulus, die jedoch als Modellreise[85] anzusehen ist – von Lukas geschaffen unter Verwendung von Einzeltra-

---

[84] Vgl. Radl, Paulus, S. 137f: typisch lukanisch sind der Ausdruck *ἡμέρας πλείους* sowie das Verb *κατέρχεσθαι* mit der Beziehung auf Judäa und der Verbindung mit dem in V. 11 folgenden *ἦλθον*. Die einführende Wendung *δέ . . . τις* mit nachfolgender Nennung einer Person findet sich im NT nur bei Lukas (vgl. Luk 10,38; 16,20; Apg 5,1; 8,9; 9,10; 9,36; 10,1; 18,24; 20,9; ohne *δέ*: Luk 1,5; Apg 16,1; 16,14; 18,7; 19,24).

[85] Den Nachweis führte Strecker, Jerusalemreise.

ditionen, die mit Jerusalemreisen des Paulus zusammenhängen. Daher wird die Agabustradition entweder mit der Konferenzreise (= 2. Jerusalembesuch des Paulus) oder mit der letzten Fahrt des Apostels zu verknüpfen sein. Die letztere Möglichkeit scheint mir wahrscheinlicher zu sein.

III: Die Reise von Cäsarea nach Jerusalem und der Aufenthalt im Hause des Mnason[86] gehen auf Tradition zurück. Im einzelnen sprechen folgende Gründe für diese Annahme:

a) der redaktionelle Charakter von V. 17ff (s.o.),

b) der Name Mnason,

c) die interessante Einzelnachricht, daß Christen aus Cäsarea Paulus in Jerusalem Unterkunft verschafften.

IV: Der redaktionelle Charakter dieses Abschnitts wurde oben (S. 86f) dargelegt. Auf Tradition dürfte jedoch die auch aus anderen Quellen zu verifizierende Nachricht[87] zurückgehen, daß Jakobus zur Zeit des dritten Jerusalembesuchs des Paulus Oberhaupt der dortigen Gemeinde[88] ist (V. 18).

V.VI: Der Traditionscharakter dieses Abschnitts wurde z.T. oben (S. 87) aufgewiesen. Folgende Traditionen werden sichtbar:

a) Die Jerusalemer Gemeinde setzt sich aus vielen (*μυριάδες*) Juden zusammen[89], die Eiferer für das Gesetz sind. Diese Information steht

---

86 Anders Suhl, Paulus (im Anschluß an Ramsay), S. 288f: „Wie sich aus Ag 23,32 eindeutig ergibt, wußte Lukas (...), daß der etwa 100 km lange Weg nicht an einem Tag zurückgelegt werden konnte. Er dürfte darum an eine Zwischenstation bei Mnason auf dem Wege nach Jerusalem gedacht haben." Falls Suhl im Recht sein sollt, so liefert seine Argumentation ein weiteres Argument für den Traditionscharakter der an Jerusalem haftenden Mnason-Notiz. Denn dann hätte sich der Verfasser der Apg die ihm bewußte geographische Schwierigkeit erst zurechtgelegt.

87 Vgl. Josephus, Ant XX 197ff (s.u. S. 99ff); die in den PsKl und durch Hegesipp verarbeiteten Traditionen (s.u. S. 219ff und S. 245f u.ö.).

88 M.E. ist es nicht möglich, mit G. Bornkamm (Art. *πρέσβυς κτλ.*, in: ThWNT VI, S. 662f) und vielen anderen, die in Apg 21 vorausgesetzte Presbyterialverfassung der Jerusalemer Gemeinde mit Jakobus an der Spitze für historisch zu halten. Die Presbyterialverfassung ist die für die lukanische Kirche gültige Verfassung, die auch Apg 15 und 20 erscheint. (Freilich hält sie Bornkamm, a.a.O., S. 663f, an den beiden letzten Stellen für nicht historisch.)

89 Schwartzens (Chronologie, S. 290) Konjektur zSt: „wie viele gesetzeseifrige Juden" steht im Banne einer historisierenden Exegese. Sie wird u.a. akzeptiert von Weiß, Urchristentum, S. 282; Munck, Paulus, S. 235f; Nickle, Collection, S. 71f. Bereits Baur, Consilio, S. 38, hatte sie vertreten, nahm sie aber dann in Baur, Paulus I, S. 230 mit A 1 wieder zurück. Dagegen: Holl, Kirchenbegriff, S. 66 A 3; Smith, Problems, S. 114; Schmithals, Paulus, S. 73; Stolle, Zeuge, S. 75f A 86.

in Spannung zur bisherigen Zeichnung der Jerusalemer Kirche durch Lukas.

b) Gerüchte kursieren, Paulus lehre die Juden Abfall vom Gesetz des Moses und rate ihnen von der Beschneidung ihrer Kinder ab (V. 21). Diese Gerüchte waren nach der bisherigen (jüdischen) Zeichnung des Apostels in der Apg gerade nicht zu erwarten[90].

c) Paulus beteiligt sich an einer jüdischen Zeremonie. Für die Annahme von Tradition in diesem Punkt spricht, daß die von Lukas gegebenen Informationen in ihrer gegenwärtigen Form widersprüchlich sind. Das legt zunächst die Vermutung nahe, Lukas habe seine Quelle mißverstanden:

Nimmt man die Geschichte so, wie sie dasteht, dann berichtet sie erstens von einem Nasiräat des Paulus (V. 24a.26)[91] und zweitens davon, daß der Apostel die Kosten für die Auslösung von vier Nasiräern übernimmt (V. 24b, vgl. V. 27).

Doch dauert ein Nasiräat mindestens 30 und nicht 7 Tage, wie Lukas anzunehmen scheint (V. 27). Das Nasiräat entspringt daher wohl einem Mißverständnis des Verfassers der Apg[92]. Dagegen dürfte der Bericht von der Übernahme der Auslösungskosten[93] auf Tradition zurückgehen. Ein solcher Akt galt als frommes Werk (vgl. Josephus, Ant XIX 294) und hat mit der Übernahme eines Nasiräats nichts zu tun. Schließlich mag auch die Angabe ‚7 Tage'[94] auf Tradition zurückgehen. Es liegt nahe, mit E. Haenchen diese Angabe auf der Stufe der Tradition mit dem Tempelbesuch des Paulus in Verbindung zu bringen: Paulus mußte mit dem betreffenden Priester die Übernahme der Auslösungskosten vereinbaren, aber gleichzeitig als ein aus dem Ausland Kommender die Reinheit wiedergewinnen.

---

90 Vgl. auch Smith, Reason, S. 265f. Die andere Möglichkeit ist, daß Lukas' Quelle hier die Paulusbriefe sind (vgl. Lindemann, Paulus, S. 170). Doch hat Paulus in seinen Briefen sich nie derartig geäußert, wie es ihm in V. 21 zugeschrieben wird.

91 Vgl. dazu besonders Haenchen, Apg, S. 584 A 1.

92 Haenchen, Apg, S. 585: „Lukas scheint anzunehmen, daß Paulus (...) für die Zeit bis zu ihrer Ausweihung selbst ein Nasiräat übernehmen muß." – Mit Jakobus' Nasiräertum hat Apg 21, 18–27 wohl nichts zu tun (zu Black, Scrolls, S. 82).

93 Die Auslösung bestand im Scheren des Haars, seiner Darbringung als Opfer und in der Darbringung weiterer Opfer: vgl. Num 6,13ff.

94 Vgl. zu ‚sieben' in der Apg: 20,6; 21,4; 28,14, welcher Befund auch die Möglichkeit redaktionellen Ursprungs einschließt. Zu erwägen ist zusätzlich, ob nicht an dieser Stelle Lukas die Zahl der Stelle Num 6,9 verdankt (Conzelmann, Apg, zSt).

„Dem entsprechend ging Paulus (...) mit den 4 Nasiräern zum Tempel und meldete dort 1. seine eigene Entsühnung (*ἁγνίζεσθαι*) an, 2. aber die *ἐκπλήρωσις τῶν ἡμερῶν τοῦ ἁγνισμοῦ* (des Nasiräats der 4). Damit ließ sich das Datum festlegen, an dem die betreffenden Opfer – die er bezahlte – dargebracht werden sollten: es war der 7. Tag, an dem er selbst entsühnt werden sollte."[95]

VII: Zu ‚sieben' als Bestandteil der Tradition vgl. das soeben Gesagte.

Weiterer Bestandteil der Tradition ist in unserem Abschnitt nur noch der Name des Paulusbegleiters Trophimus in V. 29 (vgl. die Liste Apg 20,4), wobei offenbleiben muß, ob er Bestandteil einer den letzten Jerusalembesuch des Paulus schildernden Quelle oder dem Lukas aus der Liste Apg 20,4 bekannt war. Alles andere kann Lukas aus den ihm sonst zur Verfügung stehenden Nachrichten gefolgert haben. So wußte er von der Gefangennahme des Apostels in Jerusalem, deren Traditionsgrundlage im einzelnen noch weiterer Erforschung bedarf[96], sowie der Auslösung der Nasiräer durch Paulus im Tempel (s.o. unter V.VI). Also lag es nahe, jenen Bericht zum Anlaß des Aufruhrs und der Verhaftung des Paulus zu benutzen. Weitere Traditionen sind in unserem Abschnitt nicht zu eruieren.

Nachdem wir die Traditionselemente in Kapitel 21 rekonstruiert haben, ist zu fragen, ob sie einer fortlaufenden Quelle entstammen und weiter, ob sie als historisch zuverlässig anzusehen sind.

3.3.4. Die Apg 21 zugrundeliegende Quelle

Nach Abzug der oben aufgewiesenen Redaktionselemente ergibt sich folgender Grundriß der Quelle:

Paulus reist mit Begleitern von Milet über Cäsarea nach Jerusalem. Er erhält in Cäsarea gastliche Aufnahme beim Hellenisten Philippus und in Jerusalem beim Hellenisten Mnason[97]. In der Jerusalemer Gemeinde, die gesetzestreu lebt und der Jakobus vorsteht, ist seine Person umstritten, denn Gerüchte kursieren, daß Paulus antinomistisch sei und sich gegen die Beschneidung von jüdischen Knaben

---

[95] Haenchen, Apg, S. 586.

[96] Vgl. dazu Stolle, Zeuge, passim.

[97] Der Name Mnason ist in griechischen Inschriften relativ häufig belegt (vgl. Bauer, WB, s.v.). Mnason stammt wie Barnabas aus Zypern (Apg 21,16) und ist nach zeitweiligem Verlassen Jerusalems (vgl. Apg 11,20) wieder dorthin zurückgekehrt. Vgl. Haenchen, Apg, S. 581.

ausspreche. Paulus tritt dem durch die Übernahme der Auslösung von vier Nasiräern entgegen. Mit Paulus' Anwesenheit im Tempel, in den er sich zwecks eigener Entsühnung begeben hatte, endet die Quelle[98].

Der soeben gezeichnete Gedankengang ist das beste Argument für die Annahme einer durchlaufenden Quelle. Denn a) ist der Bericht geradlinig und b) weist er keinerlei Spannungen und Sprünge auf.

3.3.5. Die historische Zuverlässigkeit der Quelle

Fragen wir nach der historischen Zuverlässigkeit der obigen Quelle, so muß die Antwort hierauf unbedingt positiv ausfallen. Die Einzelelemente werden durch andere von Apg 21 unabhängige Nachrichten bestätigt oder als wahrscheinlich bzw. zumindest als möglich erwiesen:

Bestätigt durch andere Quellen werden die Führungsstellung des Jakobus und der gesetzlich-jüdische Charakter der Gemeinde in den fünfziger Jahren[99].

Die Beteiligung des Paulus an einem Kultakt[100] ist wegen des Freiheitsverständnis des Paulus (vgl. 1Kor 9,19ff) als wahrscheinlich zu erachten[101].

---

98 Es besteht kein Anlaß, mit Stolle, Zeuge, die Nasiräatstradition (Apg 21,23–24a.26–27a) mit dem Jerusalembesuch von Apg 18,22 zusammenzubringen (a.a.O., S. 79f A 94). Folgende Gründe sprechen dagegen: 1. Die Zeitangabe ‚sieben Tage' (Apg 21,27a) gehört zur Nasiräatstradition und motiviert Pauli Aufenthalt im Tempel. Ich kann daher nicht finden, daß „Prozeßbericht" (V. 27ff) und Nasiräatstradition miteinander rivalisieren. 2. Daß Paulus V. 27ff „nicht die Begleitung durch die vier Nasiräer vorgeworfen" wird (a.a.O., S. 78), ist doch gut zu verstehen, da hieran nichts Anstößiges zu finden ist. Im Gegenteil! Daß Paulus den Trophimus in den Tempel geführt habe (ebd.), sagt Apg 21,29 nicht. Das wird Paulus doch nur unterstellt. 3. Paulus ist zwischen dem letzten Jerusalembesuch (Apg 21) und dem Konferenzbesuch nicht in Jerusalem gewesen (s. Band I, S. 36 A 48). Wenn wegen Gal 2 auszuschließen ist, daß Paulus während der Konferenz an der Auslösung von Nasiräern beteiligt war, so gehört ein solcher Akt mit dem letzten Jerusalembesuch des Paulus zusammen.

99 Vgl. die unter A 87 genannten Belege und Röm 15,25f. Dazu kommt die allgemeine Überlegung, daß sich nur eine gesetzestreue Gemeinde so lange in Jerusalem halten konnte (vgl. Hengel, Mission, S. 26).

100 Hat Paulus die für die Auslösung der Nasiräer notwendigen erheblichen Geldmittel der Kollekte entnommen? So Weiß, Urchristentum, S. 283; Suhl, Paulus, S. 291f; Holmberg, Paul, S. 43; Duncan, Ministry, S. 234f (willkürliche Begründung).

101 Vgl. Bornkamm, Verhalten, S. 160f; Georgi, Geschichte, S. 90; Suhl, Paulus, S. 291f; Holmberg, Paul, S. 42 A 152.

Daß der Apostel bei einem Hellenisten Unterkunft fand, ist wegen der früheren engen Beziehung des Paulus zu den Hellenistenkreisen gut möglich.

Schließlich dürfte der in V. 21 ausgesprochene Vorwurf gegen Paulus historisch sein und gibt zutreffend die Vorbehalte Jerusalemer Christen gegen Paulus wieder. Jedenfalls hatte er einen Anhalt in dem, was in paulinischen Gemeinden vor sich ging. Zwar predigte Paulus in Übereinstimmung mit den Absprachen auf der Konferenz und entsprechend seiner Berufung vornehmlich den Heiden das Evangelium. Auch findet sich in keinem seiner erhaltenen Briefe eine Aussage, wie sie ihm Apg 21,21 unterstellt wird[102]. Doch muß sofort darauf hingewiesen werden, daß der Apostel von geborenen Juden im Verkehr mit Heidenchristen die Nichtbeachtung von Speisegesetzen verlangte (vgl. Gal 2,11ff) und in seinen Briefen mehrfach die Indifferenz des Gesetzes gegenüber der neuen Schöpfung in Christus lehrte (1Kor 7,19; Gal 6,15). Konnte es da ausbleiben, daß geborene Juden in der Folge einer solchen Praxis vom Gesetz entfremdet wurden und ihre Kinder nicht mehr beschnitten?

V. 21 gibt daher unbedingt eine historisch zuverlässige Information über die Folgen der paulinischen Predigt sowie Praxis unter Juden und über die Vorbehalte der Jerusalemer Gemeinde gegenüber Paulus wieder[103].

Unsere Analyse der Apg 21 zugrundeliegenden Traditionen kann wie folgt zusammengefaßt werden: Lukas benutzt eine durchlaufende Vorlage[104], die in der Tat die letzte Jerusalemreise des Apostels behandelt[105] und von großem historischen Wert ist.

Freilich gibt die zuletzt gemachte Feststellung zu einer Frage Anlaß, auf die im nächsten Abschnitt das Augenmerk gerichtet sein soll. Denn nach den obigen Ausführungen darüber, daß in Apg 21

---

[102] Die Ungerechtigkeit des obigen Vorwurfs wird herausgestellt z.B. von Weiß, Urchristentum, S. 36; Schmithals, Paulus, S. 74.

[103] Der Vorwurf war daher unberechtigt und berechtigt zur gleichen Zeit. „Paulus litt in Jerusalem für eine Sache, die gar nicht die seine war, nämlich die totale Loslösung des Christentums vom Judentum. Aber das Auge des Feindes sieht in solchen geschichtlichen Lagen stets schärfer. Sie hatten recht – Paulus' Wirken (...) vernichtete die jüdischen Sitten und machte dem Gesetze Mosis den Garaus" (Harnack, Untersuchungen, S. 54 A 1). Vgl. noch Goppelt, Christentum, S. 97, und bereits Baur, Paulus I, S. 224.

[104] Nicht die vielberedete ‚Wir-Quelle', da gerade Teile der Vorlage jenes Wir nicht aufweisen (s. V. 20ff), während redaktionelle Stücke es haben (s. V. 17f).

[105] Zu Overbeck, Apg, S. 374 A*.

eine wertvolle historische Quelle verarbeitet sein soll, drängt sich die Frage auf: Warum hören wir in jenem Kapitel nicht von der Kollekte, die laut paulinischem Eigenzeugnis (Röm 15,25f) just zu dem Zeitpunkt von Apg 21 abgeliefert wurde?

3.3.6. Die Ablehnung der Kollekte

Bevor wir die in der Überschrift aufgestellte These begründen, sei unter Anknüpfung an das soeben Ausgeführte die Vorgeschichte der Überbringung der Kollekte behandelt:

Auf der Konferenz in Jerusalem versprechen Paulus und Barnabas stellvertretend für ihre Gemeinden, ständig der Armen in der jerusalemischen Kirche zu gedenken. Paulus entspricht dieser Übereinkunft dadurch, daß er alsbald eine Sammlung in seinen Gemeinden organisiert (Gal 2,10b). Für Paulus hat diese wirtschaftliche Unterstützung der Jerusalemer Gemeinde durch die Heidenchristen ekklesiologische Bedeutung. Denn in und mit ihr wird die (eschatologische) Einheit der aus Juden und Heiden bestehenden Kirche dokumentiert. Ein Scheitern der Kollekte würde nach paulinischem Verständnis die theologische Existenz der Heidenchristenheit gefährden. Es nimmt daher kein Wunder, daß der paulinischen (judenchristlichen) Opposition daran gelegen war, die Kollekte zu Fall zu bringen. Indizien für ein Gelingen dieser Absicht sind vorhanden[106]: so kam die Sammlung in Korinth teilweise und in Galatien völlig zum Erliegen. In Korinth setzte sich Paulus schließlich durch, während er die galatischen Gemeinden samt Kollekte verloren haben dürfte.

Wir besitzen ein unschätzbares Selbstzeugnis des Apostels über die Kollekte aus der Zeit kurz vor seiner Abreise nach Jerusalem:

Röm 15,25f: „Jetzt aber reise ich nach Jerusalem im Dienst der Heiligen: Makedonien und Achaja haben nämlich beschlossen, den Armen der Heiligen in

---

[106] Vgl. Band I, S. 110–135. Morton Smith (brieflich 24.8.80) meint, vielleicht sei die Kollekte auch in Korinth zum Erliegen gekommen: „Notice that no Corinthians went with Paul on his final trip to Jerusalem, Acts 20,4. Had the Corinthians made a substantial contribution they would almost certainly have sent some representative to accompany it and attest its proper delivery (especially after all the trouble and embezzlement that had been made while the money was being raised)." Doch ist die korinthische Kollekte laut Röm 15,25 bereits sichergestellt, und Paulus hält sich in Korinth auf. Zu Apg 20,4 vgl. Band I, S. 117 A 142, und jetzt die verdienstvollen Überlegungen von Ollrog, Paulus, S. 52–58.

Jerusalem eine Zuwendung zu machen." Röm 15,30f: „Ich ermahne euch aber, ihr Brüder, (...) mir im Gebet vor Gott bitten zu helfen für mich, daß ich errettet werde von den Ungläubigen in Judäa, und daß meine Dienstleistung für Jerusalem von den Heiligen wohl aufgenommen werde".

Paulus sieht sich angesichts von ungläubigen Juden nicht nur der Gefahr ausgesetzt, sondern hält sogar die Annahme der Kollekte durch die Jerusalemer Gemeinde für bedroht[107]. „Kurz vor seiner Vollendung aber ist die Gefahr einer Empfangsverweigerung durch die Jerusalemer derart akut, daß Paulus eine völlig unbeteiligte Gemeinde mit stärksten Worten dazu aufrufen muß, in ihrem Gebet um eine wohlwollende Aufnahme der Kollekte besorgt zu sein"[108].

Es ist daher nur folgerichtig, wenn Paulus unter Abänderung seines ursprünglichen Plans (1Kor 16,2: Gesandte bringen die Kollekte nach Jerusalem) selbst nach Jerusalem fährt (freilich bereits 1Kor 16,3 erwogen), um die Annahme der Kollekte[109] sicherzustellen[110].

Nach diesen Ausführungen zur Vorgeschichte der Ablieferung der Kollekte kommen wir zur eigentlichen, unser Thema betreffenden Frage: Wenn die letzte Jerusalemreise des Apostels den alleinigen Zweck hatte, die Kollekte abzuliefern, warum erfahren wir nichts darüber in Apg 21?[111] Unter Zugrundelegung des Ergebnisses des

---

[107] Vgl. hierzu Käsemann, Röm, S. 393. Bornkamm, Verhalten, S. 160, schließt aus Röm 15,31f bereits auf ihre „Übergabe". Gerade die Möglichkeit hierzu ist zu überprüfen.

[108] Klein, Verleugnung, S. 320. Vgl. v. Campenhausen, Amt, S. 36f.

[109] Vgl. Harnack, Untersuchungen, S. 46; Köster, Einführung, S. 579. Anders Jülicher, Schranken, S. 13: „als Motiv für jene gefahrdrohende Reise des Apostels bedarf ich keines weiteren, als daß er sich für den Fall günstigen Ertrages der Sammlung durch zahlreiche Versprechungen an die sammelnden Heidengemeinden festgelegt hatte."

[110] Etwas anders: Knox, Chapters, S. 54: „He can hardly feel such great anxiety that the offering be simply accepted; what he wants is that it be accepted with full and cordial recognition of its significance." Knox nennt a.a.O., S. 70, die Kollekte ein „peace-offering".

[111] Generell fällt es auf, daß die doch naheliegende Frage nach dem Ausgang der Kollekte relativ selten gestellt wird: Kittel, Stellung, S. 154ff (vgl. ders., Jakobusbrief, S. 111), hält zwar 21,18ff für einen Teil des Wir-Berichts, der historisch unanfechtbar sei, fragt aber nicht nach der Kollekte. Schmithals, Paulus, S. 70–80, äußert sich nur ausführlich zum Nasiräat, dessen Historizität er bejaht. Einzig Meyer, Ursprung III, S. 477–480, sieht klar die Probleme und schreibt die Annahme der Kollekte, obgleich Pauli Lehre dem Jakobus ein Greuel sei, der christlichen Versöhnlichkeit und der Höhe des Geldbetrags zu. Vgl. jetzt Köster, Einführung, S. 578f (methodisch unzureichend trotz guter Fragen). Der Befund, daß die Kollekte zumeist übergangen wird, mag einfach damit zusammenhängen, daß die Apg nicht von ihr berichtet. In der Regel wird nämlich

vorigen Abschnitts ist sofort hinzuzufügen: Es erscheint ausgeschlossen, daß die in Apg 21 benutzte Quelle keinen Hinweis auf die Sammlung enthielt[112], was die Frage provoziert: Warum *tilgt* Lukas jeglichen Hinweis auf die Kollekte in jenem Kapitel?[113] (Die Dringlichkeit der Beantwortung der Frage wird erhöht, wenn – wie wahrscheinlich – in Apg 24,17 eine Notiz über den Sinn der letzten Jerusalemreise des Paulus steht[114].) Die einzige mögliche Antwort auf die letzte Frage kann nur lauten: Lukas meidet in Apg 21 absichtlich das Kollektenthema, weil die von ihm benutzte Quelle von einem Scheitern ihrer Übergabe bzw. von ihrer Ablehnung berichtete. Denn wenn die Quelle von ihrer Annahme berichtet hätte, würde Lukas diese Nachricht aufgenommen haben (an dieser Stelle!), kommt es ihm doch gerade darauf an (21,17f!), das gute Verhältnis[115] zwi-

---

ihr Bericht nur paraphrasierend wiedergegeben: vgl. Peake, Paul, S. 31; Knox, Paul, S. 357–362; Duncan, Ministry, S. 51–55; Strobel, Aposteldekret, S. 95–98. Eine Darstellung wie die von Telfer, Office, S. 13, ist nun doch selten: Apg 21, 18–24 „leaves us with the picture of a great man at the height of his power and success, a man whose talents ar matched with the singular role which he believed himself divinely called to play" (über Jakobus).

112 Haenchens Postulat: Lukas „schweigt (. . .) von ihrer (sc. der Kollekte) Ablieferung, die im Itinerar erwähnt sein mußte" (Apg, S. 586), ist voreilig, weil gerade zur Debatte steht, ob es zur erfolgreichen Ablieferung gekommen ist.

113 Vgl. m.R. Knox, Chapters, S. 71. Anders Strecker, Jerusalemreise, S. 75 A 50 (=Eschaton, S. 140 A 51), nach dessen Meinung das Kollektenmotiv „keinen Anhalt in der vorlukanischen Überlieferung von Stationen von Paulusreisen" hatte (ebd.).

114 Vgl. Band I, S. 49f.

115 Morton Smith (brieflich 24.8.80) schreibt: „If the offering was officially accepted, *surely* Luke would habe reported the acceptance. This I find persuasive. But between *non-acceptance* and *rejection* there are many other possibilities, and here one is indicated by the course of events: The Jerusalem authorities decided to delay the official presentation and acceptance until Paul, by demonstrating *his own* willingness to obey the Laws (of which there is no doubt, I Cor. 9,20) could make himself acceptable to the many new, law-observant converts (so, explicitly, Acts 21,20ff.). Paul therefore undertook to finance the nazarites and himself through the purification ritual. Before (21,27) the purification was completed he was arrested, so neither it nor the official presentation of the offering was ever completed – at least by Paul. (The offering may have been handed over later by Paul's companions. Since Acts follows Paul its omission of this would be understandable)." Smith argumentiert von der lukanischen Erzählebene her. (Ebenso verfahren z.B. Bruce, Men, S. 105–110; Borse, Paulus, S. 62ff.) Ich habe von den von Lukas benutzten Traditionen her argumentiert. (Lukas war nicht Augenzeuge!) Gewiß, der am Ende gemachte Vorschlag Smiths ist eine interessante historische Möglichkeit. Doch läßt er sich mit Hilfe von Quellenkritik nicht überprüfen, und ebenso möglich ist es, daß Pauli Begleiter *mit* der Kollekte Jerusalem wieder verlassen haben.

schen Paulus und der Jerusalemer Gemeinde[116] aufzuzeigen. Stattdessen vorverlegt er das für Apg 21 ängstlich vermiedene Kollektenthema und bringt es in Apg 11,27ff, wo er unter Verarbeitung von Einzeltraditionen eine Modellreise konstruiert und Barnabas und Paulus eine Kollekte nach Jerusalem bringen läßt. (Freilich wird selbst dort nicht explizit von einer *Annahme* der Sammlung berichtet!)

Zwecks Stützung der obigen These[117] ist ferner darauf zu verweisen, daß in Apg 21ff nicht die Spur einer Unterstützung des Paulus durch die Jerusalemer Gemeinde sichtbar wird[118]. D.h. Lukas stand offenbar keine Tradition darüber zur Verfügung (vgl. aber noch Apg 23,16), da er sich ihrer sonst sicher bedient hätte. Das führt aber zur Vermutung, daß Paulus in Jerusalem, historisch gesehen, keine Unterstützung von den Jerusalemern bekam. Dies paßt zur obigen These der Nichtannahme der paulinischen Kollekte.

Damit ist an Hand einer Analyse von Apg 21 unter besonderer Berücksichtigung der Organisation und Überbringung der Kollekte gezeigt worden, daß zZt der letzten Jerusalemreise des Paulus die christ-

---

[116] Georgi, Geschichte, meint ähnlich, daß „sich kein Grund für eine Unterdrükkung einer Notiz über die demonstrative Übergabe und den freudigen Empfang denken" läßt (a.a.O., S. 89). Seine Schlußfolgerung weicht von der oben gegebenen ab: „So wurde die Kollekte (. . .) anscheinend gleichsam nur im Nebenzimmer und sozusagen nur flüsternd übergeben und empfangen" (ebd.). Das ist petitio principii. Sie geht von der nicht mehr hinterfragten Voraussetzung aus, die Jerusalemer Gemeinde habe auf alle Fälle einen Bruch mit Paulus vermeiden wollen. Das aber ist doch die Frage.

[117] Folgende Forscher sprechen sich ebenfalls für die Ablehnung der paulinischen Kollekte durch die Jerusalemer aus: Dunn, Unity, S. 256f; Mattill, Purpose, S. 116 (M. hält freilich Lukas für einen Augenzeugen der Ereignisse und spekuliert: „Possibly the collection was so small it reflected lack of Gentile interest in the mother church, thus offending Jewish Christians", ebd.); vielleicht auch Wuellner, Jakobusbrief, S. 27.57. J. Roloff hält die Annahme der Kollekte für „kaum vorstellbar" und spricht vom „Scheitern des Einheitswerkes des Paulus" (Die Apostelgeschichte, NTD 5, 17. Aufl., Göttingen 1981, S. 313). Vorsichtige Skepsis zur Annahme der Kollekte äußern Cullmann, Dissensions, S. 89; ders., Petrus, S. 46 A 36; Craig, Beginning, S. 260f. – Keck, Poor, S. 107, meint, Lukas meide das Kollektenthema in Apg 21, weil er gewußt habe, daß die Kollekte „failed to do what Paul hoped it would" (ebd.). Vgl. zur Frage noch Johnson, Function, S. 32–36, der m.E. aber (trotz a.a.O., S. 219f) eine Erklärung darüber schuldig bleibt, warum Lukas in Apg 21 die Kollekte vermeidet. (Er selbst hält eine Erklärung wie die von Keck, Poor, S. 107, für „speculative" [a.a.O., S. 35].) – Keck, Art. Armut III, in: TRE IV, S. 76–80, S. 80, hält jetzt die Nichtannahme der Kollekte für möglich.

[118] „Das Verhalten der Urgemeinde bei der Gefangennahme und während der Gefangenschaft des Paulus gibt mehr als ein Rätsel auf" (Holl, Kirchenbegriff, S. 66 A 3); vgl. in derselben Richtung Pfleiderer, Urchristentum I, S. 85; Goguel, Apôtre, S. 500; G. Johnston, in: PCB 631e (S. 725b).

liche Gemeinde Jerusalems vollständig innerhalb des Judentums stand und keine Abrogation des Gesetzes hingenommen hätte. Ihre passive Haltung bei der Festnahme des Paulus und ihre Zurückweisung der vom Heidenapostel überbrachten Kollekte sind *einerseits* Ausdruck dafür, daß das auf der Konferenz geschlossene Konkordat zwischen der jerusalemischen und paulinischen Kirche von der ersteren offenbar als nicht länger gültig angesehen worden ist. Der Grund dafür dürfte in dem Apg 21,21 beschriebenen Gerücht bündig zusammengefaßt sein: die paulinische Predigt zerstört das Judentum (vgl. oben S. 93 mit A 103). *Andererseits* drückt sich in der obigen Haltung der Jerusalemer Gemeinde ihre Gemeinschaft mit dem jüdischen Volk aus. Auch der Befund, daß die Gemeinde bis zum Jüdischen Krieg in der Hauptstadt der Juden blieb, bestätigt dies.

Auf die Frage nach einem möglichen Antipaulinismus der jerusalemischen Gemeinde unter der Leitung des Jakobus ist daher zusammenfassend gesagt nur eine Antwort möglich: Die Jerusalemer nahmen spätestens seit der Konferenz in überwiegendem Maße eine antipaulinische Haltung ein[119]. Ihre Ablehnung der Kollekte, die noch wenige Jahre vorher Einigungsband zwischen beiden Kirchen war, besiegelt die Paulusfeindschaft[120] der Jerusalemer: Jakobus kann hiervon nicht ausgenommen werden[121].

Ein abschließender Blick auf die Umstände des Martyriums des Jakobus kann die oben gewonnenen Ergebnisse nur noch bekräftigen.

---

119 Stauffer, Kalifat, beschreibt das so: Jakobus „hat die judenchristlichen Gemeinden ganz planmäßig im antipaulinischen Sinne geschult" (a.a.O., S. 205). Man wird an einer solchen Behauptung nicht mehr wie üblich kopfschüttelnd vorbeigehen können (vgl. z.B. Mußner, Jak, S. 10 A 2). Stauffers Darlegungen zum jakobäischen Christentum (vgl. bereits Harnack, Entstehung, S. 24–28) haben leider in der jüngsten Forschung wenig Gehör gefunden: so fehlt der Staufferschen These eines Kalifats des Jakobus laut Roloff, Apostolat, S. 63 A 81 „vom NT her (sic!) jeglicher Anhaltspunkt".

120 Gegen Müller, Kirchengeschichte. Er bemerkt zunächst völlig korrekt zur inneren Lage der Jerusalemer Gemeinde zZt des letzten Jerusalembesuchs des Paulus: „Dass die Gemeinde damals noch in derselben Feindseligkeit gegen ihn (sc. Paulus) verharrte, beweist ihr Verhalten, wie es aus den geschichtlichen Bestandteilen des Berichts Act 21 hervortritt" (a.a.O., S. 32). Dann aber wird zu Jakobus festgestellt: „Aber sein Verhältniss zu Paulus ist trotzdem nicht feindlich: nur für seine Person bleibt er der Typus des strengen Gesetzeschristentums" (ebd. [vgl. ähnlich Carrington, Church I, S. 190f]). Diese Darlegungen stehen unter dem kanonischen Druck der Apg. Ein Wahrscheinlichkeitsurteil wird auch für den Leiter der Jerusalemer Gemeinde eine Haltung voraussetzen dürfen, die die Gesamtgemeinde eingenommen hat.

121 Die letzten Sätze z.T. nach Lüdemann, Antipaulinismus, S. 448.

3.3.7. *Das Martyrium des Jakobus*

Das Martyrium des Herrenbruders Jakobus[122] fällt in das Jahr 62 nChr, also rund 5–10 Jahre nach der Ankunft des Paulus in Jerusalem zwecks Übergabe der Kollekte. Eine wohl zuverlässige Quelle[123] für die Vorkommnisse ist der Bericht des Josephus, Ant XX 197–203.

Der Bericht Hegesipps (bei Euseb, KG II 23) ist Quelle für die Anschauung einer späteren Generation, die in Jakobus ihren Ahnherrn sah.

Die Umstände des Todes des Herrenbruders waren wie folgt: Nach dem Tode des Prokurators Festus bestimmte Nero als dessen Nachfolger Albinus. In der Zwischenzeit herrschte in Jerusalem eine Anarchie, die der jüngere Ananus[124] – den Sadduzäern nahestehend – dazu benutzte, Jakobus und einige andere[125] vor dem Sanhedrin wegen Gesetzesübertretung anzuklagen und steinigen[126] zu lassen[127]. Diese Tat sollte das Ende seiner dreimonatigen Laufbahn als Hoherpriester bedeuten. Bewohner der Stadt, die laut Josephus gesetzestreu und hochangesehen waren (*ἐπιεικέστατοι τῶν κατὰ τὴν πόλιν*

---

122 Vgl. dazu die umsichtigen Ausführungen von Goguel, Naissance, S. 144–153; Brandon, Fall, S. 95–100. Umfassende Sammlung der erhaltenen Texte zum Martyrium des Jakobus bei Lipsius, Apostelgeschichten, S. 238–257. – Ich setze voraus, daß der Hegesippbericht sekundär ist (s.o. im Text): gegen Telfer, Office, S. 14; Burkitt, Beginnings, S. 57–65; Simon, Stephen, S. 71f.99; Black, Scrolls, S. 82. Zum Verhältnis des Josephus- und Hegesipptexts zueinander vgl. noch Munck, Paulus, S. 105ff.

123 Schürer I, S. 581f (ebenso Zahn, Einleitung, S. 101; ders., Forschungen VI, S. 301–305; v. Dobschütz, Gemeinden, S. 274) hält freilich den Josephusbericht für eine Interpolation. Doch hat sich diese These nicht durchsetzen können. Vgl. m.R. Dibelius, Jak, S. 27f; P. Winter, in: Schürer I (engl. Neuausgabe I, S. 428ff [Lit.]).

124 Seine Beschreibung in den Ant steht in einem seltsamen Kontrast zu der im Bell (IV 319ff), wo er als ein neuer Perikles gezeichnet wird. Zu Ananus bei Josephus vgl. S.J. Cohen, Josephus in Galilee and Rome. His Vita and Development as a Historian, Leiden 1979, S. 150f (Lit.).

125 Wer die übrigen waren, die Ananus ergreifen ließ, steht nicht da. Hengel, Nachfolge, S. 45, hält sie für Jerusalemer Christen. Das ist aber nur eine Möglichkeit. Vgl. demgegenüber Goguel, Naissance, S. 148.

126 *παρανομήσαντες* (Ant XX 200). Doch hielten offenbar die Pharisäer eine solche Anklage für nicht gerechtfertigt, was uns davor warnen sollte, in die Auseinandersetzung eine Trennung der Jerusalemer Gemeinde vom Judentum hineinzulesen (gegen Klausner, Paul, S. 598f).

127 Simon, Israel, schreibt schön: „Ainsi, par une ironie du sort, le frère du Seigneur, adversaire notoire de l'apôtre des Gentils, aurait péri à sa place, victime d'une solidarité qu'il n'eût sans doute pas reconnue sans réticences" (a.a.O., S. 304).

(...) *καὶ περὶ τοὺς νόμους ἀκριβεῖς*, Ant XX 201), nahmen an den Handlungen des Ananus Anstoß und beschwerten sich heimlich beim König Agrippa. Einige von ihnen reisten sogar Albinus entgegen, der sich auf dem Weg von Alexandrien nach Jerusalem befand, und sagten zu ihm, Ananus habe nicht das Recht gehabt, ohne sein Einverständnis den Sanhedrin einzuberufen. Darauf drohte Albinus dem Ananus Bestrafung an, während Agrippa ihn absetzte.

Die Aktion des Ananus entsprang neben (uns freilich nicht völlig klaren) theologischen[128] Gründen vor allem persönlichen Motiven[129]. Die oft nachgesprochene Behauptung, die Maßnahme sei gegen eine gesetzeskritische Haltung des Jakobus gerichtet, ist schon deswegen falsch, weil Jakobus offenbar die gesetzestreuen Juden auf seiner Seite hatte.

Darf man der Angabe des Josephus trauen, daß Ananus den Sadduzäern nahestand (Ant XX 199), so kann der Protest nur von einer anderen einflußreichen Gruppe, den Pharisäern[130], gekommen sein[131].

---

128 Die theologischen Differenzen bestanden *nicht* darin, daß die Jerusalemer Gemeinde sich nicht an Opfern beteiligt hätte (gegen Lohmeyer, Galiläa, S. 63 A 1; ders., Kultus, S. 124); vgl. m.R. Simon, Stephen, S. 98f. – Gaston, Stone, S. 98, meint, daß die markinischen Streitgespräche aus der Jerusalemer Gemeinde stammen und daß daher diese „from the very beginning abstained from any cultic activities within in the temple" (ebd). Doch würde ich eher mit U. Luz „diese Streitgespräche in einer (...) nicht zu großen Distanz vom jüdischen Kernland im hellenistischen Judenchristentum ansiedeln" (U. Luz, Die Jünger im Matthäusevangelium, in: ZNW 62.1971, S. 141–171, hier: S. 167). Auch die obigen Darlegungen im Text sprechen gegen Gastons Vorschlag.

129 Vgl. McGiffert, History, S. 560; Goguel, Naissance, S. 147ff (dagegen nicht überzeugend Kümmel, in: ThR NF 18.1950, S. 6). – Nach Brandon, Death, schreitet Ananus gegen Jakobus ein, weil dieser „would surely have sympathized with the lower priests in their cause against the Sadducean aristocracy, and he may well have been regarded as their champion" (a.a.O., S. 67). Reine Vermutung, die überdies unwahrscheinlich ist, wenn die Identifizierung der *περὶ τοὺς νόμους ἀκριβεῖς* mit Pharisäern zutrifft.

130 Mit Smith, Jesus, S. 173. Der Bericht enthält also „auch eine gewisse Sympathie der Pharisäer mit Jakobus" (Windisch, Urchristentum, S. 293). Anders Weiß, Urchristentum, S. 553: Zur Erklärung des Vorgangs reiche der allgemeine Parteigegensatz zwischen Pharisäern und Sadduzäern aus.

131 Freilich geht es nicht an, den Pharisäern Jerusalems eine positive Einstellung auch gegenüber Paulus zuzuschreiben. Der Vers, auf den Smith, Jesus, S. 29, sich zur Stützung einer solchen These beruft (Apg 23,9), ist wahrscheinlich lukanischen Ursprungs (vgl. die Parallele Apg 5,34ff und Overbeck, Apg, S. 404f) und paßt zu gut zu der (redaktionellen) positiven Zeichnung der Pharisäer im lukanischen Doppelwerk (vgl. neben Apg 5,34ff noch Luk 13,31; Apg 26,5), um historisch zu sein (vgl. überhaupt J.A. Ziesler, Luke and the Pharisees, in: NTS 25.1979, S. 146–157). Außerdem kam eine Toleranz Paulus gegenüber schon deswegen nicht in

Gerade die Entrüstung, die Jakobus' Martyrium bei ihnen auslöste, ist ein erneuter Beweis für dessen untadeligen[132] Wandel im Judentum und – da Jakobus die führende Gestalt der jerusalemischen Gemeinde war – für den nomistischen Charakter der Christen Jerusalems zu jener Zeit.

Somit fügen sich die Schlußfolgerungen aus dem Martyrium des Jakobus gut den Beobachtungen zu Apg 21 ein.

Bevor wir die Frage stellen, ob der Möglichkeit eines aktiven Widerspruchs von Jerusalemer Christen in den paulinischen Gemeinden Realitätsgehalt zukommt, muß zum Abschluß dieses Kapitels die Frage nach dem Schicksal dieser so gearteten Jerusalemer Christenheit im Jüdischen Krieg gestellt werden.

Wir haben in einem Anhang dargelegt, daß die in Eusebs KG aufbewahrte Tradition einer Flucht der Urgemeinde nach Pella nichts für das Schicksal der Jerusalemer Gemeinde hergibt, sondern – ähnlich wie Hegesipps legendärer Bericht über das Martyrium des Jakobus – Aufschluß über die Anschauungen einer späteren Gemeinde von Judenchristen liefert.

Was geschah aber nun mit der Jerusalemer Gemeinde wirklich im Jüdischen Krieg? Ich halte es für wahrscheinlich, daß die Majorität einen Aufstand gegen die Römer ablehnte[133]. Daraus folgt nun aber

---

Frage, weil es sich hier um einen Renegaten handelte (gegen Knox, Paul, S. 359). Smith, Jesus muß den seltsamen Widerspruch in Kauf nehmen, daß die Pharisäer die Hinrichtung des Zebedaiden Jakobus billigten und 15 Jahre später ausgerechnet Paulus verteidigten, der sein früheres Judentum als Dreck (Phil 3,8) ansah und über dessen Anschauungen und Praxis man sich in Jerusalem orientiert zeigte (Apg 21,21; zu Smith, a.a.O., S. 29).

132 Gegen Baumbach, Konservatismus, S. 210: „Die in der Apostelgeschichte berichtete Feindschaft der Sadduzäer gegen die christlichen Apostel dürfte historisch nicht in dem Auferstehungsglauben der Christen, sondern in der Ablehnung des Kultgesetzes samt der darauf gegründeten Ordnung durch die Apostel zu suchen sein, wie es sich im Blick auf die Steinigung des Herrenbruders Jakobus (. . .) und wie es sich auch aus Apg 21,28 entnehmen läßt; denn hier wird bei Paulus seine Lehre ‚gegen das Volk und das Gesetz und diesen Ort' (=Tempel) attackiert." Dagegen: Von einer Tempelkritik ist im Josephusbericht keine Rede. Apg 21,28 entspringt lukanischer Redaktion (s.o. S. 88). Ebenso unzureichend Schnackenburg, Urchristentum, S. 304, der den Tod des Jakobus unter der Überschrift „Die Scheidung vom Judentum" erörtert. Vgl. dazu bereits oben A 126.

133 Zu beachten ist ja, daß auch der Hohepriester Ananus, der Jakobus steinigen ließ, der gemäßigten Partei angehörte (vgl. Josephus, Bell IV 318–325). Die Darstellung von Stuhlmacher, Versöhnung, S. 31: „Das sich zum Aufstand gegen Rom formierende Judentum hat Jakobus 62 n.Chr. gesteinigt und seine sich dem Aufruhr verweigernde Gemeinde zum Auszug ins Ostjordanland gezwungen", beruht daher auf einem schweren historischen Irrtum.

keineswegs eine Flucht aus Jerusalem, um so weniger, als ein Großteil der sogenannten Friedenspartei ebenfalls nicht aus Jerusalem floh. D.h. man wird ernsthaft mit der Möglichkeit rechnen müssen: Mitglieder der christlichen Gemeinde sind ebenso wie die friedenswilligen Pharisäer und Sadduzäer im Jüdischen Krieg in Solidarität mit ihrem Volk[134] umgekommen[135].

---

[134] Gegen Schnackenburg, Urchristentum, S. 307, der aus apologetischen Gründen die Christen Jerusalems vom bewaffneten Kampf gegen die Römer ausnehmen will. Er schreibt darüber: „Sämtliche Parteien in Jerusalem beteiligten sich, zum Teil freilich widerstrebend (vgl. die ‚Friedenspartei'), am Freiheitskampf (...). Das Abseitsstehen der judenchristlichen Gemeinde mußte nicht wenig zur Entfremdung vom Judentum beitragen" (ebd. [vgl. ähnlich Goppelt, Christentum, S. 98]). Mir ist kein Grund erfindlich, warum, was für die ‚Friedenspartei' galt, nicht auch für die Christen hätte gelten sollen. In Todesgefahr blieb ihnen in der letzten Phase des Kriegs nichts anderes übrig, als zu kämpfen.

[135] Zu den Zahlen der Umgekommenen und Überlebenden vgl. A. Büchler, The Economic Conditions of Judaea after the Destruction of the Second Temple, London 1912, S. 3–29.

4. ANTIPAULINISMUS IN DEN PAULINISCHEN GEMEINDEN

In den folgenden Ausführungen legen wir die in Band I erarbeitete Reihenfolge der nach der Konferenz verfaßten paulinischen Briefe zugrunde: 1Kor, 2Kor, Gal, Röm. Der Phil sei im Anschluß an den 2Kor behandelt, obgleich seine chronologische Ansetzung zweifelhaft bleibt. Der 1Thess wird nicht analysiert, da er keinen Antipaulinismus aufweist[1].

Es empfiehlt sich hier, an das eingangs (s.o. S. 56f) zur Methode der Rekonstruktion der paulinischen Gegner Gesagte zu erinnern: Nicht jeder, der von Paulus angegriffen wurde, hat auch den Apostel attackiert[2]. Um zu kontrollierbaren Ergebnissen zu gelangen, dürfen wir daher zur Erhebung von antipaulinischen Äußerungen nur solche Passagen benutzen, die diese eindeutig reflektieren. Der ideale Fall liegt dort vor, wo Paulus Äußerungen zitiert und als gegen sich selbst gerichtet bezeichnet. Jedoch dürfen wir mit gegebener Vorsicht auch noch zusätzlich jene Stellen benutzen, die apologetischer Art sind und daher auf einen (meistens klaren) Angriff antworten.

Im folgenden seien jene beiden Arten von Texten als Grundlage unserer Rekonstruktion[3] benutzt[4].

---

[1] S. Band I, S. 48f A 80.

[2] Vgl. auch die Vorsichtsmaßregeln von Vielhauer, Geschichte, S. 146: „Die Art, wie Paulus polemisiert und sich verteidigt, erschwert eine genaue Erfassung der Situation: er legt nicht systematisch die Position seiner Gegner dar, um sie dann zu destruieren – sie war ja seinen Lesern bekannt –, sondern bestimmt selbst den Gang seiner Auseinandersetzung; dabei ist es nicht immer ersichtlich, ob er zitiert oder übertreibt bzw. verdreht." Zur hier verhandelten Frage vgl. noch v. Campenhausen, Amt, S. 35 (die Umkehrung der Polemik des Paulus gibt noch keine Theologie der Gegner), und Eckert, Verkündigung, S. 23: „Obwohl das Problem der paulinischen ‚Berichterstattung' in der Exegese durchaus erkannt wurde, sind die Konsequenzen dieser Erkenntnis für die Auslegung und gerechte Beurteilung der Verkündigung der Konkurrenten des Apostels meist nicht genügend gezogen worden."

[3] Eine Methodendiskussion der neutestamentlichen Gegnerdebatte ist ein dringendes Erfordernis. Vgl. jetzt Berger, Gegner, und die Einleitung in: Meeks/Francis, Conflict, S. 1–12. – Die in der vorliegenden Arbeit verfolgte Methode unterscheidet sich grundsätzlich von der in den meisten Arbeiten zur Gegnerfrage wie Schmithals, Gnosis; Georgi, Gegner; Güttgemanns, Apostel; Oostendorp, Jesus; Jewett, Terms; Winter, Pneumatiker; Sandelin, Auseinandersetzung.

Es dürfte klar sein, daß aus methodischen Gründen der Antipaulinismus jedes einzelnen Briefes[5] für sich zu rekonstruieren und zu analysieren ist – unter Einschluß der oben (S. 57) aufgeführten Fragen nach seinem Verhältnis zur Theologie seiner Träger und nach seinem evtl. judenchristlichen Charakter. Gleichzeitig ist es geboten, a) mögliche Querverbindungen der jeweiligen antipaulinischen Attacken (im selben Brief und zwischen den verschiedenen Briefen) zu registrieren und b) mögliche Parallelen mit den in Kapp. 2 und 3 gewonnenen Ergebnissen aufzuweisen, dies im Verfolg der Aufgabe, den Antipaulinismus der betreffenden Briefe historisch verständlich zu machen.

Die genannten Arbeiten (und die in ihrer Nachfolge stehenden hier ungenannten Werke) versäumen es klarzustellen, wer denn ein Gegner sei, und gehen daher trotz richtiger Einzelerkenntnisse von *methodisch unzulänglichen* Voraussetzungen aus. S. noch Lüdemann, Antipaulinismus, S. 441f, zur hermeneutischen Funktion der Rekonstruktion gegnerischer Theologie und Conzelmann, 1Kor[2], zur Einzelkritik bezüglich des 1Kor. Vgl. ferner Wischmeyer, Weg, S. 59–69, zum Thema ‚Gnosis in Korinth', das einst die Gegnerdebatte beherrschte. – Zu Texten wie 1Kor 1–2; 12,3; 15,12, die keinen Antipaulinismus reflektieren (vgl. Lüdemann, a.a.O., S. 449), s. Band III.

[4] Der Beitrag von Gunther, Opponents, zur Frage der Gegner verlangt eine gesonderte Stellungnahme. G. will die Gegner auf dem Hintergrund von jüdisch-sektiererischer Lehre studieren. Zu diesem Zwecke bespricht er in Kap. I (S. 1–58) die Quellen des jüdischen Sektierertums. Kapp. II–VIII (S. 59–307) gruppieren die vermeintlichen Aussagen der Gegner der ntl. Briefe (ausgehend von Pauli Briefen außer 1/2Thess) um folgende Themen: II Judaic Legalism (S. 59–94), III Asceticism (S. 95–133), IV Sacerdotal Separatism (S. 134–171), V Angelology (S. 172–208), VI Messianism and Pneumatology (S. 209–270), VII Apocalyptic, Mystic Gnosticism (S. 271–297), VIII Apostolic Authority (S. 298–307). Ein gesondertes Kap. IX über 2 Corinthians 6:14–7:1 (S. 308–313; Verf. hält die Passage entweder für ein Fragment der Gegner oder als ihnen sehr nahestehend) und X Conclusions (S. 314–317) schließen das Buch ab. – Man wird ständig zwischen Ärger über die unzureichende Methode und Bewunderung über den Fleiß des Verfassers hin- und hergerissen. Die Behandlung der (antiken) Quellen ist durchaus unkritisch, die vielen Namen von Forschern, die eine bestimmte These vertreten haben, sind zumeist aus der Sekundärliteratur zusammengelesen. Nur für die Literatur der letzten 30 Jahre hat Verf. Primärkenntnis. In der Interpretation der Paulusbriefe ist Verf. von seiner eigenen Arbeit Gunther, Paul, abhängig, die ebenfalls unkritisch verfährt (vgl. Band I, S. 36 A 48); vgl. als Probe Gunther, Opponents, S. 317, wo Verf. sich über Pauli „persistent loyalty to Pharisaism" ausläßt (wegen Apg 23,6; Phil 3,5).

[5] Gegen Schmithals, Gnosis, S. 327: „Es ist (...) methodisch unerläßlich, zur Beantwortung der Frage nach den Gegnern des Pls in Korinth die gesamte Korrespondenz mit Korinth zugrunde zu legen. Diese Methode bedeutet keine Vorentscheidung der Frage nach den Gegnern des Pls, sondern die Voraussetzung jeder Entscheidung."

4.1. 1Kor[6]

Wir analysieren im folgenden jene Passagen des 1Kor, die ohne jeden Zweifel Angriffe gegen den Apostel reflektieren und eine Rekonstruktion der jeweiligen Attacke zulassen. Hernach wenden wir uns jenen Stellen zu, die, nach den beiden oben genannten Kriterien zu urteilen, keine sichere Rekonstruktion einer gegnerischen Kritik an Paulus zulassen, in der Hoffnung, daß von den eindeutigen Passagen her ein Licht auf sie fällt.

4.1.1. 1Kor 9

Der abrupte Einsatz von V. 1 („Bin ich nicht frei? ..." [vgl. dazu unten A 23]) hat oft Anlaß zu literarkritischen Operationen[7] gegeben oder die Frage nach der Verknüpfung von Kap. 9 mit Kap. 8 geschärft. Bevor wir uns der letzteren Frage zuwenden, empfiehlt es sich jedoch wegen der Themenstellung, zunächst die in Kap. 9 reflektierten Angriffe gegen Paulus zu erheben.

4.1.1.1. Antipaulinismus in 1Kor 9

Paulus schreibt in V. 3 selbst, daß Leute ihn kritisieren (*ἀνακρίνειν*), und bezeichnet seine Antwort an sie als Apologie (*ἀπολογία*), die ab V. 4[8] in mehreren rhetorischen Fragen ausgeführt wird: Paulus teilt darin mit, er habe die Vollmacht/das Anrecht (*ἐξουσία*)[9] a) zu essen und zu trinken (V. 4), b) eine christliche Schwester als Frau

---

[6] Mit Conzelmann, 1Kor, S. 13ff (²S. 15ff), sei die Einheitlichkeit des 1Kor vorausgesetzt.

[7] Nach Weiß, 1Kor, z.St., ist z.B. die Frage: „Bin ich nicht frei?", ursprünglich Randnotiz, die später in den Text aufgenommen wurde.

[8] Das betonte Demonstrativum *αὕτη* bezieht sich zunächst wie in 1Kor 1,12; 7,29; 15,50 auf das Folgende (Weiß, 1Kor, z.St.; ebenso Conzelmann, 1Kor, z.St., der außerdem auf die Wortstellung des Pronomens am Ende des Satzes und auf die feierliche Form des Satzes hinweist [a.a.O., S. 180 A 13]). Heinricis Erklärung (1Kor, z.St.; ebenso Robertson-Plummer, 1Cor, z.St.), *αὕτη* gehe auf das Vorangehende, hat darin einen Wahrheitsgehalt, daß Paulus in V. 2f bereits berührt, was er in V. 4ff entfalten wird (s.u. S. 108f).

[9] Der Begriff wurde offenbar von korinthischen Christen gebraucht (vgl. 1Kor 6,12) und wird hier von Paulus polemisch aufgegriffen (s. weiter Conzelmann, 1Kor, S. 188 A 16 [= ²S. 196 A 16]).

mitzuführen[10] (wie die übrigen Apostel, die Brüder des Herrn und Kephas [V. 5]), c) nicht zu arbeiten (V. 6).

Der letzte Punkt wird in V. 7–13 näher begründet[11]. In V. 12 erfahren wir dabei, daß Paulus sich seiner Vollmacht, nicht zu arbeiten, nicht bedient hat. Demgegenüber haben andere diese Exusia in Anspruch genommen und sich von der korinthischen Gemeinde unterhalten lassen (V. 12a, s. dazu unten S. 113). Jenes Recht (= Vollmacht) ist durch ein Herrenwort verbürgt: *ὁ κύριος διέταξεν τοῖς τὸ εὐαγγέλιον καταγγέλλουσιν ἐκ τοῦ εὐαγγελίου ζῆν* (V. 14). Gleichwohl hat Paulus sein Recht nicht wahrgenommen, „damit er dem Evangelium Christi keinen Anstoß gibt" (V. 12b) bzw. weil ein Zwang auf ihm liegt (V. 16ff).

In welchem Verhältnis stehen nun die unter a)–c) aufgeführten Vollmachten zueinander?

Alle drei rhetorischen Fragen dürften dieselbe Sache behandeln, die dann ab V. 6 breit entfaltet wird, nämlich den Unterhalt der Missionare durch die Gemeinde[12]. Zu a) und b) ist daher sinngemäß zu ergänzen: ‚auf Kosten der Gemeinde'[13].

---

[10] Bauer, Uxores, meint, *ἀδελφὴν γυναῖκα περιάγειν* bedeute ‚eine christliche Frau haben'. „In jedem Fall dürfte bei unserem Verb (sc. *περιάγειν*) die Bedeutung ‚ständig bei sich haben' vor der anderen ‚mit sich herumführen' eher zutreffend sein" (a.a.O., S. 101; Dungan, Sayings, S. 6 A 1, folgt diesem Vorschlag unkritisch). Dagegen: a) Paulus redet im Kontext doch von (Wander-) Mission. In diesem Fall sind die beiden von Bauer als Alternative gebrachten Übersetzungen identisch. Denn wenn die Missionare ihre Frauen ständig bei sich haben, führen sie sie doch mit sich herum! b) Bauer hat nur die Möglichkeit einer anderen Übersetzung von *περιάγειν* als der üblichen aufgezeigt und diskutiert leider nicht die bei Bauer, WB, aufgeführten Parallelen, die für die herkömmliche Übersetzung von *περιάγειν* mit ‚herumführen' sprechen (vgl. bes. Diogenes Laertios 6,96–98: Krates, der Kyniker nimmt seine philosophisch gebildete Frau mit auf seine Reisen im Dienste der Philosophie).

[11] In V. 7–14 wird das Unterhaltsrecht des Paulus durch folgende verschiedene Begründungen sichergestellt: 1. durch einen Vergleich aus dem alltäglichen Leben (V. 7), 2. durch das Gesetz (V. 8f), 3. durch einen Schluß a maiore ad minus, 4. durch einen Verweis auf andere (V. 12), 5. durch ein Herrenwort (V. 14).

[12] So z.B. Lietzmann, 1Kor, z.St. Diese Erklärung schließt nicht aus, daß Paulus absichtlich das Essen und Trinken nicht näher bestimmt hat, um einen Bezug zu Kap. 8 herzustellen, wo es um die Freiheit und das Recht geht, ohne Ansicht der Herkunft der Speise und des Trankes zu essen und zu trinken (vgl. Barrett, 1Cor, z.St.).

[13] Dagegen meint Bauer, Uxores, daß Paulus in 1Kor 9,4 „das Recht des Apostels wie des Christen verteidigt, zu essen und zu trinken, daß er aber dabei gleichwohl zu seinem eigenen Beispiel deutlich macht, wie man freiwillig (zum

Nun stellt sich folgende Frage: Warum bezeichnet Paulus betont das Recht auf Unterhalt durch die Gemeinde als Verteidigung gegenüber seinen Kritikern?

M.E. stellt sich der Sachverhalt so dar: Pauli Gegner wiesen zutreffend darauf hin, daß Paulus sich von den Korinthern nicht hatte unterhalten lassen – im Gegensatz zu ihnen selbst. Gerade deswegen sei sein Status dem ihrigen unterlegen. Paulus antwortet darauf, er habe dasselbe *Recht* auf Unterstützung wie seine Kritiker. Doch habe er aus besonderen Gründen darauf verzichtet[14]. Dies könne jedoch keinesfalls zum Anlaß genommen werden, ihn herabzusetzen.

An dieser Stelle erhebt sich sofort die weitere Frage: Um welchen Status ging es in diesem Streit?

Folgende Gründe legen es nahe, das Apostelamt des Paulus als Streitobjekt anzunehmen:

1. V. 4–6 enthalten zwar zwei rhetorische Fragen und daher zwei Feststellungen – a) Paulus hat das Recht, eine christliche Frau als Schwester mit sich herumzuführen, b) Paulus und Barnabas haben das Recht, nicht zu arbeiten – gleichwohl sind beide einander eng zugeordnet und haben eine chiastische Struktur: So entsprechen sich die Personengruppen in V. 5c und V. 6a sowie die Rechtsansprüche, eine Frau mit sich herumzuführen (V. 5a–b) bzw. nicht zu

---

eigenen und der Brüder Heil) auf Speis und Trank verzichten darf" (S. 98). V. 7–23 seien allein auf V. 6 zu beziehen, während V. 4f mit V. 24–27 zusammenzustellen seien (a.a.O., S. 97). Eine solche Deutung wird dem Befund nicht gerecht, daß der unmittelbare Kontext von V. 4f der Streit um den Apostolat des Paulus ist. Es ist daher wahrscheinlich, daß die rhetorischen Fragen des Paulus diesem Streitobjekt zugeordnet sind. Conzelmann, 1Kor, S. 180f A 15, findet Bauers Interpretation m.R. zu schematisch, ohne freilich zu begründen, warum es Paulus in den betreffenden Versen „zunächst einfach um seine Freiheit überhaupt" geht (a.a.O., S. 181 A 15 [²S. 188f A 15]).

14 Vgl. Pratscher, Verzicht, S. 295 (Lit.). Daß es „sich um das Vorhandensein gegnerischer Agitationen (sc. handelt), die ihn zu dem gewählten Verzicht veranlassen" (Pratscher, ebd.), ist nicht richtig, denn Paulus hat ja bereits während der Gründungspredigt auf Unterstützung verzichtet: vgl. Band I, S. 145, Hurd, Origin, S. 204, und Hock, Context, S. 47. Hocks weitere Annahme, Paulus habe überall seinen Unterhalt aus seiner Hände Arbeit bestritten (a.a.O., S. 26 u.ö.), ist aber zu einseitig. Die Informationen, die wir über Pauli Aufenthalt in Ephesus (Apg 19,9: vgl. dazu Hock, a.a.O., S. 32) und – indirekt – in Philippi (Phil 4,15ff) besitzen, scheinen das Gegenteil nahezulegen. Wenn die philippische Gemeinde Paulus in Thessalonich mehrfach unterstützte (Phil 4,16), ihm Gaben nach Korinth schickte (2Kor 11,9) und ihm in einer Gefangenschaft (finanziell) half (Phil 4,10), dürfte sie ihn auch während des Erstaufenthaltes in Philippi unterstützt haben (vgl. auch Wischmeyer, Weg, S. 78f).

arbeiten (V. 6b). Nun zeigt die chiastische Struktur an, daß Paulus die genannten Personengruppen miteinander vergleichen will.

Darauf weist ebenfalls das betonte *μόνος* (V. 6). Was ist der Vergleichspunkt? M.E. liefert *λοιποί* (V. 5c) den Schlüssel: „*λοιποί* makes a contrast with Paul (and Barnabas)“[15]. D.h., es ist vom Standpunkt des Paulus aus gebraucht und will sagen: die *übrigen* Apostel außer mir und Barnabas[16].

2. V. 2 reflektiert bereits eine Kritik. Da V. 3 ohne Einführung eines neuen Themas in der Verteidigung fortfährt, liegt es nahe, in V. 4ff denselben Streitpunkt vorauszusetzen, den Apostolat des Paulus.

Ist damit das Apostelamt des Paulus für V. 4ff als Streitobjekt nachgewiesen worden[17], so können wir uns V. 1ff zuwenden, wo dasselbe Thema abgehandelt wird:

Paulus stellt hier die Fragen: Bin ich nicht frei, bin ich nicht Apostel, habe ich nicht Jesus unseren Herrn gesehen, seid ihr nicht mein Werk im Herrn? Wahrscheinlich sollen die beiden letzten rhetorischen Fragen den an zweiter Stelle ausgesprochenen Anspruch des Paulus belegen, Apostel zu sein (zur ersten Frage s.u. S. 109f). Pauli Apostolat folgt aus seiner Auferstehungsvision und aus der Existenz der korinthischen Gemeinde, deren Gründer er ist.

Nun wird die letzte rhetorische Frage anschließend dahingehend eingeschränkt: „Wenn ich für andere nicht Apostel bin, dann wenigstens für euch“ (V. 2a). Danach betont Paulus noch einmal die Bedeutung der Existenz der korinthischen Gemeinde für seinen Apostolat: *ἡ γὰρ σφραγίς μου τῆς ἀποστολῆς ὑμεῖς ἐστε ἐν κυρίῳ* (V. 2b).

Der entscheidende Satz für die Rekonstruktion der gegnerischen Behauptungen ist in V. 2a enthalten: *εἰ ἄλλοις οὐκ εἰμὶ ἀπόστολος, ἀλλά γε ὑμῖν εἰμι*. „*εἰ* kann man an sich rein konditional fassen. Es wird aber die Wirklichkeit des Angenommenen mitgesetzt sein: ‚wenn, wie es wirklich der Fall ist‘.“[18]

---

[15] Barrett, Cephas, S. 3. Die andere Möglichkeit, daß es sich auf die Brüder Jesu und Kephas beziehe, schließt Barrett, ebd., mit Recht aus.

[16] So offenbar auch v. d. Osten-Sacken, Apologie, S. 258; vgl. bereits Klein, Apostel, S. 57.

[17] Nach Schmithals, Gnosis, S. 361, dürfen V. 4–18 nicht der Verteidigung des Apostolats, sondern nur dem Thema der Freiheit zugerechnet werden. Dagegen: Das Thema ‚Freiheit‘ erscheint nicht in V. 4–18, sondern erst in V. 19. – Hock, Context, meint, 1Kor 9 sei eine Verteidigung von Pauli Arbeit als Zeltmacher (a.a.O., S. 60.62). Ja, aber nur insofern seine Arbeit dem eigentlichen *theologischen* Streitpunkt, dem Apostelamt des Paulus, zugeordnet ist.

[18] Conzelmann, 1Kor, S. 180 (^{2}S. 188).

Man könnte zunächst geneigt sein, den obigen Satz so zu verstehen, daß Paulus lediglich sagen wolle, er sei für andere kein Apostel, weil sie – im Gegensatz zu den Korinthern – nicht durch ihn die Christusbotschaft empfangen hätten. Dagegen steht die vielfach vertretene Meinung, 1Kor 9,2 reflektiere eine generelle Ablehnung des paulinischen Apostolats (durch ‚andere') [19].

Die letztgenannte Möglichkeit ist deswegen zutreffend, weil der unmittelbar folgende Satz von Kritikern des Paulus spricht (V. 3) und der Apostel darauf zur Apologie anhebt (ausgeführt in V. 4ff).

Fassen wir die Ergebnisse dieses Abschnitts zusammen, so ergibt sich: Paulus verteidigt sich in 1Kor 9,1–18 gegen den Angriff, er sei nicht Apostel. Dabei rekurriert er zunächst auf seine Vision Jesu, sodann auf das Faktum der von ihm gegründeten korinthischen Gemeinde. Schließlich entkräftet er – weit ausholend – das an seinem Unterhaltsverzicht sich entzündende Argument seiner Kritiker gegen seinen Apostolat[20].

Nach dieser Rekonstruktion der gegnerischen Position kommen wir zur Frage des Kontextes von 1Kor 9,1b–18.

4.1.1.2. Der Kontext von 1Kor 9,1b–18

Oben wurde bereits erwähnt, daß das Verhältnis der Frage: ‚Bin ich nicht frei?' (1Kor 9,1a) zum unmittelbar Folgenden die Interpreten vor schwere Rätsel gestellt hat. Doch besteht gleichzeitig Einigkeit darüber, daß ein allgemeiner, wie auch immer gearteter Zusammenhang zwischen V. 1a und 1Kor 9,19ff besteht, da V. 19ff die Freiheit des Apostels thematisieren; vgl. nur V. 19: Ἐλεύθερος γὰρ

---

[19] So z.B. Lietzmann, 1Kor, z.St.; Heinrici, 1Kor, z.St.; Conzelmann, 1Kor, z.St., u.a.

[20] Nach Dautzenberg, Verzicht, scheint der Anlaß für die Ausführungen 1Kor 9,4ff „eher in der Kritik aus Kreisen der korinthischen Gemeinde zu liegen, die dem Paulus Selbstsucht bei der Missionierung und Leitung der Gemeinde vorwarfen, die vielleicht auch an seiner Schwachheit und an den Eigenheiten seiner Person und seines Schicksals Anstoss nahmen" (a.a.O., S. 213). Die oben im Text gegebene Interpretation sei schon deswegen unwahrscheinlich, weil schon von V. 6 ab der Apostelbegriff keine Rolle mehr spiele (a.a.O., S. 213 A 2). Dagegen: Von einer Abweisung von Selbstsucht oder dgl. ist in 1Kor 9 nichts zu spüren. Das Thema des Apostolats steht doch als Überschrift über V. 7ff, da *μόνος ἐγὼ καὶ Βαρναβᾶς* der Trias von V. 5 (die übrigen Apostel, die Brüder des Herrn, Kephas) zugeordnet sind und Paulus sich im folgenden zu den Apostel*rechten* äußert.

ὢν ἐκ πάντων πᾶσιν ἐμαυτὸν ἐδούλωσα, ἵνα τοὺς πλείονας κερδήσω. Die obige Analyse legt es nahe, mit J. Jeremias in 1Kor 9 eine chiastische Struktur zu entdecken: Bevor Paulus den in der ersten rhetorischen Frage („Bin ich nicht frei?") ausgesprochenen „Gedanken ausführt, schiebt sich mit der 2. Frage *οὐκ εἰμὶ ἀπόστολος*; ein anderer Gedanke in den Vordergrund. Die christliche Freiheit teilt Paulus mit allen Christen, er hat aber darüber hinaus eine besondere Stellung, die ihm besondere Vorrechte gibt: er ist außerdem Sendbote Christi. Von den Vorrechten des Apostolates und dem Verzicht auf sie handelt Paulus in V. 1c–18 (die dritte und vierte Frage in V. 1 leiten diese Ausführungen ein). Erst danach (V. 19ff) schildert er seinen freiwilligen Verzicht auf die christliche Freiheit"[21], was dann wieder zu Kap. 8 zurückleitet. Im Lichte dieser Darlegungen ist dann 1Kor 9 als Illustration des in 1Kor 8 ausgesprochenen Gedankens der Rücksicht gegenüber dem schwachen Bruder zu verstehen[22], denn Paulus gibt hier zwei Beispiele für seine Verzichtbereitschaft: 1. Er verzichtet auf seine Freiheit (vgl. die Konkretisierung in V. 20ff), obgleich gerade er frei ist (V. 1a.19)[23], 2. er verzichtet auf den Unterhalt durch die Gemeinde(n), obwohl er Apostel ist.

---

21 Jeremias, Chiasmus, S. 156 (= Abba, S. 289f).

22 Schön Barrett, 1Cor, S. 16: „Paul has appealed to the Corinthians for voluntary limitation of their freedom and surrender of their rights. He immediately adds that he is not asking them for what he himself will not give. He has voluntarily surrendered his own apostolic rights."

23 M. Smiths Kommentar zu einer früheren Fassung des obigen Textes lautet: „This analysis ist not satisfactory. The primary question is *οὐκ εἰμὶ ἐλεύθερος*; *not οὐκ εἰμὶ ἀπόστολος*;. The apostolicity, the vision of Jesus, the foundation of the church are all alleged as proofs *not* of themselves – ergo they were not *primarily* in question – but of Paul's freedom which was being denied. The argument of the opponents was evidently: 'Paul has not been wholly freed, he is still living in servitude to ascetic prohibitions. He dare not eat and drink (food offered to idols, or, on fast days), he dare not live with a woman, he dare not live without working, at the expense of his converts, as a true master would. All this shows that he is not a true apostle of Jesus the liberator. Neither is Barnabas, who behaves like him. The other apostles and the brothers (plural, *not* James) of the Lord and Cephas do all these things and show by their freedom, their true rank as emissaries of Jesus." Die entscheidende Voraussetzung des obigen Einwands, daß es nämlich eine weitverbreitete libertinistische Strömung im frühen Christentum gegeben habe, halte ich für falsch (vgl. auch Smith, Clement, S. 254–263; die dort als Belege für Libertinismus in den paulinischen Gemeinden angeführten Stellen 1Kor 5,2; Röm 3,8; Phil 3,18f überzeugen nicht: s.u. S. 156f.159f. Zu 1Kor 5 und zum Libertinismus in Korinth vgl. m.R. Hurd, Origin, S. 86–89.278).

4.1.1.3. *Zur Theologie und Geschichte des in 1Kor 9 reflektierten Antipaulinismus*

Wir sahen, daß Paulus zu seiner Verteidigung theologische Argumente seiner Ankläger anführt und sie zum Verstummen bringen will, indem er behauptet, er habe das *Recht* auf Unterhalt. Falls es nun gelingt, jene theologischen Anschauungen überlieferungsgeschichtlich und historisch zu fixieren, so erhalten wir eine wichtige Information zum theologischen und historischen Kontext des Antipaulinismus von 1Kor 9[24].

Die gegnerischen, in 1Kor 9 enthaltenen Anschauungen haben eine interessante Parallele in den *Aussendungstraditionen*[25]: 1Kor 9,4 (die Berechtigung, auf Kosten der Gemeinde zu essen und zu trinken) entspricht Luk 10,7f: *ἐν αὐτῇ δὲ τῇ οἰκίᾳ μένετε ἔσθοντες καὶ πίνοντες τὰ παρ' αὐτῶν* (...). *καὶ εἰς ἣν ἂν πόλιν εἰσέρχησθε καὶ δέχωνται ὑμᾶς, ἐσθίετε τὰ παρατιθέμενα ὑμῖν*[26]. 1Kor 9,(4–6.)14, die Anordnung des Herrn, daß die Evangeliumsverkündiger von der Predigt leben sollen, entspricht Mt 10,10b/Luk 10,7b: *ἄξιος γὰρ ὁ ἐργάτης τῆς τροφῆς/τοῦ μισθοῦ αὐτοῦ*.

Nun wird vielfach – m.E. mit Recht – angenommen, daß die soeben angeführten Stellen[27] literarisch auf Q zurückgehen[28]. Zwar

---

[24] Anders Hock, Context, der sich in seinem gelehrten Buch darum bemüht, „to place the Corinthian controversy over Paul's tentmaking as his apostolic means of support in the larger cultural context of discussions and debates regarding the appropiate means of support for a philosopher" (a.a.O., S. 64f). Hock begeht denselben methodischen Fehler wie die von ihm bekämpften theologischen Paulusinterpreten (s.o. S. 103f A 3). Er definiert nicht, wer ein Gegner sei, und erarbeitet aufgrund von umfassendem Parallelmaterial den kulturellen Hintergrund, statt zunächst, was methodisch geboten wäre, sich um den historischen Vordergrund zu bemühen.

[25] Zur Analyse der Aussendungsrede vgl. Hahn, Verständnis, S. 33ff; Georgi, Gegner, S. 206ff; Schulz, Q, S. 404ff; Hoffmann, Studien, S. 235ff; Laufen, Doppelüberlieferungen, S. 201ff.491ff.

[26] Die Lukasfassung ist ursprünglicher als die Matthäusfassung (Mt 10,11); vgl. Dautzenberg, Verzicht, S. 216; Schulz, Q, S. 406; Hoffmann, Studien, S. 272; Laufen, Doppelüberlieferungen, S. 207–210.449f. Umgekehrt Dungan, Sayings, S. 56.62 (mit fragwürdiger Begründung).

[27] Dautzenberg, Verzicht, hält über die oben im Text angeführten Parallelen zwischen 1Kor 9 und Q noch folgende Berührungen fest: „Paulus argumentiert in 9,7–13 mit einer Reihe von Analogien, die aus dem Berufs- und Erwerbsleben stammen; das unausgesprochene *tertium comparationis* ist das Recht des Arbeiters auf Lohn (...) bzw. auf Anteil an der Frucht der Arbeit. Dazu kommt, daß die Bilder von der Arbeit im Weinberg, vom Weiden der Herde (9,7), vom Pflügen und Dreschen (9,10) in den gleichen Motivkreis führen wie das im Zu-

wird man sich hüten müssen, die ‚Theologie von Q'[29] mit der der paulinischen Kritiker von 1Kor 9 zu identifizieren. Q ist ein zu vielschichtiges Gebilde, und die Parallelen zwischen 1Kor 9 und Q sind zu vereinzelt, um einen solchen Schritt rechtfertigen zu können. Gleichwohl bleibt festzuhalten, daß sowohl Q als auch die in 1Kor 9 reflektierten Traditionen von einer an Israel geübten Mission unter Auftrag des erhöhten Kyrios Kunde geben, die vielleicht eine vorösterliche Mission fortsetzt und in einem apokalyptischen Rahmen geübt wurde. Wie soeben gesagt wurde, ist diese Mission in ihrem frühesten Stadium an das jüdische Volk gerichtet. Q kennt wohl noch keine Heidenmission[30]. Obgleich ohne Zweifel die Träger der Logienquelle sich in der Folgezeit der Heidenmission öffneten, ist kaum zu entscheiden, ob das für die hinter 1Kor 9 stehenden Missionare ausgesagt werden kann (s. dazu u. S. 163).

Eine Gesetzeskritik ist für die Träger dieser Mission nicht vorauszusetzen. Sie sind daher als Judenchristen im oben definierten Sinne zu bezeichnen. In Korinth prallen ihre Anschauungen mit den paulinischen aufeinander.

Konnte damit wenigstens umrißhaft die Theologie der Antipauliner von 1Kor 9 gezeichnet werden – mehr zu sagen, ist aus Quellenmangel unmöglich –, so ist im folgenden nach der Möglichkeit ihrer weiteren (kirchen)historischen Einordnung zu fragen.

In 1Kor 9,5b kontrastiert Paulus zwei Gruppen von Missionaren:

1. die übrigen Apostel, die Brüder Jesu, Kephas,

2. Paulus, Barnabas.

Paulus ordnet seine Kritiker der ersteren Gruppe zu, denn er stellt sich und Barnabas zu dieser in Kontrast: *ἢ μόνος ἐγὼ καὶ* Βαρναβᾶς

---

sammenhang mit der Jüngeraussendung überlieferte Q-Logion von der großen Ernte und den wenigen *ἐργάται* (Lk 10,2/Mt 9,37f. vgl. Jo 4,35–38). Das Wort vom *ἐργάτης*, der seines Lohnes wert ist, hält sich noch in diesem Bildzusammenhang, aus dem es auch entwickelt sein dürfte" (a.a.O., S. 217).

28 Vgl. Schulz, Q, S. 404ff (Lit.), der freilich wie manche andere Luk 10,8b für lukanisch hält (a.a.O., S. 407 A 25). Vgl. dagegen Laufen, Doppelüberlieferungen, S. 219f. – Gegen Luk 10,8 als Bestandteil von Q vgl. Dungan, Sayings, S. 46f.60.

29 Einen Überblick über die neuesten Q-Forschungen gibt Luz, Logienquelle. – Weitere Q-Parallelen in 1Kor (bes. 1–3) notiert Sandelin, Auseinandersetzung, S. 149–152. Doch hat Verf. ihren *antipaulinischen* Charakter in keinem Fall erwiesen. Schuld daran ist eine verfehlte Methode (s.o. S. 103f A 3).

30 Vgl. dazu die diesbezüglichen Ausführungen von Luz, a.a.O., S. 529. Vgl. jedoch anders Laufen, Doppelüberlieferungen, S. 237ff.511ff.

... (V. 6). Damit ist nicht behauptet, daß die Antipauliner mit den unter 1. genannten Personen identisch seien[31]. Wohl aber dürften sie sich auf diese gegen Paulus wie folgt berufen haben: Paulus hat keinen Apostelstatus, da er nicht das Recht auf Unterhalt wie die Apostel, die Brüder Jesu und Kephas in Anspruch nimmt. Dabei scheint jenes Recht in Korinth nun auch von den Kritikern des Paulus in Anspruch genommen worden sein, wie 1Kor 9,12a nahelegt: „Wenn andere das Recht haben, Ansprüche an euch zu machen, kommt es uns dann nicht erst recht zu?" (vgl. hierzu weiter u. S. 124).

Weiteres historisches Licht auf die beiden V. 6 genannten Gruppen von Missionaren wirft die Beobachtung, daß sie eine Parallele in der ‚Abmachung' der Jerusalemer Konferenz haben. Vgl. die Gal 2,9 wiedergegebene Formel: ‚Wir (Paulus, Barnabas) zu den Heiden, sie (Jakobus, Kephas, Johannes) zu den Juden' mit 1Kor 9,5f: die übrigen Apostel, die Brüder Jesu, Kephas – Paulus, Barnabas[32].

Wegen der z.T. wörtlichen Übereinstimmung der Personen in beiden Texten und der identischen Zuordnung von Personengruppen zueinander halte ich es für sicher, daß Paulus in 1Kor 9,5f die Abmachung der Konferenz im Blick hat. Die Differenz zwischen ‚Jakobus, Kephas, Johannes' (Gal 2,9) und ‚die übrigen Apostel, die Brüder Jesu, Kephas' (1Kor 9,5) wiegt nicht schwer, da die Trias von Gal 2,9 zweifellos stellvertretend auch für andere Missionare stand, die unter ihrer Flagge das Evangelium verkündigten. Man wird es dabei für wahrscheinlich halten, daß nach der Übernahme der Leitung der Jerusalemer Kirche durch Jakobus selbstverständlich auch andere Brüder Jesu zu angesehenen Stellungen kamen. Die einzige Schwierigkeit bei der Zuordnung der Formel von Gal 2,9 zu 1Kor 9,5 besteht daher nur in dem Fehlen des Namens des Johannes in 1Kor. Doch kann er in der Gruppe der übrigen Apostel enthalten sein.

Dieser Gruppe gehören aber möglicherweise auch noch die antipaulinischen Missionare an, deren Argumente Paulus in 1Kor 9 bekämpft. Sie waren in Korinth anwesend, haben sich von der dortigen Gemeinde unterhalten lassen und gegen Paulus wegen seines Verzichts auf den Unterhalt polemisiert (s. dazu weiter unten S. 124).

---

31 Dungan, Sayings, S. 7, nimmt ohne Begründung an, die Brüder des Herrn seien in Korinth gewesen.

32 Barrett, 1Cor, z.St., schließt aus der Nennung des Barnabas an unserer Stelle, daß Barnabas sich der paulinischen Mission nach dem Zwischenfall von Antiochien wieder angeschlossen habe. M.E. ist die Nennung des Barnabas besser dadurch zu erklären, daß Paulus unter dem Einfluß von Tradition formuliert (= Abmachung des Konvents); vgl. die oben im Text gegebene Erklärung.

4.1.1.4. *Offengebliebene Fragen*

Nach der obigen historischen und theologischen Einordnung des Antipaulinismus von 1Kor 9 blicken wir abschließend noch einmal auf die in jenem Kapitel reflektierten Angriffe gegen Paulus, die ihn m.E. den Apostolat unter Hinweis auf seinen Unterhaltsverzicht absprechen. Der Wortlaut von 1Kor 9,5 und Gal 2,9 stellt den Interpreten vor folgende zwei Probleme:

a) Gal 2,9 erwähnt weder den Apostolat der Jerusalemer (Jakobus, Kephas, Johannes) noch den des Paulus (und des Barnabas);

b) 1Kor 9,5 scheint weder den Brüdern Jesu noch dem Kephas den Apostolat zuzusprechen.

Diese beiden Beobachtungen können zur Meinung führen, in 1Kor 9,4ff gehe es gar nicht um den Apostolat, sondern um Missionsstrategie oder dergleichen[33].

Zu a): Daß der Apostolat der Jerusalemer nicht in die ‚Einigungsformel' mit aufgenommen wurde, beweist nicht, daß sie nicht den Aposteltitel für sich beanspruchten. Vielmehr ist dies als selbstverständlich vorauszusetzen (vgl. für Kephas Gal 2,8; für Jakobus 1Kor 15,7), obgleich sie Paulus den Aposteltitel nicht zuerkennen wollten (s.o. S. 62f).

Zu b): 1Kor 9,5 schließt weder die Brüder Jesu noch Kephas vom Apostolat aus[34]. Die umgekehrte (auf den ersten Blick naheliegende) Annahme wäre schon deswegen unwahrscheinlich, weil Kephas nach anderen Zeugnissen des Paulus (Gal 1,18f; 2,8) Apostel war. Daher ist an unserer Stelle nach einer Erklärung dafür zu suchen, daß Kephas nicht ausdrücklich Apostel genannt wird. M.E. hat H. Lietzmann das Richtige getroffen, wenn er in 1Kor 9,5 eine Klimax entdeckt und daraus die hervorgehobene Stellung des Petrus am Ende der Trias erklärt: „des Petrus Verhalten wird betont, da man ihn offenbar als Gegenbeispiel eines ‚echten' Apostels dem Paulus gegenübergestellt hatte."[35] Ist Kephas daher auch aufgrund unserer Stelle zu den Aposteln zu rechnen, so können die Brüder Jesu unter Hinweis auf 1Kor 9,5 davon zunächst nicht ausgeschlossen werden[36].

---

33 Vgl. so etwa Roloff, Apostolat, S. 62 mit A 80.

34 Mit Lietzmann, 1Kor, z.St.

35 Lietzmann, 1Kor, z.St.

36 Vgl. noch Kümmel, Kirchenbegriff, S. 45 A 13: „Die Frage der Zurechnung der Brüder Jesu zum Apostelkreis muß (...) offen bleiben."

In jedem Fall ist damit der Einwand zurückgewiesen worden, daß es in 1Kor 9,4ff nicht um die Frage des Apostolats gehen könne.

Anhangsweise sei bemerkt, daß die obige Zurückweisung eines Einwandes gleichzeitig einen Anhaltspunkt zur Erkenntnis dessen liefert, worum es *Paulus* in seiner Verteidigung ging. Zwar hatten die Gegner (noch) nicht den Apostolat des Paulus unter Hinweis auf die Abmachungen der Jerusalemer Konferenz angegriffen. Gleichwohl ersehen wir, daß Paulus die ‚Einigung' von Jerusalem so auffaßte, daß ihm dort der Apostolat zugestanden worden war. Ein Indiz dafür ist der Ausdruck *οἱ λοιποὶ ἀπόστολοι* (vgl. bereits S. 112f). Wenn Paulus schreibt: „Haben wir etwa nicht die Exusia, eine Schwester als Frau mitzunehmen, wie die *übrigen* Apostel ...?", so ist der Ausdruck ‚die *übrigen* Apostel' offenbar von Pauli Standpunkt aus gebraucht, so daß man sinngemäß ergänzen kann: die übrigen Apostel außer *mir* (und Barnabas)[37].

Abgesehen von dem Angriff gegen den paulinischen Apostolat unter Hinweis auf seinen Unterhaltsverzicht ist kein weiterer Angriff in 1Kor 9 zu verifizieren. (Gleichwohl bleibt der paulinische Fingerzeig zur historischen Herkunft der Antipauliner dieser Stelle wichtig und wird später weiter zu berücksichtigen sein.) Ob Paulus von den Antipaulinern dieser Stelle auch noch seine Christusvision bestritten worden ist (vgl. 1Kor 9,1), läßt sich nicht entscheiden, da der Apostel in 1Kor 9 nur den Unterhaltsverzicht thematisiert. Mit diesen Bemerkungen ist zur zweiten Stelle des 1Kor übergeleitet, die antipaulinische Argumente reflektiert.

4.1.2. 1Kor 15,1–11[38]

Oben (S. 76ff) ist 1Kor 15,1–11 bereits unter traditionsgeschichtlichem Aspekt untersucht worden. Die dabei erreichten Ergebnisse seien hier vorausgesetzt.

4.1.2.1. Antipaulinismus in 1Kor 15,1–11

Für die Annahme einer antipaulinischen Tradition in unserem Text und ihrer Verwendung in Korinth spricht folgende Überlegung: Paulus verteidigt seinen Apostolat in V. 8ff. Daß dieser der Gegenstand der Debatte in Korinth war und nicht die Auferstehung Jesu, die Paulus mit der Zeugenreihe beweisen wolle[39], folgt bereits aus der Ausführlichkeit, in der Paulus über seinen Apostolat spricht (7 Nestle-Zeilen im Verhältnis zu 8 Nestle-Zeilen für die gesamte Paradosis

---

[37] Paulus reiht sich „ganz selbstverständlich in die Schar aller Apostel ein, wie das *οἱ λοιποί* zeigt" (Klein, Apostel, S. 57).

[38] Vgl. zum Text Band I, S. 66 mit A 25.

[39] S. die Beispiele bei v. d. Osten-Sacken, Apologie, S. 246.

plus Hinzufügungen). Der apologetische Charakter des Abschnitts dürfte ferner durch die polemische Aussage sichergestellt werden: „Ich habe mehr als alle anderen gearbeitet" (V. 10b)[40].

Nun erscheint in V. 7b der Satz, Jesus sei Jakobus und *allen* Aposteln erschienen. Hierzu steht die anschließend aufgestellte Behauptung des Paulus, zuletzt von allen sei Jesus ihm erschienen, dem Geringsten der Apostel, in einem glatten Widerspruch. Paulus nennt sich hier nicht „ganz harmlos" den *ἐλάχιστος τῶν ἀποστόλων*[41], sondern er versucht sich gegenüber einer Tradition zu behaupten, nach der der Apostelkreis bereits *vor* der Bekehrung des Paulus geschlossen war. Ja, er bekräftigt dies indirekt, indem er sich als die Fehlgeburt (*ἔκτρωμα*) unter den Aposteln bezeichnet[42].

Die Frage stellt sich sofort, ob Paulus sein Apostelamt nur gegenüber dem Anspruch der Tradition von V. 7 verteidigt oder ob er auch die vorher genannten Personen (Kephas, die Zwölf, die 500 Brüder) bei seiner Apologie im Blick hat. Diese Frage hängt von dem Bezug von *πάντων* in V. 8 und V. 10 ab: V. 8: *ἔσχατον δὲ πάντων* (...) *ὤφθη κἀμοί.* V. 10: (...) *περισσότερον αὐτῶν πάντων ἐκοπίασα.* U. Wilckens bezieht *πάντων* in beiden Fällen auf *πᾶσιν* von V. 7, und zwar wegen ihrer Nähe zueinander[43]. Das kann nun schwerlich überzeugen. Paulus will in 1Kor 15,1–11 doch zeigen, daß seine Vision von derselben Qualität wie die der anderen Zeugen war, und führt daher die Zeugenreihe über die beim Gründungsbesuch überlieferte Formel hinaus bis zu sich hin fort[44]. Daher bezieht sich *πάντων* in V. 8.10 besser auf sämtliche Zeugen.

Die These Wilckens' hat aber darin einen Wahrheitsgehalt, daß Paulus sich in 1Kor 15,1–11 in der Tat gegenüber *Aposteln* behaupten muß. Nur schlossen sie die V. 5–7 genannten Personen[45] ein[46], denn

---

40 Vgl. m.R. Klein, Apostel, S. 40f; v. d. Osten-Sacken, Apologie, S. 249.

41 So Schmithals, Gnosis, S. 86 (vgl. a.a.O., S. 315).

42 Vgl. Holl, Kirchenbegriff, S. 153; Blank, Jesus, S. 188. Jedenfalls ist ἔκτρωμα nicht Schimpfwort der Gegner, sondern Selbstbezeichnung des Paulus (mit v. d. Osten-Sacken, Apologie, S. 252f [Lit.]).

43 Wilckens, Ursprung, S. 65 A 21.66 A 23.

44 Vgl. v. d. Osten-Sacken, Apologie, S. 256 (Lit.).

45 Eine gewisse Schwierigkeit des Verständnisses ergibt sich scheinbar aus der Traditionsgeschichte von V. 3–7. Denn wenn V. 6–7 von Paulus erst im 1Kor dem bei der Gründungspredigt überlieferten Credo hinzugefügt wurde, scheint doch *allein* die auf eine separate Tradition zurückgehende Formel („Christus erschien dem Jakobus, dann allen Aposteln") Pauli Apostelwürde auszuschließen. Demgegenüber ist die Apostelwürde des Kephas und der Zwölf vorauszusetzen (wohl auch die der 500 Brüder) und hinzuzufügen, daß der alte Kreis der Zwölf (mit Kephas) in den Apostelkreis übergegangen ist.

jede von ihnen hatte den Herrn gesehen, und die jeden von ihnen einschließende Formel 1Kor 15,7 hatte den Apostelkreis als geschlossen erklärt. Paulus konnte daher Jesus nicht mehr gesehen haben.

4.1.2.2. Zur Theologie und Geschichte des in 1Kor 15 reflektierten Antipaulinismus

Historisch ist es bemerkenswert, daß der Antipaulinismus in 1Kor 15 mit Jerusalemer Größen (Kephas, 500 Brüder, Jakobus) in Beziehung steht. Es bieten sich zunächst zwei Möglichkeiten an, um den Antipaulinismus und die Jerusalemer Größen einander zuzuordnen. Entweder bekämpften sie bzw. einige von ihnen Paulus, oder andere attackierten Paulus unter Inanspruchnahme der Jerusalemer Autoritäten.

Der zweite Vorschlag ist wahrscheinlich vorzuziehen, weil Paulus in 1Kor 15,11 sich mit den in der Zeugenreihe Genannten versöhnlich zusammenschließt: „Ob nun ich oder jene, das predigen wir und daraufhin seid ihr gläubig geworden."

Bezüglich der Träger des in 1Kor 15,1–11 reflektierten Antipaulinismus ist aufgrund jener Stelle keine genaue Aussage möglich. Freilich können wir dann eine begründete Annahme über sie äußern, wenn der Antipaulinismus von 1Kor 15 mit dem in 1Kor 9 reflektierten zusammengehört; dann nämlich dürften seine Träger dieselben gewesen sein.

4.1.3. Vergleich des in 1Kor 9 und 1Kor 15 reflektierten Antipaulinismus

Ein Vergleich des in beiden Stellen reflektierten Antipaulinismus hat auf folgendes aufmerksam zu machen:

1. Paulus sieht sich an beiden Stellen der Bestreitung seines Apostolats ausgesetzt. Die Argumente dagegen sind jeweils verschieden: In 1Kor 9 entzünden sie sich an seinem Unterhaltsverzicht, in 1Kor 15 daran, daß der Apostelkreis vor dem Zeitpunkt der Bekehrung des Paulus bereits geschlossen war.

---

[46] Vgl. Wellhausen, Einleitung, S. 143: „Paulus unterscheidet die Zwölf, als die ersten, die nach Petrus einer Erscheinung des Auferstandenen gewürdigt sind, von den Aposteln im allgemeinen (1Cor 15,7; vgl. 9,5). Sie gelten ihm natürlich auch als Apostel und zwar als die vornehmsten".

2. Die Bestreitung des Apostolats geschieht beidemal unter Hinweis auf Jerusalemer Autoritäten (1Kor 9: die übrigen Apostel, die Brüder Jesu, Kephas; 1Kor 15: Kephas, 500 Brüder, Jakobus, alle Apostel).

3. Paulus gebraucht an beiden Stellen dieselben Argumente zu seiner Verteidigung: a) er verweist auf seine Christusvision (9,1; 15,8), b) er führt seine Missionsarbeit als Beglaubigung an (9,1f; 15,10).

M.E. machen die angeführten drei Punkte die Annahme zwingend, daß der Antipaulinismus an beiden Stellen zusammengehört und also seine Träger zu ein und derselben Gruppe gehören.

Nach diesen Bemerkungen wenden wir uns einem weiteren (letzten) Komplex von Texten im 1Kor zu.

4.1.4. Antipaulinismus in 1Kor 1–4

Oben wurde gezeigt, daß für F. C. Baur die Parteiparolen in den ersten vier Kapiteln von 1Kor ein wichtiger Anhaltspunkt für eine antipaulinische Parteienbildung in Korinth waren. Die betreffenden Kapitel seien jedoch erst hier behandelt, weil sie *keine* ausdrückliche Polemik gegen Paulus reflektieren und weil die Rekonstruktion der Gegnerfront – falls sie überhaupt möglich ist – auf ungleich größere Schwierigkeiten stößt.

Paulus hatte von den Leuten der Chloe davon gehört (1,11)[47], daß sich in Korinth manche als zu Paulus, andere als zu Apollos und wieder andere als zu Kephas gehörig bezeichneten[48]. In 1Kor 3,22 erscheint die Trias wieder, während 1Kor 3,4 und 4,6 der Apostel nur von sich und Apollos spricht. Diese Parteiparolen führten nicht

---

[47] Der mündliche Charakter der Paulus zugetragenen Nachricht erhöht die Schwierigkeit der Rekonstruktion. Jedenfalls gilt es, die Spannung im Auge zu behalten, die zwischen dem Inhalt der Paulus zugetragenen mündlichen Information und dem Brief der Korinther an Paulus besteht. Dieser drückt die Loyalität der Gemeinde gegenüber dem Gemeindegründer aus (1Kor 11,2: Paulus zitiert hier nach allg. Urteil aus dem Brief der Korinther [Hurd, Origin, S. 67f.90f]). Das bedeutet: Der Antipaulinismus kann allenfalls von einer Minorität vertreten worden sein.

[48] Die Christuspartei hat es m.E. nicht gegeben. Sie bleibt daher im folgenden unberücksichtigt. Vgl. Pfleiderer, Paulinismus, S. 316 A*; Reitzenstein, Mysterienreligionen, S. 334; Hurd, Origin, S. 101f (Überblick); Ollrog, Paulus, S. 163 A 4.

zu einer Trennung[49] oder Abspaltung von der Gemeinde[50], sondern reflektieren lediglich eine besondere Wertschätzung der betreffenden Person innerhalb derselben Gemeinde[51].

Können die Parteiparolen (und welche?) mit Antipaulinismus in Verbindung gebracht werden?

Es dürfte von vornherein klar sein, daß die Parole ‚ich gehöre zu Paulus' keinen Angriff gegen Paulus reflektiert. Man wird sofort hinzufügen müssen: die Parole ‚ich gehöre zu Paulus' ist überhaupt nur als Reaktion auf andere Gemeindeglieder denkbar, die sich mit einer anderen Person als der des Gemeindegründers zusammenschlossen[52].

Somit bleiben nur die beiden anderen Slogans ‚ich gehöre zu Apollos' und ‚ich gehöre zu Kephas' als Kandidaten eines Antipaulinismus übrig.

Das Problem ist nun, zu kontrollierbaren Ergebnissen darüber zu kommen, ob die erwähnten Formeln mit Antipaulinismus in Verbindung gebracht werden können, selbst wenn sie ihn nicht ausdrücklich reflektieren. Die Antwort hierauf kann nur dann positiv ausfallen, wenn aus den übrigen Aussagen des Paulus in 1Kor 1–4, die in Zusammenhang mit den Parolen stehen, eine Kritik an Paulus erwiesen werden kann.

Machen wir also die Probe und fragen nach möglichen antipaulinischen Reflektionen im Zusammenhang der obigen Parteiparolen:

Die Slogans werden in 3,4 teilweise wieder aufgenommen. Paulus thematisiert hier sein Verhältnis zu Apollos und bezeichnet es als reziprok: Er selbst habe gepflanzt, Apollos gegossen (3,6). Angesichts dieses gemeinsamen Dienstes an Gottes Bau, der Gemeinde, seien Paulus- und Apollosparole unangemessen.

In 1Kor 4,6 kommt Paulus noch einmal auf sich und Apollos zu sprechen: Das Beispiel des Paulus und des Apollos lehre die Gemein-

49 Die korinthischen Parteien sind Untergruppen der Gesamtgemeinde; vgl. Dobschütz, Gemeinden, S. 57ff, und jetzt bei oft glücklicher Anwendung von sozialwissenschaftlichen Methoden Schreiber, Gemeinde, S. 154ff und passim (vgl. in dieser Hinsicht noch Serkland, Dissension).

50 Vgl. Munck, Paulus, S. 127–161 („Die Gemeinde ohne Parteien"), und den Überblick bei Hurd, Origin, S. 106f. Munck begeht m.E. den Fehler, jegliches Parteiwesen im A 49 beschriebenen Sinne zu leugnen.

51 Eine Untersuchung der Form der Slogans von 1Kor 1,12 steht noch aus.

52 Weiß, 1Kor, S. XXXI (den Protest hiergegen von Schreiber, Gemeinde, S. 157, finde ich nicht recht verständlich). „As long as no influence but Paul's was felt in Corinth such slogan (sc. 'I am of Paul') would have been meaningless" (Barrett, Christianity, S. 272).

demitglieder, sich nicht gegeneinander aufzublähen. Sie beide hätten ihre Aufgabe als Diener Christi und Verwalter der Geheimnisse Gottes getreu wahrgenommen. Paulus fürchte daher nicht das Urteil der Korinther, sondern sei allein dem Herrn verpflichtet, dem er sich im Gericht zu verantworten habe[53].

M.E. läßt die (positive) Art und Weise, in der Paulus über Apollos an den beiden Stellen spricht, bereits jetzt die Annahme als zweifelhaft erscheinen, daß die Apollosanhänger Paulus angegriffen hätten[54]. Die endgültige Widerlegung ergibt sich freilich erst aus 1Kor 16,12: Die Frage, wann Apollos wieder nach Korinth komme, dürfte von der Apollospartei gekommen sein. Ist diese Voraussetzung richtig, so fällt die Annahme einer Paulusfeindschaft der Apollosleute von selbst zusammen: man pflegt nicht einen Gegner zu fragen, wann der eigene Meister wieder nach Korinth komme[55].

Ist eine Paulusfeindschaft der Apollospartei damit ausgeschlossen, bleibt die Frage zu stellen übrig, ob die Kephaspartei antipaulinisch war[56]. Diese Frage stellt sich um so dringender, als Paulus an *keiner* Stelle in 1Kor 1–4 seine Eintracht mit Kephas hervorhebt, woraus manche Forscher geschlossen haben, Paulus habe sich deswegen nicht auf Kephas berufen, weil zwischen diesem und dem Heidenapostel keine Einigkeit (mehr) bestand. Vielmehr polemisiere Paulus in 3,11f indirekt gegen Kephas, denn die Rede von dem einzigen Fundament, Christus, sei eine Polemik gegen den ‚Felsen' Petrus, um so mehr, als im unmittelbaren Kontext jener Passage Paulus und Apollos als die wahren Knechte Christi hingestellt würden. War aber Kephas zZt des 1Kor paulusfeindlich, so ergibt sich eine ähnliche Haltung für die Kephaspartei von selbst[57]. Im Falle der Richtigkeit der soeben be-

---

[53] Damit werden die Ausführungen von Ollrog, Paulus, S. 164, hinfällig, der sich – wie viele andere vor ihm (vgl. Hurd, Origin, S. 97ff) – bemüht, die Apollosleute als Antipauliner zu erweisen.

[54] M.E. ist es unmöglich, in 4,1ff irgendwelche konkreten Vorwürfe gegen Paulus herauszuschälen. Jedenfalls reicht das Vorkommen desselben Ausdrucks (ἀνακρίνειν) doch schwerlich dazu aus, um die Kritiker von 4,3 mit denen von 9,3 identifizieren zu dürfen (zu Weiß, 1Kor, S. 233; Betz, Apostel, S. 103).

[55] Schreiber, Gemeinde, S. 168, hätte diese Stelle als Anfrage an seine Interpretation auffassen sollen. Stattdessen führt er gewunden aus: „Vielleicht zeigt sich hier (sc. in der 1Kor 16,12 reflektierten Frage nach Apollos) ein korinthischer Kompromiß, der sich darin äußert, daß einerseits die ‚Apollos-Gruppe' den Brief (sc. der Korinther an Paulus) duldet, andererseits ihr Anliegen, ein Besuch des Apollos in Korinth, im Brief geäußert wird."

[56] Vgl. den Überblick bei Hurd, Origin, S. 99–101.

[57] Vgl. zuletzt Vielhauer, Kephaspartei, S. 343.

schriebenen These würde sich in der Tat die Entstehung der Paulus- und der Apollospartei als Reaktion auf die Gründung der Kephaspartei erklären lassen[58].

Wie steht es nun mit der historischen Richtigkeit der obigen Hypothese?

M.E. kann man sich schwer dem Eindruck entziehen, daß Paulus in 3,10ff gegen Kephas polemisiert. Diese Annahme stützt sich einmal, wie soeben erwähnt, auf die Korrespondenz von Kephas mit θεμέλιος (V. 11). Sie läßt sich durch formgeschichtliche bzw. literarische Argumente weiter abstützen:

Die Verse 6–9 sind mit V. 10–17 parallel[59]:

V. 6 spricht von Paulus' Gründung der Gemeinde von Korinth und von Apollos darauf aufbauender Arbeit. Ihm entspricht genau V. 10, wobei an Stelle von Apollos ein ‚anderer', der auf Pauli Arbeit aufbaut, genannt wird.

V. 7 betont die Einheit des Gründers und des darauf Aufbauenden. Dem entsprechen negativ V. 10bff, die emphatisch den auf die Gründung des Paulus Aufbauenden warnen.

V. 8 enthält einen eschatologischen Ausblick: Beide, Gründer und der darauf Aufbauende, werden ihren Lohn empfangen. Dem entsprechen V. 12–15. Hier ist der eschatologische Ausblick jedoch insofern erweitert, als neben der Ansage des Lohns die Drohung der Strafe getreten ist (obgleich auch hier der Betreffende schließlich gerettet wird). Auch in V. 12ff erscheint eine nicht näher bezeichnete Person, die auf dem Werk des Gemeindegründers aufbaut.

V. 9 bezeichnet Apollos und Paulus als Mithelfer Gottes und die Gemeinde Korinths als den Bau Gottes. Dem sind V. 16f parallel. Hier wird die Gemeinde der Tempel Gottes genannt. Bezeichnenderweise fehlt auch hier eine Aussage über die Gemeinsamkeit zwischen Gründer und ‚Aufbauer', wie sie in V. 9 gemacht wurde. An ihre Stelle tritt die schrille Warnung an denjenigen, der den Tempel Gottes verdirbt.

---

58 Vgl. Vielhauer, Kephaspartei, S. 351: „der Anspruch der Kephasleute war der Katalysator der Parteibildung" (dem stimmt Theißen, in: ThLZ 105.1980, Sp. 514, zu).

59 Diese Beobachtung machte z.T. bereits Lietzmann, 1Kor, S. 16. Vgl. zu V. 6–15 auch Ollrog, Paulus, S. 216ff, der freilich über eine Paraphrase des Textes nicht hinauskommt.

Der soeben durchgeführte Vergleich zwischen V. 6–9 und V. 10–17 bestätigt das Urteil von Hans Lietzmann: „Das v. 10–15 ausgeführte ist zu dem v. 6–9 gesagten parallel, nur in etwas erweitert."[60] Erweitert ist es durch die Gerichtsansage über denjenigen, der das Werk des Paulus nicht sachgemäß weiterführt. Ferner gehören gegen Lietzmann V. 16f noch zur Einheit V. 10–15 (s.o.).

Ich halte es für wahrscheinlich, daß V. 10ff eine verhüllte Polemik gegen Kephas enthalten. Nachdem Paulus sein Verhältnis zu Apollos beschrieben hat, kommt er naturgemäß auch auf das zu Kephas zu sprechen, denn einige Korinther bezeichneten sich bekanntlich als zu ihm gehörig. Daß er über eine bestimmte Person spricht, dafür ist die V. 6–9 parallele Struktur von V. 10–17 das beste Indiz. Die bestimmte Person ist mit aller Wahrscheinlichkeit Kephas, da Paulus in diesem Abschnitt die Parteien (nach 1,14) wiederum behandelt und im unmittelbaren Kontext (3,22) die Trias Paulus, Apollos, Kephas wiederum erscheint. P. Vielhauer hat m.E. darum recht: Paulus polemisiert 1Kor 3,10ff gegen Kephas und damit gegen die Kephaspartei, die sich nach der Abreise des Paulus in Korinth gebildet hatte (Kephaspartei, S. 348f).

Fragen wir nun nach diesem langen Anmarsch, ob die Kephaspartei gegen Paulus polemisiert hat, so muß die Antwort ein vorsichtiges ‚Ja' sein. Zwar lassen 1Kor 1–4 keine inhaltliche Rekonstruktion der Polemik zu. An ihr selbst kann kaum ein Zweifel möglich sein, und zwar – zusammenfassend gesagt – weil a) Paulus sich nicht auf seine Einigkeit mit Kephas beruft und b) stattdessen Kephas verhüllt attackiert.

Am Ende sei aber zugegeben, daß von allen drei bisher analysierten Passagen des 1Kor Kapp. 1–4 die schwächsten[61] Indizien für Antipaulinismus hergeben.

Wegen der Spärlichkeit der Information über den Antipaulinismus in den ersten vier Kapiteln des 1Kor sind weiterführende Fragen nach seiner Theologie und Geschichte kaum zu stellen möglich[62].

---

[60] Lietzmann, 1Kor, S. 16.

[61] Die Funktion von 1Kor 1–4 innerhalb des 1Kor ist (leider) keine „Apologie des paulinischen Apostolates" (Vielhauer, Kephaspartei, S. 343: im Anschluß an F. C. Baur und Dahl, Church). Eine solche These würde bedeuten „to downplay the degree to which Paul is critical of his own adherents as well as of his opponents" (Dahl, Church, S. 61 A 50 = Nachtrag zum wiederabgedruckten Aufsatz).

[62] Vgl. aber Vielhauer, Kephaspartei, S. 347: Paulus sei von den Leuten der Chloe über den Amtsbegriff der Kephaspartei informiert worden.

Es kann jedoch behauptet werden, daß höchstwahrscheinlich der Antipaulinismus der Kephaspartei genetisch mit dem in 1Kor 9 und 1Kor 15 zusammenhängt, denn an allen drei Stellen spielt die Berufung auf Kephas – unter gleichzeitiger Kritik an Paulus – eine wichtige Rolle. Diese Beobachtung gibt uns einen interessanten Fingerzeig zu der im folgenden zu stellenden Frage nach Entstehung und Anlaß des Antipaulinismus in Korinth und seinen Trägern.

4.1.5. Über Anlaß und Entstehung des Antipaulinismus in Korinth. Seine Träger

Bisher war die Frage offengeblieben, wie, wann und warum es zum Antipaulinismus in Korinth gekommen war. Sie kann nicht länger aufgeschoben werden.

Nach H. Conzelmann[63] ist es unnötig, für die Parole ‚ich gehöre zu Kephas' Einfluß von außen vorauszusetzen. Da nämlich die Person des Kephas Bestandteil des (Gründungs-)Kerygmas von 1Kor 15,5 gewesen sei, könnten sich in Korinth spontan Verehrer des Kephas zusammengetan haben. In diesem Fall würde sich aber auch die oben begründete Annahme eines Antipaulinismus der Kephasanhänger erübrigen. Bleibt H. Conzelmanns These ein heilsames Korrektiv gegenüber Arbeiten, die allzu eilfertig die Kategorie ‚Einfluß'[64] in der neutestamentlichen Gegnerdebatte verwenden, so scheidet sie jedoch als unwahrscheinlich aus, weil eine antipaulinische Haltung der Kephasanhänger eine begründete Annahme ist[65] und weil der Antipaulinismus hinter 1Kor 1–4 mit dem in 1Kor 9, wo ein Einfluß von außen deutlich sichtbar ist[66], zusammenhängt.

Die Kephaspartei scheint demnach der Träger des Antipaulinismus[67] in Korinth zZt des 1Kor gewesen zu sein[68].

---

63 Conzelmann, 1Kor, S. 48 (²S. 52), und mündlich.
64 Vgl. dazu C. Colpe, Religionsgeschichtliche Interpretation paulinischer Texte?, in: MPTh 52.1963, S. 487–494 (Besprechung von Wilckens, Weisheit).
65 Eine *antipaulinische* Haltung von korinthischen Anhängern des Kephas erklärt sich am besten durch auswärtige Einwirkung.
66 Vgl. Conzelmann, 1Kor, S. 180 (²S. 188): die ἀνακρίνοντες ständen (noch) außerhalb der Gemeinde. Das ist insofern richtig, als der Anstoß zur Kritik an Paulus an jener Stelle von außen gekommen sein dürfte.
67 Vgl. Vielhauer, Kephaspartei, S. 351: „Die Paulusfeindschaft in Korinth scheint sich zur Zeit des I Cor. auf die Kephaspartei beschränkt zu haben."
68 Vgl. richtig Zahn, Einleitung, S. 205: „Wer sich in einer von Pl gestifteten Gemeinde mit Stolz nach Petrus nannte, konnte das nicht tun, ohne den Pl

Diese These erhält eine Stütze dadurch, daß Paulus in 1Kor 9 Kephas betont an der letzten Stelle nennt, obgleich er zu den vorher genannten Aposteln gehört (s.o. S. 114).

Wodurch war die Kephaspartei entstanden? Paulus gibt darüber einen Wink in 1Kor 9,12 (vgl. dazu bereits oben S. 113): Dieser Vers steht im Kontext der Verteidigung des Rechts auf Unterhalt durch Paulus. Obgleich er das Anrecht darauf habe, nehme er es freilich nicht in Anspruch. Dies dürfe nicht als Argument gegen seinen apostolischen Status gewertet werden. Paulus schreibt in V. 12a: *εἰ ἄλλοι τῆς ὑμῶν ἐξουσίας μετέχουσιν, οὐ μᾶλλον ἡμεῖς;*. „Also haben in Korinth tatsächlich andere (...) von dem apostolischen Anspruch auf Leistungen der Gemeinde Gebrauch gemacht."[69] Da der zitierte Vers im Kontext antipaulinischer, judenchristlicher (s.o. S. 112) Anwürfe gegen Paulus steht, handelt es sich bei den *ἄλλοι* um judenchristliche Missionare[70], die das Beispiel des Kephas gegen Paulus anführten, für sich apostolischen Status (sie ließen sich unterhalten!) beanspruchten und Pauli Apostelwürde anzweifelten. Sie hatten Korinth freilich zur Zeit des 1Kor bereits wieder verlassen. Ihr Auftreten führte zur Bildung der aus Heidenchristen bestehenden Kephaspartei, die fortan Keimzelle judenchristlicher Pauluskritik in Korinth war[71].

Die antipaulinische Kephaspartei war von einiger Bedeutung für gruppenimmanente Prozesse der Folgezeit in der korinthischen Gemeinde. Ihre Existenz führte zur Bildung weiterer Parteien. Sie dürfte auch zu der teilweisen Entfremdung zwischen Gemeindegründer und Gemeinde beigetragen haben, so wie sie aus Stellen wie 1Kor 4,18; 7,40 und aus der Kritik des Paulus am korinthischen Enthusiasmus

---

im Vergleich mit Petrus herabzusetzen (...). Von den Petrusleuten werden die Reden wenigstens zunächst ausgegangen sein, denen gegenüber Pl schon in 1,1, deutlicher 9,1–3 und wieder anders 15,8–10 seine Apostelwürde wahrt (...). Man merkt, daß Pl mehr von ihnen weiß, als er sagt, und mehr von ihnen fürchtet, als er weiß."

69 Lietzmann, 1Kor, z.St.

70 Gegen Conzelmann, 1Kor, S. 184 (²S. 192): „Am besten wird man die ἄλλοι nicht zu eng spezifizieren." Warum nicht?

71 Die Kritik an Paulus war anscheinend *nicht* mit der Einführung von rituellen Gesetzesforderungen verbunden, wie Barrett, Things, S. 146, und Manson, Studies, S. 200, unter Hinweis auf die Auseinandersetzungen zwischen den ‚Starken' und den ‚Schwachen' (1Kor 8 und 10) postulieren. (Der Streit sei dadurch entstanden, daß die Kephaspartei das Aposteldekret habe einführen wollen.) Vgl. m.R. gegen eine solche These: G. Theißen, Die Starken und die Schwachen in Korinth (1975), in: ders., Studien, S. 272–289, bes. S. 273–275.

(1Kor 4,6ff; 5,2; 8,1; 12–14[72]) sichtbar wird. Zwar waren die Enthusiasten keine Antipauliner. Im Gegenteil! Sie knüpften an paulinische Gedanken an und führten diese weiter[73]. War aber einmal eine antipaulinische Fraktion in Korinth entstanden und reagierte Paulus negativ auf individualistische Züge der paulinischen Enthusiasten, so war die Gefahr gegeben, daß früher oder später sich beide Fraktionen gegen Paulus vereinigten.

Mit diesen Bemerkungen ist zur Frage nach Antipaulinismus im 2Kor übergeleitet.

4.2. 2Kor

4.2.1. Literarkritik und ihre Bedeutung für das Thema

Es dürfte wenig sinnvoll sein, an dieser Stelle einen detaillierten Bericht über die literarkritischen Probleme des 2Kor zu geben. Sie wären hier nur dann zu erörtern, falls sie für unser Thema wichtig sind und entscheidende Auswirkungen auf das Ergebnis zeitigen würden. Das scheint aber nicht der Fall zu sein, denn unabhängig von Teilungshypothesen aller Art[74] stammt der uns jetzt als 2Kor vorliegende Text aus einem Zeitraum von höchstens einem Jahr, so daß von vornherein eine relativ große Zusammengehörigkeit der Briefe bzw. Brieffragmente vorauszusetzen ist. Es ist daher angezeigt, von ihm auszugehen und ihn gemäß der oben dargelegten Methode ohne Seitenblick auf literarkritische Theorien zu analysieren. Dabei erörtern wir zusätzlich jene Antipaulinismus verratenden Ereignisse mit, soweit sie aus der Vorgeschichte des 2Kor rekonstruiert werden können, aber nicht Gegenstand der Behandlung im 2Kor sind[75].

---

[72] Zu 1Kor 12–14 vgl. Wischmeyer, Weg, S. 27–38, und bes. Lührmann, Offenbarungsverständnis, S. 27–44, dessen Exegese selbst dann einleuchtend ist, wenn man seine Annahme paulinischer *Gegner* (= ‚korinthische Pneumatiker', a.a.O., S. 38) hinter 1Kor 12–14 für revisionsbedürftig hält.

[73] Das war die Geburtsstunde des Paulinismus auf heidnischem Boden (vgl. dazu Band III).

[74] Vgl. den Überblick bei Kümmel, Einleitung, S. 249ff.

[75] Es sei hier nur vorausgesetzt, daß 2Kor 10–13 nicht ein Fragment des in die betreffende Zeit fallenden Tränenbriefs (2Kor 2,3ff; 7,8.12) ist. Jene These wurde von Hausrath, Vier-Capitelbrief, begründet (vgl. den Überblick bei Windisch, 2Kor, S. 12ff, und Kümmel, Einleitung, S. 251 A 22). Die entscheidenden Gegenargumente bei Kümmel, a.a.O., S. 252; vgl. zusätzlich Betz, Paulus, S. 13f, der formgeschichtliche Gründe gegen die Richtigkeit der These anführt.

4.2.2. *Der ἀδικήσας*[76]

Nachdem Paulus von Timotheus schlechte Nachrichten über die Zustände in der korinthischen Gemeinde erhalten hatte, reiste er unter Abänderung seiner in 1Kor 16 geäußerten Reisepläne sofort nach Korinth[77]. Bei diesem Besuch (ἐν λύπῃ) fand Paulus in Korinth für ihn betrübliche Zustände vor, und er reiste nach nur kurzem Aufenthalt überstürzt wieder zurück nach Ephesus ab. Hier schreibt er den berühmten Tränenbrief, der die Gemeinde wieder auf seine Seite brachte.

Damit sind wir bei der Frage angelangt, ob und warum es bei diesem Zwischenaufenthalt des Apostels zu einer antipaulinischen Aktion kam.

Paulus beschreibt in 2Kor 1,23; 2,4f unter Bezug auf den Tränenbrief, was vorgefallen war: Ein Gemeindeglied hatte sich während des (kurzen) Besuchs einer ἀδικία gegen Paulus schuldig gemacht (7,12) und damit den Apostel (in Wirklichkeit aber die ganze Gemeinde) betrübt. Nach Erhalt des Tränenbriefs bestrafte die Gemeinde den Übeltäter, worauf Paulus die Korinther bittet, ihm zu verzeihen, ja ihm gegenüber Liebe walten zu lassen (2,6–8).

Es ist kein Zweifel daran möglich, daß der ἀδικήσας gegen Paulus agitiert hatte. Doch sind nähere Informationen über den Vorfall nicht herauszuschälen. Jedenfalls ist der ἀδικήσας[78] nicht der Blutschänder von 1Kor 5[79], und es ist *sicher*, daß der ἀδικήσας nichts mit der sonst im 2Kor sichtbar werdenden Opposition gegen Paulus zu tun hat. Denn jene Angelegenheit ist von Pauli Seite aus abgeschlossen, diese (s. sofort) zZt des 2Kor noch in vollem Gange.

Am Ende dieses Abschnitts ist nur noch hinzuzufügen, daß eine judenchristliche Herkunft des ἀδικήσας unwahrscheinlich ist. Da die

---

[76] Vgl. hierzu Barrett, Adikesas, wo die verschiedenen Interpretationen fast vollständig notiert werden.

[77] Zur Begründung der hier vorausgesetzten Abfolge vgl. Band I, S. 127ff.

[78] Barrett, Adikesas, S. 153: „Paul's narrative of the event, or rather his allusion to it, is full of obscurities, most of which arise simply because he knew what had happened, and knew that his readers knew what had happened, and could therefore allude rather than narrate." Barretts These, der ‚Übeltäter' sei kein Korinther gewesen, ist m.E. nicht beweisbar und überdies zweifelhaft, da die Gemeinde ihn bestrafen konnte. M.E. versteht Barrett die diesbezügliche Angelegenheit zu sehr im Lichte der 2Kor 10ff sichtbar werdenden Opposition (vgl. a.a.O., S. 156f).

[79] So Hausrath, Vier-Capitel-Brief, S. 7f, und von den Neueren Dobschütz, Gemeinden, S. 41f.

Gemeinde überwiegend heidenchristlich ist, wird es sich beim Übeltäter am ehesten um einen heidenchristlichen korinthischen Christen handeln.

4.2.3. *Die Wankelmütigkeit des Paulus im Zusammenhang seiner Reisepläne*

Weitere antipaulinische Vorwürfe stammen aus der Zeit zwischen 1 und 2Kor bzw. werden noch zZt des 2Kor Paulus vorgehalten: In 2Kor 1,15ff verteidigt sich Paulus dagegen, daß seine Änderung der in 1Kor 16 angekündigten Reisepläne[80] Wankelmütigkeit verrate (2Kor 1,17). Dafür, daß der Ausdruck ‚Wankelmütigkeit' (*ἐλαφρία*) ein Vorwurf aus Korinth war, sprechen:

a) er steht in einem apologetischen Kontext und

b) er ist hapax legomenon im Corpus Paulinum und im NT.

Die weiteren Umstände des Vorwurfs sind leider nicht zu ermitteln. Natürlich hat er mit Judenchristentum nicht notwendig etwas zu tun.

4.2.4. *Die Übervorteilung der korinthischen Gemeinde durch die Kollekte*

In 2Kor 7,2b betont Paulus, er habe niemanden zugrunde gerichtet oder übervorteilt (*οὐδένα ἐφθείραμεν, οὐδένα ἐπλεονεκτήσαμεν*). Aufgrund dieser Stelle allein ist kaum ein Schluß auf antipaulinische Anwürfe möglich. Doch dürfte 2Kor 12,17f[81] deswegen Licht auf die obige Stelle werfen, weil hier das Stichwort *πλεονεκτεῖν* wieder

---

80 Zu den Einzelheiten vgl. Band I, S. 127–129.

81 2Kor 12,17f steht in einem apologetischen Kontext (vgl. die Bemerkung 2Kor 12,19: „Ihr denkt jetzt schon lange, wir verteidigen uns vor euch"). Die anschließend aufgeführten Laster (V. 20f) dürfen nicht für die Beschreibung der korinthischen Gegnerfront in Anspruch genommen werden (gegen Schmithals, Gnosis, S. 211f). Dagegen spricht einmal die (rhetorische) Katalogform der Laster. Sodann gelten die aufgezählten sexuellen Laster „als spezielle heidnische und haben schwerlich speziellen Zusammenhang mit dem Pneumatikertum in Korintn; sonst hätte Paulus die gegnerische Lehre doch schon früher ganz anders bekämpft. Er will also sagen: ich fürchte, daß ich über viele klagen muß, die noch im Heidentum steckengeblieben sind" (Bultmann, 2Kor, S. 242; vgl. ebd. zur weiteren Begründung der exegetischen Entscheidung). Zu 2Kor 12,20 vgl. noch Band I, S. 116f.

begegnet: Paulus fragt rhetorisch, ob er die Gemeinde durch Titus und dessen Begleiter übervorteilt habe. Der Vorwurf der Übervorteilung bezog sich auf die Kollekte, in deren Dienst der Apostel den Titus bereits einmal nach Korinth geschickt hatte – Titus, den er zZt des 2Kor (s. Kap. 8f) im selben Dienst nach Korinth zu schicken im Begriff stand.

In 2Kor 8,20 drückt Paulus die Befürchtung aus, man möge ihn in Korinth angesichts dieser großen Summe verdächtigen (*μή τις ἡμᾶς μωμήσηται ἐν τῇ ἁδρότητι ταύτῃ τῇ διακονουμένῃ ὑφ' ἡμῶν*), und trifft daher Vorkehrungen, einen derartigen Vorwurf abzuwehren: Er schickt mit Titus einen erprobten Bruder mit nach Korinth. Ferner begleiten Titus Abgesandte anderer Gemeinden[82] (8,23), von denen der erwähnte Bruder einer ist. Damit ist sichergestellt, daß mit den Kollektengeldern kein Mißbrauch getrieben wird.

Auch in diesem Punkt, dem Vorwurf der Übervorteilung der korinthischen Gemeinde durch die Kollekte, ist judenchristlicher Einfluß nicht festzustellen. Ob der Vorwurf auf Einfluß von außen zurückgeht, läßt sich ebenfalls nicht entscheiden. Korinthischer Ursprung scheint jedenfalls wahrscheinlicher zu sein.

4.2.5. Mangelndes Pneumatikertum des Paulus

Es gibt eine Reihe von Passagen im 2Kor, die eine Kritik an Paulus wegen mangelnden Pneumatikertums mehr oder weniger deutlich reflektieren:

2Kor 10,1 (wohl ein Zitat)[83]: Paulus ist „ins Gesicht demütig (*ταπεινός*) unter euch, aber in der Ferne kraftvoll gegen euch." Die Annahme, daß ein Zitat vorliegt, wird bestätigt durch 2Kor 10,10: „Denn die Briefe, heißt es, sind freilich wuchtig und kraftvoll, aber sein persönliches Auftreten ist schwächlich und seine Rede nichts wert." Denn es ist eindeutig, daß Paulus in der Tat in V. 10 einen gegen ihn gerichteten Slogan zitiert[84].

---

[82] Vgl. zu ihnen Ollrog, Paulus, S. 79–84, und oben S. 82.

[83] Mit Lietzmann, 2Kor, z.St.

[84] Vgl. Lietzmann, 2Kor, z.St. Gegen Bultmann, Stil, S. 67; Bl-Debr[14] § 130_7 (S. 108), kennzeichnet *φησίν* an dieser Stelle nicht wie in der Diatribe einen Einwand des gedachten Gegners, sondern bezieht sich auf eine Attacke eines oder mehrerer Opponenten in Korinth. Vgl. richtig Stowers, Reassessment, S. 269. Ähnlich liegt der Fall in Röm 3,8 (vgl. unten S. 159f).

Dasselbe Thema wird in Kap. 13 wiederaufgenommen:

2Kor 13,1–3: „Jetzt komme ich zum drittenmal zu euch. Durch zweier oder dreier Zeugen Mund soll jede Sache festgestellt werden. Ich habe es vorhergesagt und sage es vorher, anwesend das zweite Mal und abwesend jetzt, denen die früher gesündigt haben und allen übrigen: Wenn ich wiederkomme, werde ich (euch) nicht schonen, denn ihr verlangt ja einen Beweis dafür, daß Christus in mir redet, und der ist euch gegenüber nicht schwach, sondern mächtig in euch."

Der letzte Satz erweist die Adressaten als Pneumatiker (Christus ist mächtig in ihnen). Sie verlangen einen Beweis dafür, daß dasselbe auch für Paulus gilt. Solange der nicht erbracht ist, müssen sie ihm kritisch sein mangelndes Pneumatikertum vorhalten.

Schließlich gehört auch noch 2Kor 12,1–10[85] zum Thema ‚mangelndes Pneumatikertum des Paulus'. Der Apostel führt mit dem Satz: *ἐλεύσομαι δὲ εἰς ὀπτασίας καὶ ἀποκαλύψεις κυρίου* (2Kor 12,1) einen neuen, ihm vorgegebenen[86] Diskussionsgegenstand ein. Er will durch 2Kor 12,2–8 erweisen, daß auch er sich Visionen und Offenbarungen des Herrn rühmen kann. Offensichtlich sind sie ihm in Korinth abgesprochen worden. Es gehörte wohl zum Vorwurf der Schwachheit (2Kor 10,10, s.o.), daß Paulus keine Visionen und Offenbarungen vorweisen konnte[87].

Alle soeben aufgeführten Passagen reflektieren somit denselben Vorwurf gegen Paulus: Es fehle ihm an Geistesbesitz. Ist dies als Inhalt der antipaulinischen Stellungnahme anerkannt, so fällt von hier aus auf andere Stellen wie 2Kor 10,7.11; 11,6 Licht. Zusätzlich wird eine Passage aus dem 1Kor (7,40) erhellt, denn sie reflektiert möglicherweise die ersten Anfänge der korinthischen Kritik an Paulus wegen mangelnden Geistbesitzes (s. sofort).

Kommen wir nun zur Frage, ob dieser antipaulinische Vorwurf judenchristlich ist und wie er sich historisch verständlich machen läßt.

---

[85] Die Probleme des Gesamttextes können hier nicht erörtert werden; vgl. dazu die einschlägigen Kommentare und Betz, Christus-Aretalogie (Lit.).

[86] Gegen Windisch, 2Kor, der meint, das „Fehlen des Artikels (sc. vor *ὀπτασίας*) macht es unwahrscheinlich, daß P. hier ein Thema anschlage, das in Kor. bereits eine ominöse Rolle spielte" (S. 368). Dagegen spricht einmal der Kontext (Paulus ‚vergleicht' sich in 2Kor 10,12–12,18 mit Opponenten [s.u.]); vgl. gegen Windischs Position noch Schmithals, Gnosis, S. 198. Sodann spricht gerade das Fehlen des Artikels und der Plural ‚Visionen und Offenbarungen' gegen Windischs Ansicht. „Es handelt sich nicht nur um die bestimmte Vision und die besondere Offenbarung des Paulus, sondern um Visionen und Offenbarungen allgemein" (Georgi, Gegner, S. 297).

[87] Vgl. Lührmann, Offenbarungsverständnis, S. 57.

Eine Antwort auf die erste Frage ist derzeit weder positiv noch negativ möglich. Sie wird davon abhängen, wie der historische Ursprung des Vorwurfs zu bestimmen ist.

Man wird hier zweierlei zu berücksichtigen haben: a) zunächst die Möglichkeit innerkorinthischen Ursprungs und b) die Möglichkeit externer Herkunft.

4.2.5.1. Korinthischer Ursprung des Vorwurfs

Auf einen großen Teil der korinthischen Gemeinde trifft bereits zZt des 1Kor die Bezeichnung ‚Pneumatiker' zu. Paulus bekämpft einige Aspekte des Pneumatikertums in 1Kor 4,6ff; 5,2; 8; 12–14. Doch ist zZt des 1Kor keine Verbindung von Antipaulinismus und Pneumatikertum festzustellen[88], während eine solche Union zZt des 2Kor zustandegekommen ist. Sie kann einerseits durchaus als innerkorinthisches Phänomen verständlich gemacht werden, denn bereits im 1Kor zeigen sich erste Anzeichen der Entfremdung zwischen Paulus und den Korinthern (vgl. 4,18: „Es haben sich einige aufgebläht, als würde ich nicht zu euch kommen"). Wenn die τινες gemeint haben, „Paulus wage sich im Bewußtsein seiner Inferiorität nicht wieder nach Korinth"[89], so kommt das dem antipaulinischen Vorwurf des mangelnden Pneumatikertums des Paulus im 2Kor recht nahe. Kalkulieren wir die Antikritik des Paulus an einer solchen Einstellung und die übrigen Veränderungen des Verhältnisses der Korinther zu Paulus mit ein (s. die Entstehung der Kephaspartei), so ist eine Verschärfung der Lage denkbar, und die explizite Kritik an Paulus in dem oben erwähnten Punkte würde verständlich werden.

4.2.5.2. Externer Ursprung des Vorwurfs

Das oben angeführte Zitat („die Briefe sind wuchtig und kraftvoll, aber sein persönliches Auftreten ist schwächlich", 2Kor 10,10) steht an einer Stelle, in deren Kontext auf externe Personen Bezug genommen wird, die sich selbst empfehlen. Mit denen will Paulus sich nicht vergleichen (V. 12). Dieselbe Personengruppe ist ebenfalls in 2Kor 3,1 anvisiert[90]. Aus jenen Stellen geht hervor, daß ihre Mitglieder mit

---

[88] Auch nicht wegen 1Kor 7,40: „Ist es ein Seitenhieb gegen die Pneumatiker in Korinth? Zur Erklärung genügt die Annahme: Paulus beruft sich auf Amt (V. 25) und Geist. Man braucht nicht die spezielle (aus 2Kor zu erhebende) Annahme, man habe ihm in Korinth schon zur Zeit des 1Kor den Geist abgesprochen" (Conzelmann, 1Kor, z.St.). Vgl. auch oben S. 124f.

[89] Lietzmann, 1Kor, S. 22.

[90] Es ist m.E. nicht möglich, mit Lührmann, Offenbarungsverständnis, S. 46–48, u.a. anzunehmen, daß Paulus in der anschließenden Passage 2Kor 3,7–18 ein

Empfehlungsbriefen nach Korinth gekommen sind und von den Korinthern mit solchen ausgestattet wurden. 2Kor 10,10 scheint somit zu belegen, daß jener (externe) Personenkreis auf das schwächliche Auftreten des Paulus hingewiesen und es als Argument gegen ihn verwendet hat.

Von hierher fällt Licht auf 2Kor 12,1–10. Der Text steht in dem übergeordneten Abschnitt 2Kor 10,12–12,18, in dem Paulus anknüpfend an den Vorwurf 2Kor 10,10 sich gegenüber den Behauptungen der externen Antipauliner verteidigt (vgl. 2Kor 12,19) und positiv seine Auffassung vom Rühmen darlegt. So zeigt 2Kor 12, 1–10, daß auch Paulus Visionen und Offenbarungen empfangen habe (obwohl er sich eher seiner Schwachheiten rühmen werde [2Kor 12,9]).

2Kor 12,11f bekräftigen den soeben gezogenen Schluß:

Paulus führt hier aus, *er* müßte von den Korinthern empfohlen werden, denn er stehe in nichts hinter den Erzaposteln (*οἱ ὑπερλίαν ἀπόστολοι*) zurück. „Die Zeichen des Apostolats sind ja unter euch vollbracht worden in jeder Art von Geduld, Zeichen und Wundern und Krafttaten" (V. 12). Unabhängig davon, auf welchen Personenkreis die ‚Erzapostel' zu beziehen sind (s. sofort), steht jedenfalls fest, daß Pauli Verweis auf die Apostelzeichen im Gegenüber von Behauptungen externer Seite erfolgte. Seine eigene Feststellung, er müßte von den Korinthern empfohlen werden, bezieht sich wohl auf die Empfehlungsbriefe der Korinther für die externen Antipauliner, die bereits in 3,1 und 10,12 erwähnt wurden. Also wird der antipaulinische Hinweis auf fehlende Apostelzeichen von jener externen Gruppe stammen[91].

Schließlich wirft eine weitere Stelle des 2Kor Licht auf die hier verhandelte Frage und bestätigt die bisher gezogenen Schlüsse. In 2Kor 11,5f schreibt Paulus, er stehe in nichts hinter den Erzaposteln zurück, und fährt fort: „Wenn ich auch ein Laie in der Rede bin, so doch nicht in der Erkenntnis" (V. 6). Der Ausdruck *ἰδιώτης τῷ λόγῳ* erinnert zu stark an die Wendung *λόγος ἐξουθενημένος* von 10,10, um nicht auf gleiche Herkunft zu weisen. Ferner erscheint

---

Stück der Verkündigung der Gegner polemisch aufnehme. Vgl. das oben im Text zur Methode der Rekonstruktion gegnerischer Lehren Gesagte und zur Einzelkritik an Lührmanns These Luz, Geschichtsverständnis, S. 127–131 (Lit.).

[91] Vgl. zu den ‚Apostelzeichen' Betz, Paulus, S. 70ff (Lit.). Gegen Betz, ebd., ist aber darauf zu bestehen, daß Paulus Wunder getan hat; vgl. Röm 15,19 als Kommentar zu 2Kor 12,12 und Jervell, Charismatiker, bes. S. 189.

in 11,5 ebenso wie in 12,11 der Hinweis auf Ebenbürtigkeit mit den Erzaposteln.

Wir können daher zusammenfassend sagen: Paulus wurde auch von externer Seite mit dem Hinweis auf mangelndes Pneumatikertum angegriffen. In diesem Punkt stimmten innerkorinthische und außerkorinthische Opposition zZt des 2Kor überein. Ja, dadurch wird z.T. überhaupt zu erklären sein, warum die externe Opposition in Korinth zZt des 2Kor so erfolgreich agieren konnte. Im folgenden geht es nun darum, jene externe Opposition näher zu bestimmen. Wir setzen dabei nur voraus, daß die im 2Kor sichtbar werdenden externen Antipauliner *einer* Partei angehören.

4.2.6. Historisch-theologische Einordnung der externen antipaulinischen Opposition des 2Kor

Wir stellen zunächst jene Kennzeichen und Eigenarten zusammen, die mit Sicherheit für die Gegner in Anspruch genommen werden können, und stellen jeweils im unmittelbaren Anschluß daran die Frage nach ihrer historischen und theologischen Einordnung.

4.2.6.1. Die Ehrenbezeichnungen der Antipauliner

Die Gegner sind Hebräer, Israeliten, Same Abrahams, Diener Christi[92] (2Kor 11,22f). Die ersten drei Prädikate erweisen den jüdischen Ursprung[93] der Antipauliner, das letzte ihre Zugehörigkeit zur christlichen Bewegung. Ein Schluß auf palästinischen oder gar jerusalemischen Ursprung der Antipauliner aufgrund jener drei Selbstbezeichnungen ist nicht möglich, weil sie auch im außerpalästinischen Judentum – zwecks Hervorhebung des Besonderen (vgl. Bauer, WB, s.v.) – geläufig waren[94].

4.2.6.2. Die Antipauliner als Apostel Christi

Die Gegner nennen sich Apostel Christi. Paulus kann sie dagegen nur als Pseudoapostel bezeichnen (2Kor 11,13). Ihr positiver Anspruch, Apostel Christi zu sein, geht auch aus dem unfreiwilligen Zugeständ-

---

92 Gegen Schmithals, Gnosis, S. 195ff, ist ‚Diener Christi' eine Selbstbezeichnung der Gegner (mit Georgi, Gegner, S. 31).
93 Vgl. Georgi, Gegner, S. 31ff.51–83.
94 Vgl. Georgi, a.a.O., S. 51ff.

nis des Paulus hervor, sie hätten sich in Apostel Christi verwandelt (*μετασχηματιζόμενοι εἰς ἀποστόλους Χριστοῦ*, 11,13b). Nun fährt Paulus fort: „Und das ist kein Wunder, denn der Satan selbst verkleidet sich ja in einen Engel des Lichts. Da ist es nichts Besonderes, wenn auch seine Diener (*διάκονοι*) sich verkleiden als Diener der Gerechtigkeit" (V. 14f). Da sich die Gegner auch als Diener Christi (*διάκονοι Χριστοῦ*) bezeichnen (s.o. A 92), liegt die Annahme nahe, daß Paulus hier bewußt ihre Selbstbezeichnung in polemischer Absicht aufnimmt: Sie sind in Wirklichkeit Diener Satans, nicht Diener Christi!

Der apostolische Anspruch der Gegner folgt aber auch aus dem Ausdruck ‚Erzapostel' in 2Kor 11,5 und 12,11.

Zwecks Klärung der Identität der Erzapostel müssen wir etwas ausholen: In 2Kor 10,12 lehnt Paulus es ausdrücklich ab, sich mit einigen anderen zu vergleichen, die sich selbst empfehlen. Trotzdem tut Paulus gerade dies wenige Verse später, und zwar in der Gestalt der Narrenrede (11,1.16.21), zu der ihn die Korinther gezwungen hätten. Diese Narrenrede führt Paulus dazu, sich gegenüber den in Korinth eingedrungenen Gegnern zu rühmen und sich mit ihnen zu messen, um den Korinthern zu zeigen, daß er mindestens dieselben Qualitäten wie sie aufweist (vgl. 11,18: *ἐπεὶ πολλοὶ καυχῶνται κατὰ σάρκα, κἀγὼ καυχήσομαι*). Den Kommentar hierzu gibt 2Kor 5,12[95]: „Wir empfehlen uns euch nicht wieder selbst, sondern geben euch Anlaß, euch unser zu rühmen, damit ihr (etwas zu sagen) habt gegen die, welche sich äußerlicher Dinge rühmen können, aber nicht ihres Herzens."

Andererseits kann Paulus ja nicht den Gegnern die Legitimität ihres Apostelamts zugestehen (s.o.). Ja, sie sind für ihn Satansdiener (11,15). Diese dialektische Verfahrensweise des Paulus gegenüber seinen Gegnern gilt es bei der Exegese von 11,5 und 12,11 im Auge zu behalten. Ihr wollen wir uns jetzt zuwenden.

2Kor 11,5: In 11,1 bittet Paulus ironisch die Korinther, seine Narrenrede zu ertragen. Diese wird nicht sofort ausgeführt, sondern der Apostel betont zunächst sein aufrichtiges Bemühen um die Gemeinde (V. 2). Danach spricht er die Befürchtung aus, die Korinther könnten von Christus abgewandt werden. Denn wenn einer einen ande-

---

[95] Ich danke Prof. G. Klein, Münster (Brief vom 27.11.80) für den Hinweis auf diese wichtige Stelle. Sein Brief hat mich ferner zu einer Revision meines früheren Verständnis von *οἱ ὑπερλίαν ἀπόστολοι* (s.u. A 98) und zu einer vertieften Beschäftigung mit Vielhauer, Kephaspartei, veranlaßt.

ren Jesus verkündigt als den, der von Paulus verkündigt wurde, oder wenn die Korinther einen anderen Geist empfangen als den, den sie (durch die paulinische Verkündigung) empfangen haben, oder wenn sie ein anderes Evangelium empfangen als das, was sie bekommen haben, dann ertragen es die Korinther gut (V. 4).

Paulus denkt hier nicht an einen Eventualfall[96], sondern an ein reales Geschehen in der jüngsten Vergangenheit. Das folgt aus dem Kontext (V. 12ff) und aus der mit V. 4 parallelen Ausdrucksweise in V. 20, die sicher ein reales Geschehen widerspiegelt: „Ihr ertragt es, wenn jemand euch knechtet, euch aufzehrt ..."

In V. 5 beginnt die eigentliche Narrenrede. Paulus behauptet von sich, in nichts hinter den Erzaposteln zurückzustehen (*μηδὲν ὑστερηκέναι τῶν ὑπερλίαν ἀποστόλων*). Behält man das oben zur dialektischen Weise der paulinischen Ausführungen Gesagte im Auge, so ist mit V. 5 „erklärt, daß Paulus hinter den 11,4 genannten Eindringlingen nicht zurückstehe"[97], und die These wird wahrscheinlich, daß die in V. 4 anvisierten Gegner mit den V. 5 genannten Erzaposteln identisch sind.

Die gleiche Folgerung ergibt sich aus *2Kor 12,11*: Paulus schreibt in 12,11a, die Korinther hätten ihn zur Narrheit gezwungen. Er hätte von den Korinthern empfohlen werden müssen (nicht seine Gegner). Paulus fährt fort: *οὐδὲν γὰρ ὑστέρησα τῶν ὑπερλίαν ἀποστόλων, εἰ καὶ οὐδέν εἰμι. 12. τὰ μὲν σημεῖα τοῦ ἀποστόλου κατειργάσθη ἐν ὑμῖν* (...). 13. *τί γάρ ἐστιν ὃ ἡσσώθητε ὑπὲρ τὰς λοιπὰς ἐκκλησίας, εἰ μὴ ὅτι αὐτὸς ἐγὼ οὐ κατενάρκησα ὑμῶν;*. Die Struktur von 2Kor 12,11ff ist dieselbe wie die oben besprochene (11,1ff): a) Kennzeichnung als Narrenrede (11,1/12,11a), b) „ich stehe in nichts hinter den Erzaposteln zurück" (11,5/12,11b); c) Beweis (11,6/12,12); d) Unterhaltsverzicht (11,7ff/12,13).

Diese Entsprechung zwischen 2Kor 11,1ff und 12,11ff legt die Annahme nahe, daß die in beiden Texten mit denselben Worten beschriebenen Erzapostel identisch sind. Da es sich in c) und d) eindeutig um Punkte handelt, die die *Gegner* gegen Paulus vorgebracht haben, ist es angesichts der dialektischen Redeweise des Apostels eindeutig, daß er die *eingedrungenen Gegner* als Erzapostel bezeichnet[98].

---

96 So die ältere Exegese. Hausrath, Vier-Capitel-Brief, nahm z.B. an: „Es ist demnach (...) von einem der zwölf Apostel die Rede, den die Judaisten nach Korinth eingeladen haben, um die dortigen Wirren zu schlichten" (a.a.O., S. 19). Vgl. weiter Käsemann, Legitimität, S. 480ff; Betz, Apostel, S. 9.

97 Kümmel, bei Lietzmann, 1.2Kor, S. 210.

98 Gegen Lüdemann, Antipaulinismus, S. 452, und, neben den dort Genannten, gegen Drane, Paul, S. 106; Reitzenstein, Mysterienreligionen, S. 367. Mit den

Wenn also Paulus ironisch von seinen Gegnern als Erz*apostel* spricht, so hat das u.a. darin seinen Grund, daß sie sich wirklich als Apostel bezeichneten.

Damit kommen wir zur Frage nach der theologischen und historischen Einordnung der Antipauliner aufgrund ihres Apostelitels: Die *historische* Frage ist eng mit dem Problem der Herkunft des Aposteltitels verbunden. Oben (S. 82f) wurde gezeigt, daß mit Sicherheit die Jerusalemer Gemeinde (unter Jakobus) einen sog. engen Apostelbegriff ausgebildet hatte. Daneben dürfte es einen weiten Apostelbegriff (reflektiert in Did 11,4) gegeben haben, der im syrischen Raum beheimatet war. Über sein Alter ist Näheres aus Quellenmangel nicht zu ermitteln. Dieser Befund verbietet es uns, ein sicheres Urteil darüber abzugeben, ob der Begriff ‚Apostel Christi' nach Jerusalem weist. Freilich ist sofort hinzuzufügen, daß nur dann Jerusalemer Ursprung nicht wahrscheinlich ist, wenn entscheidende Gegenargumente gegen eine solche Annahme vorgebracht werden können (vgl. weiter unten S. 141–143).

Eine *theologische* Charakterisierung der Gegner aufgrund des Aposteltitels ist wegen der strittigen Frage nach seiner Herkunft nicht angeraten.

4.2.6.3. Der Unterhalt der Antipauliner[99]

Im unmittelbaren Anschluß an die soeben behandelten Passagen (11,5f; 12,11f) erörtert Paulus – wie oben gezeigt – jeweils dieselbe Frage: seinen Unterhaltsverzicht (vgl. 11,7–9 mit 12,13). Diese Beobachtung zeigt, daß die Antipauliner einen Angriff gegen Paulus aufgrund seines Unterhaltsverzichtes richteten, den Paulus nur ironisch-sarkastisch zurückweisen kann. Dabei scheinen die Gegner im selben Atemzuge die Kollekte angegriffen zu haben. Zwar habe Paulus Unterhaltsverzicht geleistet, dafür habe er aber die Korinther mit List gefangen (2Kor 12,16; es folgt ein Hinweis auf die Sendung des Titus, die im Dienste der Kollekte stand).

---

meisten neueren Interpreten: Hahn, Apostolat, S. 58; Klein, Apostel, S. 58 A 248; Georgi, Gegner, S. 48; Betz, Apostel, S. 121; Bultmann, Probleme, S. 320. In älterer Zeit vertraten bereits das richtige Verständnis: Pfleiderer, Paulinismus, S. 320; Wrede, Paulus, S. 44 A 38; Dobschütz, Probleme, S. 106 A 2; Zahn, Einleitung, S. 218. – Thrall, Superapostles, meint neuerdings, der Ausdruck ‚Erzapostel' bezeichne einerseits die Jerusalemer Apostel, andererseits habe Paulus den Ausdruck für die Gegner benutzt, weil sie behaupteten, von Jerusalem gesandte Apostel zu sein. Dieser Vorschlag kompliziert die ohnehin schon verfahrene Sache sehr.

[99] Vgl. hierzu Betz, Paulus, S. 100ff (Lit.).

Ist Paulus somit auch im 2Kor wegen seines Unterhaltsverzichts angegriffen worden, so steht gleichzeitig fest, daß die Angreifer selbst sich von der Gemeinde haben unterhalten lassen. Das folgt aus 2Kor 11,20, wo Paulus polemisch davon spricht, die Korinther ertrügen, wenn jemand sie aufzehrt (κατεσθίει).

Historisch-theologisch läßt sich nun folgendes über den Vorwurf des Unterhaltsverzichts sagen: Die Attacke steht mit großer Wahrscheinlichkeit in Zusammenhang mit einer Kritik am Apostolat des Paulus, um so mehr, als die Gegner beanspruchten, Apostel zu sein. Das bedeutet nun aber: Die hier besprochene Attacke mag mit dem antipaulinischen Argument identisch sein, das 1Kor 9 zugrundeliegt, Paulus sei u.a. deswegen kein Apostel, weil er sich von der Gemeinde nicht unterhalten lasse. Für die weitere historisch-theologische Einordnung der Debatte sei auf das oben S. 111f Ausgeführte verwiesen. Hier ist nur noch zu betonen, daß im Falle der Identität der Antipauliner in 1 und 2Kor von dem hier erörterten Punkt ein Licht auf die bisher nur im Umriß gezeichneten Missionare fallen würde, deren Auftreten in Korinth zur Gründung der Kephaspartei geführt hatte. In diesem Fall würden die oben bereits angestellten Vermutungen entschieden zu bejahen sein, daß nämlich sich jene Missionare als Apostel bezeichnet hätten (s.o. S. 116f.124.132–135).

4.2.6.4. Das Pneumatikertum der Antipauliner

Oben wurde gesagt, daß die Korinther und die externen Gegner in der Pauluskritik bezüglich mangelnder pneumatischer Fähigkeiten übereinstimmen. Hier ist nur die Frage zu behandeln, ob sich die externe Kritik theologisch-historisch für die Herkunft der Antipauliner verwerten läßt.

Nun hatten wir für die 1Kor 9 zugrundeliegenden antipaulinischen Argumente Berührungen mit der Aussendungstradition festgestellt (s. S. 111), die den Evangeliumsverkündigern das Recht auf Unterhalt durch die Gemeinde zusprach. Mit der Aussendungstradition weisen die Argumente der Antipauliner auch in der Wunderfrage (s.o. S. 131) Übereinstimmung auf, vgl. Luk 10,8f[100]: *καὶ εἰς ἣν ἂν πόλιν εἰσέρχησθε (...) θεραπεύετε τοὺς ἐν αὐτῇ ἀσθενεῖς.* Ferner weist auch das Paulus von gegnerischer Seite vorgegebene Thema der Visionen und Offenbarungen des Herrn (2Kor 12,1) eine entfernte Berührung mit Q

---

100 Die Matthäusparallele (Mt 10,8) scheint gegenüber der obigen Lukasstelle sekundär zu sein (Schulz, Q, S. 406f).

auf: vgl. Mt 11,25–27/Luk 10,21f bezüglich des Offenbarungsmotivs[101, 102].

Damit ist es uns gelungen, zwei Bestandteile[103] des Pneumatikertums der (externen) Gegner traditionsgeschichtlich einzuordnen. Da die traditionsgeschichtliche Herleitung dieses Punktes mit der anderer gegnerischer Topoi übereinstimmt, bestätigt[104] sich auch bezüglich des gegnerischen Pneumatikertums die bisher vorgenommene historische Einordnung der Antipauliner des 2Kor.

4.2.6.5. Das Evangelium der Gegner

Nach Paulus predigen die Gegner einen anderen Jesus, als er den Korinthern verkündigte. Die Korinther empfangen aus dieser Verkündigung einen anderen Geist als durch die Verkündigung des Apostels und nehmen ein Evangelium bei sich auf, das nicht das des Paulus ist (11,4).

Es ist viel an dieser Stelle herumgerätselt worden. So nimmt Paulus nach W. Schmithals „mit der Erwähnung des *ἄλλος* Ἰησοῦς und des *ἕτερον εὐαγγέλιον* auf zwei zentrale und zugleich konkrete Lehrstücke der von ihm bekämpften Irrlehre Bezug". Daher „kann die Verkündigung des zugleich erwähnten *ἕτερον πνεῦμα* nicht viel weniger bedeutsam (...) gewesen sein."[105] Dieses Votum übersieht aber den polemischen Charakter unserer Stelle. Sie sagt in erster Linie etwas darüber aus, wie *Paulus* die Verkündigung der Gegner auffaßt,

---

101 Vgl. Lührmann, Offenbarungsverständnis, S. 59.

102 Zur Analyse von Mt 11,25–27 und zum Offenbarungsverständnis im Umkreis von Q vgl. Hoffmann, Studien, S. 106ff.

103 Nach Friedrich, Gegner, spricht freilich gegen die oben im Text nahegelegte palästinische Herkunft der Gegner „das Berufen auf Wunder und Visionen. Das rabbinische Judenchristentum aus Jerusalem ist nicht an Schauungen, sondern am Halten des geschriebenen Gesetzes interessiert" (a.a.O., S. 193). Der Gegensatz ‚Schauungen – Halten des Gesetzes' ist verfehlt. Weiter ist die Annahme, zZt des Paulus sei das Jerusalemer Christentum rabbinisch gewesen, anachronistisch.

104 Auch Georgi, Gegner, S. 208f, zieht die in der Aussendungsrede berichteten Wunder als Parallelen für die Antipauliner des 2Kor heran. Nur geht er m.E. darin in die Irre, die Gegner ganz unapokalyptisch zu zeichnen. Sein dafür als Rechtfertigung gedachter Hinweis auf die unapokalyptische Aussendungstradition bei Mk (a.a.O., S. 210) ist unzureichend, denn die Luk 10,2–12 gebotene Q-Tradition ist ursprünglicher als die Mk-Fassung (6,7–13): vgl. Schulz, Q, S. 408 A 32. Zur Kritik an Georgi in diesem Punkt vgl. Theißen, Studien, S. 222 A 3.

105 Schmithals, Gnosis, S. 158. – Zur Stelle (2Kor 11,4) vgl. noch Oostendorp, Jesus, S. 7–16.

nicht sosehr, was die Antipauliner vertreten haben. Von Lehrstücken zu sprechen, ist daher nicht möglich, um so weniger, als aus unseren Versen nicht klar wird, was denn nun die von Pauli Verkündigung abweichende Evangeliumspredigt der Gegner war.

Mit dieser Ablehnung eines bestimmten Rekonstruktionsversuches des Evangeliums der Antipauliner ist aber noch nicht alles den Inhalt der gegnerischen Verkündigung Betreffende gesagt. Denn eine Möglichkeit bietet sich an, um hier weiterzukommen, nämlich die Analyse von paulinischen Passagen außerhalb des 2Kor, die in der Polemik mit 2Kor 11,4 übereinstimmen:

Es ist schon immer aufgefallen, daß in Gal 1,6–9 eine enge Parallele zu 2Kor 11,4 vorliegt[106]: Paulus grenzt sich in beiden Texten polemisch von einer gegnerischen Verkündigung ab. Dabei führt er im 2Kor die Trias ‚Jesus, Geist, Evangelium' als Differenzpunkte an, während er im Gal allein vom ‚Evangelium' spricht. Den Gegensatz zwischen seiner und der gegnerischen Verkündigung bringt Paulus durch die Hinzufügung von *ἕτερον* (2Kor) bzw. *ἄλλο* (2Kor/Gal) zu den entsprechenden Begriffen zum Ausdruck.

Formuliert Paulus an beiden Stellen polemisch, so darf m.E. der Befund nicht überinterpretiert werden, daß Paulus in 2Kor 11 ‚Jesus, Geist und Evangelium' anführt, im Gal dagegen nur ‚Evangelium', dies um so weniger, als bei Paulus Evangelium christologischen und pneumatologischen Aspekt mitumfaßt[107]. Man kann es daher nicht für zufällig halten, daß in 2Kor 11,4 Evangelium am Ende der Trias steht. Es faßt sie in Wirklichkeit zusammen.

Jedenfalls wäre es falsch zu sagen: Paulus erfaßt in 2Kor 11,4 „den Unterschied zu den Gegnern viel präziser und dadurch radikaler als in der Galaterstelle. Die Differenz liegt vor allem in der Christologie. Das *ἄλλος Ἰησοῦς* meint nicht nur die äußerste Konsequenz eines vermuteten Gegensatzes, sondern den tatsächlichen Unterschied."[108] Verhielte es sich so, wie Georgi meint, wäre es doch rätselhaft, warum Paulus den Unterschied zu seinen Gegnern nicht präziser ausdrückte.

Wenn Paulus daher in 2Kor und Gal Gegner mit ähnlichen Wendungen angreift, so kann das einerseits durch die Ähnlichkeit der Geg-

---

106 Vgl. Borse, Standort, S. 84–91.

107 Vgl. Strecker, Evangelium, S. 524ff (= Eschaton, S. 204ff). Windisch hält die Dreiheit für rhetorisch (2Kor, S. 326f).

108 So Georgi, Gegner, S. 285.

nerfronten erklärt werden, andererseits aber auch aus der Polemik des Apostels[109].

Eine isolierte Betrachtung von Gal 1,6ff im Vergleich mit 2Kor 11,4 erlaubt somit keinen sicheren Schluß bezüglich der gegnerischen Front in 2Kor 11,4. Daher ist eine nähere historisch-theologische Einordnung des gegnerischen Evangeliums aufgrund von 2Kor 11,4 nicht möglich[110], obgleich natürlich die aufgewiesene Ähnlichkeit zwischen 2Kor 11,4 und Gal 1,6ff im Auge zu behalten ist.

4.2.6.6. Der Missionsbereich der Gegner[111]

Paulus spricht in 2Kor 10,15 unter deutlicher Anspielung auf seine Gegner davon, daß sie sich anderer Leute Arbeit rühmen. Er wagt es freilich nicht, sich mit ihnen zu vergleichen, die sich selbst empfehlen (V. 12a). Sie messen sich an sich selbst und vergleichen sich mit sich selbst und sind daher unverständig (V. 12b)[112]. Demgegenüber rühme sich Paulus nicht ins Maßlose (*εἰς τὰ ἄμετρα*), sondern nach dem Maß des Kanons, den ihm der Herr zugeteilt habe[113], sei er bis nach Korinth mit der Evangeliumsverkündigung gekommen (V. 13). Über Korinth hinaus plane er das Evangelium zu verkündigen, aber nicht (wie seine Gegner) in einem ihm nicht zustehenden Gebiet.

Die paulinischen Darlegungen reflektieren einen Einbruch von Gegnern in die korinthische Gemeinde. Nun hatten wir bereits oben gesehen, daß diese ihre Paulusfeindschaft schon nach Korinth mitgebracht hatten (S. 130–132). Obgleich eine Paulusfeindschaft aus der obigen Stelle (2Kor 10,12–16) nicht folgt, darf sie bei der weiteren Interpretation als sicher vorausgesetzt werden, so daß man von dem antipaulinischen Akt des Einbruchs in eine paulinische Gemeinde sprechen mag.

---

109 Vgl. Irenäus' Identifizierung von Valentinianern, Marcioniten und Ebioniten, die er im häretischen Kampf als Einheit auffaßt.

110 Am Rande sei bemerkt, daß ich eine Verknüpfung des ἄλλος Ἰησοῦς mit 2Kor 5,16 in der Weise, daß die Gegner auf ihren Umgang mit dem historischen Jesus verwiesen hätten, für unsicher halte und deswegen hier nicht darauf eingehe. Vgl. zum Problem Georgi, Gegner, S. 254ff; Blank, Paulus, S. 304–326 (Lit.); Oostendorp, Jesus, S. 52–58 (Lit.).

111 Zur Interpretation dieser Stelle vgl. neben den einschlägigen Kommentaren noch Barrett, Christianity, S. 291–294; ders., Opponents, S. 237f; Holmberg, Paul, S. 31.46f.

112 M.E. ist an der längeren Lesart festzuhalten: mit Kümmel, bei Lietzmann, 1.2Kor, S. 208f; Oostendorp, Jesus, S. 22f A 13, gegen Windisch, 2Kor, z.St.; Käsemann, Legitimität, S. 503f u.a.

113 Vgl. hierzu besonders Blank, Paulus, S. 203 A 31.

Läßt sich nun die antipaulinische Gegnerfront aufgrund von 2Kor 10, 12–16 historisch-theologisch einordnen?

Eine positive Antwort ergibt sich aus folgenden Beobachtungen: Paulus spricht in 2Kor 10,13 von einem ihm vom Herrn zugeteilten Kanon. Dieser „Kanon ist (...) die Missionierung der ganzen heidnischen Welt“[114], einschließlich Korinths. Es ist nun gut möglich, daß Paulus an der obigen Stelle an das Konkordat denkt, das er in Jerusalem mit den dortigen Vertretern geschlossen hat und das ihm und Barnabas die Heidenmission anvertraute. Ist diese Annahme richtig, so hält er den Korinthern vor, die Gegner hätten die Jerusalemer Abmachung nicht beachtet[115].

Diese Interpretations*möglichkeit* wird dann um einiges wahrscheinlicher, wenn wir 2Kor 10,13 mit 1Kor 9 vergleichen, wo ein Bezug auf das Jerusalemer Abkommen nicht nur möglich, sondern geradezu zwingend ist.

Setzen wir probeweise einmal als richtig voraus, daß 2Kor 10 auf das Abkommen anspielt, so führt Paulus zwei Argumente gegen die Eindringlinge an: a) sein Kanon, der dem Konkordat entspricht, b) die Existenz der korinthischen Gemeinde; vgl. 10,14: *οὐ γὰρ ὡς μὴ ἐφικνούμενοι εἰς ὑμᾶς (...) ἄχρι γὰρ καὶ ὑμῶν ἐφθάσαμεν ἐν τῷ εὐαγγελίῳ τοῦ Χριστοῦ* („Denn es ist ja nicht so, daß wir [tatsächlich] nicht bis zu euch gelangt wären [...], sondern wir sind wirklich bis zu euch in der Verkündigung des Evangeliums gelangt“). Mit diesem Satz will Paulus ausdrücken: „Da ich (...) eure Gemeinde begründet habe, bin ich von Gott beglaubigt“[116].

Dieselben beiden Punkte erscheinen in 1Kor 9: a) Hinweis auf das Konkordat (V. 5), b) Beglaubigung des paulinischen Apostolats durch die Gemeinde (V. 3). Obgleich der jeweilige Hinweis auf das Konkordat eine verschiedene Funktion hat, so bleibt der Gebrauch der beiden Argumente gegenüber der Gemeinde als Verteidigung gegen die Gegner um so bemerkenswerter. Sie legen nicht nur einen Zusammenhang zwischen der externen Gegnerschaft des 1 und 2Kor nahe, sondern machen überdies deren jerusalemischen Ursprung immer wahrscheinlicher.

---

114 Theißen, Studien, S. 224. Geographisches Verständnis von *κανών* (so Windisch, 2Kor, S. 310) ist mit Beyer, Art. *κανών*, in: ThWNT III, S. 603f, kritisch zu hinterfragen.

115 So Barrett, Opponents, S. 238.

116 Lietzmann, 2Kor, z.St. Vgl. auch Betz, Apostel, S. 130–136.

4.2.7. *Die Antipauliner in 1 und 2Kor und ihre jerusalemische Herkunft*

Die Unterschiede des Antipaulinismus in den beiden Korintherbriefen sind bereits oben mehrfach zur Sprache gekommen (s. S. 124f.130) und brauchen nicht wiederholt zu werden. Hier geht es darum, seine Träger zusammenfassend zu behandeln und ihr unterschiedliches Verhältnis zur Gemeinde zZt des 1 und 2Kor darzulegen.

Die Antipauliner hatten zZt des 1Kor die Stadt wieder verlassen, aber eine Anhängerschaft in der Gemeinde gefunden, die Kephaspartei. Diese bedrohte die Einheit der Gesamtgemeinde freilich noch nicht. Zwischen dem 1 und 2Kor erfolgte ein erneuter Einbruch von Antipaulinern in die Gemeinde, der von allergrößtem Erfolg begleitet war und in Verbindung mit der inzwischen gewachsenen innerkorinthischen Kritik am Apostel die Einheit der Gemeinde ernsthaft bedrohte.

Wie steht es nun mit dem Verhältnis der externen Antipauliner des 1Kor zu denen des 2Kor?

Folgende übereinstimmende Merkmale der Antipauliner beider Briefe bestehen:

1. Die Gegner beider Briefe bezweifelten den Apostolat des Paulus: im 1Kor aufgrund seines Unterhaltsverzichts und aus chronologischen und sachlichen (fehlende Bindung an Jerusalem) Gründen, im 2Kor u.a. wegen fehlender Apostelzeichen;

2. die Gegner beider Briefe nahmen den Unterhalt der Gemeinde in Anspruch;

3. sie nannten sich Apostel;

4. traditionsgeschichtlich lassen sich Anschauungen beider Gegnergruppen der Aussendungstradition zuordnen.

Man wird daher einen historischen Zusammenhang der externen Antipauliner beider Briefe für sicher halten müssen, was die weitere Folgerung erlaubt: Die Gegnerfront hat eine enge Beziehung zur Jerusalemer Konferenz (s.o. S. 113.140).

Nun wird gegen die oben erneut begründete These vom judenchristlich-jerusalemischen Ursprung der paulinischen Opposition seit den Arbeiten von W. Lütgert[117] eingewandt, die Antipauliner könnten schon deswegen nicht mit Jerusalem in Verbindung gebracht wer-

---

117 Vgl. besonders Lütgert, Freiheitspredigt, S. 41–47.

den, weil Paulus „die judaistischen Hauptforderungen, Beschneidung und Gesetzlichkeit (...) gerade nicht" bekämpft[118].

Dieses Argument überzeugt aus mehreren Gründen religionsgeschichtlicher und historischer Art nicht. Wir behandeln die Frage zunächst aus historischer Sicht und erörtern a) die Frage der Beschneidung, b) die der ‚Gesetzlichkeit'.

a) Die Stellung der Jerusalemer Gemeinde war zur Frage der Gesetzesobservanz der Heidenchristen nicht einheitlich. Wir kennen mit Sicherheit zwei Fraktionen in Jerusalem, die in dieser Frage eine einander ausschließende Haltung eingenommen haben: eine Gruppe verlangte die Beschneidung der Heidenchristen, die andere nicht. Die Mehrheit hatte sich wahrscheinlich noch nicht entschieden. Die Säulen haben sich zZt der Konferenz gegen die zuerst genannte Fraktion ausgesprochen, obgleich sie untereinander theologisch durchaus nicht einer Meinung waren. So hat Kephas mit Sicherheit (s. Gal 2,11ff) eine liberale Haltung gegenüber den Heidenchristen vertreten und mußte schon von daher einer (beschneidungsfreien) Heidenmission zugeneigt sein. Für Jakobus ist gerade aus Gal 2,11ff eine eher konservativere Haltung zu erschließen – auch gegenüber der (beschneidungsfreien) Heidenmission. Doch hat er die letztere zZt der Konferenz befürwortet. Über die Ansichten des Johannes wissen wir sonst gar nichts.

Aus diesen Überlegungen geht nun eindeutig hervor, daß das Fehlen der Beschneidungsthematik kein Argument gegen die Herkunft der externen korinthischen Antipauliner aus Jerusalem ist. Weiter geht es nicht an, daraus, daß Paulus ein Abkommen mit dem die gesetzesfreie Heidenmission befürwortenden Teil der Jerusalemer Gemeinde geschlossen hat, zu folgern, daß ihm in der Folgezeit von dieser Seite her keine Opposition mehr erwachsen konnte, sondern allenfalls von den ‚falschen Brüdern', die in Jerusalem die Beschneidung der Heidenchristen vertraten. Denn einmal waren die Übergänge zwischen den Fraktionen fließend und sodann mögen sich Situationen ergeben haben, die eine Opposition Jerusalemer Kreise in den paulinischen Gemeinden hervorriefen. Schließlich ist darauf zu verweisen, daß im 2. Jahrhundert die in Justin, Dial 47, geschilderten Judenchri-

---

[118] Vielhauer, Geschichte, S. 149 (ihm folgt ähnlich Kümmel, Einleitung, S. 247; doch vgl. dazu bereits Windisch, 2Kor, S. 26). Im übrigen eignet sich der Ausdruck ‚Gesetzlichkeit' nicht zur historischen Erfassung einer Gruppe und ihrer Überzeugungen, da er bereits wertet. Vielhauer meint: Beobachtung von Gesetzen, die jüdischen Ursprungs sind.

sten in der Frage der Beschneidung von Heidenchristen geteilter Meinung waren, obgleich sie wohl in der Pauluskritik übereinstimmten (s.u. S. 211 mit A 29).

b) Was schließlich das Fehlen der „Gesetzlichkeit" in der korinthischen Gegnerdebatte angeht, so ergibt sich auch daraus kein Argument gegen eine jerusalemische Herkunft der Gegner. Denn die Frage der Gesetzesobservanz wurde – abgesehen von der Beschneidungsfrage – auf der Konferenz, soweit es aus Gal ersichtlich ist, nicht erörtert. Ihr Fehlen kann daher nicht als Argument gegen die obige These angeführt werden. ‚Gesetzliche' Forderungen könnten außerdem nur dann Existenzhinweise auf ein Jerusalemer Christentum in den paulinischen Gemeinden sein, wenn diese keine Gesetze gehabt hätten und diese ihnen von den Jerusalemer Eindringlingen übermittelt worden wären. Davon kann aber schon deswegen keine Rede sein, weil ethische Weisungen *jüdischen* Ursprungs Bestandteil der Gründungspredigt des Paulus waren[119].

Von der *Religionsgeschichte* her ist zu dem obigen Urteil Vielhauers folgendes zu bemerken: Die hier stattfindende Diskussion hat eine Parallele in der Frage, wie im Judentum das Verhältnis der Juden zu den Heiden aufgefaßt wurde, soweit die letzteren sich jüdischen Gemeinden anschließen wollten. Man unterschied bei der Erörterung dieser Frage zwei verschiedene Arten von Anschluß[120], den als Proselyt und den als Gottesfürchtiger. Der Proselyt wurde beschnitten, der Gottesfürchtige aber nicht. Unter der Voraussetzung, daß die Jerusalemer die hinzugekommenen Heiden(christen) als Proselyten auffaßten, hätten sie beschnitten werden müssen, als Gottesfürchtige jedoch nicht. Da nicht ausgeschlossen werden kann, daß die Jerusalemer die Heidenchristen als Gottesfürchtige auffaßten, vermögen auch religionsgeschichtliche Überlegungen nicht, dem obigen Einwand Vielhauers gegen die ‚Judaistenthese' zum Durchbruch zu verhelfen.

Es bleibt daher dabei: Die externen Antipauliner des 1 und 2Kor waren jerusalemische Judenchristen, die nach der Konferenz, auf der sie anwesend waren, Paulus in seiner eigenen korinthischen Gemeinde angegriffen haben[121].

---

119 Vgl. dazu bei im einzelnen anfechtbarer Begründung Davies, Paul, S. 111ff; Seeberg, Katechismus, S. 1–44.

120 Vgl. zu den Gottesfürchtigen und Proselyten Schürer III, S. 150–188, und die in Band I, S. 96 A 84.85, genannte Literatur.

121 Zur weiteren theologischen und historischen Erfassung der Gegnerfront muß auf S. 162–165 verwiesen werden.

4.3. Gal[122]

Wir fragen zunächst nach eindeutigen Reflektionen von Antipaulinismus und stellen im Anschluß daran – gemäß der oben (S. 57) beschriebenen Methode – zweitens die Frage nach dem Verhältnis des Antipaulinismus zur Theologie der Gegner. Drittens ist zu klären, ob der Antipaulinismus judenchristlich ist, und viertens, wie er sich historisch verständlich machen läßt.

4.3.1. Antipaulinismus in Galatien

Gal 1,6ff gibt einen Hinweis auf eine antipaulinische Agitation in Galatien. Eine Personengruppe (τινες) hat den Galatern ein Evangelium gepredigt, das in striktem Gegensatz zum paulinischen steht. Die Galater schenk(t)en dieser Verkündigung Glauben, was Paulus nur als Abfall bezeichnen kann (V. 6). Zwar sagt Paulus nicht ausdrücklich, daß die betreffenden Leute ihn angegriffen hätten. Doch folgt das mit Sicherheit aus dem Inhalt ihres Evangeliums (s. sofort) und daraus, daß Galatien eine paulinische Gründung war. Wenn fremde Verkündiger hier Einfluß gewinnen wollten, so konnte das nur unter Kritik an Paulus geschehen.

Ein weiteres antipaulinisches Element ist aus dem Inhalt der gegnerischen Verkündigung zu erschließen: Die Gegner haben versucht, die Beschneidung der Galater einzuführen (6,12) sowie weitere Gesetzesvorschriften, die in 4,10 aufgeführt werden, nämlich die Observanz von Tagen, Monaten und Jahren[123]. Die Beschneidungsforderung steht in striktem Gegensatz zur paulinischen Praxis, Heiden ohne Beschneidung in die Gemeinde aufzunehmen, und ist von daher antipaulinisch. Das gleiche gilt von den anderen Gesetzesvorschriften[124], denn sie waren nicht Bestandteil paulinischer Überlieferung an seine heidenchristlichen Gemeinden.

---

122 Vgl. zum folgenden bereits Band I, S. 58–60 und passim. Die nachstehenden Ausführungen schließen sich daran an – unter besonderer Berücksichtigung der verschiedenen Fragestellung.

123 Vgl. Lührmann, Tage.

124 Paulus spielt hier wohl auf den jüdischen Festkalender an (vgl. ebenso die Kommentare: Burton, Lagrange, Lietzmann, Oepke). Es ist m.E. unangemessen zu sagen, „the cultic activities described in v 10 are not typical of Judaism" (Betz, Gal, z.St.). Vgl. hierzu schön Lührmann, Gal: „Eine Verbindung des Gesetzes mit den Weltelementen und dem von den Gestirnen abhängigen Lauf der Welt ist (...) im Judentum durchaus nachweisbar, und damit auch bei den

Sodann hat die Opposition wahrscheinlich den Apostolat Pauli bestritten[125]. Diese Annahme legt sich aus einer Kombination von Gal 1,1 mit 1,12 nahe. An der Spitze des Gal steht der Anspruch des Paulus, Apostel zu sein. Paulus ist Apostel nicht von Menschen oder durch einen Menschen, sondern durch Jesus Christus und Gott, der ihn (sc. Jesus) von den Toten erweckt hat. D.h., Pauli Apostolat hat einen eschatologischen Ursprung.

In V. 12 kommt Paulus auf die eingangs gemachte Behauptung zurück. *Daß* ein Zusammenhang zwischen beiden Stellen vorliegt, geht aus derselben Antithese ‚Mensch-Gott' hervor, die nach V. 1 in V. 12 wiederaufgenommen wird: vgl. *οὐδὲ γὰρ ἐγὼ παρὰ ἀνθρώπου παρέλαβον αὐτὸ (...) ἀλλὰ δι' ἀποκαλύψεως Ἰησοῦ Χριστοῦ*. In V. 15f führt Paulus die Offenbarung Christi inhaltlich aus: Sie ist mit der Sendung Pauli zu den Heiden identisch und christologisch begründet. Die Offenbarung Jesu Christi ist für Paulus die Berufung zum Apostel (der Heiden)[126].

Die so ausgeführte Betonung (der Unabhängigkeit) des paulinischen Apostolats läßt sich m.E. am besten verstehen, wenn ihm von gegnerischer Seite die Rechtmäßigkeit dazu abgestritten worden war.

Schließlich bestand eine weitere antipaulinische Attacke darin, Paulus Abhängigkeit von den Jerusalemer Größen vorzuhalten. Diese Annahme wird nahegelegt durch Pauli ausführliche Behandlung seines Verhältnisses zur Jerusalemer Gemeinde und die wiederholte Betonung, von ihr unabhängig zu sein (1,17; 2,2)[127]. Das Thema der

---

neuen Lehrern in Galatien denkbar, ohne daß man darin fremde Einflüsse zu sehen braucht. Hier lag gerade ein starkes werbendes Motiv der jüdischen Mission für das Gesetz gegenüber dem Heidentum, weil Elementarfragen der Menschen angesprochen wurden – erst Paulus diffamiert das als gleichbedeutend mit Götzendienst" (S. 72f).

125 Mit Burton, Gal, S. 2; Lietzmann, Gal, S. 3 (L. verweist im Zusammenhang dieser zu Gal 1,1 gemachten Feststellung auf seine Exegese von Gal 1,13ff, kommt hier aber nicht mehr darauf zurück); Lagrange, Gal, S. XXXI; Schlier, Gal, S. 28: „In paulinischer Terminologie wäre er in ihren (sc. der Gegner) Augen jedenfalls so etwas wie die *ἀπόστολοι ἐκκλησιῶν*, die Röm 16,17 2Kor 8,23 Phil 2,25 erwähnt sind."

126 Daß es im Kontext um den Apostolat (des Paulus) geht, zeigt auch Gal 1,17: Paulus ging nicht zu denen, die vor ihm *Apostel* waren.

127 Paulus verteidigt in Gal 1f die Unabhängigkeit seines Apostolats und Evangeliums. Die Argumente von Howard, Paul, gegen eine solche These können nicht überzeugen. Howard bestimmt die Funktion von Gal 1–2 freilich wie folgt: „Paul's account of the belatedness and the infrequency of his Jerusalem visits, in our view, was to inform the Galatians that he did not tell the Jerusalem apostles of the uniqueness of his apostolic call until his fourteen-year visit.

Unabhängigkeit seiner Verkündigung kommt bekanntlich bereits im Präskript zur Sprache (1,1). Insofern ist die Behauptung, Paulus sei abhängig von Jerusalem, Seitenstück der soeben aufgewiesenen Bestreitung der Rechtmäßigkeit des Apostolats des Paulus.

Nun ist allerdings zu bemerken, daß die hier besprochene Attacke zwei mögliche Interpretationen zuläßt: 1. Die Gegner *verklagten* Paulus auf eine Abhängigkeit von Jerusalem. Der Sinn ist dann: Pauli Verkündigung ist unglaubwürdig, weil er von Jerusalem abhängig ist[128]. 2. Die Gegner wiesen auf die Abhängigkeit des Paulus von Jerusalem hin. Der Sinn des Hinweises ist dann: Paulus ist in unzulässiger Weise von den Jerusalemern abgewichen und maßt sich ihnen gegenüber seine Unabhängigkeit an[129].

Eine Entscheidung in der hier angeschnittenen Frage ist erst nach Ausführung der oben angekündigten Analysen möglich.

Zwei weitere Stellen (Gal 1,10; 5,11), die zuweilen zur Rekonstruktion antipaulinischer Vorwürfe angesehen werden, reflektieren nicht Antipaulinismus, sondern gehen auf das Konto des Polemikers Paulus (s. Band I, S. 68–72).

4.3.2. *Antipaulinismus und die Theologie der Gegner*

In diesem Abschnitt seien die oben S. 144 unter zweitens und drittens aufgeführten Fragen zusammen besprochen.

Die Gegner des Paulus sind ohne Zweifel *christliche* Prediger. Weiter erweisen die oben aufgeführten Einzelheiten der gegnerischen Verkündigung (Beschneidungsforderung[130], Observanz von Tagen etc.)

During the first three years he told them absolutely nothing" (a.a.O., S. 21). Die galatischen Gegner hätten angenommen, daß für Paulus die Beschneidung selbstverständlicher Bestandteil seiner Verkündigung gewesen sei (a.a.O., S. 44) und hätten Paulus gar nicht angegriffen. Paulus hielt seine Berufung zum Heidenapostel von den christlichen Gemeinden Palästinas und Kephas zurück und unterrichtete die Gemeinden Jerusalems erst bei seinem Gal 2,1ff geschilderten Besuch hiervon (Gal 2,2: κατὰ ἀποκάλυψιν übersetzt H. mit „on account of my initial revelation of Jesus Christ", a.a.O., S. 38). Die galatischen Gegner hätten von der Jerusalemer Übereinkunft nicht gewußt: „It no doubt took time after the initial disclosure of the revelation for the apostles to inform the church (sic!) of the new developments in the Gentile mission" (a.a.O., S. 44).

128 So Schmithals, Häretiker, S. 16.

129 Vgl. Band I, S. 60ff (Lit.).

130 Die Motivation für die Beschneidungsforderung ist freilich umstritten. Suhl, Paulus, S. 15–20, veranschlagt politisch-taktische Motive: die Gegner propagierten die Beschneidung, damit sie sich vor den jüdischen Behörden brüsten und

sie als Judenchristen, wenn man die oben S. 54f benutzte Definition von Judenchristentum zugrundelegt.

Nun hat W. Lütgert[131] diese alte These dadurch modifizieren wollen, daß er eine zweite gegnerische Front in Galatien zu erkennen glaubte, die libertinistisch sei (wegen 5,1.3.13; 6,3) und die Paulus in 6,1 anrede („ihr, die ihr geistlich [*πνευματικοί*] seid"). Doch schlägt das nicht durch. Denn die betreffende Anrede bezieht sich eindeutig auf die ganze Gemeinde[132] und die zwecks Stützung einer zweiten (libertinistischen) Front angeführten Stellen können die Behauptung Lütgerts ebenfalls nicht tragen, weil sie nur die paulinische Standardlehre (vgl. 5,21) der Erstverkündigung[133] wiedergeben[134].

---

die Kollekte annehmen konnten (ähnlich Jewett, Agitators, S. 204ff, doch ohne Bezug auf die Kollekte: vgl. zu Jewett, Agitators, Suhl, Paulus, S. 17 A 9). Suhl sieht eine Parallele in der antiochenischen Situation. Das dürfte richtig sein. Da aber in Antiochien nicht eine Kollekte zur Debatte stand, muß hier eine andere Motivation für das Eingreifen der Jakobusleute in Anschlag gebracht werden (s.o. S. 64f). Auch in Galatien sind primär theologische Gründe für das Eingreifen der Gegner ausschlaggebend. Das Argument Suhls, daß der Verweis Pauli auf die gemeinsame Glaubensgrundlage zwischen Petrus und Paulus in Gal 2,11ff beweise, daß keine Differenzen zwischen Jerusalem und Paulus vorhanden seien (Suhl, a.a.O., S. 72) verfängt nicht: Folgte man der Logik Suhls, wären alle maßgeblichen Jerusalemer Pauliner. Bereits beim Jerusalemer Konvent hatte sich Paulus doch bereits der Beschneidungsforderung zu erwehren. Welche politischen Rücksichten waren dort im Spiel? Warum wurde Paulus überhaupt noch um eine Kollekte gebeten, obgleich er sich der Beschneidungsforderung erwehren konnte? Marxsen, Einleitung, S. 70, schließt sich der Position Suhls bezüglich der gegnerischen Front in Galatien an. Er schreibt: „Nun war es aber (wie Suhl, S. 18ff – im Anschluß an M. Hengel: Die Zeloten, 1961, S. 204–211 – zeigt) den Juden verboten, heidnische Gaben anzunehmen" (ebd.). Aus einer gewagten Rückdatierung eines Gesetzes aus der Zeit unmittelbar vor Ausbruch des Jüdischen Krieges ist hier eine sicher falsche Pauschalfeststellung geworden.

131 Lütgert, Gesetz. Seine These wurde aufgenommen von Ropes, Problem.

132 Gegen Lütgert, Gesetz, S. 12ff. Vgl. Betz, Geist, S. 80.

133 Zu Lütgert, Gesetz, S. 17ff.

134 Schmithals, Häretiker, knüpft ebenfalls an Lütgert, Gesetz, an, will aber im Gegensatz zu Lütgert nur *eine* Gegnerfront anerkennen. Da er Lütgert in der oben diskutierten Frage des Libertinismus in Galatien folgt, treffen die dort gemachten Beobachtungen auch seine These. – Auch Drane, Paul, S. 78–94, weist m.R. ausführlich (allerdings mit z.T. problematischer Beweisführung) die Thesen Lütgerts, Ropes' und Schmithals' zum Gal zurück. Seine Darlegungen bleiben aber deswegen unbefriedigend, weil die Judaisten in Galatien dann doch wieder als Falschbrüder (im wahrsten Sinne des Wortes) hingestellt werden, die keinen Rückhalt bei den Jerusalemern hatten. Überdies sieht Drane – verfehlt – Gal als ältesten Paulusbrief an (a.a.O., S. 116ff.140ff: Gal 2,1–10 ~ Apg 11, 27–30).

4.3.3. Historische Einordnung des judenchristlichen Antipaulinismus der Gegner

Paulus verteidigt sich in Gal 1,15ff gegen den Vorwurf einer Abhängigkeit seines Evangeliums von Jerusalem. Die behauptete Abhängigkeit falsifiziert er einmal chronologisch-biographisch: Er ist nach der Berufung nicht nach Jerusalem gegangen zu denen, die vor ihm Apostel waren (V. 17). Als er drei Jahre später nach Jerusalem ging, geschah das nur zum Zweck, Kephas kennenzulernen. Er blieb aber nur 2 Wochen. Erst 14 Jahre später ging er wieder nach Jerusalem – gemäß einer Offenbarung (2,1f).

Sodann widerlegt Paulus die behauptete Abhängigkeit von Jerusalem durch ein Referat der Verhandlungen auf der Konferenz und durch die Schilderung des Zwischenfalls von Antiochien, bei dem er einer der Säulen öffentlich widerstand. In Jerusalem wurde er als gleichberechtigter Verhandlungspartner anerkannt, und die drei Säulen nahmen von der Gnade Kenntnis, die auf Pauli Missionswerk ruhte.

Es ist nun auffällig, daß Paulus nicht von der expliziten Anerkenntnis seines Apostolats durch die Jerusalemer berichtet, was eine – vielleicht die wichtigste – antipaulinische Attacke seiner galatischen Kontrahenten zum Schweigen gebracht hätte (s. auch oben S. 145).

Freilich ist es ebenso auffällig, daß Paulus herausstellt, die Säulen hätten die gegenüber Titus geäußerte Beschneidungsforderung zurückgewiesen, denn darum ging es ja auch in der galatischen Debatte.

Schließlich ist es bemerkenswert, daß trotz des Abkommens mit den Säulen Paulus diese ironisiert. Diese nicht unumstrittene Behauptung geht aus folgendem hervor: Paulus spricht in seinem Bericht von der Konferenz viermal von denen, die im Ansehen stehen (vgl. V. 2: *τοῖς δοκοῦσιν*, V. 6a: *τῶν δοκούντων εἶναί τι*, V. 6c: *οἱ δοκοῦντες*, V. 9: *οἱ δοκοῦντες στῦλοι εἶναι*). Nun wird die obige Wendung in der Graecität überwiegend in ironischem[135], aber auch in tatsächlichem[136] Sinne gebraucht, so daß der Befund zweideutig ist. Dazu tritt die Beobachtung, daß bei Paulus (ohne Gal 2) von 14 Wendungen mit *δοκεῖν* etwa die Hälfte Schein und nicht Sein signalisieren[137]. Die Entscheidung für den ironischen Sinn der Wendung in Gal 2 liefert schließlich der Kontext, V. 6: „Aber von seiten der

---

135 Plato, Apol 21B; 21C; 35A. Vgl. weitere Stellen bei Barrett, Paul, S. 2f.

136 Euripides, Hec 294f.

137 1Kor 3,18; 8,2; 10,12; 2Kor 10,9; 12,19. Die beste Parallele steht in Gal 6,3: *εἰ γὰρ δοκεῖ τις εἶναί τι μηδὲν ὤν, φρεναπατᾷ ἑαυτόν*. Vgl. noch Phil 3,4.

Angesehenen – *wie viel immer sie gelten*[138], *macht mir nichts aus: Gott sieht des Menschen Person nicht an (...)*"

Mit diesem Nachsatz relativiert Paulus jegliche besonderen Qualitäten von menschlichen Autoritäten, einschließlich solche der ,Geltenden' in Jerusalem. Damit wird gleichzeitig ein Licht auf die Interpretation der Wendung „die Geltenden" in Gal 2 geworfen, d.h. es hat an allen Stellen einen dialektisch-ironischen Sinn. Einerseits steht die betreffende Personengruppe in Ansehen. Andererseits muß sie sich vom in V. 6 ausgesprochenen Grundsatz her Kritik gefallen lassen, sofern sie nämlich von Gott her mehr zu sein vorgibt, als sie wirklich ist[139].

Die oben gemachten drei Beobachtungen legen die Annahme nahe, die galatische Kontroverse sei eine Fortsetzung des jerusalemischen Streits. Die Gegner des Paulus sind mit den sogenannten falschen Brüdern identisch, die auf der Konferenz die Beschneidung des Titus nicht durchsetzen konnten[140] und offensichtlich dem dort geschlossenen Abkommen nicht beigetreten sind. Aus diesem Grunde drangen sie in die heidenchristlichen galatischen Gemeinden ein, vertraten hier ebenso wie bereits in Jerusalem die Beschneidung der Heidenchristen und brachten offensichtlich die Kollekte zum Erliegen[141]. Sie polemisierten gegen Paulus unter Bezug auf die Jerusalemer Autoritäten und wiesen darauf hin, daß Paulus von ihnen nicht als gleichberechtigter Apostel anerkannt worden sei. Hier lag in der Tat ein wunder Punkt, denn Paulus hatte das Jerusalemer Abkommen offensichtlich in diesem Sinne ausgelegt und versteht es auch so im Gal, obgleich er die Wahrheit der gegnerischen Argumentation nicht bestreiten kann.

Es ist nun nicht völlig klar, ob die Gegner in Jerusalem Rückendeckung hatten. Klar ist nur, daß Paulus gerade dies durch seine Darlegungen in Frage stellen will, indem er das den Jerusalemer Abmachungen nicht gemäße Verhalten seiner Gegner aufweist. Da Paulus jedoch selbst das Jerusalemer Abkommen einseitig interpretiert und im Gal die Tora einer Kritik unterzieht, welche in Jerusalem mit Sicherheit auf Widerstand hätte stoßen müssen (und überdies nicht dem Geist des Abkommens entsprach), müssen wir wegen der *neuen Situation* mit einer Antwort auf die Frage des Rückhalts der galatischen Gegner in Jerusalem noch zurückhalten. Das bedeutet: Jene Antwort kann nur aufgrund allgemeiner Erwägungen gegeben werden,

---

138 Zur präsentischen Übersetzung von ησαν vgl. Band I, S. 92 A 74.
139 Das Obige gegen Lietzmann, Gal, S. 10.
140 Vgl. ähnlich Oepke, Gal, S. 212f.
141 Band I, S. 117.

die den verschiedenen Entwicklungen in den paulinischen Gemeinden, bei Paulus und (!) auch in Jerusalem Rechnung tragen[142].

Nun sind die obigen Darlegungen zur historischen Herkunft der galatischen Antipauliner gelegentlich mit dem Hinweis auf Gal 5,3 und 6,13 in Frage gestellt worden. Hierauf ist an dieser Stelle abschließend einzugehen:

Gal 6,13: *οὐδὲ γὰρ οἱ περιτεμνόμενοι αὐτοὶ νόμον φυλάσσουσιν, ἀλλὰ θέλουσιν ὑμᾶς περιτέμνεσθαι, ἵνα ἐν τῇ ὑμετέρᾳ σαρκὶ καυχήσωνται.* Das Präsens *περιτεμνόμενοι* hat schon in alter Zeit Anstoß bereitet und zu Textänderungen geführt[143]. Es heißt wörtlich „die, die sich beschneiden lassen“, so daß – isoliert betrachtet – es sich auf Leute bezieht, die sich in der Gegenwart beschneiden lassen (= Heiden). Daraus hat E. Hirsch den Schluß gezogen, es handele sich bei den Antipaulinern in Galatien um judaistische Heidenchristen[144]. Hieraus falle Licht auf Paulus' Aussage in 6,13: Daß „Heiden, die sich beschneiden lassen, das Gesetz nicht ebenso halten können wie die gebürtigen Juden, versteht sich von selbst. Denn zum Halten des Gesetzes gehört (...) durch Erziehung von Jugend auf erworbenes Wissen und Übung“[145].

Das iterative Präsens kann aber aus mehreren Gründen kaum die Beweislast der These tragen. Gegen sie spricht folgendes:

a) Der Kontext legt nahe, daß das Subjekt von V. 12 und V. 13 dasselbe ist (vgl. *εὐπροσωπῆσαι ἐν σαρκί* V. 12 mit *ἐν τῇ ὑμετέρᾳ σαρκὶ καυχήσωνται* V. 13)[146].

---

142 Die Entscheidung, die Ritschl verficht, ist darum voreilig; vgl. ders., Entstehung, S. 128 A 1: „Die Auffassung des Standpunktes der Urapostel hängt von dem Dilemma ab: entweder beurtheilen wir sie nach dem Standpunkt der judenchristlichen Parthei, welche sie als Auktoritäten anführt, oder aber nach den neutestamentlichen Schriften. Ich wähle die letztere Basis (...) weil gerade der Galaterbrief beweist, daß die Gegner des Paulus in Galatien sich in lügenhafter Weise auf die Urapostel berufen haben.“

143 Wichtige Textzeugen lesen *περιτετμημένοι*. Die Übersetzung ist dann eindeutig: „die, die beschnitten worden sind“ = Juden. Zur textkritischen Ursprünglichkeit des Präsens vgl. Richardson, Israel, S. 84ff.

144 Hirsch, Fragen, S. 193. Zur Kritik an Hirsch vgl. Holtzmann, Hirsch; Goguel, Apôtre, S. 483–488. Vorher hatte sich bereits de Wette, Lehrbuch, S. 222, unter Bezug auf Gal 6,13 (5,12) wie Hirsch geäußert.

145 Hirsch, Fragen, S. 194.

146 Vgl. Jewett, Agitators, S. 202f; Smith, Problems, S. 119f A 20. Zur Diskussion vgl. noch Howard, Paul, S. 17ff. -- Betz, Gal, S. 316, ist m.E. in der hier angeschnittenen Frage zu skeptisch.

b) Die Wendung *ἀναγκάζουσιν ὑμᾶς περιτέμνεσθαι* (V. 12) weist auf geborene Juden als Subjekt des Satzes[147]. Sie entspricht V. 13: *θέλουσιν ὑμᾶς περιτέμνεσθαι*. Das iterative Präsens *οἱ περιτεμνόμενοι* will dann lediglich sagen, daß die Gegner die Beschneidungsforderung vertreten[148]. Denn „Paul is not concerned here with the presence of circumcised persons – like himself – in the church; he is concerned instead with those who now demand circumcision for Gentile Christians. Thus the present tense of the participle is demanded by the argumentative situation."[149]

c) Schließlich wird man auch Hirschs weiteres Argument zurückweisen müssen, Pauli Behauptung, die Gegner beachteten selbst das Gesetz nicht, sei dadurch bedingt, daß sie ehemalige Heiden seien. Sie ist vielmehr durch des Apostels generelle Anschauung bedingt, daß *niemand* das Gesetz erfüllen könne[150]. Von dieser theologischen Ansicht zu der Polemik in Gal 6,13 ist es nur ein kleiner Schritt.

Die Einsicht, daß Paulus die Gesetzerfüllung aus theologischen Gründen für unmöglich hielt, gibt uns auch den Schlüssel für eine angemessene Interpretation von Gal 5,3: *μαρτύρομαι δὲ πάλιν παντὶ ἀνθρώπῳ περιτεμνομένῳ ὅτι ὀφειλέτης ἐστὶν ὅλον τὸν νόμον ποιῆσαι*. Paulus schärft hier ein, daß jeder, der sich beschneiden läßt, das ganze Gesetz halten muß. Ein solcher Akt (der Beschneidung) bedeutet ein Abfallen von der Gnade (V. 4). Paulus formuliert hier im Blick auf die gegenwärtig gegenüber den Galatern vertretene Beschneidungsforderung, wie vor allem der vorhergehende V. 2 zeigt: „Wenn ihr euch beschneiden laßt, wird euch Christus nichts nützen."

W. Schmithals schreibt freilich zu Gal 5,3:

„Anscheinend konnte den Galatern das (sc. die Notwendigkeit für den, der sich beschneiden läßt, das ganze Gesetz zu halten) aus der Verkündigung der Irrlehrer nicht klar werden. Kein Wunder! Muß Paulus doch feststellen, daß die Beschnittenen *selbst νόμον οὐ φυλάσσουσιν* (Gal. 6,13), und das bedeutet offensichtlich einen grundsätzlichen Verzicht auf das Gesetz. Dann können diese Irrlehrer aber schwerlich Judaisten gewesen sein."[151]

Gegen ein solches Votum muß eingewandt werden, daß ebenso wie in 6,13 Paulus auch in 5,3 polemisch formuliert: Gesetz und Christus schließen einander aus – und: wer von der in Christus gegebe-

---

147 Vgl. Gal 2,3; Josephus, Vita 113.
148 Lührmann, Offenbarungsverständnis, S. 67 A 1.
149 Jewett, Agitators, S. 202.
150 Vgl. m.R. Holtzmann, Hirsch, S. 78.
151 Schmithals, Häretiker, S. 23.

nen Gnade abfällt, muß das ganze Gesetz halten, was eine theologische Unmöglichkeit ist.

Fazit: Gal 5,3 und 6,13 können nicht als Beweis gegen das oben dargelegte Verständnis der antipaulinischen judenchristlichen Gegnerschaft in Galatien herangezogen werden. Damit kommen wir zur Rekonstruktion des Antipaulinismus in Phil.

4.4. Phil

4.4.1. Literarkritik und Chronologie in ihrer Bedeutung für das Thema

Der Phil ist chronologisch und geographisch am schwersten von allen echten Paulusbriefen einzuordnen und wird daher erst hier behandelt. In der Regel werden folgende drei Abfassungsorte vorgeschlagen: Ephesus, Rom, Cäsarea[152]. Entsprechend dem Abfassungsort wird die Abfassungszeit bestimmt. Es würde aber zu weit führen, diese Fragen hier zu behandeln. Es sei daher auf die entsprechenden Einleitungen verwiesen.

Der Phil gibt dem Interpreten aber auch hinsichtlich der Frage seiner literarischen Integrität Rätsel auf, die zu seiner Verteilung auf zwei bzw. drei Briefe oder zur Verteidigung seiner Einheit geführt haben[153].

Freilich sind sowohl das chronologisch-geographische als auch das literarische Problem des Phil für die in unserer Arbeit verfolgte Frage nach Antipaulinismus nur von beschränkter Bedeutung. Denn die Rekonstruktion von antipaulinischen Anschauungen ist unabhängig von den obigen beiden Punkten. Freilich gewinnen beide dann an Bedeutung, wenn es darum geht, evtl. Antipaulinismus im Phil dem in anderen Briefen zuzuordnen, von denen uns Abfassungszeit- und ort bekannt sind (vgl. dazu unten S. 157f).

Im folgenden gehen wir den Phil im Hinblick auf mögliche Reflektionen von Antipaulinismus durch und behandeln diesen dann gemäß den oben aufgeführten Schritten (s.o. S. 57).

---

152 Vgl. die Übersicht bei Kümmel, Einleitung, S. 284–291.
153 Vgl. den Überblick bei Kümmel, Einleitung, S. 291–294.

4.4.2. Phil 1

Paulus berichtet den Philippern davon, daß seine Gefangenschaft zum Fortschritt des Evangeliums geführt habe. Dieser Fortschritt wird in zwei mit ὥστε eingeleiteten Sätzen beschrieben (V. 13f):

1. Pauli Fesseln sind im ganzen Prätorium und unter allen übrigen als in Christus offenbar geworden. D.h., es haben eine oder mehrere Verhandlungen stattgefunden, die Paulus „Gelegenheit gaben, für seine und damit des Evangeliums Sache einzutreten.“[154] Das war dem Evangelium dienlich, weil es missionarischen Erfolg hatte (V. 12).

2. Für die Mehrheit der am Ort ansässigen Christen sind die Fesseln des Paulus der Anlaß, um desto furchtloser das Evangelium zu verkündigen (V. 14).

Paulus fährt dann fort V. 15: „Gewisse Leute predigen zwar Christus aus Neid und Hader (*φθόνος καὶ ἔρις*), andere aber mit guter Absicht (*εὐδοκία*). V. 16: Die einen verkündigen Christus aus Liebe, weil sie wissen, daß ich zur Verteidigung des Evangeliums bestimmt bin (*εἰς ἀπολογίαν τοῦ εὐαγγελίου κεῖμαι*), V. 17: die anderen aus Eigennutz (*ἐριθεία*), nicht redlich, weil sie meinen, Trübsal auf meine Fesseln zu legen (*θλῖψιν ἐγείρειν τοῖς δεσμοῖς μου*), V. 18: ... aus Vorwand (*προφάσει*) ...“

Dies kleine Stück ist, formal gesehen, eine exkursartige Einlage[155], die lose an die V. 14 genannten *οἱ πλείονες* anknüpft und grundsätzlich zwei Gruppen von Verkündigern in ihrem Verhältnis zur paulinischen Gefangenschaft unterscheidet. D.h., beide Gruppen sind offensichtlich am Gefangenschaftsort ansässig[156]. Die Tätigkeit der negativ gezeichneten Prediger wird von Paulus wie folgt beschrieben: „Sie predigen Christus aus Neid und Hader“, „aus Eigennutz, nicht redlich, weil sie meinen, Trübsal auf meine (Pauli) Fesseln zu legen“, „aus Vorwand“.

Nun entspringen Teile der Beschreibung ihrer Tätigkeit in V. 15. 17.18 sicherlich paulinischer Polemik[157] und geben daher nichts für

---

154 Gnilka, Phil, z.St.

155 Dibelius, Phil, z.St.

156 Gegen Dibelius, Phil, z.St., nach dem Paulus hier von Erfahrungen spricht, die er an verschiedenen Orten mit verschiedenen christlichen Verkündigern gemacht hat.

157 Vgl. *φθόνος*: Röm 1,29; Gal 5,21. *ἔρις*: Röm 1,29; 13,13; 2Kor 12,20. *ἐριθεία*: 2Kor 12,20; Gal 5,20. Die drei Begriffe sind Bestandteil von paulinischen Lasterkatalogen und geben daher nichts für die konkreten Meinungen der Gegner her. – *πρόφασις* ist ebenfalls polemisches Schlagwort in 1Thess 2,5.

ihre Anschauungen oder für die Frage her, ob sie Paulus angegriffen haben. Somit bleibt nur der folgende Satz als möglicher Reflex von Antipaulinismus übrig: *οἰόμενοι θλῖψιν ἐγείρειν τοῖς δεσμοῖς μου* (Phil 1,17b).

Der obige Satz erweist, daß eine Gruppe von christlichen Predigern Paulus angegriffen hat[158]. Die Angriffe müssen im Zusammenhang von Pauli Gefangenschaft erfolgt sein, denn *erstens* spricht Paulus ausdrücklich von Fesseln (*δεσμοί*), und *zweitens* steht der Satz in Antithese zum anderen über die von Paulus positiv gezeichneten Verkündiger, die in guter Absicht (*εὐδοκία*) und aus Liebe (*ἀγάπη*) Christus verkündigen *εἰδότες ὅτι εἰς ἀπολογίαν τοῦ εὐαγγελίου κεῖμαι* (vgl. V. 7, wo *ἀπολογία τοῦ εὐαγγελίου* ebenso auf die Gefangenschaftssituation zielt).

Die Gefangenschaft des Paulus hat also die Gemeinde, in der sich Paulus zZt des Phil befindet, sehr erregt und zwei oben beschriebene Reaktionen hervorgerufen, von der die eine, in der Minderheit sich befindende, Kritik an Paulus übt[159]. Eine nähere Kennzeichnung der antipaulinischen Front[160] ist nicht möglich[161].

Können wir über die Faktizität der antipaulinischen Polemik im Zusammenhang seiner Gefangenschaft hinaus nichts Näheres über die Antipauliner sagen, so entfällt ebenfalls die Möglichkeit, sie theologisch und historisch einzuordnen. Freilich ist sofort hinzuzufügen, daß es sich in V. 17f kaum um Prediger gehandelt hat, die den galatischen Gegnern vergleichbar wären. Denn mit Leuten solcher Art hätte Paulus sich kaum so zusammenschließen können[162], wie er es in dem den Exkurs von V. 15–17 abschließenden V. 18 tut: „Doch was macht's? Jedenfalls wird auf jede Weise, ob aus einem Vorwand oder in Wahrheit, Christus verkündigt. Und darüber freue ich mich.“[163]

---

[158] Zum folgenden vgl. Gnilka, Phil, z.St.

[159] Die Mehrheit (Phil 1,14) hält zu Paulus.

[160] Überblick über die verschiedenen Thesen bei Gnilka, Phil, S. 62f. Erwähnenswert ist, daß Vincent, Phil, z.St., die Kritiker des Paulus an unserer Stelle für Pauliner hält. Vgl. hierzu auch die nächste Anmerkung.

[161] Der neueste Versuch von Ollrog, Paulus, S. 194–196, die hinter Phil 1, 14–18 reflektierte Kontroverse als im Mitarbeiterkreis des Paulus sich vollziehende zu verstehen (Paulus spiele in Phil 2,21 auf seine Kritiker an), ist m.E. unwahrscheinlich. *οἱ πάντες* (2,21) kann doch kaum mit *οἱ πλείονες* (1,14: die Mehrheit, die zu Paulus hielt) ausgeglichen werden (trotz Ollrog, a.a.O., S. 196).

[162] Zu beachten ist aber, daß noch im ‚versöhnlichen' Schluß die Tätigkeit der Gegner polemisch mit *ἐν προφάσει* gekennzeichnet wird.

[163] Es ist übrigens sicher, daß die Gegner unserer Stelle *nicht* Juden waren, die Paulus durch Christusverkündigung zu schaden trachteten (so Suhl, Paulus, S. 173; gegen diese wilde These vgl. Müller, in: ThLZ 101.1976, Sp. 927).

4.4.3. *Phil 3*

Paulus bekämpft in 3,2 mit scharfen Worten eine Gruppe, die der philippischen Gemeinde bekannt sein mußte und die offensichtlich Kontakt mit ihr aufgenommen hatte. Der Satz: „Seht die Zerschneidung! Wir sind nämlich die Beschneidung" (V. 2c–3a) stellt dabei sicher, daß die Gruppe die Beschneidungsforderung gegenüber den Philippern erhoben oder – kaum wahrscheinlich – sich der Beschneidung nur gerühmt hat. Beides, Eindringen in eine paulinische Gemeinde unter gleichzeitigem Hinweis auf die Bedeutung der Beschneidung, macht den Schluß zwingend, daß die betreffende Gruppe gegen den Apostel polemisiert hat. Beide Gründe stellen ferner sicher, daß es sich bei den Gegnern nicht um nichtchristliche Juden handelt, sondern um Juden*christen*[164].

Ein drittes Kennzeichen der Antipauliner ist mit Sicherheit zu erheben: In V. 4f hebt Paulus seine ‚fleischlichen' Vorzüge hervor. Dies läßt den Rückschluß zu, die Gegner hätten sich gegenüber den Philippern ihrer jüdischen Herkunft gerühmt, obgleich natürlich die Einzelheiten eines solchen Rühmens unklar bleiben müssen.

Viele Forscher glauben in V. 12ff und V. 18 weitere[165] Anhaltspunkte für die Anschauungen der in V. 2ff reflektierten gegnerischen Front zu finden. Wir behandeln im folgenden beide Stellen hintereinander:

V. 12ff: Nach der Meinung einer stattlichen Anzahl von Gelehrten ist Paulus hier das Stichwort *τέλειος* von der antipaulinischen Gegnerschaft her vorgegeben. Sie hätte einen „Vollkommenheitsenthusiasmus"[166] vertreten, sich im Besitz des Geistes gewähnt, wobei die Beschneidung als das einzigartige Zeichen der Vollkommenheit gewertet wurde[167].

---

164 Die Gründe gegen die Annahme von Juden als Gegnern sind überzeugend von Gnilka, Phil, z.St. (vgl. bereits Vincent, Phil, z.St.) zusammengestellt worden: gegen Lütgert, Vollkommenen, S. 7ff u.a. Eine heidenchristliche Gemeinde war zZt des Paulus kaum in der Gefahr, jüdisch zu werden, wohl aber judenchristlich. Insofern Paulus sich gegen Judenchristen wendet, attackiert er freilich auch Juden (zu Lütgert, a.a.O., S. 8).

165 Außerdem werden weitere Verse bzw. Ausdrücke für die Rekonstruktion der Anschauungen der Gegner herangezogen: So sieht z.B. Koester, Purpose, S. 324 (unter Verweis auf Bultmann, Art. *γινώσκω*, in: ThWNT I, S. 708ff) die Ausdrücke *γνῶσις* (V. 8) und *γινώσκειν* (V. 10) als Reflektionen gegnerischer Lehren an. *Aber*: Jene Ausdrücke erscheinen noch an anderen Stellen (2Kor 2,14; 4,6 u.ö.) und sind daher eher als paulinisch anzusehen (vgl. dazu ausführlich Band III).

166 Gnilka, Phil, S. 214; vgl. Betz, Nachfolge, S. 151 u.ö.

167 Koester, Purpose, S. 331.

Dem stellen sich jedoch erhebliche Schwierigkeiten entgegen:

1. *τέλειος* ist kein unpaulinisches Wort. Es erscheint außer an unserer Stelle noch 1Kor 2,6; 13,10; 14,20; Röm 12,2 (Kol 1,28; 4,12). Besonders 1Kor 2,6 zeigt, daß das Wort Bestandteil paulinischer Schulüberlieferung war. Der Schluß auf externe Herkunft ist daher nicht zwingend.

2. Paulus spricht hier zu der Gemeinde, wie besonders die Anrede ‚Brüder' (V. 13.17) zeigt[168]. Die Gemeinde scheint aber von der Häresie nicht bedroht zu sein. Also kann allenfalls gefolgert werden, daß der Apostel auf uns unbekannte Gemeindezustände Rücksicht nimmt. M. Dibelius hat seinerzeit m.R. ausgeführt: „Den Worten (sc. in V. 12ff) eine besondere Beziehung auf die uns nun doch einmal unbekannte Briefsituation zu geben, *ἑτέρως* auf die ‚Irrlehrer', *τῷ αὐτῷ* auf die Gnadenlehre zu deuten (...) ist nicht geboten."[169] Die These, *τέλειος* sei ein gegnerisches Schlagwort, ist daher zumindest eine Hypothese zweiten Grades, denn sie setzt erstens voraus, daß die Gemeinde die Vokabel gebrauchte, und zweitens, daß sie sie von den Gegnern empfing. Das erste ist nicht mehr als eine Möglichkeit, das zweite sogar unwahrscheinlich, da *τέλειος* Bestandteil der paulinischen Sprache war.

Damit dürfte hinreichend gezeigt worden sein, daß *τέλειος* nicht zur Rekonstruktion einer antipaulinischen Theologie gebraucht werden kann und demnach V. 12ff wohl kaum gegnerische Anschauungen enthalten.

Dieselbe negative Feststellung ist m.E. auch für sämtliche Versuche zu machen, die in V. 18ff gegnerische Anschauungen wiederfinden wollen.

V. 18ff: W. Schmithals kommentiert unsere Passage wie folgt:

„Gnostische Theologie, wie sie sich in der Verwerfung des Kreuzes ausdrückt, und Libertinismus gehören zusammen. Besonders aufschlußreich ist dabei die Formulierung ⟨*ἡ δόξα ἐν τῇ αἰσχύνῃ αὐτῶν*⟩. Es ist in der Tat ein Zeichen gnostischer Ehre, dh pneumatischen Selbstbewußtseins, die Schandbarkeit des Fleisches durch unsittliches Verhalten zu demonstrieren."[170]

Doch stellt jenes Votum *einmal* nicht genügend den polemischen Charakter der betreffenden Verse in Rechnung (vgl. nur 1Kor 15,32; Röm 16,18)[171]. *πολλοί* (V. 18 Anfang) klingt außerdem sehr allge-

---

168 Hier das relative Recht der Märtyrerthese von Lohmeyer, Phil, passim.

169 Dibelius, Phil², S. 71.

170 Schmithals, Gnosis, S. 212.

171 Koester, Purpose, S. 324.327.

mein. Da Paulus oft (πολλάκις) von ihrem Verderben gesprochen hat, handelt es sich bei ihnen um jene Gruppe von Verlorenen, die von den Geretteten abzuheben sind (vgl. ähnlich die Entgegensetzung von ἀπολλυμένοι – σῳζόμενοι 1Kor 3,18; 2Kor 2,15; 4,3). *Sodann* ist festzuhalten: In V. 17 hat eine neue Einheit begonnen, welche Beobachtung den Rückbezug von evtl. gegnerischen Beschreibungen auf V. 2ff fraglich erscheinen läßt[172]. V. 18ff lassen sich daher weder mit der antipaulinischen Front hinter V. 2ff zusammenbringen, noch beschreiben sie eine gegnerische Position.

Zusammenfassend ist daher zu sagen: weder V. 12ff noch V. 18ff liefern irgendwelche Anhaltspunkte über gegnerische Meinungen.

4.4.3.1. Historisch-theologische Einordnung des Antipaulinismus hinter Phil 3

Im Zuge unserer positiven Entscheidung der Frage von Antipaulinismus in Phil 3 hatten wir bereits oben (S. 155) seinen judenchristlichen Charakter feststellen können, denn seine Träger vertraten die Beschneidung und waren jedenfalls keine Libertinisten. Sie dürften ferner geborene Juden gewesen sein (s.o. S. 155). Wir fragen im folgenden, ob es gelingt, die erwähnte Gruppe historisch-theologisch weiter einzuordnen. Da man wegen des fragmentarischen Charakters von Phil 3 nichts über die Geschichte des Antipaulinismus in Philippi sagen kann, geht es nur darum, die obigen Ergebnisse mit den zu den anderen Paulusbriefen erreichten zusammenzuhalten.

Ähnlichkeiten bestehen einmal zu den *galatischen* Antipaulinern: Die Gegner in Galatien und in Philippi verfechten die Beschneidung. In beiden Briefen betont der Apostel gegenüber der Gemeinde in Reaktion zu den Antipaulinern seine tadellose Befolgung des Gesetzes (Phil 3,4f/Gal 1,13) und nennt als Bekräftigung dessen seine Verfolgung der Kirche Gottes in vorchristlicher Zeit (Phil 3,6/Gal 1,13; vgl. bereits 1Kor 15,8). In beiden Briefen kontrastiert Paulus mit seinem Wandel im Judentum seine christliche Existenz (Phil 3,8/Gal 1,15ff).

Weitere Ähnlichkeiten bestehen zwischen Phil 3 und 2Kor 10–13[173]: So erscheint das Substantiv ἐργάτης[174] als Bezeichnung der Gegner

---

172 So m.R. Dibelius, Phil, z.St.

173 Vgl. Beare, Phil, S. 109f; Collange, Phil, S. 28–30.

174 Vgl. Mt 10,10/Luk 10,7, eine Tradition, die ja auch 1Kor 9,6ff im Hintergrund steht (s.o. S. 111).

neben 2Kor 11,13 nur Phil 3,2[175]. Hier wie dort redet Paulus apologetisch: Er zählt in Phil 3,4ff wie in 2Kor 11,22 seine jüdischen Vorzüge auf; vgl. *περιτομῇ ὀκταήμερος, ἐκ γένους Ἰσραήλ, φυλῆς Βενιαμίν* (Phil) mit *Ἑβραῖοί εἰσιν; κἀγώ. Ἰσραηλῖταί εἰσιν; κἀγώ* (2Kor). Zwar erweisen dieselbe Art der Verteidigung in Phil/2Kor sowie die Ähnlichkeit zwischen Phil 3 und Gal nicht zwingend die Identität der Gegner, wohl aber wird ihre historische Zusammengehörigkeit ein Stück wahrscheinlicher, wenn man ihren Antipaulinismus und ihre anerkanntermaßen palästinische Herkunft hinzunimmt. (Ein weiterer Grund für ihre historische Zusammengehörigkeit ist schließlich das Faktum, daß sich die Antipaulinisten von Philippi geographisch in unmittelbarer Nähe zu den korinthischen Opponenten befinden.)

Es legt sich daher nahe, auch die antipaulinischen Gegner in Phil 3 für Jerusalemer Judenchristen zu halten, die zu einer uns auf der Grundlage von Phil 3 zunächst unbekannten Zeit die philippische Gemeinde bereist und gegen den Heidenapostel polemisiert haben. Weitere Schlüsse sind zwar auf der Grundlage von Phil 3 nicht möglich. Ist aber einmal die historische Zusammengehörigkeit der Antipaulinisten von 2Kor 10ff und Phil 3 zugestanden, so fällt wegen der Beschneidungsforderung der philippischen Gegner weiteres Licht auf die von 2Kor 10ff. Wir erinnern uns: Der Haupteinwand gegen die ‚Judaistenthese' bezüglich der korinthischen Gegner bestand in dem Hinweis auf das Fehlen der Beschneidungsforderung. Dieser Einwand wurde aus den oben angegebenen Gründen zurückgewiesen. Die Beschneidungsthematik in Phil 3 ist ein weiteres Argument dagegen, denn sie zeigt, daß sie nichtsdestotrotz von derselben oder einer ihr nahestehenden Gruppe an anderer Stelle (Philippi) ins Spiel gebracht werden konnte.

4.5. Röm

Der Röm wurde von F. C. Baur als Dokument des paulinischen Kampfes gegen ein antipaulinisches Judenchristentum angesehen, das auch in Rom vorhanden gewesen sei (s.o. S. 15f). Diese Auffassung wird m.K. in der gegenwärtigen Forschung, von Ausnahmen

---

[175] Vgl. dazu Georgi, Gegner, S. 50: „Die Gleichheit der Funktionsbezeichnung mit 2. K. 11,13 darf nicht dazu verführen, hier auch den gleichen Kreis der Gegner zu vermuten. Auch heute gehören nicht alle schlechten Pfarrer der gleichen Bewegung oder Gruppe an." Leider berücksichtigt Georgi nicht, daß weitere Parallelen (s.o.) vorliegen. Gegen Georgi vgl. m.R. Ellis, Prophecy, S. 120 A 21.

abgesehen, nicht mehr vertreten[176]. Überhaupt scheint sich ein Konsens darüber abzuzeichnen, daß jedwede These zum Anlaß des Röm, die eine paulinische Kenntnis der römischen Gemeinde voraussetzt und mit ihr bei der Interpretation des Briefes arbeitet, eine geringe Chance auf Verifizierung hat. „Methodisch ist gegen alle diese Erklärungsversuche, die (sc. dann) auf Grund der dialogisch-polemischen Briefpartien so oder so geartete Gruppen oder gar Paulusgegner wittern, einzuwenden, daß die dialogische Redeweise nichts anderes ist als ein von dem Apostel auch sonst häufig verwendetes, aus der hellenistischen, kynisch-stoischen ‚Diatribe'[177] stammendes Stilmittel"[178].

Nun könnte man angesichts des soeben zitierten Votums von G. Bornkamm geneigt sein, generell die Möglichkeit der Rekonstruktion von antipaulinischen Attacken im Röm zu bezweifeln. Denn wenn die Einwendungen (oder falsche Folgerungen) in Röm[179] „fast nie gleich-mögliche oder überhaupt in Betracht zu ziehende Ansichten"[180] vorbringen, scheint die Annahme von Antipaulinismen von vornherein unmöglich zu sein.

Doch gibt es mit Sicherheit *eine* Stelle in Röm, für die ein solches Urteil nicht gilt und die den oben (S. 103) aufgestellten Kriterien der Erhebung von antipaulinischen Aussagen genügt: *Röm 3,8*[181]. Wegen unserer Fragestellung brauchen wir im folgenden keine Einzelexegese von Röm 3,1–8 durchzuführen, um V. 8 seinem Kontext zuzuordnen[182]. Hier ist nur festzuhalten, daß Paulus in V. 8, formal ein im Stil der Diatribe gehaltener Einwand[183], einen gegen sich gerichteten

---

176 Vgl. die einschlägigen Einleitungen und Kommentare; Suhl, Paulus, S. 264–282; K. P. Donfried (ed.), The Romans Debate, Minneapolis 1977.

177 Vgl. Bultmann, Stil, und die wichtige, weiterführende Arbeit von Stowers, Reassessment.

178 Bornkamm, Römerbrief, S. 125.

179 Vgl. Röm 3,1.3.5 (bis).7.8.9.31; 6,1.15; 7,7.13; 9,14.19; 11,1.11.19; vgl. auch Stowers, a.a.O., S. 181–234.

180 Bultmann, Stil, S. 67.

181 Vgl. z.B. Vielhauer, Geschichte, S. 183f, und Kümmel, Einleitung, S. 273f, die mit den meisten in Röm 3,8 einen Angriff gegen Paulus reflektiert sehen. Es ist aber methodisch unbefriedigend, daß beide Röm 3,8 mit den anderen (s.o. A 179) durch den Stil der Diatribe bedingten Einwänden vermengen und auch dort konkrete Angriffe gegen Paulus wiederfinden.

182 Vgl. dazu Bornkamm, Theologie; Jeremias, Gedankenführung, S. 146f (= Abba, S. 269f), und die Kommentare.

183 „Die meisten Kommentare fassen *καὶ μή* als Fortführung der Frage *τί κἀγὼ ... κρίνομαι*: dann müßte es aber weitergehen *καὶ οὐχὶ* (nämlich *ποιοῦμεν*) *καθὼς βλασφημούμεθα ...*" (Lietzmann, Röm, z.St.).

Satz *zitiert*: *φασίν τινες ἡμᾶς λέγειν ὅτι ποιήσωμεν τὰ κακά, ἵνα ἔλθῃ τὰ ἀγαθά*. Eine solche Ansicht kann der Apostel nur als *βλασφημία*[184] bezeichnen und die sie äußernden Personen entrüstet zurückweisen (V. 8 Ende: „Solche trifft die Verurteilung zu Recht").

Unter der Voraussetzung, daß das Zitat in V. 8 im richtigen sachlichen Kontext steht, hat sich der antipaulinische Vorwurf an Pauli These der Rechtfertigung allein durch den Glauben entzündet, dem die Außerkraftsetzung des Gesetzes als Heilsweg negativ entspricht. Denn erwies nach paulinischer Sicht die Gerechtigkeit Gottes jedermann als unter der Sünde stehend, so entstand für die Gegner die Frage, ob nicht die paulinische Theologie direkt zum Libertinismus verleite. Daher unterstellten sie Paulus die Konsequenz, er lehre das Böse zu tun, damit das Gute, das Heil in Christus, komme. Die Gegner können somit nur Leute sein, die in der Gesetzeslehre des Apostels einen fatalen Irrtum erblickten, einen Widerspruch in sich selbst, wenn Paulus auf der anderen Seite dann doch zum Halten des (Moral-)Gesetzes aufforderte. Sie sind daher mit großer Wahrscheinlichkeit als gesetzestreue Juden[185] anzusehen, die Pauli Lehre und Praxis beobachtet hatten. Man wird sie ferner für Juden*christen* halten dürfen, denn einmal ist Paulusfeindschaft von judenchristlicher Seite aus Jerusalem, Antiochien und Galatien *mit Sicherheit* bekannt und sodann steht die Argumentation des Röm im engen Zusammenhang mit der des Gal, der durch judenchristliche Aktionen und Argumentation bedingt ist: Dabei provozieren die Ausführungen des Gal anscheinend Unterstellungen, wie sie in Röm 3,8 sichtbar werden. *Daß* die Abwehr jener Einwände ein zentrales Anliegen des Paulus ist, zeigen Röm 6,1.15, wo Paulus in diatribischer Argumentationsweise ähnliche Konsequenzen wie die im Zitat von Röm 3,8 ausgesprochenen zurückweist.

Ist nun aus den eingangs (S. 159) angeführten Gründen die Annahme nicht beweisbar, Paulus wolle mit der Zurückweisung der judenchristlichen Attacke in Röm 3,8 Judenchristen in *Rom* treffen[186],

---

184 Vgl. H. Moxnes, Theology in Conflict, Leiden 1980, S. 58ff.

185 Gegen Smith, Clement, S. 259: Röm 3,8 „looks from the context as if it were said by libertines who claimed that Paul's teaching agreed with theirs; cf. also Rom. 6.1,15–23." Vgl. ähnlich vorher W. Lütgert, Der Römerbrief als historisches Problem, Gütersloh 1913 (dazu: H. Pachali, Der Römerbrief als historisches Problem. Bemerkungen zu W. Lütgerts gleichnamiger Abhandlung, in: ThStKr 88.1914, S. 481–505).

186 Vgl. so noch Weizsäcker, Zeitalter, S. 425f, unter Verarbeitung seines früheren Aufsatzes: Über die älteste Römische Christengemeinde, in: Jahrbücher für

so kann gleichwohl das antipaulinische Zitat historisch-theologisch eingeordnet werden[187]: Es entstammt dem judenchristlichen, antipaulinischen Kampf aus der Periode zwischen Konferenz- und Kollektenbesuch und wirft auf ihn ein weiteres Licht.

---

deutsche Theologie 21.1876, S. 248–310. Ähnlich noch M. Kettunen, Der Abfassungszweck des Römerbriefes, Helsinki 1979, S. 182–189.

187 Zu Schmithals, Römerbrief, S. 44: „wo und von wem diese Vorwürfe ausgesprochen wurden, sagt Paulus nicht." Schmithals hält sie für jüdische Einwände (a.a.O., S. 90). Eine judenchristliche Herkunft kommt für ihn nicht in Frage, weil „es eine judaistische Gegenmission unter den Heidenchristen nie gegeben hat" (a.a.O., S. 44). Dagegen s.o. Kapp. 3 und 4.

5. ANTIPAULINISMUS IN JERUSALEM UND IN DEN PAULINISCHEN GEMEINDEN

Es ist nun an der Zeit, die im vorigen Kapitel erreichten Ergebnisse zusammenhängend darzustellen, um im Anschluß daran eine Synthese von Kapitel 3 und 4 zu versuchen.

5.1. Zusammenfassung der Ergebnisse von Kapitel 4

Ein sicheres Ergebnis des vorigen Kapitels besteht darin, daß die (externen) Antipauliner sowohl der korinthischen Korrespondenz als auch des Gal nur auf dem Hintergrund der Jerusalemer Konferenz und der auf ihr ausgetragenen Streitpunkte zu verstehen sind[1]. Da die fragmentarischen Nachrichten des Phil und des Röm sich einer solchen These zuordnen lassen, kann behauptet werden: Sämtliche uns sichtbar werdenden (externen)[2] Antipauliner hängen mit der Konferenz zusammen.

Ein chronologisch-geographisches Argument vermag diese These abzustützen: Die antipaulinischen Attacken erfolgen während eines relativ kurzen Zeitraums innerhalb eines begrenzten Gebiets.

Inhaltlich wird der Zusammenhang mit der Konferenz darin sichtbar, daß entweder auf der Grundlage der dort erzielten Einigung Paulus' *Apostel*anspruch kritisiert wird oder das Jerusalemer Abkommen von den Gegnern nicht (mehr) eingehalten wird.

Die Gegner in Galatien und in Korinth sind nun nicht derselben Fraktion von jerusalemischen Christen zuzuordnen, wobei allerdings die philippischen Antipauliner zeigen, daß die Übergänge zwischen beiden fließend sein konnten[3]. Die galatischen Gegner sind zu den auf

---

[1] Vgl. in neuester Zeit Manson, Studies, S. 216; Barrett, Controversies, S. 232f.

[2] Beachte aber das oben zum Antipaulinismus als innerkorinthisches Phänomen Gesagte (S. 124f.130).

[3] Obgleich es nicht beweisbar ist (daher in dieser Arbeit auch nicht verwendet), könnte z.B. das Fehlen der Beschneidungsforderung durch folgende Gründe bedingt sein: „zu Korinth wurde gerade dieser Ritus (sc. der Taufe) so beifällig aufgenommen, daß hier die Judaisten gar nicht wagten, mit der Forderung der Beschneidung herauszurücken, während die Korinther anfingen, sogar im Namen solcher Gläubigen, die tauflos verstorben waren (...), einen nachträglichen baptismus vicarius einzuführen" (Holtzmann, Lehrbuch I, S. 451).

der Konferenz anwesenden ‚falschen Brüdern' zu rechnen, während die nach Korinth gekommenen Prediger eher eine Mittelposition in Jerusalem eingenommen haben dürften und u.a. Kephas verehrten.

Die Frage, ob die Antipauliner von Gal und von 1/2 Kor *Heiden*missionare waren, ist m.E. eher negativ zu entscheiden. Bezüglich der galatischen Gegner ist eine derartige Annahme von vornherein unwahrscheinlich. Hier scheint es sich ausschließlich um eine Gegenmission in den paulinischen Gemeinden Galatiens zu handeln, die nur daran interessiert war, die unzureichende Verkündigung des Paulus zu korrigieren. Bezüglich der korinthischen Antipauliner könnte man zunächst wegen des Fehlens der Beschneidungsforderung geneigt sein, sie (auch) für Heidenmissionare zu halten. Doch gibt es für eine solche Annahme in Wirklichkeit kein eindeutiges Indiz[4] und die überlieferungsgeschichtlichen Beziehungen zur Aussendungstradition legen eine Judenmission ihrerseits nahe. In dieselbe Richtung weist ihre Zugehörigkeit zur Gruppe der Missionare *εἰς τὴν περιτομήν* (Gal 2,9). Ihr Auftreten in Korinth sowie ihre Empfehlungsbriefe belegen natürlich keine Heidenmission, sondern nur eine beginnende Kommunikation mit anderen heidenchristlichen Gemeinden[5].

Gleichzeitig ist auf die Möglichkeit hinzuweisen, daß wiederholte Kontakte mit heidenchristlichen Gemeinden ihrerseits ein wichtiger Faktor für eine spätere Heiden*mission* waren.

Über die Theologie der Gegner sind wir nur spärlich informiert, weil Primärquellen fehlen[6]. Freilich kristallisiert sie sich bei sämtlichen Antipaulinern im erbitterten Widerstand gegen Paulus und seinen Anspruch auf apostolische Autorität. Die apostolische Autorität bedeutete für Paulus selbst zweierlei: Einerseits ermächtigte sie ihn zur gesetzesfreien Heidenmission, andererseits stellte sie ihn mit den Jerusalemer Aposteln auf eine Stufe. Die galatischen Gegner bezweifelten beides, die korinthischen Antipauliner letzteres[7].

---

[4] Gegen Schmithals, Gnosis, S. 356, der zu diesem Schluß nur aufgrund anfechtbarer methodischer Grundsätze bei der Rekonstruktion der Gegner kommt (zur Kritik vgl. Kap. 4). Vgl. noch Georgi, Gegner, S. 234 mit A 2.

[5] Dieser Punkt wird oft in den Überlegungen zur Heiden*mission* des Kephas o.ä. übersehen; vgl. z.B. Hengel, Mission, S. 21 A 24.

[6] Vgl. jetzt aber Betz, 2Cor; ders., Gal, S. 329f, und Betz' Arbeiten zur Bergpredigt (s. Lit.verz.). Ich sehe wegen der hier verfolgten Methode davon ab, Betz' Ergebnisse zu diskutieren, da die von ihm rekonstruierten Quellen nicht *explizit* antipaulinisch sind (vgl. auch oben S. 55 mit A 247). Zudem ist die Bergpredigt keine *Quelle*, sondern *mt Komposition.*

[7] Zuweilen wird gleichwohl angenommen, daß die korinthischen Antipauliner – anders als die galatischen – zunächst noch mit der Beschneidungsforderung zurückgehalten hätten (so z.B. Pfleiderer, Paulinismus, S. 317f; Goguel, Apôtre, S. 480f [vgl. noch oben A 3]).

5.2. Verzahnung der Ergebnisse von Kapitel 3 und 4

Nun hatten wir oben freilich die Frage offengelassen, ob die galatischen und die korinthischen Gegner von der Jerusalemer Muttergemeinde in ihrem Kampf gegen Paulus gedeckt wurden. Sie zu beantworten, wird um so dringlicher, als auf der Konferenz eine Kompromißformel und damit eine Einigung erreicht worden war und daher die Möglichkeit offenzuhalten ist, daß es sich bei den paulinischen Gegnern wirklich nur um Falschbrüder bzw. Falschapostel handelt, die keinerlei Unterstützung in Jerusalem hatten[8]. Zugleich harrt das oben nur am Rande behandelte Problem einer Lösung, warum die korinthischen Gegner, die doch offenbar zur Vermittlungspartei der jerusalemischen Konferenz gehörten, dennoch in der Folgezeit gegen Paulus polemisiert haben.

Eines der wichtigsten Ergebnisse von Kap. 3 war, daß sich zwischen Konferenz- und Kollektenbesuch in der Jerusalemer Gemeinde eine Veränderung in der Leitung vollzogen hatte. Ihre Folge war nicht nur eine Führungsstellung des Herrenbruders Jakobus, sondern auch eine größere Einflußnahme der ‚falschen Brüder' der Jerusalemer Konferenz auf die Geschicke der Gemeinde, obgleich – hier gilt umgekehrt Ähnliches wir zur Zusammensetzung der Gemeinde zZt der Konferenz – die liberalen Judenchristen natürlich weiter zur Kirche Jerusalems gehörten. Die ohnehin in Jerusalem nicht unumstrittene Gestalt des Paulus (s. Kap. 2) geriet so in ein noch größeres Zwielicht, so daß in der Folgezeit der Antipaulinismus obsiegte und die Kollekte nicht mehr angenommen wurde. Theologisch schlug sich der antipaulinische Widerstand in Jerusalem in der Behauptung nieder, Pauli Verkündigung und Praxis veranlasse die Juden der Diaspora, ihre Identität als Juden aufzugeben.

Die Ergebnisse von Kap. 3 legen daher die Annahme nahe, daß die galatischen Gegner trotz ihrer offensichtlichen Nichtbeachtung des Jerusalemer Abkommens zumindest mit der Neutralität der Jerusalemer rechnen konnten[9], bis diese dann selber das Einigungsband mit den paulinischen Gemeinden durchschneiden sollten.

Wie oben gezeigt, standen die galatischen Antipauliner eher auf dem Boden des Konkordats, als sie das Apostelamt des Paulus grundsätzlich anzweifelten. Dieses von Paulus im Sinne einer Gleichberechti-

---

[8] Vgl. oben Kap. 4 A 142.

[9] Vgl. Goguel, Apôtre, S. 500. Dasselbe gilt für die Frage der Unterstützung der korinthischen Antipauliner in Jerusalem.

gung mit den Jerusalemer Aposteln aufgefaßte Amt konnten sie nur für eine Anmaßung halten, da für sie die Kirche an Jerusalem gebunden war und die anderen Missionszentren allenfalls Ableger Jerusalems zu sein vermochten[10].

In diesem Punkt stimmen die Jerusalemer (zZt der Konferenz *und* zZt des Kollektenbesuchs), die galatischen Gegner und die korinthischen Antipauliner überein. Die Auseinandersetzungen in Korinth sind dabei nicht sosehr Kämpfe um die Judaisierung der Heidenchristen – in dieser Frage waren die korinthischen Gegner im Gegensatz zu den galatischen liberal (s.o.) –, sondern um die Autorität des Paulus im Verhältnis zu den Jerusalemern. Es liegt also auch ein Streit um den Primat vor: „sowohl um den Primat von bestimmten Personen, als auch um den Primat des Orts."[11] Offensichtlich hatten Kephas und seine Anhänger den paulinischen Anspruch auf Ebenbürtigkeit während der Konferenz nicht genügend zur Kenntnis genommen, bzw. Paulus hatte keinen Wert auf die Hervorhebung von theologischen Differenzen gelegt. Auf paulinischem Territorium wurde aber auch ihnen vollends das Eigengewicht der Tatsache der heidenchristlichen Gründungen klar und der mit ihnen korrelierende Anspruch des Paulus, der Apostel der Heiden zu sein. Daher entschloß man sich nach zögerndem Beginn (sichtbar im 1Kor) zum Eingriff in paulinisches Territorium.

Wir können den ersten Hauptteil mit den zusammenfassenden Bemerkungen abschließen, daß eine antipaulinische Einstellung seit der korinthischen und der galatischen Krise Anfang der fünfziger Jahre sowohl von dem liberalen als auch konservativen Judenchristentum Jerusalems geteilt wurde[12]. Sie hatte sich an dem Apostolat des Paulus notwendig entzündet und war, theologisch gesehen, der Widerspruch eines nomistisch orientierten Christentums gegenüber der christologisch fundierten Religion des Paulus.

---

[10] Vgl. Holl, Kirchenbegriff, S. 162.
[11] Holl, a.a.O., S. 174.
[12] Vgl. jetzt auch die Zustimmung durch U. Luz, in: R. Smend/ders., Gesetz, Stuttgart u.a. 1981, S. 75–79.

Hauptteil II:
Antipaulinismus in nachpaulinischer Zeit

6. ANTIPAULINISMUS DER DESPOSYNOI

Der Ausdruck Desposynoi[1] wird im allgemeinen und auch in unserer Arbeit gebraucht als Bezeichnung für die Verwandten Jesu, so wie sie in den Jahren 70–120 n.Chr. in den Quellen faßbar werden[2]. Nachrichten über die Desposynoi verdanken wir Hegesipp und Julius Africanus, welch letzterer als einziger den Terminus gebraucht.

6.1. Die von Hegesipp verarbeitete Tradition

An dieser Stelle ist allein die von Hegesipp verarbeitete Tradition zu behandeln, wobei zur näheren Begründung der hier vorausgesetzten Scheidung von Redaktion und Tradition auf den Hegesipp-Abschnitt (Kap. 10) hingewiesen sei.

6.1.1. Symeon

Hegesipp berichtet von folgendem Ereignis: (Nach dem Tode des Jakobus) „wurde Symeon, der Sohn des Klopas, eines Onkels des Herrn[3],

---

[1] Zum Begriff ‚Desposynoi' vgl. Weiß, Urchristentum, S. 558f A 5, der ihn mit ‚Söhne vom Haus' wiedergeben will (vgl. ähnlich Achelis, Christentum I, S. 226: „Kinder vom Hause"). Anders Knopf, Zeitalter, S. 27, der den Begriff mit „zum Herrn Gehörende" übersetzt (dagegen aber bereits Weiß, ebd.).

[2] Vgl. zu den Desposynoi Schlatter, Synagoge, S. 111ff, der aber nur mit Kritik zu lesen ist, weil er zu viel weiß; Réville, Origines, S. 214–225 (die Kritik von Loofs, in: ThLZ 21.1896, Sp. 207, an Révilles These, in Jerusalem sei eine ‚conception légitimiste' vertreten worden, kann nicht überzeugen: die Kontroverse Réville–Loofs erinnert stark an die zwischen Stauffer und von Campenhausen – s.u. S. 168f); McGiffert, History, S. 563ff; Goguel, Naissance, S. 154ff; Achelis, Christentum I, S. 226f.

[3] Zahn, Forschungen VI, S. 236, will ‚eines Onkels des Jakobus' übersetzen, was aber sachlich keinen Unterschied ergibt.

zum Bischof ernannt. Alle anderen hatten ihn als zweiten Bischof vorgeschlagen, weil er ein Vetter des Herrn war"[4] (Euseb, KG IV 22,4).

Die Vorstellung von Jakobus als erstem und Symeon als zweitem ‚Bischof' von Jerusalem geht sicher auf Hegesipp zurück, der bemüht ist, die Kontinuität der Amtsinhaber auf der Jerusalemer Kathedra nachzuweisen (s.u. S. 224). Projiziert er im Verfolg eines solchen Unternehmens den monarchischen Episkopat in die älteste Zeit hinein, so dürfte gleichwohl die Nachricht, daß Symeon dem Jakobus nachgefolgt sei[5], nicht aus der Luft gegriffen sein und auf Tradition zurückgehen, denn die Jerusalemer Bischofsliste (Euseb, KG IV 5,3)[6], die unabhängig von den erhaltenen Hegesipp-Fragmenten ist, nennt ebenfalls Symeon als Nachfolger des Jakobus[7].

Ein weiteres Traditionselement liegt in der Nachricht vor, Symeon sei ein Vetter Jesu gewesen und wegen dieser Eigenschaft zum Nachfolger des Jakobus gewählt worden. Zwar ist Hegesipp unser einziger Zeuge für diese Information, doch ist ihr redaktioneller Ursprung unwahrscheinlich, da zZt Hegesipps ein dynastisches Prinzip bei der Bischofswahl unbekannt war[8]. Die Annahme ist daher unumgänglich, daß hier historisch zu nennende Tradition vorliegt und somit Symeons Verwandtschaftsverhältnis bei seiner Wahl ausschlaggebend war[9].

Über Symeons Tod liegt folgende Nachricht Hegesipps vor: „Gegen Symeon erhoben einige dieser Häretiker Anklage, daß er von David abstamme und Christ sei, weshalb er im Alter von 120 Jahren unter Kaiser Trajan und dem Prokonsul Attikus den Märtyrertod erlitt" (Euseb, KG III 32,3)[10].

Die Nachrichten sind z.T. legendarisch (hohes Alter des Symeon: 120 Jahre) bzw. tendenziös (Anklage der Häretiker[11], Nachkomme

---

4 Eine aus der Feder Eusebs stammende Paraphrase des Texts steht in KG III 11.
5 Der Begriff wird hier im allgemeinen Sinne gebraucht: Symeon war nach Jakobus die führende Gestalt in der Jerusalemer Gemeinde.
6 Vgl. dazu Zahn, a.a.O., S. 281–301; Turner, Lists; Andresen, Kirchen, S. 214.
7 Vgl. Strecker, Christentum, S. 463f A 47 (Lit.) (= Eschaton, S. 296f A 47).
8 Eine Ausnahme ist aufgeführt bei Euseb, KG V 24,6: Sieben der Verwandten des Polykrates von Ephesus waren Bischöfe. Er sei der achte. Vgl. den Kommentar von Stauffer, Kalifat, S. 200.
9 Sein Verwandtschaftsverhältnis zu Jesus ist der einzige Grund seiner Wahl: gegen von Campenhausen, Nachfolge, S. 143: Hegesipp unterstreiche „die Angemessenheit der Wahl Symeons dadurch (...), daß der einmütig Erwählte überdies (sic!) auch wie Jakobus ein Verwandter Jesu gewesen sei."
10 Vgl. Zahn, a.a.O., S. 241–243. Die aus der Feder Eusebs stammenden Zusammenfassungen (32,1–3a.4) bleiben hier außer Betracht.
11 Vgl. dazu unten S. 223f.

Davids[12]). Als sicherer Bestandteil der Tradition schält sich das Faktum des Symeonmartyriums heraus. Es war dem Hegesipp entweder als isoliertes Traditionselement oder im Rahmen eines Martyriumsberichts vorgegeben. In jedem Falle wird damit belegt, daß Symeon in Palästina eine bekannte Gestalt gewesen ist. Kann sie daher nicht in den Bereich der Legende verwiesen werden[13], so gewinnen die oben zum dynastischen Prinzip bei seiner Wahl gemachten Beobachtungen weiter an Gewicht. Sie fügen sich überdies gut dem jüdischen Familiensinn ein[14].

6.1.2. Die Enkel des Judas

Hegesipp berichtet von folgendem Vorkommnis:

„1. Noch lebten aus der Verwandtschaft des Herrn die Enkel des Judas, der ein leiblicher Bruder des Herrn gewesen sein soll. Diese wurden als Nachkommen Davids gerichtlich angezeigt. Ein Evokatus führte sie vor Kaiser Domitian. Denn gleich Herodes fürchtete sich dieser vor der Ankunft Christi. 2. Domitian fragte jene, ob sie von David abstammen. Sie bestätigten es. Sodann fragte er sie nach dem Umfange ihrer Besitzungen und nach der Größe ihres Vermögens. Sie antworteten, sie besäßen beide zusammen nur 9000 Denare, und davon gehöre jedem die Hälfte. Aber auch dieses Vermögen bestünde – so fügten sie bei – nicht in Geld, sondern im Werte eines Feldes von nur 39 Morgen, die sie mit eigener Hand bewirtschaften, um davon die Steuern zu zahlen und ihren Lebensbedarf zu decken[15]. 3. Hierauf zeigten sie ihm ihre Hände und bewiesen durch die Härte ihres Körpers und durch die Schwielen, welche sich infolge ihrer angestrengten Arbeit an ihren Händen gebildet hatten, daß sie Handarbeiter waren. 4. Als man sie über Christus und über die Art, den Ort und die Zeit seines Reiches fragte, antworteten sie, dasselbe sei nicht von dieser Welt und Erde, es sei vielmehr ein Reich des Himmels und der Engel, das erst am Ende der Welt kommen werde, wenn Christus in Herrlichkeit erscheinen wird, um die Lebenden und die Toten zu richten und jedem nach seiner Lebensweise zu vergelten. 5. Daraufhin verurteilte sie Domitian nicht, sondern verachtete sie als gemeine Leute. Er setzte sie in Freiheit und befahl, die Verfolgung der Kirche einzustellen. 6. Sie aber erhielten nach der Freilassung, da sie Bekenner und Verwandte des Herrn waren, führende Stellungen in der Kirche. Nachdem Frieden geworden war, lebten sie noch bis Trajan" (Euseb, KG III 20,1–6)[16].

Welche Elemente des obigen Textes dürfen als historisch zuverlässig gelten? Wir versuchen im folgenden eine Beantwortung dieser Frage,

---

[12] Vgl. dazu unten S. 170.

[13] So die Tendenz von Campenhausens, Nachfolge, S. 143.

[14] Vgl. die Belege bei Stauffer, Kalifat, S. 194ff.

[15] 3–6 ist eine Zusammenfassung aus der Feder Eusebs: s. Zahn, a.a.O., S. 240f.

[16] Übersetzungen aus Euseb, KG, im folgenden nach H. Kraft (ed.), Eusebius von Caesarea: Kirchengeschichte, München 1967 (= [2]1981).

indem wir die sicher redaktionellen Züge rekonstruieren und sie von den Aussagen der Geschichte abziehen[17].

M.E. kann die davidische Herkunft der Judasenkel nur als redaktionell gelten. Denn zur Zeit der Abfassung der Geschichte (Anfang des 2. Jahrhunderts)[18] war die Davidssohnschaft Jesu bereits ein christologisches Lehrstück[19], und es findet „sich im gesamten Stoff der Evangelien keine Überlieferung zum Thema Davidssohn (...), die mit einiger Sicherheit auf Jesus selbst zurückgeführt werden"[20] kann. Daher muß die Aussage, die Herrenverwandten seien vor Domitian als Davididen angezeigt worden, als unhistorisch gelten[21].

Wenig zuverlässig dürfte gleichfalls das von den Judasenkeln vorgelegte Glaubensbekenntnis sein: Das Reich Gottes komme am Ende der Welt, wenn Christus in seiner Herrlichkeit erscheinen werde, um die Lebenden und Toten zu richten und jedem nach seiner Lebensweise zu vergelten. Denn jene Konfession ist zu allgemein-christlich, um zur Rekonstruktion der Theologie der Herrenverwandten dienen zu können.

Ebenso ist die Aussage, die domitianische Verfolgung sei nach der Entlassung der Herrenverwandten eingestellt worden, sicher redaktionell. Sie steht überdies ebenso wie das Glaubensbekenntnis der Desposynoi in jenem Abschnitt, in dem Euseb den betreffenden Hegesipptext zusammenfaßt (vgl. oben A 15).

Auf historische Tradition scheint demgegenüber die Tatsache der Interrogation der Judasenkel durch die Römer und die weitere Beschreibung ihrer Tätigkeit zu führen, sie seien (arme) Bauern gewe-

---

17 Unser Vorgehen hat natürlich die methodische Schwäche, die *Tradition* weitgehend für historisch zuverlässig zu halten. Doch muß sie angesichts der mangelnden Zeugnisse in Kauf genommen werden. Vgl. zum Problem auch Gustafsson, Sources.

18 Ich setze voraus, daß die Abfassung der Anekdote nicht mit dem Zeitpunkt der Vorladung (zwischen 81 und 96 n.Chr.) zusammenfiel.

19 Vgl. Wrede, Vorträge, S. 155 A 1; Meyer, Ursprung, S. 73 A 2; Burger, Jesus, S. 123–127; Vermes, Jesus, S. 156f. Anders zur im Text behandelten Episode äußert sich Hahn, Hoheitstitel, S. 244 A 5.

20 Burger, Jesus, S. 165.

21 Stauffer, Kalifat, verteidigt die Davidssohnschaft der Judasenkel mit der Erwägung, die beiden Enkel hätten „schwerlich (sc. ihre davidische Herkunft vertreten) ..., wären sie nicht mit allem Realismus davon überzeugt gewesen. Fromme Fiktion läßt ein antiker Palästinajude und Kleinbauer spätestens in conspectu mortis fallen" (a.a.O., S. 199). Stauffer verfährt einseitig historisierend. Es geht doch zunächst um die Herausschälung von (zuverlässigen) Traditionen.

sen[22], die Steuern bezahlten. Sueton, Caes. Domitian 12,2, berichtet davon, daß Domitian[23] mit verschärfter Gewalt Steuern von den Juden eingetrieben habe:

Iudaicus fiscus acerbissime actus est; ad quem deferebantur, qui vel inprofessi Iudaicam viverent vitam vel dissimulata origine imposita genti tributa non pependissent[24].

So mag die obige Geschichte ihren Ursprung in einem dieser Interrogationsverfahren im Rahmen der Steuereintreibung haben[25]. Davon waren natürlich auch die judenchristlichen Judasenkel betroffen, die auf dem Lande in Palästina lebten und sich von ihrer Hände Arbeit ernährten.

Schließlich dürfte ebenfalls der Schluß der Geschichte auf historische Tradition zurückgehen. Er lautet griechisch: *τοὺς δὲ ἀπολυθέντας ἡγήσασθαι τῶν ἐκκλησιῶν, ὡς ἂν δὴ μάρτυρας ὁμοῦ καὶ ἀπὸ γένους ὄντας τοῦ κυρίου.* Zu ihm gibt es eine Parallele bei Euseb, KG III 32,6: *Ἔρχονται οὖν καὶ προηγοῦνται πάσης ἐκκλησίας ὡς μάρτυρες καὶ ἀπὸ γένους τοῦ κυρίου.*

Die zuletzt zitierte Fassung dürfte dem ursprünglichen Hegesipp-Text näher stehen, weil sie ausdrücklich als *Zitat* dargestellt wird, während die vorige Stelle eusebianische Paraphrase ist (s.o. A 15). Sie muß daher bei unseren Überlegungen zur historischen Tradition zugrundeliegen.

Der historische Grundbestand der Tradition besteht in zweierlei: a) Die Judasenkel haben eine Führungsrolle inne, die b) in ihrem Zeugnis vor den römischen Behörden und in ihrer Herrenverwandtschaft begründet ist.

Zu a): Das Verb *προηγέομαι* bezeichnet im christlichen Sprachgebrauch des 2. Jahrhunderts eine *konkrete* Führungsstellung: so in der Haustafel von 1Clem 21,6[26] die Vorsteher und in Herm Vis 2,2,6

---

22 In Palästina und möglicherweise Galiläa, obwohl das nicht ausdrücklich im Text steht: vgl. Lohmeyer, Galiläa, S. 54.

23 Zu seiner Politik gegenüber Juden und Christen vgl. Conzelmann, Heiden, S. 31f (Lit.); P. Keresztes, The Jews, the Christians, and the Emperor Domitian, in: VigChr 27.1973, S. 1–28.

24 Die unmittelbar darauf folgenden Sätze beweisen, daß es sich um zuverlässige Nachrichten handelt: Interfuisse me adulescentulum memini, cum a procuratore frequentissimoque consilio inspiceretur nonagenarius senex, an circumsectus esset.

25 Zu Conzelmann, Heiden, S. 31 A 89. Vgl. auch Grant, Christianity, S. 51.

26 *τοὺς προηγουμένους ἡμῶν αἰδεσθῶμεν.* Vgl. z.St. K. Weidinger, Die Haustafeln: Ein Stück urchristlicher Paränese, UNT 14, Leipzig 1928, S. 55.

und 3,9,7 die Leiter der Kirche (προηγούμενοι τῆς ἐκκλησίας)[27]. Wenn von den Judasenkeln daher ausgesagt wird, sie ständen jeder (beliebigen)[28] Kirche vor, so kann das nur im Sinne einer Führungsstellung in der Gesamtkirche[29] gemeint sein[30], analog derjenigen, die der Herrenbruder Jakobus einige Jahrzehnte vorher beansprucht hatte.

Zu b): Dieser Anspruch auf die Führungsstellung ist in der Zeugenrolle und der Herrenverwandtschaft begründet. Man kann nun fragen, welche der beiden Eigenschaften die ausschlaggebende für die Führungsrolle war. Da wir bereits von einem Fall wissen, wo die Herrenverwandtschaft der entscheidende (und alleinige) Grund der Wahl zu einer angesehenen Stellung in der palästinischen Christenheit war (die Wahl Symeons zum Nachfolger des Jakobus), legt es sich nahe, sie auch in diesem Fall als wichtigsten und vom Beinahe-Martyrium unabhängigen Grund ihrer Führungsrolle anzusehen. Die Tatsache der Interrogation durch die römische Behörde war dann noch eine zusätzliche Bestätigung[31] ihrer leitenden Stellung.

6.2. Die von Julius Africanus verarbeitete Tradition

Julius Africanus berichtet im Exzerpt Eusebs (KG I 7,14) von folgendem Vorkommnis: Die Herrenverwandten (δεσποσύνοι) „breiteten sich von den jüdischen Dörfern Nazareth und Kokabe aus über das übrige Land aus und erklärten die vorliegende Ahnentafel auch[32] aus dem Buch der Tage, so gut es möglich war."

---

27 Mir ist unverständlich, wie von Campenhausen, Nachfolge, S. 135 A 17, für diesen Begriff technischen Gebrauch bestreiten kann.

28 So ist πᾶς ohne nachfolgenden Artikel zu übersetzen (vgl. Bl-Debr[14] § 275_2): zu von Campenhausen, Nachfolge, S. 135.

29 Damit erweist sich der Vorschlag von Weiß, Urchristentum, S. 561 A 2, als unnötig, im Hegesipp-Text sei ein Artikel hinter πάσῃ ausgefallen. Trotzdem bleibt Weiß' Annahme eine interessante Vermutung, weil auch sonst der Hegesipp-Text Eusebs nicht in Ordnung zu sein scheint (vgl. unten S. 215 A 20).

30 Gegen Zahn, a.a.O., S. 300 (ihm folgt von Campenhausen, Nachfolge, S. 135 mit A 17): „Die Meinung wird nur die sein, daß sie in jeder Gemeinde, in deren Mitte sie sich einmal aufhielten, als Märtyrer und Verwandte des Herrn sofort Ansehen und Einfluß genossen." Das scheitert u.a. am Ausdruck προηγέομαι.

31 Man kann noch fragen, ob die Betonung der Zeugenrolle überhaupt der Hegesipp vorliegenden Tradition angehört habe. Doch ist das unbeweisbar.

32 τε gehört zum ursprünglichen Text (vgl. Schwartzens Edition). Ich habe es hier mit ‚auch' übersetzt, um den assoziativen Sinn auszudrücken. Der Sinn ist offenbar: Sie erklärten die vorliegende Genealogie (der Evangelien) und zogen die Chronikbücher zusätzlich heran.

Um Tradition und Redaktion voneinander zu scheiden, ist zunächst die Frage zu behandeln, warum Africanus von der die Desposynoi betreffenden Episode berichtet: Africanus ist im von Euseb, KG I 7, z.T. überlieferten Brief an Aristides[33] darum bemüht, die einander widersprechenden Stammbäume der Evangelien miteinander zu harmonisieren. Seine Lösung: Die Ahnenreihe bei Mt bezeichne die Väter Jesu *κατὰ φύσιν*, die bei Luk die Väter *κατὰ νόμον*[34]. Gleichwohl erwiesen beide Genealogien die Davidsnachkommenschaft Jesu. Diese von Mt und Luk bezeugte Wahrheit[35] wird durch die Herrenverwandten bestätigt. Von ihnen hat Africanus die Kunde[36], daß sie trotz des Versuchs des Herodes, alle Geschlechtsregister der Juden zu verbrennen, zusammen mit einigen wenigen anderen ihre hätten retten können. Und sie selbst würden nun ihre Ahnentafel, die in den Evangelien enthalten sei, erklären.

Damit dürfte klargeworden sein, warum Africanus von den Herrenverwandten im Zusammenhang der Kommentierung der Stammbäume des Mt und Luk berichtet hat. Der Befund, daß einige Leute und unter ihnen die Herrenverwandten ihre Stammbäume retteten, zeige, daß genaue Stammbäume Jesu verfügbar waren[37]. Damit werde gleichzeitig der Anspruch der kanonischen Evangelien bestätigt, daß Jesus Davidide sei.

Im folgenden sei versucht, die (historische) Tradition im Bericht des Africanus zu eruieren. Wir gehen so vor, daß zunächst Form und Umfang der Africanus vorliegenden Tradition ermittelt wird. Hernach wird die Frage nach dem historischen Wert der Tradition thematisiert.

Africanus führt seine Erzählung mit den folgenden Worten ein: „Dieser Bericht (sc. über die Stammbäume Jesu) ist keineswegs unbegründet und aus der Luft gegriffen. Die leiblichen Verwandten des Erlösers (*τοῦ σωτῆρος οἱ κατὰ σάρκα συγγενεῖς*) haben auch noch, sei es rühmend, sei es einfach erzählend, auf jeden Fall wahrheitsgemäß, folgendes überliefert“ (Euseb, KG I 7,11).

Man könnte geneigt sein anzunehmen, daß Africanus im folgenden eine Quelle aus der Feder der Herrenverwandten zitiert. So hält z.B.

---

33 Editio: W. Reichardt, TU 34.3, Leipzig 1909. Für unseren Zweck zitieren wir weiterhin nach dem Exzerpt Eusebs.

34 Zugrunde liegt die jüdische Institution der Leviratsehe (vgl. Dtn 25,5f).

35 Vgl. KG I 7,15: „Auf jeden Fall sagt das Evangelium die Wahrheit.“

36 Sie wird in KG I 7,11ff im einzelnen wiedergegeben.

37 Vgl. Johnson, Purpose, S. 103.

Knopf dafür, daß Africanus aus dem später genannten ‚Buch der Tage' (I 7,14) paraphrasiert bzw. wörtlich wiedergibt. In ihm sei erzählt worden, „wie die Herodesdynastie emporkam, ferner daß Herodes die Archive mit den Geschlechtsregistern der Juden verbrannte, endlich, daß trotzdem die Verwandten Jesu die Genealogie des Herrn in dem Buche überliefert hätten"[38]. Doch ist demgegenüber zweierlei einzuwenden:

a) Africanus zitiert gar nicht, sondern spricht selbst. Anders wird eine Stelle wie I 7,14 nicht recht verständlich. Sie lautet paraphrasiert: ‚Zu denen, die ihre Geschlechtsregister retteten, gehörten auch die vorher erwähnten Desposynoi'. Ein solcher Satz ist in einer von den Desposynoi herrührenden Quelle undenkbar. Wohl aber erklärt er sich, wenn Africanus selbst formuliert.

b) Das Buch der Tage hat nie existiert. Mit ihm sind vielmehr die Chronikbücher[39] (hebr. דברי הימים) bezeichnet, die den Desposynoi bei ihrer Genealogie geholfen haben.

Aus den genannten beiden Gründen wird man daher von der Annahme der Benutzung einer Quelle Abstand nehmen und stattdessen lediglich voraussetzen, daß Africanus auf der Grundlage von Traditionen die Erzählung bei Euseb, KG I 7,11–15, verfaßt hat.

Wir kommen damit zur Frage nach der Ermittlung (historischer) Traditionen im genannten Abschnitt. Methodisch sei wie oben S. 169f vorgegangen, daß wir die unhistorischen Züge vom Text abziehen, um so zur (historischen) Tradition vorzustoßen.

Folgende legendarische Einzelheiten sind herauszuschälen: Die Nachricht von der Verbrennung der Stammbäume durch Herodes (I 7,13) steht in der jüdisch-christlichen Literatur allein da[40] und verdient kein Vertrauen. Der Verdacht liegt nahe, sie gehe auf Africanus

---

38 Knopf, Zeitalter, S. 7 (vgl. ähnlich Weiß, Urchristentum, S. 559 A 1). Knopf fährt fort: „– alles Dinge, die für die Geschichte des Judenchristentums selber nicht viel bedeuten." Diese Beobachtung ist richtig und hätte Knopf stutzig machen sollen, ob das Tagebuch der Herrenverwandten überhaupt existiert hat.

39 Vgl. M. Sachs, Beiträge zur Sprach- und Alterthumsforschung, Berlin 1854, S. 156, sowie die Übersetzung in der Eusebausgabe der LCL durch K. Lake: „They traversed the rest of the land and expounded the preceding genealogy of their descent, and from the book of Chronicles so far as they went." Vgl. noch Schwartz, Eusebius, S. 58 A 2.

40 Vgl. Jeremias, Jerusalem, S. 315f, der dann doch dazu neigt, die diesbezügliche Nachricht für historisch zuverlässig zu halten.

selbst zurück, der sie als Folie für die Aussage der Zuverlässigkeit der synoptischen Stammbäume gebraucht[41].

Weiter ist es äußerst zweifelhaft, daß Laienfamilien – wie es der Text voraussetzt – Geschlechtsregister geführt haben[42]. Daher wird auch dieser Zug der Anekdote auf Africanus' Bestreben zurückgehen, die Glaubwürdigkeit der Stammbäume der Evangelien durch die Herrenverwandten abzusichern.

Ob die Herrenverwandten die Chronikbücher benutzt haben[43], steht ebenfalls dahin. Die diesbezügliche Nachricht kann ebenfalls von Africanus stammen. Freilich kommen wir über allgemeine Möglichkeiten in beiden Fällen nicht hinaus.

Damit bleibt folgende Tradition als wohl historischer Bestandteil der von Africanus benutzten Überlieferung übrig: die Bindung der Familie Jesu an Nazareth und Kokabe. Zugunsten der Historizität der Nazareth-Tradition ist hier nur zu sagen, daß nichts natürlicher ist, als daß die Verwandten Jesu sich auch weiter an ihrem Heimatort aufgehalten haben. Doch stellt sich sofort die Frage, in welchem Verhältnis die Ortsangabe Kokabe[44] zu Nazareth steht. Die Verwirrung scheint deswegen um so größer zu werden, weil ein Kokabe im Ostjordanland existierte, in dem Judenchristen gewohnt haben (Epiphanius, haer 29,7,7; 30,2,7f). Kann dasselbe Kokabe gemeint sein? Dagegen wendet von Harnack ein:

„An das Kokaba des Epiphanius, welches im Ostjordanland liegt, ist schwerlich zu denken (...), da Africanus Nazareth und das andere Dorf in einem Atem nennt als Heimat der Verwandten Jesu, die doch Galiläer waren. Man muß es also für einen Zufall erklären, daß die Heimat der Verwandten Jesu und der Ort

---

41 So m.R. Johnson, Purpose, S. 103. Gegen Kraft, Entstehung, S. 75, der sogar meint, daß die Familie Jesu zwischen 44 und 66 ihre von Herodes zerstörten Geschlechtsregister wiederhergestellt hätte. (K. hält den Africanus-Bericht für historisch glaubwürdig.)

42 Vgl. Jeremias, Jerusalem, S. 304ff, und die kritische Prüfung der Thesen Jeremias' durch Johnson, Purpose, S. 99–108, besonders S. 105: „Our conclusions regarding the references to genealogical records of the laity must (...) be somewhat negative."

43 Zur Bedeutung und Verwendung der Chronik im zeitgenössischen Judentum vgl. Jeremias, Jerusalem, S. 315. Bereits Luk und vor allem Mt knüpfen an sie an.

44 Der Wert der Kokabe-Tradition des Africanus wird dadurch gesteigert, „daß Julius Africanus nicht weiß, wo er Kokaba eigentlich zu suchen habe: er bezeichnet es einfach als jüdische (...) Stadt" (Knopf, Zeitalter, S. 14).

im Ostjordanland, an welchem in späterer Zeit zahlreiche Christen wohnten, fast gleich lauteten."[45]

Die Erklärung von Harnacks ist nicht zufriedenstellend. Obgleich der Name Kokabe ein nicht ungeläufiger Ortsname in Palästina war[46], so ist doch zunächst der „Zufall" zu würdigen, daß Verwandte Jesu *und* Judenchristen an einem Ort desselben Namens wohnten[47]. Die oben genannten Epiphaniustexte sind hier um einen weiteren zu ergänzen, der am Ende die Glaubwürdigkeit der diesbezüglichen Informationen absichern wird: Euseb, Onomasticon, p. 172,1ff Klostermann: *Χωβά* (Gen 14,15) ⟨*ἥ ἐστιν ἐν ἀριστερᾷ Δαμασκοῦ*⟩. *ἔστιν δὲ καὶ Χωβὰ κώμη ἐν τοῖς αὐτοῖς μέρεσιν, ἐν ᾗ εἰσιν Ἑβραίων οἱ εἰς Χριστὸν πιστεύσαντες, Ἐβιωναῖοι καλούμενοι.* Damit dürfte feststehen, daß ‚Ebioniten'[48] im 2./3. Jahrhundert in Kokabe gewohnt haben. Da diese und die Herrenverwandten als Judenchristen im oben definierten Sinne aufzufassen sind und wahrscheinlich Jakobus verehrt haben, kann man es nicht für Zufall halten, daß ihre Wohnorte fast denselben Namen tragen. Sie dürften vielmehr in demselben Dorf gewohnt haben, in Kokabe.

Geographisch dürfte jenes Dorf mit Epiphanius, haer 29,7,7; 30,2,8, in der Basanitis zu lokalisieren sein. In dieselbe Gegend führt Eusebs Notiz im Onomasticon, obgleich sie scheinbar dazu in Widerspruch steht:

Euseb schreibt im Onomasticon, daß in der Gegend des biblischen Choba (*ἐν τοῖς αὐτοῖς μέρεσιν*) ein Dorf Choba zu lokalisieren sei, in dem ‚Ebioniten' wohnten (vgl. S. 175)[49]. Da biblische Choba ‚links' von Damaskus zu suchen sei, gilt — so muß man schließen —

---

[45] Harnack, Mission, S. 635 A 3. Auch Bagatti, Eglise, S. 17.21 (= engl. Übers. S. 21.25) unterscheidet ein Kokabe in Galiläa von dem im Ostjordanland (und unterscheidet von dem letzteren wiederum ein Kokabe bei Damaskus, s.u. A 53).

[46] Vgl. hierzu Zahn, Forschungen I, S. 333f.

[47] Vgl. Schmidtke, Fragmente, S. 234.

[48] Zum Begriff ‚Ebioniten' vgl. unten Kap. 12. Er wird im folgenden im Sinne von ‚antipaulinische Judenchristen' gebraucht.

[49] Zu Zahn, Forschungen I: „Entscheidend dagegen ist namentlich die bestimmte Unterscheidung desjenigen Kokab (Choba), welches bei Damascus liegt, von demjenigen, welches der Sitz der Ebjoniten ist, also dem Kokaba des Epiphanius, im Onomasticon des Eusebius. Die verstümmelte Schreibung des Namens und die sehr unbestimmte Angabe seiner Lage mag ein Beweis dafür sein, dass Eusebius weniger genau davon unterrichtet war, als Epiphanius. Aber soviel muss er nach dieser Stelle von dem Wohnsitz der Ebjoniten gewußt haben, dass derselbe von einem gleichnamigen Ort bei Damascus zu unterscheiden sei und nicht in unmittelbarer Nähe von Damascus liege" (a.a.O., S. 334f).

dasselbe von dem Choba der Ebioniten. Das heißt nun aber: Da im AT ‚links von' ‚nördlich von' entspricht[50], liegt das biblische Choba nördlich von Damaskus.

Bezeichnet nun aber Eusebius die Lage des Kokabe der Ebioniten im Anschluß an die des biblischen Kokabe, so deutet sich ein Dilemma an, denn die Basanitis liegt nicht nördlich von Damaskus[51]. Doch ist demgegenüber sofort einzuwenden: Es ist nicht sicher, wie Euseb ‚links' aufgefaßt hat. Vielleicht hat er damit keine Himmelsrichtung mehr verbunden[52] und es allgemein als ‚nahe bei etwas' verstanden[53]. In diesem Fall könnte die Ortsbestimmung des Epiphanius mit der des Euseb ausgeglichen werden, wenn man ungenaue Redeweise des letzteren annimmt. Sodann ist darauf hinzuweisen, daß Euseb vielleicht ägyptischem Sprachgebrauch gefolgt ist, nach dem ‚links' südlich bedeutet[54]. In diesem Falle würde die Ortsangabe des Epiphanius zu der Eusebs ausgezeichnet passen, denn die Basanitis liegt etwa 40 Meilen südlich von Damaskus.

Gewiß, über mehr oder mindere Wahrscheinlichkeiten ist bei der hier verhandelten geographischen Frage nicht hinauszukommen[55]. Es verdient jedoch nochmals festgehalten zu werden, daß der hier primär auf literarischem Wege gewonnenen Identifizierung der Kokabes des Africanus, des Epiphanius und Eusebs aus geographischen Gründen nicht nur kein Gegenargument erwächst[56], sondern Epiphanius und Eusebius sogar dieselbe geographische Lage Kokabes anzeigen mögen.

---

50 Vgl. die Kommentare zu Gen 14,15. Richtpunkt war der Osten.

51 Vgl. z.B. Kneucker, in: Schenkel-Bibellexikon I, Leipzig 1869, S. 519: „Man hat (...) das kleine Dorf Kokab, 2 3/4 Stunden südwestlich von Damaskus, mit dem alten Choba zusammengestellt; aber dies widerspricht (...) dem herrschenden Sprachgebrauch (‚links' = nördlich)."

52 Ich habe keine einzige Stelle in den erhaltenen Schriften Eusebs gefunden, an der er den Ausdruck ‚links von' gebraucht, um die Himmelsrichtung anzuzeigen.

53 So z.B. Bagatti, Eglise, S. 21 (= engl. Übers. S. 25); Lipsius, Quellenkritik, S. 136f. Nach Schoeps, Theologie, S. 273, liegt es laut Euseb westlich von Damaskus. H. Guthe, Bibelatlas in 21 Haupt- und 30 Nebenkarten, Leipzig[2] 1926, Nr. 14, lokalisiert Kokab ca. 10 km südwestlich von Damaskus.

54 Vgl. Plutarch, Moralia 363 E.729B. Ich verdanke den Hinweis auf die Stellen Larry L. Welborn, Vanderbilt University. Vgl. bereits Sophocles, Lexicon, s.v. *ἀριστερά*.

55 Hingewiesen sei noch auf Avi-Yonah, Land, S. 167f, zu einem bataneischen Dorf Kaukab in der rabbinischen Literatur.

56 Zu Bagatti, Eglise, S. 25, der das Kokabe des Epiphanius von dem Eusebs unterscheidet.

Damit kommen wir zur Frage, wie sich die durch Africanus aufbewahrte Tradition dazu verhält und in welchem Verhältnis die Ortsangaben Nazareth und Kokaba in ihr zueinander stehen. Es ist ja in der Tat merkwürdig, daß Africanus Nazareth und Kokabe in einem Atemzug nennt, obwohl sie nach dem hier begründeten Vorschlag 200 km voneinander entfernt sind.

Das Problem kann m.E. nur gelöst werden, wenn man sich gegen von Harnack dazu entschließt, von einer historisierenden Exegese Abstand zu nehmen, und stattdessen rein literarisch arbeitet. Dann ergibt sich folgender Sachverhalt: Africanus kennt eine Tradition[57], nach der sich die Verwandten Jesu a) von Nazareth und b) von Kokabe aus in Palästina verstreut haben. Das heißt mitnichten, sie wären gleichzeitig von beiden Orten ausgegangen. Die Zeitpunkte können ganz verschieden sein. (Africanus schreibt überdies erst zu Beginn des 3. Jahrhunderts[58].) Da feststeht, daß Kokabe in der Basanitis und damit in der unmittelbaren Nähe des Ostjordanlandes liegt, kann es sich bei dem Aufenthalt in Kokabe nur um einen auf den in Nazareth folgenden handeln. D.h., Verwandte Jesu sind im Gefolge des Jüdischen Krieges aus Nazareth hierher[59] gekommen[60].

6.3. Antipaulinismus der Desposynoi

Nach diesem langen Anmarsch kommen wir endlich zur Frage eines Antipaulinismus der Herrenverwandten.

Die obige Untersuchung hatte zum Ergebnis, daß Ebioniten und Herrenverwandte im 2. Jahrhundert an demselben Ort in Transjordanien zusammen wohnten. Zwar werden nicht alle Desposynoi in jener Ortschaft gewohnt haben, wohl aber ein Teil. Man wird es daher für wahrscheinlich halten, daß die von Hegesipp verarbeitete Tradition

---

[57] Der Traditionscharakter wird selbst von Freyne, Galilee, nicht genügend beachtet. Er fragt im Zusammenhang einer Diskussion von Euseb, KG I 7,14f, ob im 2. Jahrhundert Verbindungen zwischen galiläischen und transjordanischen Judenchristen bestanden, bescheidet aber negativ: „Admittedly, it is precarious evidence upon which to build an hypothesis about the situation a century earlier" (a.a.O., S. 353). Aber woher weiß Freyne, daß die Nazareth-Tradition aus dem 2. Jahrhundert stammt?

[58] Vgl. dazu H. Gelzer, Sextus Julius Africanus und die byzantinische Chronographie I. Die Chronographie des Julius Africanus, Leipzig 1885, S. 1–19.

[59] „Auf jeden Fall ist Kokaba neben Pella eine sehr alte Siedelstätte des transjordanischen Judenchristentums" (Knopf, Zeitalter, S. 14).

[60] Vgl. m.R. Brandt, Elchasai, S. 52.

wenigstens z.T. aus Kokabe stammt. Von den Ebioniten ist durch Irenäus, haer I 26,2, eine explizite Paulusablehnung berichtet[61]. Sie haben mit großer Wahrscheinlichkeit bereits vor der Abfassung des Werkes des Irenäus in Kokabe gelebt. Nun flohen jene Desposynoi (im Gefolge des Jüdischen Kriegs) von Nazareth nach Kokabe. Die Hypothese scheint daher erlaubt, daß Desposynoi ihre Paulusablehnung bereits nach Kokabe mitbrachten und nicht erst zu einem späteren Zeitpunkt die Paulusfeindschaft von den ‚Ebioniten' übernahmen. Vielmehr schließt der Name ‚Ebioniten' wahrscheinlich die Verwandten Jesu mit ein.

Die obigen Überlegungen zum Antipaulinismus des Desposynoi können wegen der verzweifelten Quellenlage natürlich keinen Beweis liefern. Sie versuchen aber, den merkwürdigen Befund zu erklären, daß Verwandte Jesu und ‚Ebioniten' im 2. Jahrhundert denselben Wohnsitz im Ostjordanland hatten.

So führen uns schließlich die in diesem Kapitel angestellten Überlegungen auf die Existenz eines Judenchristentums im palästinischen Raum und im Ostjordanland nach dem ersten und vor dem zweiten jüdischen Krieg, das dynastische Züge trägt und antipaulinisch ist. Es läßt sich nun nicht mehr ermitteln, ob der Antipaulinismus traditionell war, d.h. von Jakobus übernommen und gegen den historischen Paulus gerichtet, oder – m.E. weniger wahrscheinlich – ob eine aktuelle Auseinandersetzung mit gegenwärtiger Paulustradition oder Paulusbildern vorlag. Jedenfalls ist an der Tatsache einer antipaulinischen Einstellung der Desposynoi kaum ein Zweifel möglich, und es ist klar, daß selbst im Falle einer Paulusablehnung auf der Stufe der Tradition diese sofort wieder zum Schwert gegen potentielle Paulusanhänger bzw. -ausleger werden konnte.

---

61 Apostolum Paulum recusant, apostatam eum legis dicentes.

7. ANTIPAULINISMUS DER ELKESAITEN

Zum Vorgehen: Das folgende hat nicht zur Aufgabe, die Gruppe der Elkesaiten und ihre Theologie in allen Einzelheiten darzustellen. Dazu wäre eine hier nicht zu leistende Analyse sämtlicher Quellen[1] erforderlich. Vielmehr sollen die betreffenden Texte unter der oben (S. 57) dargelegten Fragestellung diskutiert werden. Dabei sind folgende Probleme an den Texten über die Elkesaiten zu klären:

a) Enthalten die Texte einen Antipaulinismus?
b) Wie ist er im Gesamtsystem verankert? (Ist er sekundäre Beigabe oder ursprünglicher Bestandteil?)
c) Sind die Elkesaiten als Judenchristen anzusprechen?
d) Wie lassen sich die Elkesaiten chronologisch-geographisch einordnen?

7.1. Origenes' Auslegung von Ps 82 (bei Euseb, KG VI 38) als Zeugnis für einen Antipaulinismus der Elkesaiten

Der Antipaulinismus der Elkesaiten wird von keinem Geringeren als Origenes bezeugt. Euseb zitiert in KG VI 38 aus einer Exegese des 82. Psalms, die Origenes in Cäsarea vorgetragen hat:

„In unserer Zeit ist ein Mann aufgetreten, der sich rühmt, den Anwalt der gottlosen, ganz verruchten sogenannten Elkesaitenlehre, die sich vor kurzem gegen die Kirche erhob, spielen zu können. Die schlimmen Behauptungen jener Lehre will ich euch mitteilen, damit ihr euch nicht von ihr verführen lasset. Die Sekte verwirft gewisse Teile von jeder Schrift, verwertet aber wieder Worte aus dem gesamten Alten Testament und aus allen Evangelien. Den Apostel verwirft sie vollständig (*τὸν ἀπόστολον τέλεον ἀθετεῖ*). Sie behauptet, daß die Leugnung des Glaubens bedeutungslos sei. In der Zeit der Not würde der vernünftige Mensch mit dem Munde den Glauben verleugnen, nicht jedoch mit dem Herzen. Auch besitzen sie ein Buch, das vom Himmel gefallen sein soll. Wer auf dasselbe gläubig höre, werde Nachlassung der Sünden erhalten, eine andere Nachlassung, als sie Christus Jesus gewährt hätte."[2]

---

[1] Beste Zusammenstellung der Quellen durch Strecker, Elkesai. Vgl. noch Irmscher, Buch; Klijn-Reinink, Evidence, S. 54–67; Rudolph, Mandäer, S. 233–252; ders., Baptisten, S. 13–17; Thomas, Mouvement, S. 140–156; Waitz, Buch; Elsas, Weltablehnung, S. 34–39 (Religionsgeschichte); bemerkenswert ist immer noch eine Abhandlung Harnacks aus dem Jahre 1877, die er später als Anhang zu seiner Dogmengeschichte herausbrachte (Harnack, Lehrbuch II, S. 529–538, bes. S. 534ff [Islam und Judenchristentum, bes. Elkesaitismus]). Klassisches älteres Werk ist Brandt, Elchasai (dazu: Harnack, in: ThLZ 37. 1912, Sp. 638f), der S. 155–166 eine Forschungsgeschichte bietet; vgl. bereits Brandt, Baptismen, S. 99–112.

[2] Deutsche Übersetzung nach Kraft (ed.), Kirchengeschichte, S. 305.

Streicht man den ersten und den letzten Satz des Referats als typisch häresiologische Polemik[3], so erhält man eine gute Zusammenfassung (nähere Begründung s.u.) der uns aus anderen Quellen zur Verfügung stehenden Informationen über die Elkesaiten. Dabei ist einschränkend zu dem eben Gesagten darauf hinzuweisen, daß das Origenes-Exzerpt unsere einzige eindeutige Quelle für eine antipaulinische Haltung der Elkesaiten ist[4]. Sollte diese, wie in der Literatur zuweilen behauptet wird[5], einem späteren Stadium der Sekte angehören, dann wären freilich die Elkesaiten für unser Thema nur von beschränkter Bedeutung. Oder ist sie doch mit dem Beginn dieser Sekte unmittelbar verknüpft?

Nun wäre es durchaus verfehlt, aufgrund des dargelegten Befunds Sicherheit für die These zu beanspruchen, daß nur die späteren Elkesaiten antipaulinisch gewesen seien. Denn natürlich muß das Bezeugungsdatum des elkesaitischen Antipaulinismus nicht mit seinem wirklichen Aufkommen zusammenfallen. Andererseits hat natürlich jeder, der eine antipaulinische Haltung mit dem Beginn der Sekte verknüpfen will, diese Annahme zu begründen. Denn es wäre durchaus denkbar, daß spätere Elkesaiten etwa von Ebioniten einen Antipaulinismus übernommen hätten.

Hier seien folgende Kriterien zur Problemlösung vorgeschlagen: Falls der Elkesaitismus in seinen Anfängen rein jüdisch ist, dürfte ihm eine antipaulinische Haltung erst später zugewachsen sein[6], als sich die Be-

---

3 Das Argument der Neuheit dient in der altkirchlichen Häresiebekämpfung dazu, den Gegner abzuqualifizieren: vgl. nur Tertullian, AdvVal 4; CanMur 73–80. Daher ist der Satz im obigen Text, „die sich vor kurzem gegen die Kirche erhob", als historisch wertlose Polemik einzustufen (zu Schoeps, Theologie, S. 326). Der letzte Satz ist noch leichter als Polemik zu erkennen, denn jede Häresie bringt „eine andere Nachlassung, als sie Christus Jesus gewährt hatte".

4 Die Nachricht des Epiphanius über die mit den Elkesaiten bestimmt zusammenhängenden Sampsäer (haer 53,1,7: *οὔτε προφήτας δέχονται οἱ τοιοῦτοι οὔτε ἀποστόλους* (...) [p. 315,22f Holl]) kann wegen des Plurals *ἀποστόλους* kaum als *Paulus*ablehnung gewertet werden.

5 Vgl. Klijn-Reinink, Evidence, S. 61; Köster, Einführung, S. 645. Daß Hippolyt nicht von einem Antipaulinismus der Elkesaiten berichtet, besagt wenig, da er im Gegensatz zu Irenäus (haer I 26,2) auch die Paulusablehnung der Ebioniten unterschlägt (Ref VII 34,1–2).

6 Wir kennen keinen Antipaulinismus aus jüdischen Quellen. Eine mögliche Ausnahme (MAboth III 12) erörtert G. Kittel, Rabbinica, Leipzig 1920, S. 1–16 (‚Paulus im Talmud'); vgl. Bill II, S. 753ff; Urbach, Sages, S. 295f. Noch unsicherere Anspielungen auf Paulus behandelt H. Hirschberg, Paulus im Midrasch, in: ZRGG 12.1960, S. 252–256.

wegung ebionitischen Gruppen annäherte. Nur wenn der Elkesaitismus ursprünglich eine judenchristliche Sekte ist, besteht die Möglichkeit, daß er von Anfang an antipaulinisch war. Da es aber sicher ein von Paulus unberührtes Judenchristentum gegeben hat (s.o. S. 55), wäre mit einem evtl. Beweis judenchristlicher Herkunft der Elkesaiten noch nicht ihre antipaulinische Haltung bewiesen, sondern nur die Möglichkeit dazu aufgezeigt. Zwecks Klärung des Wahrscheinlichkeitsgrades dieser Möglichkeit sind dann weitere Überlegungen anzustellen.

7.2. Grundriß der elkesaitischen Lehre: jüdisch oder judenchristlich?

Wir rekonstruieren im folgenden im Anschluß an das Origenes-Referat aufgrund der uns zur Verfügung stehenden Quellen den Grundriß der elkesaitischen Lehre: Origenes berichtet von einem vom Himmel gefallenen Buch, in dem eine neue Sündenvergebung verkündigt wird. Zitate aus ihm finden sich bei Hippolyt und Epiphanius. Wir widmen uns primär dem Referat Hippolyts, weil es zuweilen zur Begründung der These verwendet wurde, der Grundbestand des elkesaitischen Systems sei nicht erkennbar, sondern durch Redaktion überlagert. Daher wird die entscheidende Frage für uns zu lauten haben, ob Hippolyt bei seiner Darstellung des elkesaitischen Vorstoßes nach Rom und der elkesaitischen Anschauungen weitgehend aus dem Buch des Elkesai zitiert oder ob er hauptsächlich die Lebensweise und Lehre des Elkesaiten Alkibiades beschreibt. Im letzteren Fall wären Schlußfolgerungen auf das Buch des Elkesai und somit den Grundbestand des elkesaitischen Systems unsicher, da sein Inhalt uns nur durch die Redaktion des Alkibiades bekannt wäre[7]. Im ersteren Fall hätten wir direkten Zugang zur Verkündigung des Propheten Elkesai.

Den Ausschlag kann nur eine literarkritische Analyse der betreffenden Kapitel[8] liefern[9].

---

[7] Generell wird diese These von solchen Forschern vertreten, die Elkesai für eine nichtchristliche Prophetengestalt halten und Alkibiades der zweiten (christlichen) Stufe der elkesaitischen Religion zuordnen: so z.B. Brandt, Elchasai, Kap. VI: Die Mission ins Abendland und die Verchristlichung des Buches Elchasai (S. 76–100).

[8] Nebenbei sei bemerkt, daß die betreffenden Kapitel unter die unverdächtigen Abschnitte der Refutatio fallen (= jene Passagen, die sich nicht durch eine auffällige Ähnlichkeit untereinander auszeichnen: vgl. hierzu Staehelin, Quellen).

[9] In Klammern Seiten- und Zeilenangaben der Ausgabe der Refutatio durch P. Wendland (GCS 26).

7.2.1. Gliederung und Gedankengang von Hippolyt, Ref IX 13–17

13,1–4 (p. 251,9–252,4) berichtet von dem Kommen des aus Apameia stammenden Alkibiades nach Rom. Er brachte ein Buch mit sich, das ein gewisser gerechter Mann Elkesai von den Seren in Parthien erhalten[10] und an einen Sobiai weitergegeben habe:

„Besorgt habe es ein Engel; dessen Länge betrug 24 Schoinen = 96 Meilen, seine Breite vier Schoinen, die Entfernung von Schulter zu Schulter sechs Schoinen, seine Fußspuren 1 1/2 Schoinen = 14 Meilen in der Länge, 1 1/2 Schoinen in der Breite und einen halben Schoinos in der Höhe. Bei diesem Engel habe sich auch eine weibliche Gestalt befunden, deren Maße Alkibiades übereinstimmend mit den vorgenannten angibt; die männliche Gestalt sei der Sohn Gottes, die weibliche werde als Heiliger Geist bezeichnet“ (13,2f = p. 251,14–20)[11].

Den Inhalt des Buches gab er folgendermaßen wieder:

„Es sei den Menschen die Frohbotschaft einer neuen Sündenvergebung im dritten Jahre der Regierung Trajans verkündet worden. Auch eine Taufe setzte er ein (...), von der er behauptete, daß durch sie, wer sich durch irgendwelche Ausschweifung, Verunreinigung und Gesetzeswidrigkeiten befleckt hat, Sündenvergebung empfängt, (...) sofern er sich bekehrt, auf das Buch hört und daran glaubt“ (13,3f = p. 251,22–252,4)[12].

Hierauf wird ein redaktioneller Bruch sichtbar. Hippolyt vergleicht im folgenden (p. 252,4–12) die Praktiken des Alkibiades mit denen des Kallist, an welche Alkibiades angeknüpft habe. Danach fährt Hippolyt summarisch fort:

„Nachdem wir nun einmal begonnen, wollen wir auch dieses Mannes Lehren nicht in Schweigen übergehen; nachdem wir sein Leben ins Licht gezogen und gezeigt haben, daß seine vermeintliche Askese vorgespielt ist, werden wir die Hauptpunkte seiner Lehre daneben stellen, damit, wer seine Schriften liest,

---

[10] Kurz danach heißt es, das Buch sei von einem Engel offenbart worden (13,2: χρηματισθεῖσαν ὑπὸ ἀγγέλου [p. 251,14]). Klijn-Reinink, Evidence, meinen, daß „two different observations about the origin of this book have been confused. One of them probably spoke of it originating among the Seres, a legendary people, and the other about it having been inspired by an angel“ (S. 55). Dagegen: Beide Ursprungsbezeichnungen sind doch kumulativ und nicht alternativ zu verstehen. Gemäß apokalyptischem Denken hat ein durch ein Engel inspiriertes Buch einen geheimnisvollen Ursprung. Apokalyptische Motive können keine Kriterien für literarkritische oder traditionsgeschichtliche Entscheidungen abgeben. Als Vergleich sei auf die verschiedenen Überbringer der Aufforderung zur Pella-Flucht verwiesen (vgl. u. S. 269f). Niemand käme auf die Idee, deswegen verschiedene Quellen oder Traditionen vorauszusetzen. Sachgemäßer zur obigen Frage äußert sich Reinink, Land, S. 84f.

[11] Übersetzung nach Irmscher, Buch, S. 530.

[12] Ebd.

wisse, welcher Qualität die von ihm ins Leben gerufene Irrlehre sei" (13,6 = p. 252,12–17).

Diese Bemerkung Hippolyts zur Disposition seines Ketzerreferats ist für die Scheidung von Redaktion (Alkibiades' Leben und Lehre) und Tradition (Buch des Elkesai) von großer Bedeutung. Laut Hippolyt hat er im bisherigen Referat nur Alkibiades' Leben ins rechte Licht gestellt und gezeigt, daß seine Askese nur vorgespielt sei. Auf welchen Teil des Referats mag der Ketzerbestreiter sich mit diesen Bemerkungen beziehen? Offensichtlich doch auf die redaktionelle Passage über das Verhältnis des Alkibiades zu Kallist (p. 252,4–12). Hier hatte Hippolyt den Alkibiades in der Tat als einen solchen bezeichnet, dem es nur daran liege, die von Kallist zerstreuten Schafe mit der verlockenden Botschaft des Elkesaibuches zu fangen, d.h. als einen Betrüger, dem an Askese nichts gelegen ist. Sonst wäre Alkibiades nicht mit einer solchen laxen moralischen Auffassung aufgetreten. (Alkibiades ist für Hippolyt ein Schattenbild Kallists.)

Ist damit p. 252,4–12 befriedigend auf der Grundlage der oben zitierten summarischen Bemerkung Hippolyts erklärt, so doch keinesfalls der zuvor besprochene Abschnitt p. 251,9–252,4, denn hier ist von Alkibiades' Leben nur am Rande die Rede. Vielmehr scheint Hippolyt dort vorgreifend aus dem Buch des Elkesai zu zitieren, das Alkibiades mit nach Rom gebracht hat[13]. Anders läßt sich nicht die Bemerkung erklären, daß im dritten Jahr Trajans den Menschen eine neue Sündenvergebung verkündigt worden sei. Und ebenfalls wird unter einer solchen Voraussetzung die Beschreibung des Sohnes Gottes und des heiligen Geistes am besten verständlich, die offenbar zur Eingangsvision des Buches gehörte. (Zur weiteren Begründung der Vermutung, daß Hippolyt schon zu Anfang seines Referats aus dem Buch des Elkesai zitiert[14], vgl. weiter unten S. 186).

---

[13] Gegen Klijn-Reinink, Evidence, S. 56, die in Kap. 13 Alkibiades' Predigt reflektiert sehen, die vom Buch des Elkesai zu unterscheiden sei. Die Verfasser analysieren trotz guter Ansätze den Hippolytbericht nicht sauber genug. Sie gehen von der zweifelsohne richtigen Annahme aus: „We are certain however that the particular situation in Rome at that time influenced his (sc. Alcibiades') preaching" (ebd.). Doch sagt dies doch noch gar nichts über die literarische Gestalt des Textes aus, auch wenn Hippolyt später bemerkt, Alkibiades sei ein erstaunlicher Übersetzer (*ἑρμενεύς*) Elkesais gewesen (17,2 [p. 253,16]). Dagegen ist es wichtig hervorzuheben, daß in 17,3 (von den Verfassern leider nicht abgedruckt) Hippolyt nochmals auf seine Absicht zurückkommt, Ausschnitte aus dem Offenbarungsbuch wiederzugeben: *δοκεῖ τοίνυν ἱκανὰ εἶναι πρὸς ἐπίγνωσιν τὰ εἰρημένα τῆς τούτων μανίας* (p. 255,17f).

[14] Es ist im übrigen völlig natürlich, daß Hippolyt bereits zu Beginn teilweise aus dem Buch des Elkesai zitiert, obgleich es ihm zunächst primär um die Be-

Damit kommen wir zurück zur weiteren Gliederung des Elkesairefe-rats durch Hippolyt:

Hippolyt hatte 13,6 (p. 252,12ff) angekündigt, er werde die Hauptpunkte der Lehre des Alkibiades darlegen. Diesen Vorsatz führt er im folgenden aus:

14,1 (p. 252,19f) berichtet davon, daß er (Alkibiades) nach dem Gesetz lebt und die Beschneidung von den Gläubigen verlangt. In christologischer Hinsicht nimmt er an: *τὸν Χριστὸν ... ἄνθρωπον κοινῶς πᾶσι γεγονέναι* (p. 252,20f), was auf nichts anderes als eine adoptianische Christologie hinauszulaufen scheint. Doch überrascht die Folge: *τοῦτον δὲ οὐ νῦν πρώτως ἐκ παρθένου γεγεννῆσθαι, ἀλλὰ καὶ πρότερον, καὶ αὖθις πολλάκις γεννηθέντα καὶ γεννώμενον πεφηνέναι καὶ φύεσθαι, ἀλλάσσοντα γενέσεις καὶ μετενσωματούμενον* (p. 252,21–24). Dies ist nach Hippolyt von Pythagoras entlehnt.

Darauf (p. 252,25ff) schildert der Kirchenvater, daß sie (sic!) sich hervorragende Gnostiker (*προγνωστικοί*) nennen, sich mit mathematischen und astrologischen Dingen beschäftigen und auch Beschwörungen für solche kennen, die vom Hund gebissen wurden[15]. Das Stichwort ‚Pythagoras', auf den sowohl Alkibiades (p. 252,24) als auch sie (die römischen Elkesaiten) zurückgeführt wurden (p. 252,26), verbindet äußerlich beide Abschnitte (p. 252,19ff und p. 252,25ff).

Hippolyt schließt den p. 252,25 begonnenen Abschnitt mit den Worten ab:

„Nachdem wir nun genugsam die Grundlagen und die Ursachen ihres Unterfangens dargetan, will ich zur Besprechung der Schriften dieser Leute übergehen" (p. 253,6–9).

Im Abschnitt IX 15–17,1 (p. 253,10–255,11) zitiert der Kirchenvater ausführlich. 15,1 beginnt mit einem Exzerpt über die Bedeutung der zweiten Taufe:

„Wenn nun, Kinder, jemand mit irgendeinem Tier oder einer männlichen Person oder einer Schwester oder einer Tochter geschlechtlich verkehrt oder Ehebruch oder Hurerei getrieben hat und Vergebung der Sünden empfangen will, der lasse sich, sobald er dieses Buch angehört, zum zweitenmal im Namen des

---

schreibung von Alkibiades' Lebensweise ging, und trotzdem die Zitate in der obigen summarischen Bemerkung (IX 13,6) mit keinem Wort erwähnt. Denn das Auftreten des Alkibiades in Rom ist ja zu einem gewissen Grade ohne gelegentliche Erwähnung des Inhalts des Offenbarungsbuches undenkbar.

15 Vgl. dazu Peterson, Frühkirche, S. 221–235 („Die Behandlung der Tollwut bei den Elchasaiten nach Hippolyt").

großen und höchsten Gottes und im Namen seines Sohnes, des großen Königs, taufen. Er reinige sich und heilige sich und ziehe die sieben Zeugen bei, die in diesem Buche aufgezeichnet sind, den Himmel, das Wasser, die heiligen Geister, die Engel des Gebets, das Öl, das Salz und die Erde" (p. 253,11–19).

Nach polemischen Bemerkungen fährt Hippolyt in seinen Zitaten fort:

15,3: „Nochmals sage ich es, ihr Ehebrecher, Ehebrecherinnen und falschen Propheten, wenn ihr euch bekehren wollt, damit euch die Sünden vergeben werden, so werdet ihr Frieden erlangen und teilhaben mit den Gerechten, sobald ihr dieses Buch angehört habt und zum zweiten Mal in Kleidern getauft seid" (p. 253,23–26)[16].

Die beiden angeführten Beispiele zeigen, daß Hippolyt in der Tat seine Absicht ausführt und aus Schriften bzw. einer Schrift der Elkesaiten zitiert, wobei er noch eine Reihe weiterer Stellen wörtlich anführt[16a]. Es fällt dabei auf, daß er ab 15,1 wieder von *einer* Person redet und offensichtlich deren Aussprüche wiedergibt. Das kann nichts anderes bedeuten, als daß Alkibiades und/oder in Rom ansässige Elkesaiten sich zwecks Stützung ihrer Predigt auf Aussprüche eines Propheten beriefen. Da Hippolyt am Anfang des Referats (13, 1–4) davon spricht, Alkibiades habe ein Buch mit nach Rom gebracht, kann der Schluß wohl nur lauten: Aussprüche dieses im ‚Ich-Stil' abgefaßten Buchs werden ab 15,1 wiedergegeben.

Diese These kann durch zwei Argumente abgestützt werden:

1. Die Zitate in 13,2f entsprechen den Zitaten in Epiphanius, haer 19,4,1 und 30,17,6f, wo anerkanntermaßen das Buch des Elkesai zugrundeliegt[17].

2. Der Inhalt von 13,2 wird in 15ff wieder aufgenommen. In 13,2 scheint Hippolyt bereits aus dem Buch des Elkesai zitiert oder es paraphrasiert zu haben (s.o. S. 184).

Fazit der literarkritischen Analyse von Hippolyt, Ref IX 13–17,1: Es ist nicht möglich, die Verkündigung des Alkibiades von der des Elkesai zu scheiden. Der Abschnitt, in dem Hippolyt den Alkibiades zu Wort kommen läßt, ist äußerst knapp und generell gehalten. Er reicht keineswegs aus, um eine redaktionelle Tendenz des Elkesaiten aus Apameia herauszuarbeiten. Vielmehr legt es sich nahe, auch in jenen beiden Einzelpunkten, die Hippolyt als Lehre des Alkibia-

---

[16] Übersetzung der beiden Zitate nach Irmscher, Buch, S. 531.

[16a] Es liegen im Hippolytbericht noch folgende weitere Zitate vor: 15,4–6 (p. 253,26–254,15); 16,2–4 (p. 254,21–255,5); 17,1 (p. 255,6–11).

[17] Vgl. Strecker, Elkesai, Sp. 1179 (= Eschaton, S. 327), gegen Schmidtke, Untersuchungen, S. 188 A 1.

des bezeichnet (Beschneidung, Gestaltwandel Jesu), traditionell elkesaitische Anschauungen zu erblicken[18]. Der Inhalt des Buches in seinen Grundzügen ist aus den durch Hippolyt und Epiphanius überlieferten Fragmenten[19] zu rekonstruieren[20], d.h. der Grundbestand des elkesaitischen Systems wird im Hippolyt-Bericht sichtbar.

7.2.2. *Der judenchristliche Grundbestand des elkesaitischen Systems*

Trifft die vorgeführte literarkritische Analyse des Hippolyt-Berichts zu, so ist sie von höchster Bedeutung für die Frage, ob der Grundbestand des Elkesaitismus jüdisch oder judenchristlich sei. Denn nun scheint die Folgerung unumgänglich zu sein, christliche Elemente seien von Anfang an in der elkesaitischen Theologie vorhanden gewesen:

1. führt die Vision des Sohnes Gottes und des heiligen Geistes auf christlichen Boden ebenso wie

2. die Taufformel „im Namen des Sohnes, des großen Königs",

3. läßt sich die Lehre von der Sündenvergebung nicht mit der Wirkung jüdischer Bäder parallelisieren[21].

4. „Wie die christliche Taufe wird die elkesaitische appliziert. In der Begrenzung auf grobe Sünder hat sie nicht die allgemeinverbindliche Bedeutung eines Initiationsaktes, sondern setzt einen solchen voraus, damit aber die christliche Taufe." [22]

5. An christliche Vorbilder erinnert die Naherwartung des Endes[23] sowie

6. die Jungfrauengeburt.

---

[18] Gegen Klijn-Reinink, Evidence, S. 58. Falls die Beschneidungsforderung doch nicht auf das älteste Stadium der Elkesaiten zurückgeht (die Muttergemeinde des Mani scheint sie nicht geübt zu haben und von Mani ist mir keine Nachricht bekannt, die seine Beschneidung aussagt, s.u. S. 192 A 51), ändert sich am judenchristlichen Charakter der Elkesaiten freilich nichts: vgl. u. S. 188f zu ihrer judenchristlichen Praxis.

[19] Vgl. bereits dazu Lipsius, Quellenkritik, S. 145ff.

[20] Vorausgesetzt ist hierbei, daß Epiphanius nicht Hippolyt ausschreibt. Das nehmen nicht einmal Klijn-Reinink, Evidence, S. 63, an.

[21] Strecker, Elkesai, Sp. 1184 (= Eschaton, S. 331).

[22] Strecker, ebd.

[23] Vgl. Strecker, ebd. Zusätzlich ist die Bezeichnung Elkesais als δίκαιος (Hippolyt, Ref IX 13,2 [p. 251,13]) als Analogie zu der des Jakobus als des Gerechten zu vergleichen.

Die Vertreter der rein jüdischen Herkunft des Elkesaitismus sehen darin etwas Richtiges, daß zweifellos Lehren wie Beschneidung und tägliche Bäder, die von der Taufe zu unterscheiden sind, nur auf jüdischen Einfluß zurückzuführen sind. Doch dürften sie durch ein Christentum vermittelt worden sein, für das die obigen christlichen und die genannten jüdischen Elemente keinen Gegensatz darstellten. Historisch gesehen gehört Elkesai daher dem Judenchristentum[24] an[25]. Zu demselben Schluß führen folgende Parallelen, die der Elkesaitismus mit dem Judenchristentum hat:

1. Das Buch des Elkesai gibt die Anweisung, das Gebet immer in Richtung auf Jerusalem[26] zu verrichten (Epiphanius, haer 19,3,5[27])[28].

---

[24] Die Elkesaiten kannten offenbar auch eine Art dynastisches Prinzip. Wir hören bei Epiphanius, haer 19,2,12; 53,1,2.5f, von zwei Schwestern, die verehrt werden, weil sie aus dem Geschlecht Elkesais stammen. Das entspricht dem im vorigen Kapitel zu den Desposynoi gemachten Ausführungen über ein dynastisches Judenchristentum und kann daher den judenchristlichen Charakter der Elkesaiten nur bekräftigen.

[25] Eine völlig andere Frage ist es, ob jenes Judenchristentum nicht, phänomenologisch geurteilt, als Judentum anzusprechen ist. Sie ist zu bejahen.

[26] Dies ist auch die ursprüngliche Gebetsrichtung Mohammeds. Vgl. dazu die Texte in: A. Jeffrey, Islam: Muhammad and his Religion, The Library of Liberal Arts, Indianapolis–New York 1975, S. 172–174.

[27] Vgl. auch Brandt, Elchasai, S. 11f; Urbach, Sages, S. 61. M.E. beginnt das in indirekte Rede umgesetzte Zitat aus dem Buch des Elkesai erst mit dem Satz: „man müsse von überallher das Antlitz nach Jerusalem richten". Der Anfang von haer 19,3,5 („Er verbietet, nach Osten hin zu beten, und sagt, man dürfe sich nicht so wenden") entspringt wohl der Redaktion des Kirchenvaters, der in der Gebetsanweisung des Buches einen Widerspruch zur christlichen Sitte des Gebets nach Osten gesehen hatte. Dieser ‚Widerspruch' ist aber chronologisch unmöglich, da es zu Beginn des 2. Jahrhunderts noch keine verbindliche christliche Gebetsrichtung gegeben hat. Er geht außerdem auf den Kirchenvater Epiphanius zurück, wie die Fortsetzung des obigen Zitats zeigen mag: „die im Osten westlich auf Jerusalem zu, die im Westen ostwärts (sic!) ebendorthin, die vom Norden südlich und die vom Süden nördlich, so daß von jeder Richtung her das Antlitz Jerusalem gegenübersteht" (Übersetzung nach Irmscher, Buch, S. 531).

[28] Dieser Befund berechtigt schwerlich zu den chronologischen Schlüssen, die Waitz, Pseudoklementinen, zieht: „Die Vorschrift des Buches, das Gebet nicht nach Osten, sondern stets in der Richtung nach Jerusalem zu verrichten, setzt voraus, daß Jerusalem noch nicht durch den Greuel an heiliger Stätte entweiht ist, wie dies durch die Aufstellung der Statue des Jupiter Capitolinus durch Hadrian (135) entstand. Das Alles beweist, daß das Buch Elkesai noch unter Trajan, jedenfalls vor 135 entstanden ist" (S. 158f; ebenso Waitz, Buch, S. 101). Dagegen: Die Juden haben auch nach der Entweihung Jerusalems in seiner Richtung gebetet, und die ältesten Synagogen aus dem 3. und 4. Jahrhundert, die wir kennen, sind so gebaut, daß die Gebetsrichtung Jerusalem war: vgl. Enc.

Zwar verrichten auch die Juden des zweiten Jahrhunderts ihr Gebet auf diese Weise[29], doch ist uns gerade durch Irenäus, haer I 26,2, dieser Brauch für die Ebioniten bezeugt[30].

2. Die Sabbatobservanz (für die Elkesaiten vgl. Hippolyt, Ref IX 16,3) wird von Euseb, KG III 27,5[31], für Judenchristen bezeugt.

3. Der Gestaltwandel Christi (Hippolyt, Ref IX 14,1) findet sich bei Epiphanius, haer 30,12,5, als Lehrstück der Ebioniten.

4. Eine Parallele zwischen Elkesaiten und Ebioniten besteht in ihrer Opferfeindschaft (vgl. Epiphanius, haer 19,3,6 [Elkesaiten] mit R I 37 [zum ebionitischen Charakter dieser und anderer Stellen aus den PsKl s.u. S. 245.253 u.ö.).

Steht somit die judenchristliche Herkunft des Elkesaitismus fest[32], so ist gleichzeitig darauf hinzuweisen, daß die Sekte als eine eigentümliche Fortbildung des Judenchristentums anzusprechen ist. Die Gestalt des Propheten als des Offenbarungsträgers scheint dabei in zunehmendem Maße in das Zentrum der Religion getreten zu sein, so daß nicht mit Unrecht der Elkesaitismus als ‚vormanichäischer Manichäismus' bezeichnet werden konnte[33].

Nun hatten wir oben ausgeführt, die Frage, ob ein Antipaulinismus zum Grundbestandteil der elkesaitischen Lehre gehöre, hänge u.a. davon ab, ob die Basis des Elkesaitismus jüdisch oder judenchristlich sei. Nach dem soeben geführten Nachweis der judenchristlichen Voraussetzung der elkesaitischen Verkündigung besteht die Möglichkeit, daß ein Antipaulinismus dem frühesten Stadium[34] der Elkesaiten ange-

---

Jud. 15, Sp. 597f, und zur Frage der Gebetsrichtung im Judentum, Christentum und Islam Peterson, Frühkirche, S. 1–14 („Die geschichtliche Bedeutung der jüdischen Gebetsrichtung" [Lit.]). Vgl. ferner Schürer, History II, S. 441f.

29 Vgl. Lohse, Art. Σιών κτλ, in: ThWNT VII, S. 324; Urbach, Sages, S. 57ff; Bill I, S. 852f; Bill II, S. 246f. Vgl. Dan 6,11; Ez 8,16ff; MBer IV 5f.

30 Hierosolymam adorent, quasi domus sit Dei.

31 Die Arbeit von S. Bacchiocchi, From Sabbath to Sunday, Rome 1977, ist nur als Materialsammlung brauchbar (vgl. zu ihr E. Ferguson, in: RestQ 23. 1980, S. 172ff).

32 Vgl. dazu noch Flusser, Salvation, S. 147.

33 Clemen, Abhängigkeit, S. 239; vgl. bereits K. Kessler, Mani. Forschungen über die manichäische Religion I. Voruntersuchungen und Quellen, Berlin 1889, S. 8 A 3: die Elkesaiten seien vormanichäische Manichäer.

34 Die Frage, ob die Erlaubnis, seinen Glauben in Verfolgungszeiten abzuleugnen, Grundbestand des elkesaitischen Systems gewesen ist, muß m.E. offenbleiben. Sowohl Origenes (s.o.) als auch Epiphanius (haer 19,1,8) bezeugen die obige Erlaubnis als Bestandteil elkesaitischer Lehre. Klijn-Reinink, Evidence, bestreiten die Zugehörigkeit mit unzureichenden Gründen: „this practice was

hört. Bevor wir uns der Frage nach dem Wahrscheinlichkeitsgrad dieser Möglichkeit zuwenden, sei zunächst ein Blick auf den chronologischen und geographischen Ort der Anfänge der elkesaitischen Bewegung geworfen.

7.3. Der chronologische und geographische Ort des Elkesai

Das zeitliche Auftreten des Elkesai kann aufgrund der Quellen genau bestimmt werden. Gegen Urteile, die den Anfang der Sekte gar ins 3. Jahrhundert verlegen wollen[35], stehen zwei Zeugnisse, die einander bestätigen:

1. Hippolyt, Ref. IX 13,4, erwähnt, daß Elkesai im dritten Jahr Trajans (= 100 n.Chr.)[36] auftrat (vgl. Epiphanius, haer 19,1,4, der das Auftreten Elkesais allgemein in die Zeit Trajans legt).

2. Im Offenbarungsbuch befindet sich eine unerfüllt gebliebene Aussage über das apokalyptische Ende[37], das sich ereignen werde, „wenn

---

confined to the Gnostics who had little in common with Elkesaite teaching" (S. 61). Nun, in den synkretistischen Neigungen haben Gnostiker und Elkesaiten manches gemeinsam, und die Gnostiker haben eine viel differenziertere Haltung zum Martyrium als Klijn-Reinink offenbar glauben (vgl. dazu Koschorke, Polemik, S. 134ff). – Brandt, Elchasai, hält die Erlaubnis des ἀρνεῖσθαι für originell-elkesaitisch, ordnet sie aber der letzten Zeit des Propheten zu. Sie sei „das Votum eines nicht mehr jungen Mannes (...). Am großen Gerichtstag kam es auf *sein* Zeugnis an: da wollte er, Elchasai, denen die ihm angehörten schon bezeugen, daß ihr Verleugnen ein bloßer Schein, nicht ernst gemeint gewesen sei" (S. 64). – In jedem Fall dürfte feststehen, daß die Erlaubnis zur Verleugnung nicht Ketzerpolemik entspringt, sondern irgendwann (in der hadrianischen Verfolgung?) in den elkesaitischen Gemeinden ausgebildet wurde. Dafür spricht der Befund, daß die Gestalt des Pinehas als Schriftbeweis diente (Epiphanius, haer 19,1,9). Das läßt sich am besten im Gegenüber zu einer rivalisierenden jüdischen Interpretation verstehen, der die Gestalt des Pinehas als Aufforderung zum gewaltsamen Widerstand diente. Vgl. Hengel, Zeloten, S. 152ff (Lit.), zu Pinehas als Symbolfigur des Widerstands.

35 Ritschl, Entstehung, S. 247 (letztes Drittel des 2. Jahrhunderts [hiergegen protestierte bereits Hilgenfeld, in: ZWTh 1.1858, S. 418]); Harnack, Geschichte II.1, S. 625; Hort, Notes, S. 85f; Chapman, Date; Schoeps, Theologie, S. 326f.

36 Vgl. aber hierzu Klijn-Reinink, Evidence, S. 56 A 1.

37 „Das Ausmaß des Krieges deutet apokalyptische Dimensionen an; gemeint sind die Ereignisse des Weltendes" (Strecker, Elkesai, Sp. 1182 [= Eschaton, S. 329]). Auf dasselbe Ende weist die Geheimformel: „Ich werde über euch Zeuge sein am Tage des großen Gerichts" (Epiphanius, haer 19,4,3; vgl. M. A. Levy, Bemerkung zu den arabischen Analekten des Herrn Prof. Hitzig, in: ZDMG 12.1858, S. 712).

wiederum drei Jahre des Kaisers Trajan erfüllt sind, von dem Zeitpunkt an, da er sich die Parther unterwarf" (Hippolyt, Ref IX 16,4). Die Unterwerfung der Parther erfolgte um das Jahr 115 n.Chr.[38], und die für das Jahr 117 n.Chr. angekündigte Endkatastrophe ist nicht eingetroffen. Also sind wir berechtigt, 117 n.Chr. als terminus ad quem der Verkündigung des Elkesai anzunehmen. Seine Wirksamkeit dürfte dann in die Jahre 100–117 n.Chr. fallen.

Der Ort[39] der Wirksamkeit des Elkesai ist aus der Angabe zu erschließen, der Prophet habe das Offenbarungsbuch „von den Seren in Parthien erhalten" (Hippolyt, Ref IX 13,1). Der Name ‚Seren' trägt geographisch nichts aus und bezeichnet nur den geheimnisvollen Ursprung[40]. Gleichwohl weist die weitere Erklärung ‚in Parthien', die den römischen Krieg betreffende Prophezeiung und die Tatsache, daß das Buch griechisch[41] abgefaßt war, auf das syrisch-parthische Grenzgebiet am oberen Lauf des Euphrat als Ort der Wirksamkeit des Elkesai[42]. Hierzu paßt, daß um 200 n.Chr. der Elkesait Alkibiades im syrischen Apameia gelebt hat.

7.4. Zur Frage eines Antipaulinismus an den Wurzeln der elkesaitischen Bewegung. Sein Stellenwert

Oben wurde ausgeführt: Möglicherweise gehörte eine antipaulinische Einstellung bereits den Anfängen der elkesaitischen Bewegung an. Diese Möglichkeit wird ein Stück wahrscheinlicher, da der neugeöffnete Kölner Manikodex[43] eine antipaulinische Einstellung der elkesaitischen Muttergemeinde Manis[44] vorauszusetzen scheint.

---

38 Vgl. Brandt, Elchasai, S. 13.

39 Zum folgenden vgl. Strecker, Elkesai, Sp. 1173 (= Eschaton, S. 321f).

40 Vgl. Reinink, Land, S. 84f.

41 Gegen Irmscher, Buch, S. 529; Waitz, Buch, S. 90. Das Gebot, nicht nach der Auslegung der Geheimformel (s.o. A 37) zu forschen, ist hauptsächlich „für griechisch sprechende Gläubige sinnvoll" (Strecker, Elkesai, Sp. 1183 [= Eschaton, S. 330], Gründe für ein griechisches Original des Buches ebd.).

42 Klijn-Reinink, Evidence, halten die Elkesaiten für eine Bewegung, „that tried to show its allegiance to the Parthian nation" (S. 60). Umgekehrt: Flusser, Salvation, S. 150; Elsas, Weltablehnung, S. 37. Mir ist nicht klar, *wodurch* die Elkesaiten ihre ‚allegiance' (nicht) zeigen wollten.

43 Der Kodex bestätigt das Zeugnis des Bibliographen al-Nadim aus dem 10. Jahrhundert über die Zugehörigkeit von Manis Vater zu einer elkesaitischen Gemeinde (vgl. Fihrist p 773f Dodge), das in der Forschung wenig Glauben fand (vgl. aber bereits Chwolsohn, Ssabier, S. 123ff, und in neuerer Zeit Strecker, Elkesai, Sp. 1177f [= Eschaton, S. 325f]). Skeptisch gegenüber der Möglichkeit der

Vgl. CMC 80,6–18: „Als ich ihre Lehren und Mysterien als null und nichtig erwies und ihnen dabei zeigte, daß sie ihren Lebenswandel nicht den Geboten des Heilandes entnommen haben, bewunderten mich einige von ihnen, während andere zürnten und ärgerlich sagten: ‚Will er etwa zu den Griechen gehen?' "[45]

Unter der Voraussetzung, daß hier eine historisch-zuverlässige Tradition vorliegt[46], so ist die Annahme möglich, daß die Baptisten an unserer Stelle Paulus implizit als Griechen verwerfen[47]. Eine solche Annahme kann sich auf den Befund berufen, daß Paulus von den Ebioniten des Epiphanius ebenfalls als ‚Grieche' bezeichnet wird[48]. Sodann scheint Manis Verlassen der elkesaitischen Gemeinde Hand in Hand mit einer Wendung zu den die Paulusbriefe benutzenden Schülern Marcions oder zu Bardesanes gegangen zu sein[49], die nichts mit Judentum oder Judenchristentum gemeinsam hatten. In diesem Fall erscheint die Wendung „er geht zu den Griechen"[50] als antipaulinischer Satz um so angemessener.

Sind diese Darlegungen richtig, so haben wir einen weiteren Anhaltspunkt für eine antipaulinische elkesaitische Gruppe gewonnen[51]. Sie

---

Auswertung des Kodex für den Elkesaitismus äußern sich Klijn-Reinink, Evidence, S. 66; vgl. dies., Elchasai, S. 289; J. K. Coyle, in: EeT 10.1979, S. 179–193. Vgl. dagegen Henrichs, Cologne, S. 366 mit A 51. – S. 1–99 des Kodex sind jetzt im Original und in englischer Übersetzung bequem zugänglich: s. R. Cameron – A. J. Dewey, The Cologne Mani-Codex (P. Colon, inv. nr. 4780) 'Concerning the Origin of his Body', Missoula 1979. A. Henrichs – L. Koenen edierten, übersetzten (deutsche Übs.) und kommentierten (vorzüglich!) die ersten 120 Seiten des Kodex in: ZPE 19.1975, S. 1–85; 32.1978, S. 87–199; 44.1981, S. 201–318. Ein Vorbericht stand in: ZPE 5.2.1970, S. 97–216.

44 Vgl. zu ihr Koenen, Augustine, S. 187–190; Henrichs, Cologne, S. 354–367; Rudolph, Baptisten, S. 14–16.32–34.

45 Übersetzung nach Henrichs-Koenen, in: ZPE 32.1978, S. 101. Vgl. die Parallelstellen CMC 87,19f; 89,13f.

46 Vgl. dazu Henrichs, Cologne, S. 365f und passim.

47 Vgl. Henrichs, Cologne, S. 365: Die elkesaitischen Baptisten von CMC 80,6ff „seem to acknowledge the ἐντολαὶ τοῦ σωτῆρος but implicitly reject Paul as Greek".

48 Epiphanius, haer 30,16,8f. Zum Text s.u. S. 241f.

49 Zur Begründung vgl. Henrichs, Mani, S. 52f; Koenen, Augustine, S. 190ff. Vgl. ferner B. Aland, Mani und Bardesanes – Zur Entstehung des manichäischen Systems, in: A. Dietrich (ed.), Synkretismus im syrisch-persischen Kulturgebiet, Göttingen 1975, S. 123–143, und A. Böhlig, Der Synkretismus des Mani, ebd., S. 144–169, bes. S. 158f (Mani und Marcion).

50 Zur Wendung vgl. aber noch Joh 7,35.

51 Zu den Unterschieden jener Gruppe von den uns bekannten Gruppen der Elkesaiten vgl. Henrichs, Cologne, S. 365f. Die Muttergemeinde Manis scheint die Beschneidung nicht praktiziert zu haben (dies als Ergänzung zu den ausgewogenen Darlegungen von Henrichs).

ist in Südbabylonien zu lokalisieren, und ihre Theologie zeichnet sich spätestens seit Beginn des 3. Jahrhunderts durch eine antipaulinische Einstellung aus.

Ein solcher Befund ist von Bedeutung für die oben aufgeworfene Frage nach Antipaulinismus als traditioneller Bestandteil elkesaitischer Lehren. Denn da wir nun für den Beginn des dritten Jahrhunderts zwei voneinander unabhängige Zeugnisse für antipaulinische Elkesaiten besitzen, die geographisch weit voneinander entfernt sind, so bestärkt dieser Befund die Annahme, daß Antipaulinismus traditioneller Bestandteil der elkesaitischen Lehren gewesen ist. Die umgekehrte Annahme, etwa zur gleichen Zeit hätten zwei elkesaitische Gemeinden eine antipaulinische Haltung unabhängig voneinander übernommen, ist doch unwahrscheinlich.

War somit der Elkesaitismus von Anfang an wohl antipaulinisch, so ist abschließend die Frage nach der Rolle des Antipaulinismus im elkesaitischen Systems zu stellen: Über eine aktuelle Auseinandersetzung mit Paulus(schülern) verlautet in den erhaltenen Kirchenväterreferaten nichts, so daß hier ähnlich wie zu den Desposynoi zu sagen ist: Der Antipaulinismus gehört a) zu den vom Judenchristentum übernommenen Lehrstücken, die b) jederzeit zu einer scharfen Waffe gegen Paulus(schüler) werden konnte. Die zuletzt genannte Möglichkeit scheint in der Muttergemeinde Manis Wirklichkeit geworden zu sein, als sich Mani Paulusschülern zu- und von der Elkesaitengemeinde abwandte.

8. ANTIPAULINISMUS IM JAK

Die nachfolgenden Ausführungen setzen die ‚Unechtheit' des Jak voraus[1]. Gemäß unserer Themenstellung wird gefragt, ob Jak an irgendeiner Stelle gegen Paulus polemisiert[2]. Da das Datum des fingierten Briefs sicher nach 70 n.Chr. fällt, sind folgende Arten der Polemik gegen Paulus möglich: a) Polemik gegen ein von den Anhängern des Paulus mündlich oder schriftlich verbreitetes Paulusbild, b) gegen mündliche mit Paulus in Verbindung gebrachte Losungen, c) gegen Briefstellen. – Der erste Schritt in der nachfolgenden Analyse besteht in strenger *Literarkritik.* (Falls die Annahme von Antipaulinismus verifiziert werden kann, ist dann weiter nach einem evtl. judenchristlichen Charakter des Antipaulinismus, seiner Verankerung in der Theologie des Jak und seiner Geschichte zu fragen.) Das vielfach in diesem Zusammenhang behandelte Problem des theologischen Verhältnisses zwischen dem Jakobusbrief und Paulus steht aus methodischen Gründen hier noch nicht zur Debatte (vgl. dazu unter 8.2.). Denn eine Entscheidung über die theologische Ferne oder Nähe des Jak zu Paulus ist unabhängig von der Frage, ob Jak Paulus angreifen *wollte.*

8.1. Antipaulinische Äußerungen im Jak

In diesem Abschnitt behandeln wir diejenigen Stellen des Jak, die möglicherweise auf Paulus in einer der drei oben skizzierten Weisen Bezug nehmen.

---

[1] M.E. spricht vor allem die in Gal 2,11ff sichtbar werdende theologische Haltung des Herrenbruders gegen die Echtheit von Jak. Vgl. zu weiteren Argumenten gegen die Authentizität Aland, Herrenbruder; Dibelius, Jak, S. 23ff; Ropes, James S. 43ff; Kümmel, Einleitung, S. 363ff; Schenke-Fischer, Einleitung II, S. 237ff; Laws, Epistle, S. 40f. Die entgegengesetzte Annahme, der Herrenbruder sei der Verf. des Jak, wird von modernen Forschern wieder zunehmend vertreten: vgl. Mußner, Jak, S. 1ff; Wuellner, Jakobusbrief, S. 38; Stuhlmacher, Verstehen, S. 234f.

[2] Das meiste der neueren Lit. bis 1977 arbeitet auf: Lindemann, Paulus, S. 240–252. Für die ältere Forschung ist die unübertroffene Darstellung von Holtzmann, Lehrbuch II, S. 368–390, zu vergleichen.

8.1.1. *Jak 1,2–4 und Röm 5,3–5*

Jak 1,2–4: *Πᾶσαν χαρὰν ἡγήσασθε, ἀδελφοί μου, ὅταν πειρασμοῖς περιπέσητε ποικίλοις, γινώσκοντες ὅτι* (I)
τὸ δοκίμιον ὑμῶν τῆς πίστεως κατεργάζεται ὑπομονήν. ἡ δὲ ὑπομονὴ ἔργον τέλειον ἐχέτω (II),
ἵνα ἦτε τέλειοι καὶ ὁλόκληροι, ἐν μηδενὶ λειπόμενοι (III).

Röm 5,3–5: *καυχώμεθα ἐν ταῖς θλίψεσιν, εἰδότες ὅτι* (I)
ἡ θλῖψις ὑπομονὴν κατεργάζεται, ἡ δὲ ὑπομονὴ δοκιμήν, ἡ δὲ δοκιμὴ ἐλπίδα (II).
ἡ δὲ ἐλπὶς οὐ καταισχύνει (III).

Für literarische Abhängigkeit des Jak vom Röm können sprechen: a) die gleiche Wortwahl (im Text unterstrichen)[3], b) der parallele Aufbau: Beide Texte bestehen aus drei Abschnitten:

I. Die Verfasser beginnen mit der Lage der Adressaten, die sich in Trübsal bzw. Versuchungen befinden. Dieser Lage sollen sie sich freuen bzw. sich rühmen, denn II. die Trübsal bzw. der Glaube leite zur Geduld, die ihrerseits zur Hoffnung bzw. zum vollkommenen Werk führt. III. In einer Klimax wird die Gedankenreihe abgeschlossen, indem die Verfasser auf das Nicht-zuschanden-Werden der Hoffnung bzw. darauf verweisen, daß die Adressaten vollkommen und unversehrt sein werden.

Setzen wir einmal die Richtigkeit der u.a. von A. E. Barnett[4] vertretenen These der literarischen Abhängigkeit der obigen Jakobusstelle von Röm 5,3ff voraus, so hätte Jak den kunstvollen 2. Teil des paulinischen Kettenschlusses dadurch zerstört, daß er *δοκιμή* aus dem Kettenschluß herausgenommen und, verbunden mit der *πίστις*, an die Spitze des Satzes gestellt hätte. Das wäre nicht ohne theologische Absicht geschehen, denn was sich bei Paulus als Frucht der *θλῖψις* erst ergab, steht im Jak – als Leistung – bereits am Anfang.

Andererseits können die obigen Übereinstimmungen auch ebensogut aus einer gemeinsamen Abhängigkeit des Paulus und des Jakobusbriefverfassers von gemeinchristlicher Tradition[5] erklärt werden[6], um

---

3 Als Berührungen können gelten: *πειρασμοῖς/θλίψεσιν, γινώσκοντες ὅτι/εἰδότες ὅτι*.
4 Barnett, Paul, S. 187.
5 Vgl. dazu Dibelius, Jak, passim.
6 Vgl. Lindemann, Paulus, S. 241f.

so mehr, als in 1Petr 1,6 ein mit Jak 1,2ff und Röm 5,3ff paralleler Kettenschluß erscheint[7].

Eine Abhängigkeit des Jak von Paulusbriefen ist an unserer Stelle also nicht nachzuweisen. Daher gibt Jak 1,2ff auch nichts für einen Antipaulinismus des Jak her.

8.1.2. Jak 2,10 und Gal 5,3 (3,10)

Jak 2,10: *ὅστις γὰρ ὅλον τὸν νόμον τηρήσῃ, πταίσῃ δὲ ἐν ἑνί, γέγονεν πάντων ἔνοχος.*

Gal 5,3: *μαρτύρομαι δὲ πάλιν παντὶ ἀνθρώπῳ περιτεμνομένῳ ὅτι ὀφειλέτης ἐστὶν ὅλον τὸν νόμον ποιῆσαι.*

Vgl. Gal 3,10: *ἐπικατάρατος πᾶς ὃς οὐκ ἐμμένει πᾶσιν τοῖς γεγραμμένοις ἐν τῷ βιβλίῳ τοῦ νόμου τοῦ ποιῆσαι αὐτά.*

Die wörtlichen Übereinstimmungen zwischen Jak 2,10 und Gal 5,3 (3,10) sind gering (nur *ὅλος ὁ νόμος*). Inhaltlich sind die angeführten Stellen fast identisch.

Zu beachten ist die verschiedene Funktion der Sätze. Paulus formuliert sie, um den Gesetzesweg für seine Gemeinden auszuschließen: Nicht nur kann niemand das Gesetz erfüllen, keiner soll es erfüllen (s.o. S. 151f). Dagegen schreibt der Verf. des Jak jenen Satz, um seine Gemeinde zum Halten des Gesetzes aufzufordern. V. 10 steht dabei in der Einheit V. 8–11, die vom Halten des Gesetzes handelt. Das Stichwort *προσωπολημπτεῖν* (V. 9) verbindet jene Einheit mit dem Vorhergehenden (2,1):

Der Gedankengang von V. 8–11 läßt sich wie folgt skizzieren:

V. 8: Die Adressaten handeln gut, wenn sie das königliche Gesetz gemäß dem Gebot halten: ‚Liebe deinen Nächsten wie dich selbst'.

V. 9: Wenn sie aber gewisse Leute (wie die Reichen von 2,1ff) bevorzugen, dann werden sie vom Gesetz als Übertreter überführt.

V. 10: Wer das ganze Gesetz nur in einer Sache (wie dem erwähnten Beispiel) übertritt, hat sich gegen alle (Gebote) verschuldet.

V. 11 illustriert V. 10 (den Übertritt nur eines Gebotes) und lenkt mit dem Stichwort ‚Übertreter' zu V. 9 zurück: Denn der gesagt hat: ‚Du sollst nicht ehebrechen' hat auch gesagt: ‚Du sollst nicht töten'.

---

[7] Gegen eine literarische Abhängigkeit von Jak 1,2ff von Röm 5,3ff vgl. noch Hoppe, Hintergrund, S. 20ff.

Wenn du nun nicht die Ehe brichst, aber tötest, bist du ein Übertreter des Gesetzes geworden.

Auf die inhaltliche Füllung des ganzen Gesetzes[8] ist unten zurückzukommen. Hier ist nur zu fragen, ob Jak auf eine paulinische Passage wie Gal 5,3 oder Gal 3,10 anspielt. Für eine solche Möglichkeit sprechen folgende Gründe:

a) Die Wendung ‚das ganze Gesetz beachten/tun' erscheint nur hier im NT.

b) der rigoristische Inhalt von Gal 5,3 (3,10) ist zu vereinzelt im NT[9] und im Judentum[10], um nicht auf eine literarische Abhängigkeit der obigen Texte voneinander zu weisen.

Liegt somit wahrscheinlich eine Anspielung des Jak auf den Gal oder auf mündliche Paulustradition vor, so ist eine antipaulinische Aussage in unserem Abschnitt überdeutlich: Gegen Paulus hebt der Verf. des Jak die Notwendigkeit hervor, das ganze Gesetz zu erfüllen.

8.1.3. Jak 2,14–26

In diesem Abschnitt[11] liegen folgende Berührungen zwischen Jak und Paulusbriefen vor:

Jak 2,21: *Ἀβραὰμ ὁ πατὴρ ἡμῶν οὐκ ἐξ ἔργων ἐδικαιώθη (ἀνενέγκας Ἰσαὰκ τὸν υἱὸν αὐτοῦ ἐπὶ τὸ θυσιαστήριον)*;.

Röm 4,2: *εἰ γὰρ Ἀβραὰμ ἐξ ἔργων ἐδικαιώθη, ἔχει καύχημα (,ἀλλ' οὐ πρὸς θεόν)*.

---

8 Zum Begriff ‚das ganze Gesetz' vgl. noch H. Hübner, Das ganze und das eine Gesetz, in: KuD 21.1975, S. 239–256.

9 Vgl. aber noch Mt 5,18f.

10 Vgl. dazu Sanders, Law, S. 109–126. Sanders unterscheidet drei verschiedene Typen von Antworten auf die Frage, wieweit das Gesetz erfüllt werden müsse: a) 51% Gesetzeserfüllung ist erforderlich; b) eine Übertretung genügt zur Verurteilung; c) eine Erfüllung genügt zur Rettung (a.a.O., S. 109). Obwohl sich die drei Typen auszuschließen scheinen, „all three statements could be made without intellectual embarrassment by anyone but a systematic theologian. Each type of saying is an effective way of urging people to obey the commandments as best they can and of insisting upon the importance of doing so" (a.a.O., S. 119).

11 Eine Einzelexegese kann wegen der hier verfolgten Fragestellung und Methode unterbleiben. Zu ihr vgl. die Kommentare und zuletzt Burchard, Jakobus, der aber, abgesehen von einem mir nicht klaren Nachtrag (S. 43 A 77 auf S. 44), nichts zur Frage des Antipaulinismus des Jak beiträgt.

Die wörtlichen Übereinstimmungen zwischen beiden Texten[12] legen eindeutig eine literarische Beziehung zwischen ihnen nahe, sei es daß Jak den Röm oder eine Röm 4,2 entsprechende Tradition kennt. Dieser Schluß ist auch deswegen zwingend, weil vor Paulus niemand vertreten hatte, Abraham sei nicht aus Werken gerecht geworden[13]. Jak polemisiert daher an unserer Stelle gegen eine paulinische These[14].

Jak 2,23: (*καὶ ἐπληρώθη ἡ γραφὴ ἡ λέγουσα·*) *ἐπίστευσεν δὲ Ἀβραὰμ τῷ θεῷ, καὶ ἐλογίσθη αὐτῷ εἰς δικαιοσύνην.*

Röm 4,3: (*τί γὰρ ἡ γραφὴ λέγει;*) *ἐπίστευσεν δὲ Ἀβραὰμ τῷ θεῷ καὶ ἐλογίσθη αὐτῷ εἰς δικαιοσύνην.*

Auf eine literarische Beziehung zwischen beiden Texten führt die Beobachtung, daß beide wörtlich übereinstimmen und gegenüber der LXX (Gen 15,6) in zwei, wenn auch unwesentlichen Punkten gemeinsam abweichen: in der Schreibung *Ἀβραάμ* gegenüber *Ἀβράμ* und in der Hinzufügung von *δέ* hinter *ἐπίστευσεν*. Das bedeutet, der Verf. des Jak akzeptiert das Abrahambeispiel, faßt es aber *gegen* Paulus als Bestätigung dafür auf, daß der Glaube durch Werke vollendet wird (V. 22b.24).

Jak 2,24: (*ὁρᾶτε ὅτι*) *ἐξ ἔργων δικαιοῦται ἄνθρωπος καὶ οὐκ ἐκ πίστεως μόνον.*

Gal 2,16: *οὐ δικαιοῦται ἄνθρωπος ἐξ ἔργων νόμου ἐὰν μὴ διὰ πίστεως Ἰησοῦ Χριστοῦ.*

Röm 3,28: *λογιζόμεθα γὰρ δικαιοῦσθαι πίστει ἄνθρωπον χωρὶς ἔργων νόμου.*

Die wörtlichen Übereinstimmungen weisen – ähnlich wie in den vorher diskutierten Texten – auf eine literarische Beziehung. Die These einer Abhängigkeit des Jak von Paulus wird unterstützt durch den Befund, daß die Entgegensetzung ‚Glaube–Werke' vor Paulus nicht nachweisbar ist[15]. Es ist interessant, daß *μόνον* in Jak 2,24 nicht in Röm 3,28 erscheint. Da man *πίστει* in Röm 3,28 aber exklusiv zu verstehen hat[16], ist *μόνον* durchaus angemessen und kann nicht als Argument gegen eine Abhängigkeit des Jak von Paulus bewertet werden.

---

12 Zusätzlich ist darauf hinzuweisen, daß Jak schon durch die Frageform polemisiert.

13 Vgl. Wilckens, Röm, S. 262 (Lit.).

14 Vgl. Lindemann, Paulus, S. 245.

15 Vgl. die Kommentare. 4Esr 13,23; 7,24; 8,31ff kommen Paulus am nächsten, obwohl auch jene Stellen Glaube und Werke nicht als Gegensatzpaar kennen.

16 Vgl. Wilckens, Röm, S. 247 (Lit.).

Jak 2,24 hat ferner nur *ἐξ ἔργων* statt *ἐξ ἔργων νόμου*. Dieser Befund kann ebenfalls nicht unsere These in Frage stellen, sondern er deutet darauf hin, daß der Verf. des Jak die Funktion des Gesetzesbegriffs in der paulinischen Theologie nicht mehr kannte und „deshalb zwischen ‚Werken' und ‚Gesetzeswerken' keinen Unterschied sah."[17] Der Verf. des Jak greift daher in Jak 2,24 die paulinische Rechtfertigungslehre an.

Steht somit fest, daß Jak an den oben besprochenen Stellen bewußt gegen Paulus polemisiert, muß die bisher unberücksichtigte Frage nach der Berechtigung dieses Angriffs behandelt werden. Ihre erfolgreiche Beantwortung wirft vielleicht Licht auf den theologischen und historischen Ort des Jak und auf das offengelassene Problem, ob Jak Briefe oder mündliche Paulustradition voraussetzt.

Hier ist nun mit aller Deutlichkeit festzustellen, daß Jak die Position des Paulus nicht trifft. Der Heidenapostel kennt keinen Glauben, der nicht Gehorsam ist (vgl. Röm 1,5) und nicht in der Liebe tätig wäre (vgl. Gal 5,6)[18]. Insofern ist der von Jak eingeführte ‚paulinische' Glaubensbegriff, soweit er den historischen Paulus betrifft, eine Karikatur.

Wie steht es nun aber mit der Möglichkeit, daß Jak den historischen Paulus gar nicht im Blick hat, sondern etwa Paulusschüler? Ist seine Beschreibung des Paulinismus in Jak 2 dann vielleicht doch keine Karikatur?

Wir wenden uns im folgenden jenen Fragen zu und behandeln das Problem des paulinischen Gegenübers in Jak 2:

a) Hat Jak paulinische Briefe oder mündliche Paulustradition gekannt?

b) Wer sind die Träger jener Paulusüberlieferung (sei sie nun mündlich oder schriftlich)?

Zu a): Für die Annahme, Jak habe nur mündliche Tradition gekannt[19], läßt sich anführen, daß abgesehen von den angeführten paulinischen Spitzensätzen keine weiteren Stellen aus den Paulusbriefen in Jak reflektiert werden. Doch ist andererseits zu bezweifeln, Jak hätte einen Anlaß gehabt, auf weitere paulinische Sätze anzuspielen bzw. sich mit

---

[17] Lindemann, Paulus, S. 249.

[18] Vgl. dazu besonders Schrage, Jak, S. 34.

[19] So Trocmé, Églises. Der Verf. des Jak beantworte in 2,14ff „écho(s) de la prédication de Paul" (S. 664), mit denen er durch eigenen Besuch von paulinischen Gemeinden oder durch Kunde bekannt geworden sei.

ihnen auseinanderzusetzen. Denn seine Schrift besteht weitgehend aus (weisheitlicher[20]) Paränese. Wegen der großen Übereinstimmung im Wortlaut halte ich daher die Benutzung einer schriftlichen Vorlage (= Paulusbriefe) durch den Verf. des Jak für wahrscheinlicher.

Zu b): In der neueren Jakobusforschung ist es vielfach üblich geworden, in den Trägern der in Jak 2 attackierten Paulusüberlieferung Hyperpauliner zu sehen, die die paulinische theologische Antithese ‚Glaube – Werke des Gesetzes' mißverstanden hätten[21]. Gegen eine solche These spricht, daß uns kein Text aus der gnostischen[22] Rezeption Pauli bekannt geworden ist, der der in Jak 2 vorausgesetzten Position entspricht[23]. Weiter wird in der deuteropaulinischen Literatur, die theoretisch auch als Gegner in Frage kommt, der Begriff ‚Werke' positiv aufgenommen[24], so daß ein evtl. Angriff des Jak gegen die genannten Nachfolger des Paulus noch unwahrscheinlicher wäre als gegen Paulus selbst. (In diesem Fall wäre das Mißverständnis seitens des Jak noch größer als im Falle des Angriffs gegen Paulus selbst.) Man wird es daher für wahrscheinlich halten, daß Jak paulinische Passagen selbst angreift. Ihm werden Röm und Gal ganz oder teilweise bekannt gewesen sein.

Nun erhebt sich die Frage: Schließt nicht der Befund, daß Jak Paulus mißverstanden hat, einen Angriff des Verfassers des Jak gegen Paulus aus? H. J. Holtzmann führte zu einem solchen die obige These in Frage stellenden Gegenargument bereits vor 80 Jahren aus:

Dann „wären alle Fälle einer in schiefer Richtung geführten und darum das eigentliche Ziel verfehlenden Polemik zugleich Beweise gegen jede Annahme polemischer Absicht, und würde sich beispielsweise leicht zeigen lassen, daß die Beschlüsse des Trienter Konzils über Glaube und Rechtfertigung unmöglich gegen

---

20 Zum weisheitlichen Hintergrund von Jak vgl. die schöne Studie von Hoppe, Hintergrund.

21 Vgl. z.B. Schrage, Jak, S. 35: verwilderter oder vergröberter Paulinismus; Stuhlmacher, Gerechtigkeit, S. 193 A 1: enthusiastischer oder gnostisierender Paulinismus; ähnlich auch Dassmann, Stachel, S. 112f. Lührmann, Glaube, S. 83, spricht dagegen von einem orthodoxen Paulinismus als Gegnerfront.

22 Gegenüber der allgemeinen These von libertinistischen Gnostikern ist vor allem seit dem Nag-Hammadi-Fund Zurückhaltung geboten. Vgl. dazu Wisse, Opponents, S. 115–117 (Lit.).

23 Aus der korinthischen Korrespondenz sind uns zwar Mißverständnisse des Paulus bekannt. Sie betreffen aber nicht das theologische Gegensatzpaar ‚Glaube – Werke des Gesetzes': zu Schrage, Jak, S. 35, der auf die korinthischen Enthusiasten als Kandidaten für einen Mißbrauch und ein Mißverständnis verweist; vgl. das oben S. 124f.130 zum Enthusiasmus Ausgeführte.

24 Vgl. Eph 2,10; Kol 1,10; 1Tim 2,10; Tit 2,7.14.

die betreffenden Artikel der Augustana gerichtet sein können, da die katholische fides einen anderen Inhalt hat, als die protestantische."[25]

Eine wichtige Parallele für die Paulus im Jak nicht gerecht werdende Polemik gibt der Heidenapostel in Röm 3,8 (6,1) selbst (vgl. o. S. 159f). Schon zu seinen Lebzeiten karikierten judenchristliche Gegner Pauli Rechtfertigungslehre so, daß sie ein unmoralisches Leben angeblich provoziere. Ähnlich karikiert Jak die paulinischen Spitzensätze aus Gal und Röm derart, daß der paulinische Pistis-Begriff nicht zu Werken, d.h. moralischem Handeln führe[26].

Wir werden weiter unten zu fragen haben, ob nicht diese interessante Parallele in der antipaulinischen Polemik die Herkunft des Verf.s des Jak weiter bestimmen hilft.

8.2. Zum Verhältnis der Theologie des Jak zum Antipaulinismus

Auf die Theologie des Jak trifft die oben (S. 54f) gewonnene Definition von ‚judenchristlich' *nicht* zu. Der Verf. deutet an keiner Stelle die Geltung des sogenannten Zeremonialgesetzes[27] an. Für ihn hat nur das Moralgesetz Bedeutung. Er nennt es ‚vollkommenes Gesetz der Freiheit' (1,25) oder ‚königliches Gesetz' (2,8)[28], das es ohne Abstriche zu erfüllen gelte (2,10). Die Gesetzeslehre des Jak ist von dem tiefen Vertrauen begleitet, daß der Gläubige die Werke tun kann, die vom Gesetz gefordert werden, so daß er im Endgericht (2,12) gerechtfertigt wird. Jak ist somit Zeugnis für einen ‚nomistischen Positivismus'[29], der inhaltlich vom hellenistischen Diasporajudentum geprägt ist[30].

---

25 Holtzmann, Lehrbuch II, S. 379.

26 Die oben im Text begründete These erwägt auch Schrage, Jak, S. 35. Er lehnt sie dann aber mit folgender Begründung als unwahrscheinlich ab: „Aber ein solches Maß an Verzerrung, wie dann vorauszusetzen wäre, ist dem Verfasser, der nicht von billigen Siegen lebt, nicht zuzutrauen" (ebd.). Dazu: Die zunächst zu klärende Frage ist doch, ob Jak Paulus überhaupt verstanden hat. Sollte das nicht der Fall sein, reduziert sich das Maß an Verzerrung erheblich.

27 Der Ausdruck ‚Zeremonialgesetz' ist eine moderne christliche Bildung. Es lautet jüdisch: Gesetze, die das Verhältnis Gott–Mensch regeln. Vgl. Sanders, Law, S. 125; Moore, Judaism, II, S. 6f. Sachlich ist das Phänomen der Ablösung des Zeremonialgesetzes (mit der Ausnahme des Verbotes des Götzendienstes) im vorchristlichen Judentum präformiert: vgl. Philo, Migr 89f.

28 Vgl. zu beiden Begriffen Hoppe, Hintergrund, S. 87ff.

29 Der Ausdruck stammt von Walker, Allein, S. 177.

30 Bousset, Kyrios, S. 289, bezeichnet das Christentum des 1Clem zusammen mit dem des Jak, Barn, Herm und 2Clem „als zum vollen Universalismus ent-

Die Pistis im Jak ist sachlich dem Gesetz untergeordnet[31]. Im einzelnen bezeichnet πίστις den Glauben sowohl an Gott (2,19: = Fürwahr-halten der Existenz Gottes) als auch an Christus (2,1). Interessant ist, daß Jak 1,6 dazu auffordert, ἐν πίστει um Weisheit zu bitten, von der es 3,13 heißt:

„Wer ist weise und verständig bei euch? Der erweise an der guten Lebensführung seine Werke in Gelassenheit der Weisheit."

Das bedeutet: Pistis ist auch über den Begriff der Weisheit, die ‚von oben' herabkommt (3,15.17), mit Werken verbunden[32]. Pistis wird demnach nicht wie bei Paulus primär christologisch gefaßt. Sie „wird erst wirklich in der Befolgung des Gesetzes"[33], ohne gleich nomistisch korrumpiert zu sein. Indikativ des Heilsgeschehens und Imperativ fallen im Jak zusammen[34]. – In welcher Beziehung steht nun die Theologie des Jak zum Antipaulinismus?

Eine Hilfe zur Beantwortung dieser Frage kann uns der 1Clem liefern, der in seiner Soteriologie einerseits eine theologische Nähe zu Jak aufweist[35], aber andererseits Paulus und paulinische Briefe verarbeitet. Indem wir Art und Grund der Paulusrezeption des 1Clem zu klären unternehmen, erhoffen wir uns ebenfalls Aufklärung über den Zusammenhang von Theologie und Antipaulinismus im Jak.

Wir besprechen hier nicht alle Stellen des 1Clem, die paulinische Briefe reflektieren[36], sondern nur 1Clem 32f:

1Clem 32,4: „Und auch wir nun, die wir durch seinen Willen in Christus Jesus berufen sind, werden nicht durch uns selber gerecht, auch nicht durch unsere Weisheit oder Einsicht oder Frömmigkeit oder durch die Werke, die wir in Herzensreinheit vollbringen, sondern durch den Glauben, durch den der allmächtige Gott alle von Anfang an gerechtfertigt hat; ihm sei die Ehre in alle Ewigkeit, Amen."

Die Passage dürfte in Anlehnung an paulinische Rechtfertigungsterminologie formuliert sein, obgleich neben anderen Differenzen zu

---

schränktes Diasporajudentum". Boussets These zum religionsgeschichtlichen Standort des Jak wird akzeptiert von Windisch, Jak, S. 36; Dibelius, Jak, S. 42; Lohse, Glaube, S. 305. Implizit stimmt ihr auch Laws, Epistle, S. 36–38, zu.

31 Man muß nicht soweit gehen und sie mit ‚Gesetzesfrömmigkeit' wiedergeben: so freilich Walker, Allein, S. 177.

32 Vgl. Lührmann, Glaube, S. 79. Zu Jak 3,13ff vgl. noch Hoppe, Hintergrund, S. 44ff.

33 Lührmann, Glaube, S. 80.

34 So auch Strecker, Strukturen, S. 130. Zum im Jak vorausgesetzten Heilsgeschehen vgl. auch Lührmann, Glaube, S. 83f.

35 Vgl. nur 1Clem 30,3: ἔργοις δικαιούμενοι καὶ μὴ λόγοις.

36 Vgl. dazu Lindemann, Paulus, S. 177ff; Dassmann, Stachel, S. 79ff.

Paulus[37] der Glaubensbegriff hier nicht wie bei Paulus christologisch, sondern theo-logisch gefaßt ist. Daß 1Clem im Anschluß an Paulus formuliert, geht auch aus den unmittelbar folgenden Sätzen hervor:

1Clem 33,1: „Was sollen wir nun tun, Brüder? Sollen wir ablassen, Gutes zu tun und sollen wir die Liebe hintansetzen? Möge der Herr dies niemals bei uns geschehen lassen, sondern laßt uns mit Ausdauer und Bereitwilligkeit zur Vollendung jeglichen guten Werkes eilen."
(Übers. von 1Clem 32,4–33,1 nach R. Knopf, HNT, Erg.-Band).

Der Übergang von 1Clem 32,4 nach 1Clem 33,1 erinnert stark an den von Röm 5,21 nach Röm 6,1, wo ein fiktiver Gegner eine falsche Konsequenz aus der Rechtfertigungsaussage aufführt und sofort von Paulus korrigiert wird. Ebenso hier: Nachdem in 1Clem 32,4 die Rechtfertigung durch den Glauben festgestellt wurde, fragt der Verf. des 1Clem fiktiv, ob die Christen davon ablassen sollen, Gutes zu tun, und weist das sofort entschieden zurück.

Damit dürfte sehr wahrscheinlich geworden sein, daß 1Clem in Kap. 32f den Röm voraussetzt[38] und seinen Darlegungen einen paulinischen Anstrich geben will. Man wird sofort hinfügen: Dieser wirkt merkwürdig künstlich (vgl. den ganzen Brief) und wird eigentlich nur auf Kosten einer Verzerrung des Paulus erreicht, obgleich nicht gesagt werden kann, daß 1Clem theologisch in völligem Gegensatz zu Paulus steht[39].

Ähnliches ist zu Jak zu bemerken: Sein Antipaulinismus wirkt aufgesetzt[40] und sein Bild des Paulus ist verzerrt. Er „repräsentiert faktisch nicht den prinzipiellen Gegensatz zu Paulus"[41].

1Clem und Jak sind daher nicht Zeugen eines Paulinismus bzw. Antipaulinismus in theologischem Sinne, sondern Dokumente eines unpaulinischen[42] Christentums[43].

---

37 Zu den weiteren Unterschieden vgl. Lindemann, Paulus, S. 186.

38 Mit Lindemann, Paulus, S. 185ff; Dassmann, Stachel, S. 86ff.

39 Es sei denn, man assoziierte mit Schulz, Mitte, passim, Antipaulinismus mit Frühkatholizismus. Das wäre eine unhistorische Betrachtungsweise.

40 Der Verf. hat sich wie Paulus vom Zeremonialgesetz emanzipiert.

41 Vielhauer, Geschichte, S. 576.

42 Zu Schulz, Mitte, S. 287, und Lindemann, Paulus, S. 249f, nach denen Jak in seiner Theologie doch wieder (essentiell) antipaulinisch ist. Aber es ist doch zwischen dem, was der Verf. des Jak erreichen wollte, und dem, was er wirklich darstellt, zu unterscheiden.

43 Aus dem Obigen geht hervor, daß ich mit Holtzmann, Lehrbuch II, S. 368–390, den Jak *nicht* dem Deuteropaulinismus zuweisen kann (vgl. a.a.O., S. 262–390).

8.3. Zur Geschichte des Antipaulinismus im Jak

Die soeben gemachten Ausführungen haben Konsequenzen für die Geschichte des Antipaulinismus im Jak. Denn ist der Jak nicht prinzipiell antipaulinisch, so muß ein Grund vorhanden sein, warum er paulinische Passagen als in prinzipiellem Gegensatz zu seiner eigenen Theologie stehend hinstellen kann. Dasselbe gilt für 1Clem: Ist jenes Schreiben nicht wirklich paulinisch, so muß ein Grund für seinen künstlichen Paulinismus ausfindig gemacht werden.

M.E. bietet sich folgende Hypothese an: 1Clem und Jak geben sich einen (anti)paulinischen Anstrich, weil sie ein positives bzw. negatives Paulusbild besaßen, das in ihren Gemeinden etabliert war. Der Antipaulinismus war dann dem Verf. des Jak bereits überkommen[44], als er den Jak verfaßte, und er gab von ihm in Jak 2 beredten Ausdruck. Vielleicht schlägt er sich auch in der Zurückführung[45] der Schrift auf Jakobus nieder[46]. Denn dieser war in den fünfziger Jahren zum Rivalen des Heidenapostels geworden und wurde in antipaulinischen judenchristlichen Kreisen zu seinen Lebzeiten und danach als Autorität anerkannt.

Ist die obige Hypothese zutreffend, so dürfen wir in Jak den Ausläufer eines antipaulinischen Judenchristentums[47] sehen, dessen Verf., selbst ein christlicher Lehrer (Jak 3,1), nicht mehr als Judenchrist anzusprechen ist. Der Befund der Attacke gegen Paulus sichert aber seinen Ursprung aus oder seine Bekanntschaft mit einem Judenchristentum ab. Die Beobachtung, daß der Verf. des Jak ebenso wie judenchristliche Zeitgenossen des Apostels paulinische Rechtfertigungsaussagen mißverstand und entsprechend attackierte, bestätigt den obigen Schluß. Insofern fällt von Jak ein gebrochenes Licht auf Theologie und Geschichte des Judenchristentums.

---

[44] Anders wohl Laws, Epistle, S. 17f. Nach ihr genießt Paulus im Umkreis des Jak Respekt. (Freilich sagt die Verfasserin nicht ausdrücklich, ob sie sich auf die Leser oder den Autor von Jak bezieht.) Aber ein positives Paulusbild läßt sich für Jak im Gegensatz zu 2Petr, auf den sich Laws in diesem Zusammenhang bezieht, gerade nicht wahrscheinlich machen. Laws' Annahme ist ferner deswegen unzutreffend, weil Jak Paulusbriefe benutzt (s.o. im Text) und nicht mündliche Tradition (so Laws, ebd.).

[45] Nach Harnack, Geschichte II.1, S. 489, geht freilich das Präskript des Jak auf einen späteren Redaktor zurück.

[46] Vgl. Lindemann, Paulus, S. 249 A 109.

[47] Gegen die andere theoretische Möglichkeit, daß der Verf. des Jak aus einer heidenchristlichen Gemeinde stammt, spricht die Zurückführung der Schrift auf Jakobus und ihre Gesetzesfrömmigkeit.

8.4. Abfassungszeit und -ort des Jak

Abschließend mag zu Chronologie und Herkunft des Jak bemerkt werden, daß der fingierte Brief am ehesten zu Beginn des 2. Jahrhunderts zu datieren ist, und zwar vor allem wegen der Parallelen mit zeitgenössischen Schriften (1Clem, Herm). Geographisch dürfte Jak im Osten[48] entstanden sein, wo die Gestalt des Jakobus von Gewicht war. Allerdings kommen wir hier über Vermutungen nicht hinaus.

---

48 Weiß, Urchristentum, S. 584, denkt an eine kleine Stadtgemeinde Syriens als Abfassungsort; vgl. auch noch Schenke-Fischer, Einleitung II, S. 240, zu Syrien als Herkunftsland; Laws, Epistle, S. 25f, hält neuerdings einen römischen Ursprung für wahrscheinlich.

9. ANTIPAULINISMUS DER JUDENCHRISTEN JUSTINS (DIAL 46f)[1]

Im nachfolgenden Kapitel weichen wir von der eingangs (S. 56) begründeten Methode ab, nur diejenigen Texte zu behandeln, die explizit eine Polemik gegen Paulus enthalten. Die Rechtfertigung dieses Schrittes ergibt sich (hoffentlich) aus dem Folgenden. Die besondere Eigenart des zu behandelnden Textes (Dial 46f) bedingt unser im Verhältnis zu den anderen Kapiteln abweichendes Vorgehen. Diesmal sei zunächst der judenchristliche Charakter der von Justin beschriebenen Christen dargelegt. Erst hernach wenden wir uns der Frage zu, ob diese einen Antipaulinismus vertreten haben.

9.1. Der judenchristliche Charakter der beiden Arten von Christen in Dial 46f und ihre Herkunft

Justin kommt in seinem Dialog mit dem Juden Tryphon auf einen Typ von Christentum zu sprechen, der sich durch folgende Praxis auszeichnet:

Dial 46,2: *τὸ σαββατίζειν, τὸ περιτέμνεσθαι, τὰ ἔμμηνα φυλάσσειν, τὸ βαπτίζεσθαι ἁψάμενον*. Dial 47,2: *περιτέμνεσθαι, σαββατίζειν*. Die Praxis kann als *ἔννομος πολιτεία* (47,4) bezeichnet werden, was in freier Übersetzung mit ‚Wandel im Judentum' wiedergegeben werden mag[2].

---

[1] Lit.: Schliemann, Clementinen, S. 553–556; Otto, Apparat, z.St.; Harnack, Judentum (wichtigster Beitrag); Simon, Israel, S. 283–286. Der Text wird unverständlicherweise von Klijn-Reinink, Evidence, nicht mitbehandelt (vgl. zur Kritik: Wilken, in: ThSt 36.1975, S. 538f). Betz, Gal, S. 334f, druckt dankenswerterweise Text und Übersetzung von Dial 46f ab. – Textausgabe der Werke Justins: J. C. T. Otto, CorpAp I–II, 1876.1877 (= 1969); E. J. Goodspeed, Die ältesten Apologeten, Göttingen 1914, S. 24–265.

[2] Zum Begriff *ἔννομος πολιτεία* vgl. die Inschrift von Stobi: CIJ 694, Z. 6–9: (der Stifter der Synagoge) *πολειτευσάμενος πᾶσαν πολειτείαν κατὰ τὸν Ἰουδαϊσμόν* („er hat seine ganze Lebensführung nach jüdischer Weise eingerichtet" = Übersetzung von H. Lietzmann, in: ZNW 32.1933, S. 93f). Vgl. noch M. Hengel, Die Synagogeninschrift von Stobi, in: ZNW 57.1966, S. 145–183, S. 176–181: „Der Vater der Synagoge und sein Wandel im Judentum".

Die von Justin aufgeführten Merkmale erweisen die betreffenden Christen als Judenchristen (vgl. die Definition S. 54f)[3]. Man wird sie zusätzlich in überwiegendem Maße als Juden im ethnischen Sinne bezeichnen dürfen. Zwar setzt Justin voraus, daß ein Heidenchrist Judenchrist[4] oder sogar Jude[5] werden könnte. Doch sind das Spezialfälle, die gerade als Ausnahmen die Regel bestätigen, daß Justin in Dial 46f[6] von als Juden geborenen Christen und ihrem Verhältnis zu Heidenchristen handelt[7].

Die von Justin beschriebenen Judenchristen nahmen eine unterschiedliche Haltung zu den Heidenchristen ein. Sie hatten darüber eine abweichende Meinung, ob sie die von ihnen geübte Gesetzespraxis auch von den Heidenchristen verlangen sollten. Der eine Teil lehnte die Gemeinschaft mit den Heidenchristen ab, falls diese nicht ebenfalls jüdisch lebten (47,3). Der andere Teil befürwortete ohne eine solche Forderung Gemeinschaft mit ihnen (47,2).

An welcherart Gemeinschaft ist gedacht?

Justin spricht Dial 47,2 von der Gemeinschaft des geselligen Verkehrs und des Essens (*κοινωνεῖν ὁμιλίας ἢ ἑστίας*) und kann sie ebd. als Zusammenleben (*συζῆν*) bezeichnen.

---

3 Die Opferbestimmungen sind freilich entfallen, da der Tempel zerstört ist (Dial 46,2).

4 Dieser wird vielleicht (*ἴσως*) gerettet (Dial 47,4). Zur Übersetzung von *ἴσως* mit ‚vielleicht' vgl. Harnack, Judentum, S. 87. Doch ist die Übersetzung ‚wahrscheinlich' ebenso möglich. Vgl. Engelhardt, Christenthum, S. 262; Otto, App., z.St. und zu Dial 85; Stylianopoulos, Justin, S. 8 A 4.

5 Dieser geht des Heils verlustig (Dial 47,4).

6 Gelegentlich wird für die Judenchristen Justins eine Adoptionschristologie erschlossen. Vgl. Dial 48,4 (Justin:) *καὶ γάρ εἰσί τινες, ὦ φίλοι, ἔλεγον, ἀπὸ τοῦ ἡμετέρου γένους ὁμολογοῦντες αὐτὸν Χριστὸν εἶναι, ἄνθρωπον δὲ ἐξ ἀνθρώπων γενόμενον ἀποφαινόμενοι· οἷς οὐ συντίθεμαι*. Doch sind die Verfechter einer solchen These (z.B. Hort, Christianity, S. 196; Harnack, Judentum, S. 94, zu p. 164,1 der Ausgabe von Otto; Weiß, Urchristentum, S. 570 A 1; Zahn, Geschichte II, S. 671 A 2) gezwungen, das überlieferte *ἡμετέρου* in *ὑμετέρου* zu ändern. Sollte das richtig sein (dagegen: z.B. Nitzsch, Grundriss, S. 40, u.a.) wäre freilich doch nur für einen Teil der Judenchristen eine adoptianische Christologie bezeugt, nicht für die Gesamtheit. Vgl. noch zum Problem Simon, Israel, S. 284f A 4; Strecker, bei Bauer, Rechtgläubigkeit, S. 276f.

7 Zu Wilken, in: ThSt 36.1975, S. 538, der aber m.R. im Anschluß an Simon, Israel, S. 277ff, dafür plädiert, daß Judenchristentum (wie auch Judentum) eine ethnische *und* religiöse Bedeutung habe: so gegen Harnack (s.o. S. 37) bereits H. Lüdemann, in: ThJber 6.1887, S. 115ff; Holtzmann, Lehrbuch I, S. 565f A 2.

Das Problem ist vorwiegend ein theoretisches[8] und wurde allenfalls für reisende Christen akut[9], die Unterkunft in christlichen Häusern suchten. Justin, der aus Palästina stammt und sich in Ephesus und Rom aufhielt[10], ist einer der wenigen, die eine solche Frage überhaupt beantworten und Verständnis für judenchristliche Eigenheiten aufbringen konnten[11]. Anderen Heidenchristen gebrach es daran, und sie lehnten die Gemeinschaft mit Judenchristen generell ab[12].

Justin scheint Judenchristen beider Arten persönlich kennengelernt zu haben, so daß seinem Bericht besonderer Wert zukommt. Da zwischen ihnen nur die Stellung zu den Heidenchristen kontrovers gewesen zu sein scheint, mag man davon ausgehen, daß sie nicht zu verschiedenen Gemeinden gehört haben, sondern jeweils in einer Gemeinschaft vereint gewesen sind[13]. Eine Parallele liefert die judenchristliche Kirche Jerusalems vor 70 n.Chr., die trotz unterschiedlicher Einstellung zur Heidenchristenheit *eine* Gemeinde bildete.

Über den geographischen Ort der Judenchristen äußert Justin sich leider nicht. Man wird entweder an Kleinasien oder – wahrscheinlicher – an Palästina denken. In beiden Gebieten hat sich Justin längere Zeit aufgehalten.

9.2. Antipaulinismus der Judenchristen Justins?

Um einen Antipaulinismus der Judenchristen Justins wahrscheinlich zu machen, sind zwei Beweisgänge erforderlich. Es ist zu erklären:

a) Warum lassen die vorhandenen Charakteristika einen Schluß auf Paulusfeindschaft zu?

b) Warum hebt Justin nicht auf ihre Paulusfeindschaft ab, obwohl er den Judenchristen begegnet ist?

---

8 Zu beachten ist, daß *Trypho* das ‚Gespräch' auf das Problem der Judenchristen lenkt.

9 Von gemischten Gemeinden nach 70 n.Chr. wissen wir zu wenig, um sie hier ins Spiel zu bringen.

10 Zum Leben Justins vgl. Barnard, Justin, S. 1–13.

11 Justin zieht gerade nicht die Konsequenz wie eine Generation nach ihm Irenäus (s.u. S. 260) und zeitgenössische Heidenchristen, denen Justin in ihrer Ablehnung der Gemeinschaft mit Judenchristen nicht beipflichten kann (Dial 47,2).

12 Nach Harnack, Judentum, S. 86 mit A 1, befanden sich diese Heidenchristen in der Mehrheit, da Justin von einem Minoritätsstandpunkt keine Notiz genommen hätte.

13 Mit Harnack, Lehrbuch I, S. 323f.

Zu a): Paulus war in der ersten Hälfte des 2. Jahrhunderts im östlichen und westlichen Christentum kein Unbekannter[14]. Zwar kann man den Gebrauch seiner Briefe und/oder die Kenntnis seiner Person nicht in jeder heidenchristlichen Gemeinde, wohl aber in den Zentren Antiochien (Ignatius!), Kleinasien, Griechenland und natürlich Rom voraussetzen[15].

Nun hat eine Klasse der Judenchristen Justins rigoristische Forderungen gegenüber Heidenchristen erhoben und bei ihrer Nichtbeachtung die Gemeinschaft mit diesen abgelehnt. Dies setzt voraus, daß die Judenchristen über Heidenchristen einschließlich ihrer Schätzung des Heidenapostels informiert waren. Eine Verweigerung der Gemeinschaft mit den Heidenchristen war daher in vielen Fällen *notwendig* mit einer Ablehnung des Paulus verbunden[16].

Zu b): Die Frage, ob Justin Paulusbriefe gekannt und benutzt hat, ist wohl positiv zu beantworten[17]. Der Befund, daß Justin Paulus nicht explizit erwähnt, ist nun von manchen Forschern in Verbindung mit anderen Argumenten für einen Antipaulinismus des Justin ausgewertet worden[18] – zweifellos zu Unrecht, denn Justin greift Paulus gar nicht an[19]. A. Lindemann hat neuerdings diesen Sachverhalt anders wie folgt erklärt:

---

14 Das hat Lindemann, Paulus, passim, zutreffend gezeigt.

15 Vgl. zusammenfassend Lindemann, Paulus, S. 396f.

16 Gegen Keck, Saints, S. 57: Keck geht überhaupt zu schnell über die Probleme von Dial 47 hinweg. Seine diesbezüglichen Sätze verdienen hier zitiert zu werden, da sie Repräsentationswert haben: „Justin Martyr (...) knew of Jewish Christians (*Dial.* 47) but did not name them. As long as they did not 'Judaize' the Gentile Christians, he tolerated them. He had an entirely different attitude towards the gnostics (*Dial.* 35,80) and towards Marcion (*Apol.* I 26,58). This means that Justin did not regard them as heretics but as a peculiar kind of Christian; he certainly did not know of their anti-Pauline polemics" (a.a.O., S. 57). Dazu: 1. Keck macht nicht klar, *welchen* judenchristlichen Typ Justin toleriert. 2. Er vergißt, daß eben auch der rigoristische judenchristliche Typ von Justin aufgeführt wird. – Zur apodiktischen Behauptung, Justin wisse nichts von einem Antipaulinismus der Judenchristen, s.o. im Text.

17 Vgl. Zahn, Geschichte, S. 563ff, der freilich eine übervollständige Liste der Berührungen Justins mit Paulusbriefen gibt; Barnett, Paul, S. 231ff; Lindemann, Paulus, S. 353–367; Dassmann, Stachel, S. 244–248.

18 Overbeck, Verhältnis, S. 343f. Dagegen Engelhardt, Christenthum, S. 59–64. 352–365.

19 Dazu wäre reichlich Gelegenheit gewesen: vgl. m.R. Harnack, Judentum, S. 51. Justin nennt Johannes (Dial 81,4) bzw. die Zebedaiden (Dial 106,3), Petrus (Dial 100,4; 106,3). (Diese Nichterwähnung des Paulus übergeht Verweijs, Evangelium, S. 239ff, in seiner Kritik an Harnack.)

„Daß er (sc. Justin) Paulus (...) nicht erwähnt, ist Folge seines theologischen Prinzips: Die Wahrheit des Christentums wird aus dem Alten Testament erwiesen; von Bedeutung sind daneben nur noch Worte Jesu, wie sie in den *ἀπομνημονεύματα τῶν ἀποστόλων*, d.h. den Evangelien aufgezeichnet sind.“ [20]

Doch dagegen erhebt sich sofort die Frage, warum Justin denn Paulusbriefe *benutzt*[21].

M.E. ist der obige Befund so zu deuten: Justin steht zwischen zwei Fronten[22]. Er attackiert auf der einen Seite Marcion und entwickelt ihm gegenüber eine eigentümliche Gesetzeslehre, um die Kontinuität der alttestamentlichen und neutestamentlichen Offenbarung zu sichern. Auf der anderen Seite befindet sich Justin in einem Dialog mit dem Judentum[23], sosehr dieser auch monologisch geführt wird. Das Fatale der Situation bestand nun darin, daß der christliche Ketzer Marcion, den Justin in einem früheren Werk ausdrücklich bekämpfte[24], Paulus auf seinen Schild erhoben hatte, und andererseits derselbe Paulus den Juden tabu war. Ein Nennen des Heidenapostels hätte Justin daher gleichzeitig zu sehr in die Nähe Marcions[25] gerückt[26] *und* den Dialog mit den Juden erschwert[27].

---

20 Lindemann, Paulus, S. 366.

21 Lindemann setzt überdies irrtümlich voraus, daß nur Pauliner Paulus benutzen. Das war im 2. Jahrhundert (1Clem!) nicht der Fall.

22 Vgl. hierzu Stylianopoulos, Justin (Lit.).

23 Es sollte nicht bestritten werden, daß Justin Kontakt mit jüdischen Theologen hatte (vgl. Dial 50,1: [Tryphon] *Ἔοικάς μοι ἐκ πολλῆς προστρίψεως τῆς πρὸς πολλοὺς περὶ πάντων τῶν ζητουμένων γεγονέναι*) und dieser auch eine Folie bei der Abfassung des Dial war. Justins Kenntnisse des nachbiblischen Judentums (vgl. dazu Barnard, Justin, S. 44–52) sprechen für diese Annahme. Man braucht trotzdem nicht zu bezweifeln, daß auch Heiden Adressaten des Dial waren (zu Stylianopoulos, Justin, S. 169–195).

24 Das in Apol I 26,7 genannte Syntagma gegen alle Häresien ist mit dem Syntagma gegen Marcion identisch: s. Lüdemann, Geschichte, S. 87 A 3.

25 Vgl. Bauer, Rechtgläubigkeit, S. 218f; Dassmann, Stachel, S. 247f.

26 Dagegen Lindemann, Paulus, S. 357: „Wenn die These richtig sein sollte, daß Justin Paulus deshalb nicht erwähnt, weil dieser der Kronzeuge Marcions war (...), dann wäre zu erwarten, daß in den Marcion betreffenden Abschnitten der Apol auf dessen ‚Paulinismus‘ zumindest andeutend eingegangen wird.“ Dieser Meinung kann ich mich schon wegen der Gattung ‚Apologie‘ nicht anschließen. In sie paßt die politische Denunzierung (Kap. 26: dazu Seeberg, Geschichtstheologie, S. 73) besser. Der Vorwurf des Ditheismus war darüber hinaus im Gegenüber von christlichen Lesern überaus wirksamer als Debatten über den Paulinismus Marcions.

27 Harnack, Judentum, S. 50f (vgl. auch oben A 19). Ein solches Vorgehen war freilich nur möglich, solange Paulus noch nicht – wie bei Marcion – in einem Kanon gleichwertig mit ‚dem Herrn‘ stand (vgl. Harnack, a.a.O., S. 51).

Die soeben gemachten Beobachtungen haben nun freilich Konsequenzen für die Beurteilung von Dial 46f. Denn war Paulus aus den aufgeführten Gründen von Justin absichtlich ausgespart worden, so verbot es sich von selbst, die Paulusablehnung von Judenchristen zur Sprache zu bringen. Es geht daher nicht an, unter Hinweis darauf, daß Justin eine Paulusablehnung der Judenchristen nicht aufführe, zu schließen, sie lehnten Paulus gar nicht ab. – Justin hätte jedenfalls von ihrem Antipaulinismus nicht berichten können[28].

Sind damit plausible Antworten auf Fragen a) und b) gegeben worden, so ist es wahrscheinlich, daß zumindest eine[29] der beiden Dial 47 genannten Gruppen von Judenchristen Paulus abgelehnt hat.

9.3. Zur Geschichte des Antipaulinismus der Judenchristen Justins

Es bestehen zwei Möglichkeiten, das Alter des Antipaulinismus der rigoristischen Judenchristen zu bestimmen:

a) Der Antipaulinismus entstand spontan als Reaktion auf die Begegnung mit den Heidenchristen und ihrer Autorität Paulus. In diesem Fall stammt er frühestens aus dem Anfang des zweiten Jahrhunderts.

b) Der Antipaulinismus ist bereits traditioneller Bestandteil der Anschauungen der Judenchristen Justins und flammte bei der Begegnung mit den ‚gesetzeslosen' Heidenchristen wieder auf.

Die Frage kann aufgrund einer isolierten Analyse von Dial 46f nicht beantwortet werden. Wir lassen sie vorläufig offen und kommen auf sie in Kap. 13 zurück, wo es gilt, auf die Einzelergebnisse zusammenschauend einzugehen.

---

28 Justin äußert sich ja überdies im Gegensatz zu Irenäus (haer I 26,2) nicht systematisierend über die Judenchristen, wodurch er dem judenchristlichen Phänomen gerechter wird als Irenäus (s.o. S. 51).

29 Über eine evtl. Paulusablehnung der toleranten Judenchristen ist kaum etwas Bestimmtes zu sagen. Nach Knopf, Zeitalter, S. 30, werden sie „den Paulus persönlich absprechend, als einen Ungetreuen, beurteilt haben." Ähnlich Wagenmann, Stellung, S. 143. Diesem (nicht beweisbaren) Urteil schließe ich mich an.

10. ANTIPAULINISMUS DES HEGESIPP[1]

Hegesipp ist ein jüngerer Zeitgenosse Justins[2]. Er stammt aus einer östlichen Provinz. Das ergibt sich aus seiner Reise[3], die ihn über Korinth nach Rom führte, und aus seiner Kenntnis der Kirchengeschichte Palästinas. Die Fragmente seines Werks ‚Hypomnemata' sind, von zwei Ausnahmen abgesehen, durch Eusebs Kirchengeschichte erhalten. In der nachfolgenden Analyse werden daher hauptsächlich sie behandelt werden müssen. Die Eigenart der Euseb-Referate bringt es dabei mit sich, daß auf die Scheidung von Redaktion und Tradition größter Wert zu legen ist.

Bevor wir uns dieser Aufgabe zuwenden, sei jedoch jenes Fragment aus Hegesipp erörtert, das nicht von Euseb, sondern durch Stephanus Gobarus erhalten wurde, und welches für manche Forscher Hegesipp zum Antipauliner gestempelt hat (s. Kap. 1). Obgleich Stephanus Gobarus zwei Jahrhunderte nach Eusebius schrieb, ist ein solches Vorgehen wegen der in dieser Arbeit verfolgten Themenstellung geboten. Dabei wird unter Vorgriff auf Abschnitt 10.2 auch *eine* Passage aus Euseb herangezogen, die von dem Verdacht redaktioneller Tendenz frei ist.

10.1. Das Zitat aus Stephanus Gobarus

Die Stelle lautet:

τὰ ἡτοιμασμένα τοῖς δικαίοις ἀγαθά (I)
οὔτε ὀφθαλμὸς εἶδεν οὔτε οὖς ἤκουσεν (II)
οὔτε ἐπὶ καρδίαν ἀνθρώπου ἀνέβη (III).

(Gobarus fährt fort:) „Hegesippus, ein alter, der apostolischen Zeit angehöriger Schriftsteller, sagt in dem 5. Buch seiner Denkwürdigkeiten, ich weiß nicht aus

---

[1] Ältere Literatur zu Hegesipp bei C. Weizsäcker, Art. Hegesipp, in: RE[3], s.v.; grundlegender Kommentar zu den erhaltenen Fragmenten durch Zahn, Forschungen VI, S. 228–250. Eine neuere Darstellung fehlt. Vgl. immerhin Kemler, Herrenbruder.

[2] Zur Chronologie vgl. Harnack, Geschichte II.1, S. 311ff.

[3] Vgl. z.B. Blum, Tradition, S. 78f.

welchen Gründen: das dies verkehrt gesagt sei und daß die lügen, die dieses Wort anwenden, da doch die heiligen Schriften und der Herr sagen: ‚Selig sind eure Augen, die sehen, und eure Ohren, die hören'."[4]

Nach dem Bericht des Photius hat Gobarus sein Werk so aufgebaut, daß er zwei einander widersprechende Meinungen gegenüberstellte[5]. Das bedeutet zweierlei: a) Die Kontrastierung der zitierten beiden Sprüche geht auf den Redaktor Gobarus zurück. Obgleich er in den Hypomnemata eine auf der Grundlage von Mt 13,16 gerichtete Kritik gegen einen anderen Spruch, der 1Kor 2,9 ähnelt, gelesen hat, ist b) nicht sicher, ob Gobarus den Hegesipptext genau zitiert.

Gobarus, der Hegesipp für einen Schriftsteller aus der apostolischen Zeit hält[6], faßt offensichtlich die Polemik als gegen Paulus gerichtet auf und bemerkt daher, er wisse nicht, warum Hegesipp den betreffenden Spruch und seine Verwendung ablehne[7]. Stephanus denkt dabei offensichtlich an 1Kor 2,9, wo in leichter Abwandlung zu lesen ist:

ἃ ὀφθαλμὸς οὐκ εἶδεν καὶ οὖς οὐκ ἤκουσεν (I)
καὶ ἐπὶ καρδίαν ἀνθρώπου οὐκ ἀνέβη (II),
ἃ ἡτοίμασεν ὁ θεὸς τοῖς ἀγαπῶσιν αὐτόν (III).

Die einzigen Unterschiede zwischen 1Kor 2,9 und dem von Hegesipp kritisierten Spruch bestehen (von Kleinigkeiten abgesehen) darin, daß Stichos III des Paulustextes Stichos I des Hegesipptextes ist und daß bei Hegesipp *τοῖς δικαίοις* für *τοῖς ἀγαπῶσιν αὐτόν* steht.

Folgende Möglichkeiten ergeben sich bei der Beantwortung der Frage, ob Hegesipp tatsächlich, wie Gobarus meint, gegen Paulus polemisiere:

1. Hegesipp hat nicht Paulus, sondern jüdische Apokalyptiker im Blick, die sich des Spruchs bedienten[8].

2. Er hat nicht Paulus, sondern christliche Kreise im Blick, die den Spruch als Herren- oder Schriftwort ausgegeben haben[9].

---

4 Cod. 232, p. 70,8–16 Henry. Deutsche Übersetzung vom Verf.

5 Vgl. cod. 232 (p. 67,16f Henry): *Ταῦτα δὲ διτταὶ δόξαι κατεμερίζοντο, καὶ οὐ διτταὶ μόνον ἀλλὰ καὶ ἀντικείμεναι.*

6 Ebenso Euseb, KG II 23,3. Anders offenbar KG IV 8,2; 11,7.

7 Lightfoot, Clement, S. 115: „Stephanus Gobarus himself, writing some centuries later and knowing the text only as it occurs in S. Paul, is not unnaturally at a loss to know what Hegesippus means by this condemnation."

8 Zum Nachweis des Gebrauchs des Spruchs oder einer mit ihm ähnlichen Form in der Apokalyptik vgl. die Kommentare zu 1Kor 2,9 und Berger, Diskussion.

9 Dieser Möglichkeit neigt Rensberger, Apostle, S. 205–207, zu, ohne völlig einen Bezug auf 1Kor 2,9 ausschließen zu wollen (a.a.O., S. 207).

3. Er kann gegen Paulus nicht polemisieren, weil er Paulus(briefe) nicht gekannt hat.

4. Er kennt Paulus. Er hat ihn aber nicht im Blick, sondern Gnostiker, die sich des obigen Spruchs bedienten.

5. Er hat nicht Paulus, sondern Paulusschüler im Blick, die 1Kor 2,9 benutzten.

6. Hegesipp hat Paulus *und* seine Schüler im Blick.

Möglichkeit 3 ist ausgeschlossen, da Hegesipp spätestens in Korinth Paulusbriefe kennengelernt haben wird[10]. Gleichfalls hat Möglichkeit 1 auszuscheiden, da sich der *christliche* Kontext bei Hegesipp aus der Zitierung von Mt 13,16 (oder einem ähnlichen Satz) ergibt. Somit bleiben Möglichkeiten 2, 4, 5, 6 zu prüfen übrig.

Für Möglichkeit 2 sprechen folgende drei Gründe:

a) Hegesipp hat sich laut Euseb mit Apokryphen auseinandergesetzt (KG IV 22,9: sie seien zu seiner Zeit von Häretikern verfaßt worden); b) Hegesipp beruft sich zwecks Widerlegung des betreffenden Spruchs auf den Herrn und die heiligen Schriften; c) es bestehen enge Parallelen zwischen dem von Hegesipp angegriffenen Spruch und jüdisch-apokalyptischen Texten[11], die von Christen benutzt wurden[12]. Nun erscheint das betreffende Logion ebenfalls in frühkatholischen und gnostischen Texten[13]. Doch ist zugleich darauf hinzuweisen, daß die meisten gnostischen und jüdisch-apokalyptischen Texte nicht alle drei Stichoi enthalten[14]. Aus diesem Grund sind Möglichkeiten 2 und

---

10 Vgl. Lindemann, Paulus, S. 295f; Dassmann, Stachel, S. 243.

11 Vgl. dazu oben A 8. Die Möglichkeit christlichen Einflusses ist jeweils ernsthaft zu prüfen. Vgl. die nächste Anmerkung.

12 Nur so erklärt sich ihre Überlieferung.

13 Frühkatholisch: 1Clem 34,8; 2Clem 11,7; 14,5; MartPol 2,3; gnostisch: Ev Thom 17; Baruchbuch des Gnostikers Justin (bei: Hippolyt, Ref V 26,16; 27,2). Die Belege sind zu vermehren.

14 In gnostischen Texten ist mir die dritte Zeile 1Kor 2,9 nie begegnet. – Zu vereinzelten apokalyptischen Texten, die drei Stichoi enthalten, vgl. Berger, Diskussion. Der wichtigste Text ist eine Stelle aus der äthiopischen Esra-Apokalypse (Edition und französische Übersetzung durch J. Halévy, Te'ezaza Sanbat [Commandements du Sabbat] accompagné de six autres écrits pseudo-apostoliques admis par les falachas ou Juifs d'Abyssinie, Paris 1902), die eine fast wörtliche Parallele zu 1Kor 2,9 darstellt (vgl. die deutsche Übersetzung der betr. Passage bei Berger, a.a.O., S. 271). Unabhängig von der Frage, ob die Esra-Apokalypse rein jüdisch ist (vgl. dazu Berger, a.a.O., S. 272 mit A 1), wird man den in ihr vorkommenden, mit 1Kor 2,9 parallelen Text kaum als Zielscheibe der Kritik Hegesipps ansehen dürfen, weil die Apokalypse nicht vor dem 15. Jahrhundert verfaßt wurde (Hinweis von Prof. Walter Harrelson, Vanderbilt University).

4 unwahrscheinlich. Demgegenüber ist der Befund recht zu würdigen, daß der von Hegesipp angegriffene Spruch, 1Kor 2,9 und 1Clem 34,8 in der Anzahl der Stichoi übereinstimmen und daß 1Clem 34,8[15] höchstwahrscheinlich 1Kor 2,9 ausgeschrieben hat[16].

Bezieht sich Hegesipp auf 1Kor 2,9? Einer positiven Antwort scheint die verschiedene Reihenfolge der Stichoi entgegenzustehen. Doch kann diese durchaus durch die Redaktionstätigkeit des Gobarus[17] (oder Hegesipps) erklärt werden, der den Satzbau[18] des Logions 1Kor 2,9 durch Umstellung verbesserte[19]. Ich halte es daher aus den aufgeführten Gründen für wahrscheinlich, daß Hegesipp 1Kor 2,9 und die Verwendung der Stelle durch zeitgenössische Paulusschüler attackierte[20]. Jene (abgekürzte) Verwendung wird in zeitgenössischen gnostischen Dokumenten deutlich (s. A 13) und, wie aus dem Häresienkatalog Hegesipps (s.u.) hervorgeht, steht Hegesipp den Gnostikern allgemein feindlich gegenüber.

---

15 2Clem 11,7; 14,5 haben das Zitat eher aus 1Clem 34,8 als aus 1Kor 2,9. Vgl. Lindemann, Paulus, S. 266f, zu Einzelheiten.

16 Vgl. Knopf, 1Clem, z.St., der zusätzlich noch die Möglichkeit erwägt, 1Clem habe den Spruch aus der von 1Kor 2,9 beeinflußten Gemeindeliturgie.

17 Vgl. das oben zur Arbeitsweise des Gobarus Gesagte.

18 Lindemann, Paulus, S. 187 A 98, äußert die ansprechende Vermutung, die dritte Zeile von 1Kor 2,9 stamme von Paulus selbst.

19 Prigent, Oeil, zeigt auf, daß die bei Hegesipp vorliegende Reihenfolge der Stichoi auch in anderen frühchristlichen Texten vorkommt, die freilich von 1Kor 2,9 beeinflußt sind (a.a.O., S. 418f).

20 Mit Hilgenfeld, Judentum, S. 43–46; Holtzmann, in: ZWTh 21.1878, S. 292. Dagegen Zahn, Geschichte, S. 791ff.801ff. Lindemann, Paulus, bestreitet eine Pauluspolemik Hegesipps unter Bezug auf Kemler, Herrenbruder. Er schreibt: „Falls Hegesipp tatsächlich ein offener Kritiker des Paulus gewesen wäre, so sei nicht zu erklären, warum Euseb ihm in seiner Kirchengeschichte ‚eine derartige Bedeutung einräumen konnte'" (Lindemann, a.a.O., S. 295). Dazu: 1. Euseb mußte wohl oder übel Hegesipp benutzen, wenn er sein kirchengeschichtliches Programm durchführen wollte. Mit Zuerkennung von Bedeutung hat das zunächst nichts zu tun. 2. Es geht doch nicht darum, ob Hegesipp ein *offener* Kritiker des Paulus gewesen ist. Eine offene Kritik wäre sowieso unwahrscheinlich (auch Jak nennt ja Paulus nicht beim Namen). Die Frage muß daher lauten, ob Euseb einen Schriftsteller benutzen konnte, der Paulus verdeckt kritisierte. Das ist zu bejahen. Immerhin schreibt Euseb dem Hegesipp eine *ἰδία γνώμη* (IV 22,1) zu (dies schließt eine leise Kritik ein) und scheut sich nicht, an Hegesipp stillschweigend Korrekturen vorzunehmen, ohne diese anzumerken. 3. Es ist sehr wahrscheinlich, daß Euseb nur ein übel zugerichtetes Exemplar der Arbeit Hegesipps benutzt hat (E. Schwartz, Eusebius Werke II. Die Kirchengeschichte 3. Teil, GCS 9.3, Leipzig 1909, S. CLIII; hiergegen kommt Gustafsson, Sources, S. 228, m.E. nicht an).

Das erreichte Resultat kann mit Hilfe des 1Clem noch präzisiert werden. Nach Euseb hat Hegesipp jenen Brief gekannt und offensichtlich nichts an ihm auszusetzen gehabt (vgl. KG IV 22,1)[21]. Nun zitiert 1Clem 34,8 ausgerechnet den von Hegesipp kritisierten Satz 1Kor 2,9 und enthält ein positives Paulusbild (1Clem 5). Ich halte es daher für ausgeschlossen, daß Hegesipp eine clementinische Paulus*rezeption* kritisiert. Er muß eine gnostische Paulusinterpretation im Blick haben. D.h. *er greift primär diese an und schließt im Zuge der Kritik 1Kor 2,9 in die Attacke mit ein*[22].

Aber auch der zweite Teil des von Gobarus aufbewahrten Hegesippfragments, mit dem Hegesipp seine Ablehnung von 1Kor 2,9 und dessen Gebrauch begründet, bestätigt indirekt die Annahme eines Antipaulinismus des Hegesipp[23]. In ihm spielt nämlich Hegesipp die Kenntnis des irdischen Jesus gegen die paulinische Offenbarung aus[24]. Kriterium sind für Hegesipp die ‚göttlichen Schriften' und der ‚Herr', gegen die sich (Paulus und) die Träger des Offenbarungswortes vergangen hätten. Jene beiden Kriterien erscheinen in den von Euseb erhaltenen Fragmenten näher bezeichnet als ‚Gesetz', ‚Propheten', ‚Herr' (KG IV 22,3). Diese Trias darf wohl mit der obigen Dyas als identisch angesehen werden.

Auffälligerweise fehlen bei Hegesipp die Apostel (Paulus miteinbegriffen) als Träger der Tradition. Daraus ist zweierlei zu entnehmen: a) Hegesipp vertritt in der Kanonsfrage einen älteren Standpunkt als die von ihm besuchten Gemeinden[25], für die in der zweiten Hälfte des 2. Jahrhunderts die Apostel dem Kanon zugehörten. b) Hegesipp ist (aus diesem Grunde) kein Vertreter des (alt-)katholischen Christentums[26]. Dann entfällt aber ein wichtiges allgemeines Argument gegen einen evtl. Antipaulinismus Hegesipps. Denn wenn er einem nichtkatholischen[27] Christentum entstammte, mußte er natür-

---

21 Vgl. noch die dunkle Nachricht KG III 16.

22 Vgl. ähnlich Schneemelcher, Paulus, S. 9.

23 Vgl. Vielhauer, Geschichte, S. 773f; Abramowski, Diadoche, S. 323f.

24 Vgl. die Parallele in den pskl Homilien ιζ 19 (s.u. S. 250).

25 Vielhauer, Geschichte, S. 774; Rensberger, Apostle, S. 202.

26 Vgl. jedoch Ritschl, Entstehung, S. 268: „Das Gesetz und die Propheten und der Herr sind die *Auktoritäten der katholischen Kirche*, mit denen dieselbe gerade in der Zeit des Hegesipp sich gegen die Gnosis richtete" (vgl. ähnlich Lightfoot, Gal, S. 333f A 3). Ritschl verweist ebd. auf folgende Stellen: ApConst II 39; Tert, Praescr 36; Irenäus, haer II 35,4; Diogn 11. Dagegen: An allen Stellen (außer ApConst) erscheint auch der Begriff Apostel. In den ApConst wird er vorausgesetzt; der Apostel Matthäus ist der Sprecher.

27 Gegen Telfer, Hegesippus, S. 153, der im ganzen Hegesipp nahe an Irenäus heranrückt.

lich nicht dieselben Normen wie die römische Kirche und ihr Einflußbereich haben[28].

Nun ist das Fehlen der Apostel in Hegesipps Kanon um so erstaunlicher, als Euseb Hegesipp als solchen aufführt, bei dem sich Begriff und Sache der apostolischen Sukzession und der apostolischen Überlieferung finden. Oder sollte gerade das auf eusebianische Redaktionsarbeit zurückgehen? Die Frage ist so dringlich, daß sie vor der Rekonstruktion der Theologie Hegesipps behandelt werden muß.

10.2. Apostel im Werk Hegesipps?[29]

Eusebs Kirchengeschichte ist von der Absicht[30] geleitet, die apostolische Sukzession von der Zeit Jesu bis in die Gegenwart hin aufzuzeichnen (vgl. I Anfang; VII Ende; VIII Anfang). Euseb betont, er habe in dieser Aufgabe kaum Vorgänger (I 1,5), und hebt heraus, er habe Quellen bzw. ältere Schriftsteller unter dieser seiner Fragestellung benutzt:

„Was uns aus ihren verstreuten Erwähnungen für den vorliegenden Zweck brauchbar schien, haben wir gesammelt und die wertvollen Mitteilungen dieser alten Schriftsteller wie Blumen auf geistigen Auen gepflückt, um zu versuchen, in historischer Darstellung ein Ganzes zu bieten. Sollten wir auch nicht die Nachfolger aller Apostel unseres Erlösers überliefern können, so sind wir schon zufrieden, die Nachfolger der berühmtesten Apostel in den noch heute angesehenen Kirchen erwähnen zu können" (I 1,4)[31].

Diese programmatischen Sätze bedeuten, auf Hegesipp bezogen, daß Euseb ihn, sozusagen durch sein obiges dogmatisches Prinzip gezwungen und durch den Mangel an sonstigen Quellen bedingt, als *den* Gewährsmann für die *apostolische Sukzession* in der Mutterkirche Jerusalems auffassen mußte[32]. Damit haben wir einen Anhaltspunkt für die redaktionelle Tendenz des Euseb erhalten. Läßt sie sich an der Verarbeitung der erhaltenen Hegesipp-Fragmente aufweisen, und liefert sie eine Hilfe zur Eruierung des genuinen Hegesipp-Materials?

---

28 Vgl. Bauer, Rechtgläubigkeit, S. 199f.

29 Vgl. zum Folgenden besonders Kemler, Herrenbruder, S. 1–15, und Abramowski, Diadoche. Vgl. neuestens auch Conzelmann, Heiden, S. 258f.

30 Vgl. Völker, Tendenzen. Eine Analyse der (unterschiedlichen) Verwendung Hegesipps durch Euseb liefert Grant, Origins, S. 201ff.

31 Vgl. dazu auch Grant, Eusebius, S. 16f.

32 Vgl. noch II 23,6; IV 21.

Als Einstieg zur Beantwortung dieser Frage mag eine Passage der Kirchengeschichte dienen, die als Dublette aus dem Hegesippschen Werk aufzufassen ist.

Euseb, KG III 11:

„Nach dem Martyrium des Jakobus und der bald darauf folgenden Einnahme von Jerusalem kamen, wie berichtet wird (λόγος κατέχει), die damals noch lebenden Apostel und Jünger des Herrn von allen Seiten an einem Orte zugleich mit den leiblichen Verwandten des Herrn zusammen; denn auch von letzteren waren damals noch mehrere am Leben. Alle sollen nun gemeinsam darüber, wer es verdiene, Nachfolger des Jakobus zu werden, beraten und einstimmig Symeon, den Sohn des Klopas, den auch das Evangelium erwähnt, des Bischofsstuhles in Jerusalem für würdig erklärt haben. Symeon war, wie man erzählt, ein Vetter des Heilandes; denn nach dem Berichte des Hegesippus war Klopas der Bruder des Joseph."

Euseb verweist auf λόγος κατέχει[33] als Quelle seines Berichts. Einen Hinweis auf den möglichen Ursprung seiner Tradition gibt der Kirchenvater am Ende des zitierten Textes selbst. Nachdem er als Inhalt des (alten) Logos berichtet hat, daß Symeon, der Sohn des Klopas, Nachfolger des Jakobus geworden sei, fügt er hinzu: „denn nach dem Berichte des Hegesipp war Klopas der Bruder des Joseph." Mit dieser Angabe der Herkunft legt sich die Frage nahe, ob nicht Hegesipp als Quelle von III 11 zugrundeliegt. Diese Frage kann deswegen beantwortet werden, weil Eusebius an anderer Stelle einen Bericht gibt, der dem obigen sehr ähnlich ist und den er ausdrücklich als Zitat aus Hegesipp einführt. Ein Vergleich[34] dieses Berichtes mit III 11 (= A) dürfte daher angeraten sein:

Euseb, KG IV 22,4–5 (= B):

„Über den Ursprung der Häresien seiner Zeit äußert sich Hegesippus also: ‚Nachdem Jakobus der Gerechte aus gleichen Gründen wie der Herr (ὡς καὶ ὁ κύριος ἐπὶ τῷ αὐτῷ λόγῳ) den Martertod erlitten hatte, wurde Symeon, der Sohn des Klopas, eines Onkels des Herrn, zum Bischof ernannt. Alle hatten ihn als zweiten Bischof vorgeschlagen, weil er ein Vetter des Herrn war. Da die Kirche noch

---

33 Vgl. dazu Lawlor, Eusebiana, S. 21ff, gegen den im folgenden argumentiert wird. – Euseb benutzt die genannte Wendung an mehreren Stellen der KG (vgl. z.B. III 18,1; III 19,1); dazu Zahn, Forschungen VI, S. 238: „Diese dem Eus(eb) geläufige Phrase, welche in § 2 durch ὡς φασι wieder aufgenommen wird, schließt nicht aus, daß er die Grundlagen dieser Erzählung in einer Schrift oder mehreren solchen vorgefunden hat, und die Art der Erzählung scheint dies zu fordern."

34 Die hier befolgte Methode unterscheidet sich grundsätzlich von der Lawlors, Eusebiana, S. 18–26, der beide Berichte ineinanderschiebt. – Kraft, Entstehung, S. 288, erkennt den Dublettencharakter von KG III 11 nicht und hält den Bericht für historisch zuverlässig.

nicht durch eitle Lehren befleckt war, wurde sie als Jungfrau bezeichnet. Thebutis machte, da er nicht Bischof geworden war, den Anfang damit, sie zu beschmutzen. Er gehörte den sieben Sekten im Volke an'."

Beide Texte sprechen von einer Wahl des Symeon als Nachfolger des Jakobus nach dessen Tode. A schiebt vorher noch die Eroberung Jerusalems ein, B enthält darüber keine Nachricht. Demgegenüber beschreibt B näher den Tod des Jakobus, indem er ihn mit dem des Kyrios verknüpft, und zwar sei er aus den gleichen Gründen wie der des Herrn (ὡς καὶ ὁ κύριος ἐπὶ τῷ αὐτῷ λόγῳ[35]) erfolgt.

Die Teilnehmer an der Wahl Symeons sind in A und B verschieden gezeichnet. In A sind es die Apostel und die Jünger des Herrn, die bis zu jenem Zeitpunkt am Leben waren, sowie die Familie des Herrn. In B wird der Teilnehmerkreis nur mit ‚alle' angegeben.

Die Wahl ist in beiden Texten einstimmig.

Die Begründung für die Wahl Symeons liegt in B offensichtlich darauf, daß er ein Verwandter (Vetter) Jesu sei. Diese Information wird in A nur nachgetragen, wobei es im Gegensatz zu B unklar bleibt, ob ein kausaler Sinn vorliegt.

Die im Anschluß an diesen Bericht von der Wahl Symeons in B gegebene Mitteilung über Thebutis hat in A keine Parallele und braucht uns hier nicht weiter zu beschäftigen (dazu s.u. S. 223f).

Nach allem scheint der Bericht B gegenüber A die Priorität zu besitzen. Dafür sprechen a) seine Einführung als Zitat aus Hegesipps Hypomnemata, b) die Bedeutung, die die leibliche Nachkommenschaft Jesu in ihm einnimmt, c) die Rolle, welche in A die Herrenjünger und die Apostel spielen: Erinnern wir uns an das oben beschriebene eusebianische Interesse, die apostolische Sukzession aufzuzeichnen, so wird die Angabe über die Apostel verdächtig, da sie zu gut den Interessen Eusebs entspricht (und zudem in B nicht erscheint). Der Verdacht auf eusebianische Redaktion legt sich zusätzlich deswegen nahe, weil bereits das Gobarus-Fragment die Apostel nicht als Autoritäten kennt.

Damit kommen wir zu einem weiteren von Euseb überlieferten Hegesipptext, der die Apostel erwähnt. Geht am Ende auch ihre Erwähnung auf den Redaktor Euseb zurück?

KG II 23,4: *διαδέχεται τὴν ἐκκλησίαν μετὰ τῶν ἀποστόλων ὁ ἀδελφὸς τοῦ κυρίου Ἰάκωβος*. Dieser Satz leitet ein umfangreiches Zitat

---

[35] ἐπὶ τῷ αὐτῷ λόγῳ erscheint ebenfalls im Zitat Hegesipps vom Martyrium des Symeon (KG III 32,6). Vgl. zum Ausdruck Zahn, Forschungen VI, S. 236; Kemler, Herrenbruder, S. 8.

aus Hegesipps Werk ein, welches das Martyrium des Jakobus zum Inhalt hat. Das Zitat schließt mit den Worten ab: *καὶ εὐθὺς Οὐεσπασιανὸς πολιορκεῖ αὐτούς* (KG II 23,18).

Bevor wir zur Frage nach dem Verhältnis von Redaktion und Tradition in KG II 23,4 kommen, seien die übrigen Stellen aus Eusebs Kirchengeschichte zusammengestellt, die von der Einsetzung des Jakobus berichten, und jeweils nach Tradition und Redaktion befragt:

KG II 1,2: „Jakobus, dem die Alten wegen seiner sittlichen Vorzüge den Beinamen ‚der Gerechte' gaben, erhielt damals, wie die Geschichte überliefert (*ἱστοροῦσιν*), als erster den Bischofsstuhl der Kirche in Jerusalem."

KG III 5,2: „Jakobus, welcher nach der Himmelfahrt unseres Erlösers zuerst den bischöflichen Stuhl in Jerusalem erhalten hatte, (...)."

Beide Stellen gehören zusammen. In KG II 1,2 bezieht sich Euseb als Quelle ausdrücklich auf Überlieferung. In Frage kommen Clemens von Alexandrien (KG II 1,3), Hegesipp oder auch die Jerusalemer Bischofsliste (KG IV 5), die alle Jakobus als ersten Bischof von Jerusalem betrachten. In KG III 5,2 scheint sich Euseb auf KG II 1,2 zurückzubeziehen. Dafür spricht neben dem fast identischen Wortlaut auch der chronologische Befund: Beide Stellen sprechen von dem Erhalt des Bischofsstuhls nach der Himmelfahrt Jesu (vgl. KG II, Einleitung 2 [‚nach der Himmelfahrt'] zur Spezifizierung des ‚damals' von II 1,2; für III 5,2 s. obigen Text).

KG II 1,2f (und deswegen ebenfalls KG III 5,2) geht somit auf Tradition zurück, um so mehr, als Euseb in einem der KG zugrundeliegenden früheren Werk, der Chronik, ebenfalls von Jakobus als erstem Bischof zu berichten weiß – mit einem bezeichnenden Zusatz:

Chronik p. 175,24–26 (Helm):

Ecclesia Hierosolymarum primus episcopus *ab apostolis* ordinatur Iacobus frater Domini.

Dieser Befund ist ein weiteres Argument für die These, daß die Vorstellung, Jakobus sei von den Aposteln zum ersten Bischof Jerusalems gemacht worden, eusebianischer Redaktionsarbeit entspringt.

Das wird noch klarer aus folgenden zwei Passagen aus der KG:

a) KG II 23,1: Die Juden „wandten sich gegen Jakobus, den Bruder des Herrn, welchem von den Aposteln (*πρὸς τῶν ἀποστόλων*) der bischöfliche Stuhl von Jerusalem anvertraut worden war".
b) KG VII 19: „Der Bischofsthron des Jakobus, der als erster vom Herrn und den Aposteln das Bischofsamt der Kirche von Jerusalem erhielt (...), ist noch heute erhalten."

Zu a): Die Passage 23,1–2 ist ein Summarium, in dem sich Euseb der Berichte der Apg[36], des Josephus[37], Hegesipps[38] und des Clemens von Alexandrien[39] bedient.

Zu b): 19 ist ebenfalls redaktionell geprägt. Der Bischofsthron des Jakobus war vor dem 4. Jahrhundert kaum bekannt[40]. Die Nachricht, neben den Aposteln sei gleichfalls der Herr an der Übertragung der Bischofswürde auf Jakobus beteiligt gewesen, ist wohl eine Lesefrucht oder eine eigenständige Kombination Eusebs[41]. Jedenfalls formuliert Euseb auch an dieser Stelle selbst und reproduziert keine Tradition.

Halten wir zusammenfassend fest, so ist an allen redaktionell geprägten Stellen aus der Kirchengeschichte (und der Chronik), an denen von Jakobus, dem ersten Bischof von Jerusalem, die Rede ist, deutlich, daß an der Wahl zu diesem Amt die Apostel beteiligt waren. Dort aber, wo Euseb Tradition über Jakobus' Episkopat ausschreibt, erscheinen die Apostel nicht im Blickfeld (Ausnahme: KG II 1,3; s.u. S. 222).

Wenden wir uns nun noch einmal der Stelle aus Hegesipp zu, die Euseb, KG II 23,4, überliefert: *διαδέχεται τὴν ἐκκλησίαν μετὰ τῶν ἀποστόλων ὁ ἀδελφὸς τοῦ κυρίου Ἰάκωβος*. Folgende Gründe sprechen dafür, der der vorliegende Text nicht in Ordnung ist:

a) Der Satz ist syntaktisch uneben. Das Verb steht am Anfang im Singular und läßt nur ein Subjekt erwarten. Gleichwohl wird durch *μετὰ τῶν ἀποστόλων* das logische Subjekt erweitert[42].

b) Die Angabe, Jakobus übernehme mit den Aposteln[43] *die* Kirche, ist inhaltlich rätselhaft, zumal nicht gesagt wird, um welche Kirche

---

36 Vgl. Apg 25,11f; 27,1.
37 Vgl. Josephus, Ant XX 201ff.
38 Vgl. KG II 23,8–18.
39 Vgl. KG II 1,5.
40 Zu ihm vgl. noch KG VII 32,29. Zum Reliquienkult in Jerusalem vgl. Harnack, Mission II, S. 639 A 1.
41 Vgl. dieselbe Vorstellung in den pskl Rekognitionen I 43,3; ApConst VIII 35.
42 Vgl. auch Abramowski, Diadoche, S. 325.
43 Die Lesart *μετὰ τῶν ἀποστόλων* wird auch bezeugt von Rufin, der cum apostolis liest. Dagegen hat der Syrer ‚von den Aposteln'; vgl. den Überblick bei Zahn, Forschungen VI, S. 229. *μετὰ τῶν ἀποστόλων* ist m.E. als lectio difficilior ursprünglich. Mit ihr bringt Euseb zum Ausdruck, daß auch die Jerusalemer Kirchenleitung von den Aposteln begründet wurde, wenngleich *πρὸς τῶν ἀποστόλων* wohl besser gepaßt hätte. Zum Problem vgl. noch Ehrhardt, Succession, S. 65 mit A 3; Abramowski, Diadoche, S. 325f; Kemler, Herrenbruder, S. 12f.

es sich handelt. So wie der Satz dasteht, kann nicht nur an eine Lokalkirche gedacht sein. Syntaktische und inhaltliche Gründe legen daher die Annahme eines redaktionellen Eingriffs nahe. (Dieser Eingriff wäre auch deswegen plausibel, da der fragliche Satz ein Zitat *einleitet.*) Diese These wird durch folgende Gründe weiter gestützt:

1. An allen anderen redaktionell geprägten Stellen der KG, wo von Jakobus' Amtseinsetzung die Rede ist, sind die Apostel daran beteiligt.

2. Dieselbe These hat Euseb bei Clemens von Alexandrien wiedergefunden, den er unmittelbar vor dem Hegesippzitat in II 23,3 erwähnt. Dieser Schriftsteller hat Euseb zu seiner orthodoxe Ansprüche vertretenden Korrektur mit legitimiert, denn schon er hatte berichtet (KG II 1,3):

„Petrus, Jakobus und Johannes sollen nach der Himmelfahrt des Heilands (...) nicht um Geltung gestritten, sondern Jakobus den Gerechten zum Bischof von Jerusalem gewählt haben."[44]

3. Wie wir aus KG IV 22 (= B) wissen, spielen bei Hegesipp die Apostel bei der Wahl des Jakobusnachfolgers Symeon keine Rolle, während es in der eusebianischen Paraphrase dieser Stelle (KG III 11 = A) genau umgekehrt war.

Es dürfte somit aus verschiedenen Gründen wahrscheinlich geworden sein, daß *μετὰ τῶν ἀποστόλων* in Euseb KG II 23,4 auf eusebianische Interpolation zurückgeht und daß ‚die apostolische Sukzession' im Geschichtsbild Hegesipps keinen Platz hat. Damit hat dieser Abschnitt eine wesentliche Einsicht für die im folgenden zu stellende Frage nach der Theologie Hegesipps bereitgestellt.

10.3. Zur Theologie Hegesipps

Zu Anfang ist ein Wort der Vorsicht angebracht. Von Hegesipp sind nur etwa fünf Seiten aus fünf Büchern in z.T. schlechtem Zustand überliefert. Das erschwert die Aufgabe ungemein und gibt zu erhöhter Vorsicht Anlaß, die zur Einsicht führt, daß wir nur *Aspekte* der Theologie Hegesipps erfassen können, vornehmlich den ekklesiologischen.

[44] Vgl. Kemler, Herrenbruder, S. 14.

10.3.1. Ekklesiologie

Hegesipp spricht von der Jerusalemer Kirche, „als ob sie die Kirche schlechthin wäre“[45]. Jakobus übernimmt diese und wird darin nachgefolgt von seinem Vetter Symeon. Gewiß, Hegesipp ist sich der Existenz anderer Kirchen bewußt, führt ihn seine Reise doch über Korinth nach Rom, in welchen Gemeinden er sich von der rechten Lehre[46] überzeugen konnte. Doch kann das nicht darüber hinwegtäuschen, daß die Jerusalemer Kirche eine besondere Bedeutung für die Gesamtchristenheit behält.

Das kann weiter aus Hegesipps Ausführungen zum Auftreten der Häresien illustriert werden.

Laut Hegesipp war die Kirche (von Jerusalem) nur zu Lebzeiten des Jakobus eine Jungfrau[47] (KG IV 22,5). Diese Nachricht steht in Konflikt mit einer anderen in KG III 32,7–8:

„In seinem Bericht über die erwähnten Zeiten (sc. bis zur Regierung Trajans, während der Symeon das Martyrium erlitt) fügt *Hegesipp* jener Erzählung noch bei, daß *die Kirche bis dahin eine reine, unbefleckte Jungfrau geblieben sei*; denn die, welche die gesunde Lehre zu untergraben suchten, hielten sich damals, wenn es schon solche gab, wohl noch in der Finsternis versteckt und verborgen. Als der heilige Chor der Apostel auf verschiedene Weise sein Ende gefunden hatte und jenes Geschlecht, welches gewürdigt worden war, mit eigenen Ohren der göttlichen Weisheit zu lauschen, abgetreten war, erhob sich zum ersten Male der gottlose Irrtum durch den Trug der Irrlehrer. Diese wagten nun, da keiner der Apostel mehr am Leben war, mit frecher Stirne der Lehre der Wahrheit eine falsche sogenannte Gnosis entgegenzusetzen.“

Die soeben zitierte Passage ist ein weiteres Beispiel für eusebianische Redaktionsarbeit. Dafür sprechen: a) 32,7f ist formal kein Zitat, sondern Paraphrase[48]; b) die Nennung der Apostel reflektiert eusebianische Redaktion.

Daher muß es dabei bleiben, daß Hegesipp das Auftreten der Häresien anders als Euseb datiert, obgleich der letztere Hegesipp für seine eigene Sicht (zu Unrecht) angeführt hat. Nach Hegesippus endete die Jungfräulichkeit der Kirche damit, daß Thebutis sie beschmutzte, der erfolgloser Bewerber um die Nachfolge des Jakobus war.

---

45 Zahn, Forschungen VI, S. 252.

46 Konkret ist wohl an die gottesdienstliche Schriftlesung gedacht, die Nomos, Propheten und Kyrios einschloß; vgl. Abramowski, Diadoche, S. 326f.

47 Vgl. hierzu S. J. D. Cohen, A Virgin Defiled. Some Rabbinic and Christian Views on the Origins of Heresy, in: USQR 35.1980, S. 1–11.

48 Zahn, Forschungen VI, S. 240f.

Daß das Auftreten der Häresie mit der Nachfolge des Jakobus verknüpft ist, wirft nun wiederum ein bezeichnendes Licht auf die besondere Stellung der Jerusalemer Gemeinde im Denken Hegesipps. Liegt nicht die Vermutung nahe, daß für ihn die Beschmutzung der Jerusalemer Kirche exemplarische Bedeutung für die anderen Kirchen hatte?

Eine weitere Erhellung der Ekklesiologie Hegesipps kann seinem Häresie*verständnis* entnommen werden. Hegesipp bewahrt eine Liste der christlichen Häresien auf (KG IV 22,5), die den sieben Häresien im Volk entspringen (ebd.). Jenen Gruppen gehörte auch Thebutis an. Nun hat die Siebenzahl sicher den Zweck, im Sinne negativer Idealität die teuflische Vollkommenheit[49] der Häretiker zu brandmarken, und zwar vor allem die der christlichen Ketzer, die den jüdischen Irrlehrern entstammen. Ist aber die christliche Häresie nur ein Ausläufer der jüdischen, so ist positiv die christliche Rechtgläubigkeit ein Abkömmlung der jüdischen Orthodoxie, d.h. die Kirche Hegesipps ist nur die Vollendung des Judentums[50].

Die Bedeutung der Jerusalemer Kirche hat sich historisch bis ins 2. Jahrhundert hinein erstreckt; so berichtet Hegesipp von dem Verhör der Davididen vor Domitian und ihrer triumphalen Rückkehr (KG III 32,6[51]), und der Herrenverwandte Symeon, der Nachfolger des Jakobus, hatte bis in die Zeit Trajans hinein die Leitung der Jerusalemer Gemeinde inne (KG III 32,4).

Für Hegesipps eigene Gegenwart ist die Frage nach der Bedeutung der Jerusalemer Gemeinde weitaus schwieriger zu beantworten, zumal es ausgeschlossen erscheint, daß die Familie Jesu dort weiter eine leitende Funktion innehatte. Doch können auf der Basis des bisher Erarbeiteten drei Aussagen gemacht werden:

a) Nicht bischöfliche Amtsnachfolgelisten der von den Aposteln begründeten Kirchenzentren wie bei Euseb sichern die Rechtgläubigkeit der Gesamtkirche, sondern die Kontinuität der Amtsinhaber auf der Jerusalemer Kathedra[52] in ältester Zeit.

b) Aus der Reise Hegesipps in den Westen spricht das Bewußtsein einer Universalität der Kirche.

c) Die Gemeinde, der Hegesipp entstammt, beansprucht das Erbe der älteren Jerusalemer Kirche. Anders ist deren äußerst ausführliche und positive Zeichnung nicht recht zu verstehen[53].

---

49 Vgl. Andresen, Kirchen, S. 268 A 280.

50 Vgl. Hilgenfeld, Hegesippus, S. 198.

51 Zu apologetischen Motiven in dieser Erzählung vgl. Hyldahl, Hypomnemata, S. 86ff.

52 Vgl. hierzu Andresen, Kirchen, S. 134f.

53 Die Behauptung von Lawlor, Eusebiana, Hegesipp habe sich ebenfalls ausführlich über die Geschichte der römischen Gemeinde geäußert („the scope of

10.3.2. Hegesipp, ein Judenchrist?

Es wurde soeben ausgeführt, daß Hegesipp sich durch ein besonderes Interesse an der Geschichte der Jerusalemer Kirche und den sie leitenden Personen auszeichnet. Sein Werk enthält dabei u.a. einen ausführlichen Bericht über das Martyrium des Jakobus, der wegen der jüdischen Zeichnung des Herrenbruders[54] die Annahme nahelegen könnte, Hegesipp sei in jüdischer Tradition zu Hause und daher vielleicht ein Judenchrist. Gegenüber einem solchen Schluß ist aber einzuwenden, daß mit ihm allenfalls der judenchristliche Ursprung der von Hegesipp verarbeiteten *Tradition* belegt wäre, nicht ein Judenchristentum des Redaktors Hegesipp.

Eine möglicherweise weiterführende Mitteilung macht Euseb, KG IV 22,8:

„Er (sc. Hegesipp) zitiert sowohl aus dem Evangelium nach den Hebräern als auch aus dem syrischen (Evangelium), und besonders in hebräischer Sprache einige Worte, wodurch er zeigt, daß er aus den Hebräern zum Glauben gekommen ist. Auch gibt er Berichte aus der ungeschriebenen jüdischen Tradition.“[55]

Die Angabe, Hegesipp gebe Berichte aus der ungeschriebenen jüdischen Tradition ist zu konkret, um nicht glaubwürdig zu sein. Eine weitere wertvolle Nachricht liegt darin vor, daß Hegesipp einige Worte aus einem syrischen (= aramäischen) Evangelium zitiere. Dieser Befund hat Euseb zum Schluß verführt, Hegesipp sei vom Judentum zum Christentum übergetreten[56].

Für die Annahme guter Aramäischkenntnisse Hegesipps kann die obige Stelle nicht in Anspruch genommen werden. Denn Euseb spricht ja nur davon, daß Hegesipp *einige* Worte in aramäischer Sprache anführt. Ferner benutzt Hegesipp die LXX[57]. Seine Muttersprache war wohl Griechisch[58].

Auch die Nachricht Eusebs, Hegesipp zitiere aus dem Hebräerevangelium, dürfte zuverlässig sein, da Euseb es kannte[59]. Es war in grie-

---

his dissertation on the Roman Church was similar to that of his dissertation on the Church of Jerusalem“ [a.a.O., S. 89]), stieß in der Forschung m.R. auf Widerstand bzw. Nichtbeachtung. Vgl. Holl zu Epiphanius, haer 27, im Apparat, in welchem Kapitel Lawlor Hegesipps Bericht reflektiert und benutzt sieht.

54 Vgl. besonders seine Zeichnung als lebenslänglicher Nasiräer (KG II 23,5; vgl. dazu zuletzt Zuckschwerdt, Naziräat).

55 Deutsche Übersetzung nach Vielhauer, Evangelien, S. 78.

56 Gegen Hilgenfeld, Noch einmal Hegesippus, S. 301–308; Zahn, Forschungen, VI, S. 252.

57 Vgl. Telfer, Hegesippus, S. 146.

58 Vgl. wohl ebenso Zahn, Forschungen VI, S. 252f A 1.

59 Euseb kennt das Hebräerevangelium; vgl. den Abdruck der Belege bei Schmidtke, Evangelien, S. 33f.

chischer Sprache verfaßt und vor Hegesipp bereits Papias bekannt. „Der Titel charakterisiert das Buch als das Evangelium griechisch sprechender judenchristlicher Kreise“[60]. Sein Inhalt paßt gut zu den erhaltenen Fragmenten Hegesipps und ihrer Verklärung des Jakobus, denn das Hebärerevangelium hat offenbar mit einer Ersterscheinung vor dem Herrenbruder geschlossen[61].

Es ist nun zu fragen: Führen die im Anschluß an Euseb, KG IV 22,8, angestellten Überlegungen uns in der Frage weiter, ob Hegesipp Judenchrist war?

Die Antwort hierauf entspricht derjenigen auf die Frage, ob die jüdische Zeichnung des Jakobus Hegesipps Judenchristentum erweise; d.h., die von Hegesipp benutzte Tradition hat wohl judenchristlichen Charakter – zumal das Hebräerevangelium, dessen Titel bei seiner Entstehung die Hebräer als Leser in ihrer Volksmäßigkeit bezeichnete[62] – doch folgt hieraus noch nicht zwingend die Zugehörigkeit Hegesipps zum Judenchristentum.

So enden unsere Überlegungen mit der Einsicht, daß die Frage, ob Hegesipp Judenchrist sei, auf der jetzigen Quellengrundlage wohl nicht zu entscheiden ist. Es steht lediglich fest: a) er gehört einem nichtkatholischen Christentum an, für das ekklesiologisch die oben (S. 224) angeführten drei Charakteristika zutrafen, b) er benutzte mehrfach wahrscheinlich judenchristliche Traditionen, c) er hatte einen für seine Zeit altertümlichen Kanon, der aus Gesetz, Propheten und Herrenworten bestand.

Abschließend mag noch folgende Überlegung zur Geschichte der Gemeinde Hegesipps angestellt werden, auf die unten bei der Zusammenfassung (S. 261f) zurückzukommen ist. Kann für die Gegenwart Hegesipps die Frage seiner Zugehörigkeit zum Judenchristentum auch nicht definitiv beantwortet werden, so lassen sich die drei soeben aufgeführten Eigenschaften seiner Theologie am besten durch die Hypothese erklären, daß die Gemeinde Hegesipps in einem früheren Stadium judenchristlich war.

10.4. Theologie und Antipaulinismus. Seine Geschichte.

Der Antipaulinismus ist kein konstitutiver Bestandteil der Theologie Hegesipps. Er tritt, für uns sichtbar, nur in der Polemik gegen einen

---

60 Vielhauer, Evangelien, S. 107.

61 Vgl. Vielhauer, Evangelien, S. 104.

62 Bauer, Rechtgläubigkeit, S. 56. M.E. ist hieraus eine judenchristliche Praxis zu erschließen.

paulinischen Vers auf, der offensichtlich von den von Hegesipp bekämpften Gnostikern verwendet wurde. Die vorhandenen Fragmente Hegesipps reichen leider nicht aus, um weiterführende Schlüsse zum Antipaulinismus Hegesipps zu ziehen. Wir wissen z.B. nicht, ob Hegesipp Paulus (wegen seiner Inanspruchnahme durch Gnostiker) nur kritisiert oder ob er ihn grundsätzlich abgelehnt hat[63].

Weiterführende Erkenntnisse für diese Frage sind erst dann zu gewinnen, wenn es gelingen sollte, vorhandene Hegesippfragmente traditionsgeschichtlich Texten zuzuordnen, die einen Antipaulinismus enthalten. Hieraus könnten dann Schlüsse über Antipaulinismus als Bestandteil der Hegesipp vorliegenden Tradition und Hegesipps Stellung dazu gewonnen werden. Ferner würde dadurch ein Licht auf die am Ende des letzten Abschnitts aufgeworfene Frage nach der Geschichte der Gemeinde Hegesipps geworfen werden.

Diese auf den ersten Blick rätselhaft anmutenden Erwägungen können in der Tat in die Praxis umgesetzt werden. Insofern ist vom nächsten Kapitel vielleicht noch ein Beitrag zu der Frage eines Antipaulinismus Hegesipps zu erwarten.

---

[63] Gegen die letztere Möglichkeit könnte vielleicht die Meinung Hegesipps angeführt werden, nach der die Kirche bis zum Tode des Jakobus eine reine Jungfrau gewesen sei (s.o. S. 223). Doch vgl. dazu schon Baur, Paulus I, S. 254f A 3.

11. ANTIPAULINISMUS IN DEN PSEUDOKLEMENTINEN[1]

Der Name PsKl bezeichnet mehrere Schriften, die das Leben des Clemens von Rom behandeln und ihn selbst zum (pseudonymen) Verfasser haben. Erhalten sind folgende Texte: a) die griechischen Homilien (= H)[2], b) die (ursprünglich griechischen) Rekognitionen in der lateinischen Übersetzung Rufins (= R)[3], c) die syrischen Klementinen[4], die Teile der griechischen Rekognitionen (I–IV 1,4) und der Homilien (ι–ιδ 12) enthalten[5].

In literarkritischer Hinsicht besteht heute Übereinstimmung darin, daß Homilien und Rekognitionen eine Grundschrift (= G) voraussetzen[6]. Allerdings ist es strittig, ob H und R unabhängig voneinander auf G zurückgehen[7] oder ob R zugleich H benutzt hat[8]. (Die Möglichkeit der Benutzung Rs durch H wird heute kaum noch für möglich gehalten.)

Die Frage nach Antipaulinismus in den PsKl war in der bisherigen Forschung auf das engste mit den erwähnten literarkritischen Pro-

---

[1] Das Folgende hat sich nicht zur Aufgabe gesetzt, die PsKl umfassend zu behandeln. Für den Stand der Forschung sei auf einen umfassenden Literaturbericht von F. Stanley Jones verwiesen, der in der neuen Zeitschrift ‚The Second Century' 2.1982 gerade erschienen ist. Jones war so freundlich, mir im voraus eine Kopie des Berichts zu überlassen. – Zum Thema ‚Paulus in den PsKl' vgl. aus der älteren Literatur noch: H. R. Offerhaus, Paulus in de Clementinen, Groningen 1894 (Forschungsgeschichte: S. 1–32).

[2] Abfassung etwa in den ersten beiden Jahrzehnten des 4. Jahrhunderts; vgl. Strecker, Judenchristentum, S. 267f. Maßgebliche Ausgabe: B. Rehm, GCS 42².

[3] Abfassung um 350; vgl. Strecker, a.a.O., S. 268f. Rufin übersetzte sie vor dem Ende des 4. Jahrhunderts ins Lateinische. Maßgebliche Ausgabe: B. Rehm, GCS 51.

[4] Eine Handschrift stammt aus dem Jahre 411. – In dieser Arbeit benutzte Ausgabe: W. Frankenberg, TU 48.3. Methodisch ist der Syrer immer zur Nachprüfung der Übersetzung Rufins heranzuziehen. Das ist auch im folgenden stillschweigend geschehen, obgleich der Ertrag in unserem Fall unerheblich war.

[5] Daneben gibt es noch zwei griechische Epitomen, die auf H beruhen und verschiedene weitere Epitomen und Epitomefragmente. Vgl. F. Paschke, Die beiden griechischen Klementinen-Epitomen und ihre Anhänge. Überlieferungsgeschichtliche Vorarbeiten zu einer Neuausgabe der Texte, TU 90, Berlin 1966.

[6] Darin kommen die beiden Antipoden Rehm, Entstehung, und Strecker, Judenchristentum, überein.

[7] Strecker, Judenchristentum, S. 35ff (Lit.).

[8] Rehm, Entstehung, S. 98ff (Lit.).

blemen verbunden. Zwar schreibt kaum jemand G Antipaulinismus zu. Doch erhebt ein Forschungstyp antipaulinische Quellen aus G[9], während ein anderer antipaulinische Passagen zum großen Teil als Interpolationen in H betrachtet[10].

Seit den grundlegenden Arbeiten von Rehm und Strecker, die in der Quellenfrage kontradiktorisch sind, hat sich erstaunlicherweise niemand mehr selbständig zur Literarkritik der PsKl geäußert. Vielmehr scheint die Arbeit insgesamt zu stagnieren, woran die beifällige Übernahme der Theorie Streckers in mehreren Beiträgen nichts ändern kann[11]. M.E. ist aber das literarkritische Problem der PsKl nach wie vor nicht befriedigend gelöst: Streckers Ansatz ist mit der Schwierigkeit belastet, daß er auf der Grundlage einer erst noch zu rekonstruierenden Quelle eine von dieser benutzte ältere Quelle erhebt[12]. Vokabelstatistische Untersuchungen haben aber ergeben, daß die von Strecker als Bestandteile der ‚Kerygmata Petrou' betrachteten Passagen der Homilien keine typischen Sprachmerkmale aufweisen[13], und auch Strecker selbst betont, daß keine bestimmten Stilmerkmale der Kerygmata Petrou ausfindig zu machen sind[14]. Doch haben dann nicht die Kerygmata Petrou den Anspruch auf die Bezeichnung ‚Quelle' verloren?

Nun ist zu betonen, daß nach Strecker der Epistula Petri (= EpPetr) und der Contestatio (= Cont) eine Schlüsselstellung in der Rekonstruktion der Kerygmata Petrou zukommt. Ohne diese hielte auch er eine Rekonstruktion für ausgeschlossen. Aber J. Wehnert hat gezeigt, daß der Sprachgebrauch von EpPetr/Cont gerade keine signifikante Übereinstimmung mit den anderen der von Strekker für die Kerygmata Petrou beanspruchten Texten aufweist. Ferner hat er m.R. auf die Verwendung von Einleitungsschriften im antiken Roman verwiesen. „Ein hervorragendes Parallelbeispiel dazu sind die *τῶν ὑπὲρ Θούλην ἀπίστων λόγοι κδ'* des Antonius Diogenes, in denen ebenfalls zwei Briefe (sc. wie in H

---

9 Waitz, Pseudoklementinen, S. 78–250; Strecker, Judenchristentum, S. 137–254.

10 Vgl. Rehm, Entstehung, S. 139ff; ders., GCS 42, S. VIIf; Irmscher, Pseudo-Clementinen, in: NTApo[3,4] II, S. 374.

11 Vgl. nur Brown, James, S. 192ff; Martyn, Gospel, S. 57ff; Lindemann, Paulus, S. 104ff; Dassmann, Stachel, S. 283ff.

12 Auf die neutestamentliche Literarkritik bezogen, liefe das auf eine Rekonstruktion der Quellen von Q hinaus. – Stötzel, Darstellung, S. 25f, verzeichnet Streckers quellenkritische Position völlig.

13 Ich beziehe mich hier auf die Nachweise einer noch unveröffentlichten Arbeit von Jürgen Wehnert, Zum gegenwärtigen Stand der Quellenkritik in den Pseudoklementinen, 1981. Wehnert konnte sich bei seiner Arbeit auf den von G. Strecker angelegten Index zu den PsKl stützen. – Vgl. bereits Thomas, Ebionites, S. 278, zum hier behandelten Problem.

14 Strecker, Judenchristentum, S. 220.

EpPetr und EpClem) in gewollter Inkongruenz an den Anfang bzw. das Ende des Romans gestellt werden. Diese Briefe dienen (...) allein dem Zweck, dem Leser die Zuverlässigkeit des fiktiven Berichtes glaubhaft zu machen."[15] EpPetr/Cont können daher nicht ohne weiteres als Schlüssel zur Rekonstruktion einer Quellenschrift dienen.

Gegen Rehms Ansatz spricht die von Strecker m.R. beobachtete Unmöglichkeit, die sogenannten ebionitischen Interpolationen stilistisch – und wir dürfen hinzufügen: vokabelstatistisch – auszugrenzen. Zusätzlich erhebt sich gegen Rehms Ansatz als Einwand die damit verbundene Spätdatierung des Antipaulinismus der PsKl bzw. die Evidenz antipaulinischer Literatur im zweiten Jahrhundert, sosehr sich auch E. Schwartz und A. Harnack weitgehend aus ideologischen Gründen dagegen aussprachen[16].

Im folgenden sei daher ein neuer Ansatz der Erforschung der PsKl erprobt, der dem dargestellten Textbefund am ehesten gerecht zu werden verspricht. Wir nehmen uns vor, die antipaulinischen Passagen primär traditionsgeschichtlich zu analysieren, um für ihre historisch-theologische Einordnung eine breitere Basis zu haben als das bei der evtl. Übernahme der Theorien Rehms oder Streckers der Fall wäre.

11.1. R I 33–71

Im folgenden sei R I 33–71 primär traditionsgeschichtlich untersucht. Um eine möglichst breite Quellenbasis zu haben, beginnen wir mit einer Analyse von Texten, die traditionsgeschichtlich mit großer Wahrscheinlichkeit zu jenen Kapiteln (R I 33–71) oder Teilen von ihnen in Beziehung stehen[17]. Erst hernach schreiten wir zu ihrer literarkritischen Analyse fort und werden anschließend die eruierte Tradition historisch-theologisch auszuloten versuchen.

---

[15] Wehnert, Stand, S. 28. Vgl. auch E. Rohde, Der griechische Roman und seine Vorläufer, Leipzig ³1914, S. 269–309.618f.

[16] Vgl. z.B. Schwartz, Beobachtungen, zu den Elkesaiten: „weil aber die sogen. Elkesaiten immer wieder mit den Clementinen zusammengebracht sind, muß das Wichtigste über jenen überschätzten (sic!) und zu einem Religionsstifter aufgebauschten (sic!) ‚Propheten' gesagt werden" (S. 194). Das Buch des Elkesai „ist (...) 100 Jahre lang über eine kleine Winkelsekte (sic!) nicht hinausgedrungen (...) die ‚Elkesaiten' sind nie eine Sekte von irgendeiner Bedeutung gewesen" (S. 195f). Vgl. auch Harnack, Geschichte II.1, S. 625.

[17] Die einzige hier gemachte Voraussetzung ist die, daß in jenem Abschnitt Traditionen zugrundeliegen. U.a. spricht hierfür die verschiedene Chronologie: in R I 7 ist Christus noch am Leben, in R I 43 befinden wir uns bereits 7 Jahre nach Christi Geburt.

11.1.1. Das Jakobusmartyrium bei Hegesipp und in der II. Apokalypse des Jakobus von Nag Hammadi[18] *(synoptischer Vergleich)*

Vorbemerkung: Unterstrichen sind wörtliche Übereinstimmungen. Der Leitfaden des nachfolgenden Vergleichs ist die Hegesippfassung: so stehen Zeilen 61,13f und 62,7 der II. Apokalypse des Jakobus nicht am ursprünglichen Ort. Zur Auswertung s. sofort. Die Rahmenhandlung der II. Apokalypse des Jakobus wird im folgenden unberücksichtigt gelassen.

	Hegesipp (bei Euseb, KG II 23, 8–18)	**II. Apokalypse des Jakobus** (aus Nag-Hammadi-Kodex V 44,11–63,32)
I.	8–11: Erste Rede des Jakobus (= der Gerechte: 12.15f.18) im Tempel aufgrund der Frage: „Wer ist die Tür Jesu?“ (8)	45,27(?)–60 Ende: Gnostische Offenbarungsrede des Jakobus (= der Gerechte: 44,13f.18; 59,22 u.ö.) auf der fünften Treppe des Tempels (45,24), u.a. über „die Tür“ (55,6ff)
	Erfolg der Rede (9f); Aufruhr unter dem Volk (10)	Aufruhr unter dem Volk (61,1ff; cf. 45,3f); Mißerfolg der Rede (61,3f; 45,11f)
II.	12–14a: Aufgrund derselben Frage (12) zweite Rede (13) des Jakobus von der Zinne (12) des Tempels	61,7f: Zweite Rede des Jakobus von der Zinne (61,20ff) des Tempels
	Erfolg der Rede beim Volk (14a)	(cf. 45,11f; 61,3f)
III.	14b–15: Beschluß der Pharisäer und Schriftgelehrten, den Gerechten zu töten:	61,12–19: Beschluß der Priester, den Gerechten zu töten:
	„Doch laßt uns hinaufsteigen und ihn hinabstürzen, damit sie aus Angst nicht an ihn glauben.“ (14b)	„Wohlan, laßt uns diesen Menschen töten, damit er aus unserer Mitte entfernt werde, denn er wird uns in keiner Weise nützlich sein.“ (61,16–19)
	„Oh, auch der Gerechte hat sich geirrt.“ (15)	„Du hast dich geirrt!“ (62,7)
IV.	16–18: Tötung des Jakobus	61,25–63,33: Tötung des Jakobus
	Sturz von der Zinne (16)	Sturz von der Zinne (61,25f)

[18] Edition: Funk, Apokalypse, S. 10–49; C. Hedrick, in: Nag Hammadi Studies 11, S. 110–149. Vgl. auch Brown, James, S. 295–315. Erstedition durch Böhlig/Labib, Apokalypsen, S. 66–85. Zu den literarkritischen Problemen unserer Schrift, auf denen im Text nicht das Schwergewicht liegt, vgl. bes. neben den aufgeführten Ausgaben noch Brown, Elements. Belehrt wurde ich auch von J. A. Brashler/M. Meyer, James in the Nag Hammadi Library (unveröffentlichter Vortrag im SBL-Seminar ‚Jewish Christianity‘, San Francisco 1979).

„Laßt uns Jakobus, den Gerechten, steinigen!“ (16)	„Kommt, laßt uns den Gerechten steinigen!“ (61,13f)
Steinigung (16)	Steinigung (62,1–12)
Fürbittengebet des Jakobus (16)	gnostisches Gebet des Jakobus (62, 16–63,29)
vom Walker erschlagen (18)	–

Die obige Textsynopse dürfte keinen Zweifel daran zulassen, daß ein literarisches[19] Verhältnis zwischen beiden Passagen vorliegt[20]. Folgende Gründe erweisen die vorliegende Fassung der II. Apokalypse des Jakobus als die jüngere: Die Reihenfolge ‚Tötungsvorsatz, Aufforderung zur Steinigung, Sturz von der Zinne, Steinigung‘ in der II. Apokalypse des Jakobus ist gegenüber der der Hegesippfassung (s. Synopse) aus leicht ersichtlichen Gründen sekundär. Ebenso spricht die verschiedene Stellung des Ausrufs „Oh, auch der Gerechte hat sich geirrt“ (Hegesipp)/„Du hast dich geirrt“ (62,7) für die obige Annahme[21]. Schließlich ist die (erste) Rede des Jakobus in der II. Apokalypse des Jakobus bereits gnostisiert (= ein Zeichen für Überarbeitung bzw. Weiterentwicklung), erweist sich aber darin als mit der Hegesipp-Fassung in Berührung stehend, daß die Türsymbolik erscheint[22]. Im Zusammenhang mit dieser gnostischen Bearbeitung dürften zwei weitere Einzelheiten stehen:

a) die Feststellung, daß Jakobus keinen Erfolg hatte (beachte dagegen, wie in der Hegesipp-Fassung – organisch – der Erfolg des Jakobus das Eingreifen der Gegner motiviert),

---

[19] Zu Funk, Apokalypse, S. 196f u.ö., nach dem nur der Martyriumsbericht der II. Apokalypse des Jakobus mit Hegesipp genetisch zusammenhängt.

[20] Das heißt natürlich nicht, daß die II. Apokalypse des Jakobus direkt vom Hegesippbericht abhängig ist; s.u. S. 237.

[21] Der obige Vorwurf steht bei Hegesipp in einem logischen Zusammenhang. Als Jakobus für Jesus Zeugnis ablegt, äußern die Schriftgelehrten und Pharisäer jenen Vorwurf (vgl. Funk, Apokalypse, S. 177 mit A 2). In der II. Jakobusapokalypse ist er in den Bericht von der Steinigung eingesprengt.

[22] Funk, Apokalypse, hält es für „schwer vorstellbar, daß irgendein Zusammenhang besteht zwischen den vorliegenden Sätzen (sc. p. 55,6ff: vgl. obige Synopse) und der merkwürdigen Frage, die bei Hegesipp an Jakobus gerichtet wird (...) *τίς ἡ θύρα τοῦ Ἰησοῦ*. Ein Traditionszusammenhang mit dieser in sich schwer verständlichen Notiz ließe sich nur vermuten, wenn gesichert wäre, daß diese Stelle, zumindest ursprünglich, etwas mit der Rolle des Jakobus als Mittler zu tun hat“ (a.a.O., S. 144f). Das leuchtet nicht ein. Zunächst geht es doch allein um die Frage, ob ein literarischer Zusammenhang besteht. Gerade die bisher ungeklärte Frage nach dem Sinn des *τίς ἡ θύρα τοῦ Ἰησοῦ*; ist ein starkes Argument *für* einen literarischen Zusammenhang.

b) das gnostische Sterbegebet am Ende, das keine innere Beziehung mit dem Vorhergehenden hat.

Andererseits ist natürlich offenzuhalten, daß Einzelelemente der II. Apokalypse des Jakobus älteres Gut aufbewahrt haben.

11.1.2. Traditionsgeschichte des Martyriums des Jakobus[23]

Bevor wir weitere Vergleiche des Hegesipp-Textes mit ähnlichen Passagen anstellen, empfiehlt es sich, eine Traditionsgeschichte des Martyriums des Jakobus zu rekonstruieren[24].

Über das Martyrium des Jakobus gibt es zwei Berichte, die Erzählung des Josephus (Ant XX 199ff), nach der Jakobus und einige andere durch Steinigung sterben, und die christliche Tradition, die am reinsten bei Clemens von Alexandrien vorliegt. In einem von Euseb, KG II 1,5, aufbewahrten Fragment der Hypotyposen heißt es: Jakobus *ὁ δίκαιος, ὁ κατὰ τοῦ πτερυγίου βληθεὶς καὶ ὑπὸ γναφέως ξύλῳ πληγεὶς εἰς θάνατον*. Beide Versionen schließen sich aus. Zwar sieht der Vollzug der Steinigung es vor, daß der Verurteilte von einer Anhöhe hinuntergestoßen werden mußte, die etwa eine doppelte Mannshöhe hat[25]. Diese Anhöhe kann aber keinesfalls die Tempelzinne sein.

Gleichwohl sind beide Versionen kombiniert in der Hegesippfassung Eusebs[26] und – wie wir nach dem obigen Vergleich sagen dürfen – in der II. Apokalypse des Jakobus. Den Anlaß dazu dürfte der Josephusbericht abgegeben haben, der ja in christlichen Kreisen sehr geschätzt war. Ferner dürften auf dieser Traditionsstufe Einzelheiten des Stephanusmartyriums eingewirkt haben[27]. So stammt aus dem lukanischen Bericht die Fürbitte (vgl. Apg 7,60 mit Teil IV der Synopse) und die Menschensohnthematik (vgl. Apg 7,56 mit Euseb, KG II 23,13).

Bevor wir zu einem Vergleich der Hegesipp-Fassung des Jakobusmartyriums mit R I 33–71 kommen, sei zusammenfassend festgehalten,

---

23 Vgl. zu den traditionsgeschichtlichen Fragen noch Lipsius, Apostelgeschichten, S. 238ff, der sich ausführlich über das Verhältnis R I–Hegesipp äußert.

24 Die Ergebnisse der literarkritischen Analyse des Hegesippberichts vom Martyrium des Jakobus durch Schwartz, Eusebius, S. 48ff, werden im folgenden als richtig vorausgesetzt.

25 MSanh und dazu Little, Death, S. 83ff.

26 Hegesipp ist an dieser Kombination unschuldig. Vgl. dazu m.R. Schwartz, Eusebius, S. 56f.

27 Vgl. Schwartz, ebd.

was als Urbestand Hegesipps festgehalten werden kann, und wie diese Tradition weiterentwickelt wurde.

Der ursprüngliche Hegesipp-Bericht[28] handelt von einer öffentlichen Unterredung des Jakobus mit Vertretern des Judentums über die Frage, ob Jesus der verheißene Christus sei. Schauplatz ist der Tempel in Jerusalem, und Jakobus gilt als Autorität. Als seine Rede einen großen Eindruck hinterläßt, wird er von der Zinne des Tempels hinuntergestoßen. Ein Walker schlägt ihn tot[29].

Auf einer zweiten Traditionsstufe, sichtbar in der interpolierten Version Hegesipps bei Euseb und in der II. Apokalypse des Jakobus, erscheint der Herabsturz von der Zinne des Tempels um die Version bereichert, Jakobus sei darauf noch gesteinigt worden.

Schließlich folgt auf einer dritten Traditionsstufe, sichtbar in der II. Apokalypse des Jakobus, eine gnostische Überarbeitung des Martyriumsberichts. Dieser steht fortan am Schluß einer gnostischen Offenbarungsrede, wobei Einzelheiten des Berichts vom gnostischen Bearbeiter geändert (*kein* Erfolg der Verkündigung des Jakobus) bzw. ersetzt (das Fürbittengebet wird zum gnostischen Gebet) worden sind. – Nach dieser Traditionsgeschichte des Jakobusmartyriums haben wir eine Grundlage erhalten, um den in R I 33–71 enthaltenen Bericht den obigen Traditionen zuzuordnen.

11.1.3. Der Hegesippbericht vom Martyrium des Jakobus und R I 66–70

In der Forschung ist schon oft eine Verwandtschaft zwischen beiden Berichten hervorgehoben worden[30]. Naturgemäß differierten dabei auch die Thesen über die Abhängigkeitsverhältnisse. Ist Hegesipp R I verpflichtet oder umgekehrt?[31] Gehen beide Texte auf eine gemeinsame Quelle zurück?[32] Da zuletzt G. Strecker[33] und in seiner

---

[28] Zu weiteren Dubletten im Hegesipptext zum Martyrium des Jakobus vgl. Schwartz, a.a.O., S. 55f.

[29] Clemens von Alexandrien scheint in seiner oben zitierten Notiz von der ursprünglichen Hegesippfassung abhängig zu sein; vgl. auch Turner, Lists, S. 533 A 4.

[30] Vgl. Beyschlag, Jakobusmartyrium, S. 150ff (Lit.).

[31] Schmidt, Studien, S. 325.

[32] Schoeps, Theologie, S. 413ff.

[33] Strecker, Judenchristentum, bemerkt nur lakonisch: „Mit dem Hegesippbericht (...) vom Martyrium des Jakobus (...) hat der vorliegende Text (sc. R I

Nachfolge S. K. Brown[34] die Meinung vertreten haben, der Befund reiche zu keiner der oben genannten Thesen aus, so sind zunächst beide Texte synoptisch nebeneinander zu stellen, um die Frage zu klären, ob überhaupt ein genetischer Zusammenhang besteht. Erst hernach ist gegebenenfalls das Abhängigkeitsverhältnis zu klären.

Eine weitere Vorbemerkung zur Methode ist erforderlich: Gemeinhin wird die Hegesippfassung mit der ganzen in R I 33–71 vorliegenden Erzählung verglichen. Zum gegenwärtigen Zeitpunkt unserer Untersuchung müssen wir uns aber darauf beschränken, nur die Partien jener Erzählung mit dem Hegesippbericht zu vergleichen, die – in einer Erzähleinheit stehend – eine mögliche Entsprechung mit dem Hegesippbericht haben. Erst wenn eine literarische Beziehung festzustellen und das Abhängigkeitsverhältnis geklärt ist, kann die Frage aufgenommen werden, in welchem Verhältnis die ganze Erzählung von R I 33–71 zum Hegesippbericht steht.

Kommen wir nun zum synoptischen Vergleich:

	Hegesipp (bei Euseb, KG II 23,8–18)	**Rekognitionen** I 66–70
I.	8–11: Erste Rede des Jakobus (= der Gerechte: 12.15f.18) im Tempel	66f: Jakobus (= der Bischof [der Bischöfe]: 66,2.5; [68,2;] 70,3) will im Tempel mit den Führern des Volkes disputieren (66,2)
	aufgrund der Frage: „Wer ist die Tür Jesu?" (8)	(cf. 68,2)
	Erfolg der Rede (9f); Aufruhr unter dem Volk (10)	–
	–	Rede des Gamaliel (67)
II.	12–14a: Aufgrund derselben Frage seitens der Pharisäer und Schriftgelehrten: „Wer ist die Tür Jesu?" (12) zweite Rede (13) des Jakobus (13) von der Zinne des Tempels (12)	68f: Aufgrund der Frage des Kaiphas: „Ist Jesus der wahre Christus?" (68,2) Rede (68,3–69,7) des Jakobus von der höchsten Stufe des Tempels (66,3; 70,8)
	Messiasbekenntnis (Jesus ist der Menschensohn: 13)	Messiasbekenntnis (Jesus ist der Christus: 69,3)
	Parusie (auf den Wolken des Himmels: 13)	doppelte Parusie (in Niedrigkeit und in Herrlichkeit: 69,4)

70) nur den Sturz des Jakobus gemeinsam" (S. 249f). Vgl. noch Schoeps, Theologie, S. 413ff; Schmidt, Studien, S. 325; Brown, James, S. 214ff (Detailprüfung der Argumente Schmidts).

34 Brown, James, S. 220.

	Erfolg der Rede beim Volk (14a) (und seinen Führern: cf. 10): „Hosanna dem Sohn Davids!“	Erfolg der Rede beim Volk und seinen Führern (69,8): Taufwunsch
III.	–	70,1–7: Aufruhr durch den Auftritt des „feindlichen Menschen“ (70,1ff) im Tempel
	14b–15: Beschluß der Pharisäer und Schriftgelehrten, Jakobus zu töten:	Aufforderung des Feindes, Jakobus und seine Begleiter zu töten:
	„Laßt uns hinaufsteigen und ihn hinabstürzen!“ (14b)	„Warum legen wir nicht Hand an sie und reißen sie alle in Stücke?“ (70,5)
IV.	16–18: Tötung des Jakobus	70,8: Versuchte Tötung des Jakobus
	Sturz von der Zinne des Tempels (16)	Sturz von der höchsten Stufe des Tempels
	[Steinigung (16)] Interpoliert	–
	[Fürbittengebet d. Jak. (16)] poliert	–
	vom Walker erschlagen (18)	bleibt wie tot liegen

Der synoptische Vergleich ergibt auffällige Ähnlichkeiten in Aufbau und Inhalt. (Die genauen Entsprechungen sind jeweils unterstrichen.) Punkt IV hat eine bemerkenswerte Parallele darin, daß jeweils eine Einzelperson den Tod besorgt. Die nachträgliche Bemerkung in R, Jakobus sei nur scheinbar tot, verrät deutlich redaktionelle Arbeit. Sie ist schon deswegen erforderlich, weil der Herrenbruder der weiteren Handlung erhalten bleiben muß (vgl. R I 72,1). Liegt also ein direktes Abhängigkeitsverhältnis zwischen R und dem Hegesippbericht vor?

Dem stehen folgende Gründe entgegen:

In I entsprechen sich die Fragen allenfalls inhaltlich. Die Fragenden sind nicht identisch. Das Stichwort ‚die Tür Jesu‘ erscheint in R nicht.

In II führt R den Schriftbeweis für die Messianität im Gegensatz zu Hegesipp voll aus.

In IV stößt laut R der feindliche Mensch Jakobus von der höchsten Stufe des Tempels, während nach Hegesipp die Pharisäer und Schriftgelehrten den Herrenbruder von der Zinne des Tempels stoßen.

Fazit: *Daß* ein literarisches Verhältnis vorliegt, dürfte deutlich sein. Es ist wohl nicht direkt, sondern derart, daß beide Berichte ihnen gemeinsame Tradition weitergesponnen haben, deren Grundstock aus einer christologisch orientierten, von Erfolg gekrönten Redes des Jakobus und seinem tödlichen Sturz von der Zinne/höchsten Stufe des Tempels bestand (zur weiteren Analyse des Verhältnisses von R zum Archetyp s.u. S. 245–248).

11.1.4. Stemma der Berichte vom Martyrium des Jakobus

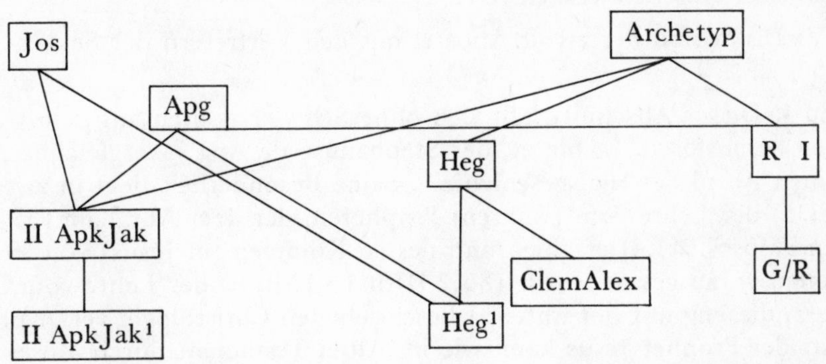

Anmerkung: II ApkJak = Grundschrift der II. Apokalypse des Jakobus; II ApkJak[1] = gnostische Überarbeitung der Grundschrift; Heg[1] = interpolierte Hegesippfassung Eusebs; R I = Tradition in R I 66–71.

Steht nun aber fest, daß R I 66–71 gemeinsam mit dem Hegesippbericht vom Martyrium des Jakobus von einem Archetyp abhängig ist, muß gefragt werden, ob aufgrund einer literarkritischen Analyse von R I 66ff und R I 33ff die dort zugrundeliegende Tradition und damit vielleicht der R I und Hegesipp gemeinsame Archetyp näher bestimmt werden kann.

11.1.5. Zur Literarkritik von R I 33–71

11.1.5.1. R I 33–65

Wir behandeln zunächst R I 33–65 und beginnen zweckmäßigerweise mit einer Gliederung dieses Abschnittes[35]:

---

[35] Im folgenden sei vorausgesetzt, daß R I 44,3–53,4a nicht derselben Traditionsschicht zugehört (vgl. Strecker, Judenchristentum, S. 236). Weitere eindeutig sekundäre Bestandteile von R I 33–71 sind 63,1–9 (vgl. Strecker, a.a.O., S. 42) und 69,5b–7 (vgl. Rehm, Entstehung, S. 96f).

I: Abriß der Heilsgeschichte von Abraham bis zur Gründung der Kirche (33–43). a) alttestamentlicher Teil: 33–38, b) neutestamentlicher Teil: 39–43.

II: (Sieben Jahre nach der Auferstehung Jesu:) Entschluß der Jünger, nach Jerusalem hinaufzuziehen, um mit den Juden über Jesus zu diskutieren (44; 53).

III: Die jüdischen Sekten (54).

IV: Diskussion der zwölf Apostel mit den Vertretern der Sekten (55–65).

Zu I: Dieser Abschnitt läßt sich ohne Schwierigkeiten aus dem Ganzen herauslösen. Er bietet, der Stephanusrede Apg 7 vergleichbar, einen Abriß der Heilsgeschichte[36]. Seine Besonderheit liegt in zweierlei: a) der Lehre vom (wahren) Propheten, der dem Abraham (33,1) und Moses (34,4) erschien und dessen Kommen (in Jesus) von letzterem vorausgesagt wurde (36,2 [Dtn 18,15]); b) der Lehre vom Gesetz, die eng mit der unter a) beschriebenen Christologie verknüpft ist: der Prophet Jesus kam, wie im Alten Testament durch Moses prophezeit, um die Opfer durch die Taufe endgültig abzulösen (39, 1–3). Da es sich ohnehin nicht habe ausrotten lassen, sei durch Moses den Juden das Opfer als Zugeständnis erlaubt worden[37], freilich nur deo soli, um das aus der Verbindung mit den Ägyptern stammende Gebrechen (I 35,1.5) zur Hälfte zu entfernen. Die andere Hälfte sollte durch den (wahren) Propheten gebessert werden[38, 39].

---

[36] Zur Parallele Apg 7 vgl. bes. Martyn, Gospel, S. 59 (= ders., Recognitions, S. 269).

[37] R I 36,1: immolare quidem eis concessit. Vgl. zu diesem Themenkomplex H. Hübner, Mark. VII.1–23 und das ‚jüdisch-hellenistische' Gesetzesverständnis, in: NTS 22.1976, S. 319–345, S. 327ff.

[38] Faktisch löst der Prophet auch das Gott allein dargebrachte Opfer ab.

[39] Die hier sichtbar werdende Gesetzesauffassung hat eine Parallele in Justin, Dial 19,6 (Anordnung von Opfern zwecks Vermeidung des Götzendienstes [vgl. ähnlich Dial 22,1.11]); vgl. ferner die Justinsche Auffassung, Teile des alttestamentlichen Gesetzes seien wegen der Hartherzigkeit des Volkes erlassen worden (vgl. dazu Stylianopoulos, Justin, S. 147 u.ö.; Lüdemann, Geschichte, S. 110). In der syrischen Didaskalia wird ähnlich wie in R I die nach der Anbetung des goldenen Kalbs (Ex 32) erfolgte zeremoniale Gesetzgebung (= Deuterosis) als sekundär angesehen (vgl. auch Schmidt, Studien, S. 262ff). Freilich sind die Unterschiede beträchtlich: Die Didaskalia faßt die im Anschluß an Ex 32 gegebenen Gesetze als *Strafe* auf (p. 130,32ff Achelis-Flemming), in R I werden sie als Zugeständnisse an die Juden angesehen (s.o. im Text). Eine genetische Beziehung zwischen der syrischen Didaskalia und R I 33–71 ist daher unwahrscheinlich (gegen Schmidt, a.a.O., S. 290f). Vgl. zum Problem noch Strecker bei Bauer, Rechtgläubigkeit, S. 259 A 2. – Barn 4,7f; 14,1–4 zeigen

Zu II: Dieser Abschnitt ist eigentlich bereits zusammen mit III eine Überleitung zur unter IV berichteten öffentlichen Diskussion mit den jüdischen Sekten. Der redaktionelle Charakter ergibt sich daraus, daß der Text einerseits den Eindruck erweckt, die zwölf Apostel trieben außerhalb Jerusalems Mission (vgl. auch 44,1: Iacobo interrogante quae a nobis per loca singula gesta sint), andererseits aber Dauerkontakt zu den Jerusalemer Priestern vorausgesetzt wird, die die zwölf Apostel bedrängen, endlich eine Disputation über Jesus zu führen (43,1). Die Person des Jakobus als des ersten Bischofs von Jerusalem (qui a domino ordinatus est in ea [sc. Jerusalem] episcopus; 43,3) erscheint ganz unvermittelt und hat mit dem sich anbahnenden Disput zwischen den zwölf Aposteln und den Juden nichts zu tun.

III: Dieses Stück ist eine Einlage, die sicher wegen ihres Listencharakters auf Tradition[40] zurückgeht. Sie wird benötigt für die nun folgende Diskussion.

IV: Inhaltlich kreist dieser Abschnitt um Themata, die bereits in I angeschnitten wurden: Opferablösung durch die Taufe (36f.39 ~ 55.64); Polemik gegen den Tempel (37f.41 ~ 64); Verheißung des Propheten durch Mose (36.43 ~ 57); Parallelisierung von Moses' und Jesu Wundertaten (40f ~ 57ff); die Berufung der Heiden nach dem Unglauben der Juden (42 ~ 64). Er dürfte unter Zugrundelegung des Inhalts von I komponiert worden sein, denn IV verknüpft künstlich die unter III genannten Sekten mit den 12 Aposteln, die jeweils den Einwand eines Vertreters der jüdischen Sekten widerlegen. Da aber 12 Jünger Reden halten und die Tradition in Kap. 54 nur fünf Häresien kennt (Sadduzäer, Samaritaner, Schriftgelehrte, Pharisäer, Johannesjünger), geht es ohne Spannungen nicht ab. Sie werden aber z.T. dadurch geglättet, daß die Zebedaiden Johannes und Jakobus zusammen nur eine Rede halten (57,2–5), daß Jakobus Alphäus (59,4–6) und Barnabas (60,5–7) direkt gegen keine jüdische Häresie sprechen und daß der pontifex (55,2–3) und zweimal Kaiphas (61,1–2; 62, 1–2) als Vertreter von jüdischen Häresien erscheinen. Inhaltlich bringen die Reden der Vertreter der jüdischen Häresien nichts über das hinaus, was der Leser bereits in Kap. 54 erfahren hat. Die fünf Häresien erscheinen in Kap. 55–65 in derselben Reihenfolge wie in Kap.

---

im übrigen, wie verbreitet der Gebrauch von Ex 32 in der Gesetzesdiskussion war – ein weiteres Argument gegen die Annahme eines genetischen Zusammenhangs im obigen Fall.

40 Die Frage der Herkunft dieser Liste mag hier unerörtert bleiben.

54, und die Reden der 12 Apostel werden jeweils mit einer einheitlichen Schlußwendung abgeschlossen: haec et his similia prosecutus siluit o.ä. (vgl. 55,4; 56,3; 57,5; 58,3; 59,3; 59,6; 60,4; 61,3; 62,3; 63,1). Es dürfte daher klar sein, daß Abschnitt IV in toto redaktionell[41] ist[42]. Als Verstärkung dieser Behauptung mag auf die Personen des Gamaliel (65,2) und Kaiphas (61,1; 62,1) verwiesen werden, die redaktioneller Vorblick auf 66,2–71 sind. 66,1 ist die Überleitung zu der neuen Einheit und schildert die Rückkehr der 12 Apostel zu Jakobus.

11.1.5.2. R I 66–71

66,2 setzt eine neue Einheit ein: Iacobus (...) ascendit ad templum. Da Abschnitt IV redaktionell ist, wird jetzt klar, daß der Anfang von IV, der Bericht vom Aufstieg der 12 Apostel zum Tempel (55,1: ascendimus ad templum), Kap. 66,2 (Iacobus [...] ascendit ad templum) nachgebildet ist.

66,2–71 ist ohne weiteres vom Kontext abgrenzbar und völlig aus sich heraus verständlich. Der Abschnitt schildert den Aufstieg des Jakobus zum Tempel, seine Diskussion mit Vertretern des Judentums, seinen Erfolg und seinen schließlichen Herabsturz von der höchsten Tempelstufe.

Nun wurde bereits oben die These aufgestellt, daß R I 66ff auf eine festumrissene Tradition zurückgeht. Die Frage lautet, ob es parallele Texte zu ihr gibt und welches Verhältnis sie zu dem Abschnitt R I 33–54 hat.

11.1.5.3. Zum Verhältnis von R I 66,2–71 (= A) zu I 33–54 (=B)

Es ist schon immer aufgefallen, daß A dieselben Themen wie B enthält: vgl. die Opferablösung durch die Taufe (69,4f ~ 36f.39.55.64), Ablehnung der alttestamentlichen Könige (69,2f ~ 38), Verhältnis der Propheten zum Gesetz (69,1 ~ 59), erste Parusie Jesu (69,4 ~ 49,2), zweite Parusie Jesu (69,4 ~ 49,2). Die Vermutung hat daher einiges für sich, daß A und B genetisch zusammengehören. Bevor wir dies weiter ausführen, muß noch ein Blick auf die sogenannten Anabathmoi Jakobou geworfen werden, die zuweilen mit R I 33–71 in Verbindung gebracht werden.

---

41 Der Redaktor ist der Rekognitionist und/oder der Grundschriftautor.

42 Gegen Martyn, Gospel, S. 69–77 (= ders., Recognitions, S. 278–284), der in der Nachfolge Streckers unsere Passage als Bestandteil der Anabathmoi-Quelle ansieht. Vgl. u. S. 241 A 44.

Exkurs: Die Anabathmoi Jakobou (= AJ) und R I 33–71

Epiphanius berichtet in haer 30,16,6–9 folgendes: „Sie erzählen auch von anderen Apostelakten, in denen viel Gottloses steht, aus denen vor allem sie sich gegen die Wahrheit wappnen. Sie erdichteten auch gewisse Aufstiege und Reden, nämlich in den Ἀναβαθμοὶ Ἰακώβου, als ob er (Jakobus) gegen den Tempel und die Opfer gesprochen habe, gegen das Feuer auf dem Opferaltar, und vieles andere voll von leerem Gerede (unterstellen sie ihm). Wie sie auch hier in schamloser Weise mit erlogenen, bösartigen und irreführenden Worten ihrer falschen Apostel Paulus verleumden, indem sie zwar sagen, daß er ein Tarser gewesen sei, was er auch selbst bekennt und nicht leugnet, aber behaupten, daß er von Griechen abstamme. Zum Anlaß nehmen sie jene Stelle, in der er wahrheitsgetreu sagt: Ich bin ein Tarser, Bürger einer nicht unbedeutenden Stadt (Act 21,39). Sodann behaupten sie, er sei ein Grieche und Kind einer griechischen Mutter und eines griechischen Vaters. Als er nach Jerusalem hinaufgereist sei und sich dort eine Zeitlang aufgehalten habe, habe er die Tochter des (Hohen-?) Priesters zur Ehe zu führen begehrt, deswegen sei er ein Proselyt geworden und habe sich beschneiden lassen. Als er das Mädchen dann nicht erhalten habe, sei er in Zorn geraten und habe gegen die Beschneidung geschrieben, und gegen Sabbat und Gesetzgebung."[43]

Nach G. Strecker liegt ein so enger Zusammenhang zwischen den AJ und R I 33–71 vor, daß die Bezeichnung AJ II-Quelle für R I 33–71 geboten sei[44]. Die Gemeinsamkeiten sind nicht zu übersehen. Sie bestehen a) in der Kritik des Jakobus an den Opfern[45]. b) Der Ort der Kritik, der Tempel, ist jedesmal derselbe. c) Sowohl die AJ als auch R I 70f sind darin antipaulinisch, daß sie im Anschluß an eine Rede des Jakobus in feindlicher Weise von Paulus sprechen. Freilich sind auch die Diskrepanzen zwischen den AJ und R I 33–71 erheblich. 1. In den AJ erscheint Paulus als Kritiker des Gesetzes, in R I 70f als sein Verteidiger. 2. R I 66ff hat literarische Beziehungen zu Martyriumsberichten

---

43 Übersetzung nach Strecker, Judenchristentum, S. 251. Historischen Wert für die vita Pauli hat die Greuelgeschichte natürlich nicht (gegen H. Windisch, Paulus und Christus, UNT 24, Leipzig 1934, S. 133; ders., Paulus und das Judentum, Stuttgart 1935, S. 5).

44 Strecker, Judenchristentum, S. 252f. Er meint, die bei Epiphanius genannten Anabathmoi Jakobou (= AJ I) und R I 33–71 (= AJ II) gingen auf einen Archetypen (= AJ) zurück. Vorher hatte Th. Zahn (Die Apostelgeschichte des Lucas I, Leipzig 1919) gemeint, R I 55–70 (wahrscheinlich auch I 71–74; II 7–13) seien den Anabathmoi Jakobou dem Inhalt nach entnommen (a.a.O., S. 301 A 57). Von ihm stammt der ebd. geäußerte (von Strecker, Judenchristentum, S. 252, übernommene) Vorschlag, ἀναβαθμοί im Sinne von ἀναβάσεις zu verstehen. Als Begründung verweist er auf Psalmen 120–134, deren (sekundäre) Überschrift von LXX mit ᾠδαὶ τῶν ἀναβαθμῶν übersetzt wird. Zahn nennt sie ‚Wallfahrtslieder'. Aber das ist noch kein *Nachweis*, daß ἀναβαθμοί mit ‚Aufstiege' übersetzt werden darf.

45 Diese Aussage ist selbst auf der Basis von R I 69 möglich, da hier von der die Opfer ablösenden Taufe gesprochen wird: zu Strecker, a.a.O., S. 252: „die Angaben des Epiphanius über den Inhalt der Rede des Jakobus sind von der Zusammenfassung in R I 69 völlig verschieden." Dagegen m.R. auch Brown, James, S. 202 A 22. Vgl. noch Bacon, Studies S. 489.

des Jakobus, die AJ offensichtlich nicht. Die Übereinstimmungen und Diskrepanzen werden m.E. dann am besten erklärt, wenn man eine Abhängigkeit der AJ von der hinter R I 33–71 liegenden festumrissenen Tradition annimmt. In den AJ verschwindet dabei der bereits in R I 70ff abgewandelte Martyriumsbericht (Jakobus ist nicht wirklich tot)[46] völlig, und die Polemik gegen Paulus wird abgewandelt, wobei es bedeutsam ist, daß sie ebenfalls (wie in R I) auf der Grundlage der Apg ausgearbeitet wird. Das bedeutet: Die AJ sind nicht für die in diesem Kapitel behandelte literarische *Vorgeschichte* der in R I benutzten Traditionen wichtig, wohl aber für die später zu besprechende Frage des Antipaulinismus in R I.

Damit kommen wir zurück zur oben ausgesprochenen Vermutung, R I 33ff (A) und R I 66ff (B) gehörten genetisch zusammen. Da die Rede des Petrus (und der anderen Apostel) in I 33ff und die Rede des Jakobus in I 66ff Dublettencharakter haben, halte ich es für plausibel, daß der Redaktor aus der von ihm benutzten, in I 66ff besonders sichtbar werdenden Tradition Material entnommen hat und dem Petrus (und den anderen Aposteln) in den Mund gelegt hat. (Zu beachten ist ja, daß ab R I 15ff Petrus der Haupterzähler bzw. Hauptredner ist, der fast nur durch die Fragen des Clemens unterbrochen wird.) Ist das richtig, so liegt auch in I 33ff Traditionsmaterial aus der Rede des Jakobus vor, das mit gebotener Vorsicht für die chronologische und theologische Einordnung der festumrissenen Tradition hinter R I 66ff herangezogen werden darf. Wir nennen sie im folgenden R I-Quelle. (Sie entspricht der ‚AJ-Quelle' Streckers [s.o. A 44].)

11.1.6. Zur chronologischen Einordnung der R I-Quelle

Fixpunkte unseres Textes sind die Benutzung[47] des Mt[48], des Luk[49] und der Apg[50]. Hieraus ergibt sich das Ende des ersten Jahrhunderts

[46] Die Abwandlung des Martyriums geht möglicherweise bereits auf den Kompilator der hinter R I 66–71 sichtbaren Tradition zurück, obgleich auch der Grundschriftautor bzw. der Rekognitionist hierfür in Frage kommt.

[47] Allgemein ist es wahrscheinlich, daß manche Hinweise auf das NT auf den Redaktor zurückgehen, um so mehr, als die meisten der Anklänge in I 33ff stehen, welcher Abschnitt ohnehin stark redaktionell geprägt ist (Petrus/12 Apostel sind die Sprecher). Im ganzen überwiegen die Anklänge an die Apg. Sie gehören überwiegend zum harten Kern der R I-Tradition und stehen nicht zufällig gehäuft in I 66ff.

[48] Vgl. I 37,2 (Mt 9,13); I 54,6 (Mt 23,13); I 40,2 (Mt 11,19); I 55ff (Mt 10,2ff); I 64,2 (Mt 24,2.15).

[49] Vgl. I 40,4 (Luk 6,13; 10,1).

[50] Vgl. Strecker, Judenchristentum, S. 253 (Belege). Die Quelle greift (mit Strecker, ebd.) besonders auf die Apg zurück: Strecker führt folgende Belege an: I 65,2 (Apg 5); I 71,2 (Apg 4,4); I 71,3f (Apg 9,1ff). Man wird darüber

als terminus a quo. Eine chronologische Spezifizierung und gleichzeitig ein Fingerzeig zum geographischen Ort der Quelle geben zwei Stellen (I 37 [syr.]. 39,3), die auf eine Tradition anspielen, welche von einer Bewahrung der Jerusalemer Gemeinde vor dem Jüdischen Krieg weiß[51]. Sie setzt ferner das Edikt Hadrians voraus[52]. Die Abfassungszeit der Quelle liegt daher nach 135 nChr. Der terminus ad quem sind die von Epiphanius genannten AJ oder, wenn man den Grundschriftautor als Redaktor von R I 33–71 ansieht, die Zeit, da dieser wahrscheinlich sein Werk verfaßt hat, d.h. irgendwann im 3. Jahrhundert.

Die Tatsache, daß die Tradition einer Flucht der Urgemeinde vor dem Krieg wahrscheinlich nur noch von Aristo von Pella überliefert[53] wird, läßt an Pella im Ostjordanland als Abfassungsort der R I-Quelle denken[54].

11.1.7. Theologie und Judenchristentum der R I-Quelle

Die Quelle hat universalistische[55] Züge und vertritt die (Juden- und) Heidenmission. Ihre Träger fanden dafür in der hellenistischen Stadt Pella ein reiches Betätigungsfeld. Die Christologie beinhaltet die Prä-

---

hinaus folgende Stellen notieren dürfen: I 36,2 (Apg 3,22f); I 60,5 (Apg 1,23. 26); I 62,4 (Apg 4,13); I 66,4 (Apg 5,34ff); I 69,8 (Apg 6,7). Ferner sind die Gestalt des Simon Magus (I 70,2; 72,3ff – vgl. Apg 8,9ff) und die heilsgeschichtliche Darstellung (I 33–42 – vgl. Apg 7,2–53) beachtliche Parallelen.

51 Zu R I 39 vgl. noch Schmidt, Studien, S. 292f, der vor Schoeps und Strecker jene Stelle als Reflex der Pella-Tradition heranzog.

52 Die Nachricht in I 39,3, daß die Juden aus Jerusalem vertrieben wurden, paßt besser in die Zeit Hadrians als Vespasians. Vgl. Strecker, Judenchristentum, S. 231.

53 Vgl. unten S. 274.

54 Mit Strecker, Judenchristentum, S. 253; Martyn, Gospel, S. 63 (= ders., Recognitions, S. 272); Stötzel, Darstellung, S. 32.

55 Zum Begriff ‚Universalismus' vgl. Mensching, Religion, S. 71ff. Er wird hier im Sinne der vergleichenden Religionswissenschaft gebraucht. Das Judentum zur Zeit Jesu war vom Typ her keine Universalreligion, sondern eine Volksreligion (vgl. dazu K. Hoheisel, Das antike Judentum in christlicher Sicht, Wiesbaden 1978, S. 175ff). Freilich enthielt es universalistische Ansätze, die vom Heiden- und Judenchristentum weitergeführt wurden. Zur Geschichte des Begriffs Universalismus im 19. Jahrhundert vgl. R. Smend, Universalismus und Partikularismus in der Alttestamentlichen Theologie des 19. Jahrhunderts, in: EvTh 22. 1962, S. 169–179; vgl. ders., Wilhelm Martin Leberecht de Wettes Arbeit am Alten und am Neuen Testament, Basel 1958, S. 77–85.

existenz Jesu (Christus aeternus: 43,1; 44,2; 63,1)[56] ähnlich der des Aristo von Pella, der getreu dem christlichen Standpunkt des 2. Jahrhunderts Christi Schöpfungsmittlerschaft thematisierte[57]. Auch in der Lehre vom Gesetz hat die Quelle Züge, die der durchschnittlichen Gesetzesauffassung des Christentums des 2. Jahrhunderts entsprechen[58]. Für die Gegenwart des Verfassers der R I-Quelle ist vor allem der Dekalog bindend (I 35,2 [Paraphrase von Ex 20]). Demgegenüber scheint die Beschneidung nicht mehr praktiziert[59] und Reinigungsriten nicht geübt[60] worden zu sein. Zwar werden beide I 33,5 genannt, doch sind sie hier nur ausschmückender Bestandteil der historischen Erzählung[61] und haben jedenfalls nicht das Gewicht, das der Dekalog in I 35,2 erhält[62].

Keine Parallele in der katholischen Literatur hat der Gedanke, den Heiden werde erst mit dem Ende des Krieges das Evangelium gepredigt werden (64,2)[63]. Weiter ist der Quelle die besondere Verehrung des Jakobus eigen, der sogar kurz vor dem Erfolg stand, die ganze Jerusalemer Judenschaft zu bekehren. Schließlich kommt in der Tradition der Rettung der Urgemeinde der besondere Anspruch der Träger unserer Quelle zum Ausdruck, mit eben jener Urgemeinde in Verbindung zu stehen bzw. ihre Nachfolger zu sein. Dabei wird dem Jakobus eine Rede in den Mund gelegt, die offensichtlich die theologischen Anschauungen der Gemeinde der R I-Quelle widerspiegelt.

---

[56] Vgl. R I 43,1: frequenter mittentes ad nos rogabant, ut eis de Iesu dissereremus, si ipse esset propheta quem Moyses praedixit, qui est Christus aeternus (vgl. R I 44,2; 63,1).

[57] Aristo las Gen 1,1 ‚in filio'; vgl. den Abdruck der erhaltenen Fragmente Aristos bei M. J. Routh, Reliquiae Sacrae I, Oxford ²1846, S. 95–97 (Texte). 98–109 (Kommentar). Zur christologischen Interpretation von Gen 1,1 vgl. noch R. Lorenz, Arius judaizans?, FKDG 31, Göttingen 1979, S. 136–140.

[58] Vgl. dazu besonders Verweijs, Evangelium, S. 117–242 (Verf. analysiert ebd. die Gesetzesauffassungen von Did, 1Clem, Ign, Barn, Herm und Justin).

[59] So freilich Martyn, Gospel, S. 61 (= ders., Recognitions, S. 270f).

[60] So freilich Strecker bei Bauer, Rechtgläubigkeit, S. 259 A 2.

[61] Vgl. m.R. Molland, Circoncision, S. 32.

[62] So mag der Verfasser der R I-Quelle zu jenen gehören, die von den Rabbinen wegen der alleinigen Betonung des Dekalogs bekämpft wurden; vgl. Urbach, Sages, S. 361f. Zum Dekalog in den beiden ersten Jahrhunderten vgl. noch F. E. Vokes, The Ten Commandments in the New Testament and in First Century Judaism, in: F. L. Cross (ed.), StEv V, TU 103, Berlin 1968, S. 146–154; G. Vermes, The Decalogue and the Minim, in: ders., Post-Biblical Jewish Studies, SJLA 8, Leiden 1975, S. 169–177.

[63] Eine Stelle wie Mk 12,9 (vgl. Mt 21,41; Luk 20,16) hat eine gewisse Nähe zu R I 64,2.

Eine statische Geschichtsbetrachtung wird es bei der Feststellung jener Charakteristika sein Bewenden haben lassen und der R I-Quelle *m.R.* das Prädikat ‚judenchristlich' absprechen[64]. Eine wirklich historische Sicht der Dinge wird demgegenüber sofort folgendes hinzufügen: Die Gesetzeskritik einer Gemeinde, die beanspruchte, Nachfolgerin der Urgemeinde zu sein, ist am besten zu verstehen als Verarbeitung[65] der mit dem Jahr 70 n.Chr. über die Judenschaft gekommenen Katastrophe. Jener Krieg mit dem sichtbaren Ergebnis der Entweihung des Tempels führte zur radikalen Ansicht, er könne nur sichtbarer Ausdruck des Zornes Gottes über sein Volk sein. Er enthüllte nicht nur die Zeitbedingtheit bestimmter Teile des mosaischen Gesetzes, sondern vor allem die Notwendigkeit, den Heiden das Evangelium zu predigen. Das ist eine der Antworten, die eine ursprünglich judenchristliche Gruppe auf den Krieg ausarbeitete. Eine historisierende Auslegung, die dem Jakobus eine Rede wie die in I 33ff zutraut[66], verstellt den Blick auf die interessante Entwicklung einer ursprünglich judenchristlichen Gemeinschaft, die hinter der R I-Quelle sichtbar wird[67].

11.1.8. Antipaulinismus in der R I-Quelle

Die obige Traditionsgeschichte des Jakobusmartyriums hatte zum Ergebnis, daß die in R I 33ff benutzte Quelle gemeinsam mit dem (ursprünglichen) Hegesippbericht auf einen Archetypen zurückgeht. Nun zeigte die Literarkritik der R I-Quelle, daß die in ihr sichtbar werdende Redaktion des Archetyps in höchstem Maße die Apg benutzt. Ja, als Folge dieser Redaktion scheint die R I-Quelle geradezu zu einer Konkurrenz der Apg zu werden. Sie ist darin verschieden von den großkirchlichen Apostelgeschichten, die Informationen

---

64 So nachdrücklich Brown, James, S. 233f, der freilich zu zuversichtlich die Ergebnisse Muncks (Paulus, dazu s.o. S. 47ff) benutzt und gegen den oben argumentiert wird.

65 Natürlich kann die Kultkritik auch auf den Einfluß durch eine andere Gruppe zurückgehen oder eigenes Erbe aus der Periode vor 70 n.Chr. (vgl. dazu Simon, Stephen) sein. Doch kennen wir aus der Periode vor 70 n.Chr. kein kultkritisches Judenchristentum, das gleichzeitig antipaulinisch war. Paulus scheint mit den Hellenisten zusammengearbeitet zu haben (s.o. S. 93).

66 Schoeps, Theologie, S. 440ff.

67 Auch die Gemeinde des Mt muß eine ähnliche Entwicklung durchgemacht haben; vgl. U. Luz, Die Erfüllung des Gesetzes bei Matthäus (Mt 5,17–20), in: ZThK 75.1978, S. 398–435, S. 428ff.

über die in der lukan. Apg nicht behandelten Personen bringen, daß sie bewußt einen Abschnitt der Apg durch ihre eigene Version korrigieren will.

Gleichzeitig ist sie „deutlich das Dokument einer besonderen christlichen Gruppe, die ihre Dogmen, Lehren und Anschauungen in der Vergangenheitsschilderung wiedererkennen will“[68]. Wie der Verf. der lukan. Apg, aber anders als die Autoren der apokryphen Apostelgeschichten, ist ihr Verfasser auch „concerned to provide his church with the history which gives it its distinctive identity.“[69]

Das Fazit der Arbeit des Verfassers der R I-Quelle kann in einem Satz ausgedrückt werden: Paulus ist daran schuld, daß Jakobus nicht die ganze Jerusalemer Judenschaft auf die christliche Seite ziehen[70], sie nicht zu einem (kult)kritischen Verständnis der Schrift und dem Bekenntnis zu Jesus als dem Messias bringen konnte. Diese Behauptung ist um so erstaunlicher, als Paulus ein strenges Judentum unterstellt wird[71] und Jakobus im Grunde ein gesetzesfreier Universalismus, der nur noch das Moralgesetz[72] kennt. Größer könnte die Verwirrung nicht mehr sein. Der Verf. kehrt die in Apg 7,58 berichtete Anwesenheit des *vorchristlichen* Paulus gegen den Heidenapostel, und das auf der Grundlage einer fast paulinischen Einstellung. (Der zweite Teil der Apg wird übergangen[73].) Inhaltlich wird damit aus dem Antipaulinismus unserer Quelle das oben zur theologischen Einstellung ihres Verfassers Gesagte nur bestätigt: Sie ist gesetzeskritisch.

Formal will aber der Antipaulinismus – trotz seines inneren Widerspruchs – beachtet sein und muß weiter ausgelotet werden. Als Hilfe hierbei ist der Antipaulinismus der oben besprochenen AJ-Quelle heranzuziehen. Hier erscheint Paulus als klarer Antinomist und ist gerade das Gegenteil des Gesetzeseiferers der R I-Quelle. Andererseits war im Inhalt der Rede des Jakobus eine Ähnlichkeit zwischen AJ und R I-Quelle festzustellen: Beide sind antikultisch ausgerichtet. Nun ist es klar, daß beide den Heidenapostel Paulus treffen wol-

---

[68] Schoeps, Theologie, S. 453.

[69] Martyn, Gospel, S. 63.

[70] Vgl. Martyn, Gospel, S. 62: Der Verf. unserer Quelle „would have his readers believe that had Paul and his churches never materialized, the mission of the Jewish church to its brethren would have been invincible.“

[71] Gegen Lindemann, Paulus, S. 109 A 44. Lindemann referiert (S. 108f) überhaupt flüchtig: der feindliche Mensch *tötet* z.B. Jakobus gar nicht, wie Lindemann behauptet.

[72] S. das oben im Text (S. 244) zur Geltung des Dekalogs Gesagte.

[73] Ob die Quelle einen Bericht über die Bekehrung des Paulus enthielt (so Martyn, Gospel, S. 61, im Anschluß an Schoeps, Theologie, S. 452f, und Strecker, Judenchristentum, S. 253), ist m.E. nicht zu entscheiden.

len, obgleich dieser verschieden gezeichnet wird. Deutlich ist aber auch: Der Antipaulinismus ist sowohl in den AJ als auch in der R I-Quelle merkwürdig aufgesetzt, denn er steht beidemal nicht in organischer Beziehung zur Rede des Jakobus. In AJ wird nach der Rede des Jakobus die Ablehnung des Paulus *neu* damit begründet, daß er Grieche sei, während in der R I-Quelle die vorchristliche Gestalt des Paulus attackiert wird, um den Heidenapostel zu treffen[74]. Man bezeichnet beide Formen der Polemik daher am besten als vulgären Antipaulinismus, dem nicht an einer echten Auseinandersetzung gelegen ist, dafür aber an Polemik.

Es wird uns schwerlich möglich sein zu entscheiden, welche Form des Antipaulinismus – die von AJ oder der R I-Quelle – ursprünglich ist[75]. Die Entscheidungskriterien dafür sind einfach ungenügend. Trotzdem scheint die Annahme erlaubt, daß der Antipaulinismus jener beiden Quellen eine längere Vorgeschichte in ihren Gemeinden gehabt haben muß. Sie ist für die R I-Quelle deswegen zwingend, weil sonst das unverbundene Miteinander von Universalismus und Pauluskritik nicht erklärt werden kann[76].

In literarischer Hinsicht ist bezüglich der R I-Quelle abschließend zu sagen: Der ältere Antipaulinismus schlug sich literarisch in einem Augenblick nieder, da die Quelle eines Jakobusmartyriums unter polemischer Verwendung der Apg antipaulinisch redigiert wurde. Von hierher fällt Licht auf die am Ende von Kap. 10 angesprochene Frage, ob das von Hegesipp verwendete Material des Jakobusmartyriums traditionsgeschichtlich Antipaulinismus enthalten hat. Die Antwort ist negativ. Der Antipaulinismus ist dem Martyriumsbericht erst auf

---

74 Die Tatsache, daß nicht Paulus, sondern Saulus als Feind eingeführt wird, kann am Anti*paulinismus* nichts ändern (gegen Schwartz, Beobachtungen, S. 184f, dessen Darlegungen auch deswegen scheitern, weil R I 69f auf Tradition zurückgeht [Schwartz argumentiert von der Erzählebene des Rekognitionisten aus]). Ebenso ändert die Tatsache, daß auf der Erzählebene des Homilisten gegen Simon Magus argumentiert wird, ja nichts am ursprünglich antipaulinischen Charakter bestimmter Abschnitte (gegen Chapman, Date, S. 151).

75 Obgleich AJ die R I-Quelle voraussetzen, kann ihre Pauluskritik älter sein.

76 Auf die R I-Quelle trifft zu, was Uhlhorn, Homilien, vor über 125 Jahren über die pskl Homilien wie folgt ausgeführt hat: „So finden wir Formen des Judenchristenthums, welche ein ganz universelles Gepräge angenommen haben, bei welchen der Universalismus bereits die strengen Forderungen, besonders die Beschneidung aufgehoben hat, und die doch noch verrathen, daß sie aus einer strengeren Partei erwachsen sind. Die Homilien haben die Beschneidung aufgegeben, halten aber die Polemik gegen Paulus, die überhaupt am zähesten festgehalten worden zu sein scheint, fest“ (S. 391).

der Stufe der R I-Quelle zugewachsen[77]. Es will daher nicht gelingen, in dem von Hegesipp verwendeten Material direkten Antipaulinismus zu finden[78].

11.2. Die Homilien[79]

Im folgenden seien zunächst jene Stellen aus den pskl Homilien analysiert, die eindeutig Paulus angreifen[80]. Danach bemühen wir uns um eine traditionsgeschichtliche Näherbestimmung der betreffenden Passagen, um sie anschließend historisch-theologisch einzuordnen. Zusätzlich ist dann noch ihr Verhältnis zur R I-Quelle zu besprechen.

11.2.1. Einzelexegese von antipaulinischen Passagen in H[81]

11.2.1.1. ιζ 13–19[82]

Die Diskussion beginnt mit einem Geplänkel zwischen Simon und Petrus über die Frage, ob eine Vision zuverlässiger als persönlicher Umgang mit einer Sache/Person sei. Simon greift dabei Petrus mit den folgenden Sätzen an:

„Du hattest behauptet, die Lehre deines Meisters genau kennengelernt zu haben, weil du ihn unmittelbar gegenwärtig gehört und gesehen habest, dagegen sei es einem anderen nicht möglich, mittels eines Traumes oder einer Vision das gleiche zu erfahren“ (13,1).

---

77 Es kann auch keine Rede davon sein, daß die II. Apokalypse des Jakobus auf einer früheren Traditionsstufe einen Antipaulinismus enthalten habe (gegen Böhlig, Hintergrund, S. 109).

78 Der einzige mir bekannte, neuere Versuch in dieser Richtung ist der von Beyschlag, Jakobusmartyrium: der homo inimicus von R I 70,1 kehre bei Hegesipp in dreifacher Brechung wieder: 1. in Jakobus, 2. in dem Rechabiter, 3. „schließlich in dem Kleiderwalker“ (a.a.O., S. 152). Die These ist traditionsgeschichtlich verfehlt.

79 Zum Antipaulinismus in den Homilien vgl. vor allem Waitz, Pseudoklementinen, S. 133–140 (Lit.); Strecker, Judenchristentum, S. 187–198; ältere Lit. verzeichnet Cassels, Religion II, S. 34 A 1.

80 In Klammern sei jeweils, soweit existent, der Paralleltext von R gesetzt.

81 Übersetzung im folgenden – soweit vorhanden – nach Strecker, Kerygmata, im anderen Fall vom Verf.

82 Vgl. besonders die Analyse des Abschnitts durch Salles, Diatribe, S. 518–525. (S. unterscheidet – m.E. methodisch verfehlt – im obigen Text zwei verschiedene antipaulinische Hände, die des Verf.s der Kerygmata Petrou und die des Verf.s eines antipaulinischen Pamphlets. Den letzteren rückt er nahe an den historischen Paulus heran [vgl. a.a.O., S. 543f].)

Die Entgegensetzung ‚persönlicher Umgang'–‚Vision/Traum' steht wie eine Überschrift über dem Ganzen und ist klar dem in 19 berichteten Schluß der Debatte zugeordnet, der die Auflösung darüber bringt, wer eigentlich angegriffen wird. Bevor wir uns jener Auflösung zuwenden, sei kurz der Gedankengang von 14ff skizziert.

Petrus antwortet in 14: Wer einer Vision Glauben schenke, wisse nicht, wem er glaube. Der Glaubensgegenstand könne z.B. ein böser Dämon oder ein Irrgeist sein. Daher gelte generell:

„Wer einem Gesicht oder einer Vision oder einem Traum glaubt, befindet sich in Unsicherheit" (14,3).

Der umgekehrte Fall liege vor beim wahren Propheten, dem unbegrenztes Vertrauen geschenkt werden könne: *ὁ προφήτης, ὅτι προφήτης ἐστὶν πληροφορήσας πρῶτον, περὶ τῶν ἐναργῶς ὑπὸ αὐτοῦ λεγομένων ἀσφαλῶς πιστεύεται καὶ ἀληθὴς ὢν προεπιγνωσθεὶς καί, ὡς ὁ μανθάνων θέλει, ἐξετασθεὶς καὶ ἀνακριθεὶς ἀποκρίνεται* (14,3, p. 237,2ff Rehm). D.h. dem Propheten kann wegen seiner während des persönlichen Umganges mit den Jüngern gesprochenen Worte[83] vertraut werden, und er gibt auch fernerhin auf Fragen zuverlässige Antwort. Im Fall Simons fehle der historische Beweis als Begründung für die fortdauernde Präsenz des Propheten. Er wisse ja gar nicht, wen er fragen soll.

Kap. 15: Simon wendet ein, daß nur ein Gerechter einen Traum von Gott empfangen könne.

Kap. 16f: Darauf antwortet Petrus in zwei Argumentationsgängen: 1. Gott, den Sohn oder einen Engel könne kein Mensch sehen. Wenn jemand meint, eine Vision gehabt zu haben, so sei es das Werk eines Dämonen. 2. Die Schrift zeige, daß auch Gottlose von Gott gesandte Träume empfangen hätten. Daher gehe aus Träumen nicht hervor, daß ihr Empfänger fromm sei. Im unmittelbaren Anschluß daran geht Petrus zur Beschreibung des wahren Frommen über:

„Denn einem frommen, natürlichen und reinen Sinn erschließt sich das Wahre, nicht erworben durch einen Traum, sondern den Guten durch Einsicht verliehen" (17,5).

Der Gnadencharakter der Offenbarung wird anschließend in Kap. 18 von Petrus anhand von Mt 16,13ff erläutert: Nicht Visionen oder Träume, sondern Gott habe ihn zu jenem Bekenntnis geführt. Diese Offenbarung komme von *innen*, indem die Hand Gottes das im Menschen *σπερματικῶς* vorhandene Wissen wachruft (p. 239,13ff; vgl.

[83] Vgl. bereits Kap. 5,6, p. 231, 18–21 Rehm.

bereits p. 239,4ff)[84]. Die andere Erkenntnis durch Träume und Visionen komme von *außen* (*ἔξωθεν*: vgl. p. 239,26.16) und sei nicht Zeichen der Offenbarung (p. 239,16ff), sondern des Zornes. Und schließlich das Hauptargument gegen Simon: Jesus habe mit Petrus wie mit einem Freund *στόμα κατὰ στόμα* verkehrt, *ἐν εἴδει*, und nicht in Rätseln, Erscheinungen und Träumen wie mit einem Feind (*ὡς πρὸς ἐχθρόν*: p. 239,23f). Er habe ferner ein Jahr lang seine Jünger unterwiesen[85]. Wie sollten diese dann glauben, daß er auch Simon erschienen sei (p. 239,28–240,2)? Damit ist zweifellos der Höhepunkt erreicht, und der Leser wird für die Auflösung des Rätsels reif, wer denn mit Simon gemeint sei, um so mehr, als mit dem Satz: *πῶς δέ σοι καὶ πιστεύσομεν αὐτὸ κἂν ὅτι ὤφθη σοι*; (p. 240,1f) eine deutliche Anspielung auf 1Kor 15,8 vorliegt. Die nächste Anspielung auf einen paulinischen Brief folgt sofort anschließend:

„Wenn du aber von ihm eine Stunde lang besucht, unterwiesen und dadurch zum Apostel geworden bist, dann verkündige seine Worte, lege aus, was er gelehrt hat, sei seinen Aposteln Freund und bekämpfe nicht mich, der ich sein Vertrauter bin; denn mir, der ich ein standhafter Fels, der Kirche Grundstein bin, hast du feindselig widerstanden“ (p. 240,3–6).

Paulus wird also aufgefordert, sich den Aposteln zu unterwerfen. Wenn er Petrus schuldig (*κατεγνωσμένος*) (vgl. Gal 2,11) nennt, klage er Gott an, der dem Petrus Christus offenbart habe (p. 240, 9ff). Petri Schlußappell faßt noch einmal zusammen: *μάθε πρῶτον παρ' ἡμῶν, ἃ ἡμεῖς παρ' ἐκείνου ἐμάθομεν, καὶ μαθητὴς ἀληθείας γεγονὼς γενοῦ ἡμῖν συνεργός*

(„Lerne zuerst von uns, was wir von jenem gelernt haben, und werde als ein Schüler der Wahrheit unser Mitarbeiter“; p. 240,12–14).

Nach dieser Zeichnung des Gedankenganges von ιζ 13ff kann gar kein Zweifel daran bestehen, daß Polemik gegen Paulus vorliegt und der Verfasser den Heidenapostel von Anfang an im Blick hatte[86].

---

[84] Strecker, Judenchristentum, S. 192 A 1: „Dieser Offenbarungsbegriff ist in der Polemik gegen Paulus nicht glücklich gewählt. Eigentlich erforderte der Zusammenhang die Aussage, daß – da durch Träume keine echte Belehrung erlangt werden kann (H XVII 14,5f) – Petrus in jeder Weise durch seinen Meister unterwiesen wurde.“ Das ist zweifelsohne in Bezug auf den historischen Paulus und seine Gegnerschaft richtig. Doch will das Miteinander von Mystik und Berufung auf die persönliche Jüngerschaft Jesu in einer späteren Epoche für die Zeit des antipaulinischen *Verf.s* ausgewertet werden.

[85] Dazu Strecker, a.a.O., S. 193 A 1 (Lit.).

[86] Daß der Gegner hier Simon Magus und nicht Paulus heißt, kann nichts daran ändern. Hier gilt gegenüber Schwartz und Chapman potenziert, was oben A 74 bereits ausgeführt wurde.

Die Kritik gegen Paulus läßt sich wie folgt zusammenfassen: Paulus fehle die Legitimation, da er nicht vom historischen Jesus unterwiesen wurde; seine Behauptung, Jesus sei ihm erschienen, sei angesichts aller fehlenden Legitimation wertlos. Paulus sei kein gleichberechtigter Partner der Apostel. Er könne nur Mitarbeiter werden, wenn er sich entschließt, von ihnen zu lernen. Durch die Vision sei er nicht zum Freund, sondern zum Feind Jesu geworden.

Die Ergebnisse der obigen Analyse können die Grundlage dafür abgeben, weitere ‚Antipaulinismen' in den pskl Homilien aufzuspüren.

11.2.1.2. EpPetr/Cont

Die EpPetr, ein Brief an Jakobus, den Bischof der heiligen Kirche, gibt sich als Begleitschreiben zu einer gleichzeitig übersandten Schrift (die Kerygmata Petrou), während die Cont das Zeugnis der Empfänger des Briefes ist. Petrus bittet in dem Brief um die Beachtung gewisser Vorsichtsmaßregeln. Die Gründe hierfür sind folgende:

„Einige von den Heiden haben meine gesetzliche Verkündigung verworfen und eine gesetzeslose und unsinnige Lehre des feindlichen Menschen vorgezogen" (2,3).

Es kann kein Zweifel daran bestehen, daß diese Stelle einen Zusammenhang mit dem antipaulinischen Abschnitt ιζ 13–19 hat. Denn dort wirft Petrus dem Simon = Paulus vor, sein *κήρυγμα* zu bekämpfen (*τὸ δι' ἐμοῦ κήρυγμα ἐλοιδόρεις*: p. 240,7f) und sagt implizit, Jesus verhalte sich Simon = Paulus gegenüber als Feind (p. 239,23f). Steht damit der antipaulinische Charakter der EpPetr/Cont fest, so dürfen andere Vorwürfe aus denselben Dokumenten als antipaulinische Aussagen gewertet werden, so die Behauptung, einige (= Paulusanhänger) hätten noch zu Petri Lebzeiten versucht,

„durch mancherlei Deutungen meine Worte zu verdrehen, als ob ich die Auflösung des Gesetzes lehrte und, obwohl ich dieser Ansicht sei, dies nicht freimütig äußerte" (EpPetr 2,4).

Vgl. ferner:

„Jene aber, die (...) vorgeben, sich auf meine Gedanken zu verstehen, wollen die Worte, die sie von mir gehört haben, besser auslegen als ich selbst, der sie doch gesprochen hat. Denen, die sie unterrichten, sagen sie, das sei meine Ansicht, woran ich nicht einmal gedacht habe. Wenn sie aber noch zu meinen Lebzeiten solches fälschlich behaupten, um wieviel mehr werden nach meinem Tod die Späteren dies zu tun wagen" (EpPetr 2,6f).

Cont 5,2: „Wenn wir die Bücher allen aufs Geratewohl überlassen und wenn sie von dreisten Männern verfälscht und durch Auslegungen verunstaltet werden – wie ihr ja gehört habt, daß dies einige schon getan haben –, dann wird es geschehen, daß auch diejenigen, die mit Ernst die Wahrheit suchen, allzeit in den Irrtum geführt werden."

Die angeführten drei Stellen sind darin antipaulinisch, daß sie Paulus(anhänger) einer Verdrehung der petrinischen Position zeihen: Paulus bzw. seine Schüler unterstellten Petrus, er lehre im Grunde die Auflösung des Gesetzes, obgleich er dies nicht freimütig äußere. (Die Bemerkung in Cont 5,2, die Gegner verfälschten die Bücher des Petrus, die Kerygmata Petrou, geht auf die literarische Fiktion einer Übersendung dieser Bücher zurück.)

G. Strecker hat m.R. antipaulinische Polemik in den obigen Passagen erkannt und gemeint, bes. in den Stellen aus der EpPetr werde „auf die paulinische Darstellung der Geschehnisse in Antiochien (Gal. 2,11ff) angespielt und Paulus und dessen Schüler einer falschen Darstellung der Begegnung in Antiochien geziehen"[87]. Doch worin soll die falsche Darstellung bestanden haben? Ihr Tenor (in Gal 2,11ff) ist doch gerade *nicht*, daß Petrus im Grunde die Auflösung des Gesetzes lehre, sondern daß er ein Heuchler[88] sei. Man wird daher den antipaulinischen Vorwurf weniger in einer falschen Darstellung der Geschehnisse von Antiochien an sich sehen. Vielmehr scheinen EpPetr/Cont auf die ihrer Meinung nach irreführende Zeichnung der antinomistischen *Voraussetzung* Petri zu denken, auf die Paulus Gal 2,15f verweist: Ἡμεῖς (...) εἰδότες (...) ὅτι οὐ δικαιοῦται ἄνθρωπος ἐξ ἔργων νόμου (...) καὶ ἡμεῖς εἰς Χριστὸν Ἰησοῦν ἐπιστεύσαμεν. Sie sei deswegen irreführend, weil Petrus in Einklang mit Jesus die Ewigkeit des Gesetzes gelehrt habe (EpPetr 2,5).

11.2.1.3. β 17,3–4

Als 7. Paar einer Syzygienreihe erscheinen Simon, der vor Petrus als erster zu den Heiden ging, und Petrus, der ihm nachgefolgt sei wie das Licht der Finsternis, die Erkenntnis der Unwissenheit, die Heilung der Krankheit. Angesichts der Thematik ‚Heidenmission' in EpPetr 2,3 im Zusammenhang einer antipaulinischen Aussage liegt es nahe, auch im obigen Text ein antipaulinisches Element zu erkennen[89]. Interessant ist, daß trotz der Polemik gegen Simon/Paulus diesem ein Verdienst an der Heidenmission nicht abgesprochen wird.

---

87 Strecker, Judenchristentum, S. 187.

88 Dem entspricht die Aussage, daß Petrus κατεγνωσμένος sei (ιζ 19,6), s.o. S. 250.

89 Vgl. Strecker, a.a.O., S. 190.

Durch ihn wird der Gang Petri zu den Heiden sozusagen erst motiviert.

Eine Näherbestimmung des Verhältnisses der Verkündigung des Paulus zu der Petri liegt vor in

β 17,4: „Zuerst muß ein Evangelium von einem Irrlehrer kommen und nach der Zerstörung des heiligen Ortes ein wahres Evangelium heimlich ausgesandt werden, um die kommenden Häresien zu korrigieren.“[90]

Unter dem falschen Evangelium ist zweifelsohne das paulinische, unter dem wahren sicher das petrinische zu verstehen. Unsere Stelle hat darin eine deutliche Beziehung zur EpPetr, daß sie ebenso wie der Brief von einer *geheimen* Verbreitung des petrinischen Evangeliums spricht. Sie wirft durch die Datierung der Verbreitung des petrinischen Evangeliums zusätzlich ein interessantes Licht auf den historisch-theologischen Ort der Träger des Antipaulinismus der obigen Passagen. Einerseits erachten sie mit einer nur noch an Marcion erinnernden Radikalität das ganze christliche Zeitalter vor 70 n.Chr. als korrumpiert – freilich durch Paulus. Andererseits verknüpfen sie ihre eigene Predigt positiv mit dem Fall Jerusalems. Im letzten Punkt wird man wohl eine kultusfeindliche Haltung der Träger der Pauluskritik erblicken dürfen[91]. So erscheint in *β* 17,4 Paulus- und Kultkritik miteinander verbunden.

11.2.1.4. ια 35,3–6 (R IV 34f)

Anspielungen auf Paulusbriefe oder die Apostelgeschichte liegen hier nicht vor, so daß nicht auf einen Antipaulinismus zurückgeschlossen werden darf[92]. Doch sind Anspielungen auf die oben als antipaulinisch erkannten Abschnitte beachtlich: so mag *ἀστραπὴ ἐξ οὐρανοῦ* erinnern an *ιζ* 14,5: *πονηρὸς ἀστράψας, μείνας ὅσον θέλει, ἀποσβέννυται*; Simon wird als einer gezeichnet, der *πλάνην* sät (p. 172,1) – *β* 17,3 identifiziert ihn mit *ἄγνοια*. – Schließlich mögen die Ausführungen über Jakobus einen indirekten Antipaulinismus enthalten: Keiner solle aufgenommen werden – so Petrus –, der nicht vorher sein Kerygma Jakobus, dem sogenannten Bruder meines Herrn, dem die Leitung der Gemeinde der Hebräer zu Jerusalem anvertraut ist,

---

90 Vgl. aber zu *β* 17,4 noch Strecker, a.a.O., S. 126.190, der das Stück für redaktionell hält und auf H zurückführt. Anders Schmidt, Studien, S. 293f.

91 Vgl. m.R. Schmidt, ebd.

92 Man braucht m.E. (gegen Strecker, a.a.O., S. 195) p. 171, 19 Rehm: *ἀστραπὴ ἐξ οὐρανοῦ*, nicht für eine Anspielung auf die Berufungsvision des Paulus (Apg 9,3) zu halten, da Luk. 10,18 als Hintergrund voll ausreicht; vgl. auch Salles, Diatribe, S. 539.

vorgelegt hat. Diese Stelle erinnert an die EpPetr, in der Petrus davon spricht, daß ein feindlicher Mensch sein Kerygma verfälscht, während Jakobus für dessen Verbreitung sorgt[93]. Gewiß, der obige Abschnitt legt von sich aus nicht nahe, daß in ihm Antipaulinismus enthalten sei. Mit den anderen Abschnitten zusammen genommen, scheint er gleichwohl noch Spuren einer antipaulinischen Haltung aufzuweisen.

Damit sind diejenigen Abschnitte aus den pskl Homilien exegesiert, die einen Antipaulinismus enthalten. Lassen sie sich traditionsgeschichtlich näher bestimmen?

11.2.2. Traditionsgeschichtliche Näherbestimmung der antipaulinischen Abschnitte in den pskl Homilien

Auffällige Beziehungen liegen besonders mit elkesaitischen Traditionen vor. Vgl. die folgenden Punkte:

1. Aufzählung der Elemente und ihre Verwendung als Schwurzeugen[94]. Dazu Hippolyt, Ref. IX 15 (p. 253,17ff Wendland): *τὸν οὐρανὸν καὶ τὸ ὕδωρ καὶ τὰ πνεύματα τὰ ἅγια καὶ τοὺς ἀγγέλους τῆς προσευχῆς καὶ τὸ ἔλαιον καὶ τὸ ἅλας καὶ τὴν γῆν*[95]; vgl. Cont 2,1 (~ 4,1: „Ich rufe zu Zeugen an *οὐρανόν, γῆν, ὕδωρ*, durch die alles zusammengehalten wird, [diese rufe ich zu Zeugen an] und die alles durchdringende Luft [*ἀέρα*], ohne die ich nicht atme, daß ich dem, der mir diese Bücher übergibt, immer gehorsam sein werde"). Nach diesem Schwur soll der Novize mit dem Übergeber der Bücher Brot und Salz genießen. „Aus den Worten und Wendungen, womit hier das Aufrufen kosmischer Elemente beschrieben wird, ist klar ersichtlich, daß der Verfasser von elchasäischen (oder elchasäisch beeinflußten ebionäischen) Bräuchen gewußt (...) hat."[96]

2. Beide lehnen Paulus ab.

3. Beide unterscheiden zwischen weiblichem und männlichem Prinzip[97].

---

93 Vgl. auch Strecker, a.a.O., S. 195.

94 Vgl. zum Folgenden Brandt, Elchasai, S. 15ff.

95 Die Reihen in Epiphanius, haer 19,1,6 und 30,17,4, sind mit der obigen nahezu identisch und können hier unberücksichtigt bleiben.

96 Brandt, Elchasai, S. 20, der das freilich für einen „schriftstellerischen Scherz" hält. Nach ihm stammen EpPetr und Cont „von dem katholischen Bearbeiter des Romans, der seinen Lesern einen fremdartig aufgeputzten Zauber vormacht" (S. 21).

97 Freilich ist die obige Unterscheidung bei den Elkesaiten positiv gesehen (der heilige Geist ist Partnerin Christi), während sie in *β* 17,3 negativ ist.

4. Beide fordern die Beschneidung (vgl. Cont 1,1).

M.E. ist aufgrund der genannten Übereinstimmungen das Urteil gerechtfertigt: Die antipaulinischen Abschnitte der pskl Homilien haben eine literarisch-traditionsgeschichtliche Verbindung mit elkesaitischen Überlieferungen[98]. Verbindungslinien bestehen aber auch zu der R I-Quelle: Mit ihr haben unsere Abschnitte folgendes gemeinsam:

1. den Antipaulinismus[99];

2. eine Kultfeindschaft;

3. die Zerstörung Jerusalems als den Beginn der Heidenmission. (Das wird zwar in β 17,4 nicht ausdrücklich gesagt, doch legt der Zusammenhang von β 17,3–4 einen solchen Schluß nahe; s.o. S. 252f);

4. die Hochschätzung des Jakobus.

Der fragmentarische Charakter der antipaulinischen Texte in den Homilien erlaubt zwar keine Näherbestimmung der Art des literarisch-traditionsgeschichtlichen Verhältnisses zu elkesaitischen Traditionen und der R I-Quelle. Wohl aber kann angenommen werden, daß die Träger der antipaulinischen Traditionen der Homilien in demselben Milieu wie Elkesaiten und die Gemeinde der R I-Quelle wirkten. Chronologisch wird man die Träger wohl ins zweite Jahrhundert versetzen müssen. Als Ort kommt Syrien oder – wahrscheinlicher – Transjordanien in Frage.

11.2.3. Theologie

Das Folgende unternimmt eine Darstellung der theologischen Grundanschauungen der antipaulinischen Abschnitte der Homilien, ohne die wichtige Frage der Form von EpPetr/Cont zu behandeln. Ich bin mir des Mangels bewußt, weiß aber beim gegenwärtigen Forschungsstand nicht, wie ihm abzuhelfen ist. Die Palette der (formkritischen) Bestimmung von EpPetr/Cont reicht von der These, sie reflektierten wirkliche Vorgänge[100], bis zur Annahme, beide Dokumente seien reine Fiktion[101] und völlig unbrauchbar, um die Anschauungen einer Gemeinde festzustellen.

---

[98] Berührungen wurden natürlich schon in der älteren Forschung gesehen; vgl. Waitz, Pseudoklementinen, S. 155ff, und in neuerer Zeit z.B. Salles, Diatribe, S. 545–550.

[99] Paulus wird in beiden ‚Quellen' der feindliche Mensch genannt (vgl. R I 70,1 mit EpPetr 2,3). Strecker, Judenchristentum, S. 249, meint freilich, G hätte diesen Ausdruck von EpPetr auf die ‚AJ II-Quelle' verpflanzt.

[100] Schmidt, Studien, S. 318f, u.a.

[101] Brandt, Elchasai, S. 20f.

Die Theologie unserer Abschnitte verdient die Bezeichnung ‚judenchristlich'. Cont 1,1 bezeugt den Brauch der Beschneidung, und das gesetzliche Kerygma, das Petrus verkündigt (EpPetr 2,3), ist mit dem Gesetz Gottes identisch, „das durch Mose kundgetan und durch unseren Herrn in seiner ewigen Dauer bestätigt worden ist" (EpPetr 2,5).

Die Stellung zu den Heiden ist schillernd. Einerseits dürfen die Bücher des Petrus nur einem solchen überlassen werden, „der als Beschnittener gläubig ist" (Cont 1,1), d.h. Heiden sind ausgeschlossen. Andererseits bezeugen andere Stellen wie β 17,3f, daß die Heidenmission – wenn auch erst nach dem Fall Jerusalems – gutgeheißen wird. Dasselbe wird bereits in EpPetr impliziert, vgl. 1,2 und bes. 3,1: die Bücher sollen „weder einem Stammesgenossen noch einem Fremdling (= Heiden) vor der Prüfung" überlassen werden.

G. Strecker u.a. haben diese Spannung aus dem literarischen Charakter von EpPetr/Cont erklärt[102]. Man kann in dieser Spannung jedoch ebenso ein Phänomen erblicken, das notwendig in einer judenchristlichen Gemeinde entstehen mußte, die sich einerseits zur Heidenmission entschlossen hatte, andererseits aber selbstverständlich die Beschneidungsforderung für geborene Juden festhielt. (Die Art der Beobachtung des mosaischen Gesetzes mag dabei für neuhinzugekommene Heiden ungeklärt geblieben sein.) Unsere oben erörterten Passagen entspringen dann einem Judenchristentum, das erst den halben Weg der Gemeinde der R I-Quelle gegangen ist. Es lehnt wie diese unter Verarbeitung der Katastrophe des Krieges das Kultgesetz ab. Jedoch bleibt im Gegensatz zur R I-Quelle das Beschneidungsgebot wenigstens z.T. in Kraft[103].

11.2.4. Theologie und Antipaulinismus

Vergleicht man Inhalt und Anspruch der ‚gesetzlichen Verkündigung' des Petrus, so ist kein Widerspruch zwischen Antipaulinismus und Theologie jener Abschnitte festzustellen. Ja, von allen Texten, die wir bisher analysierten, kamen die obigen inhaltlich der Kritik der judenchristlichen Zeitgenossen am Heidenapostel am nächsten. Denn

---

102 Vgl. z.B. Strecker, Judenchristentum, S. 141, mit dem wichtigen Hinweis auf W. Bauer bei Schoeps, Theologie, S. 475 A 1.

103 Weiter geht Molland, Circoncision, S. 31–45 (ihm folgt anscheinend Strecker bei Bauer, Rechtgläubigkeit, S. 268f), nach dem im Milieu der PsKl generell die Taufe als Initiationsakt an die Stelle der Beschneidung getreten ist.

sie nehmen sowohl an der apostolischen Autorität des Paulus Anstoß als auch an seiner gesetzesfreien Verkündigung des Evangeliums unter den Heiden.

Doch will zusätzlich die von den historischen Gegnern des Paulus verschiedene Situation der Träger unserer Texte berücksichtigt sein. Sie haben die Zerstörung Jerusalems bereits im Rücken und verstanden sie – ähnlich wie die Gemeinde der R I-Quelle – als Aufforderung zur Heidenmission. D.h. sie sind im Gegensatz zu den historischen Gegnern des Paulus primär *Heiden*missionare.

Der Befund, daß fast unwillig Paulus das Verdienst der Heidenmission zuerkannt wird, weist m.E. auf eine lange Vorgeschichte der Paulusablehnung jener Gruppe. Diese Zuerkennung zusammen mit der Datierung der Heidenmission seit dem Krieg scheint daher am besten als Vergangenheitsbewältigung zu einer Zeit anzusehen zu sein, da im zweiten Jahrhundert die geschichtlichen Grundlagen der Gemeinde auf judenchristlichem Hintergrund neu bedacht wurden. Der Antipaulinismus ist bei dieser Neubesinnung nicht einfach vom Himmel gefallen und muß, da zeitgenössische Pauliner als Zielscheibe der Polemik ausfallen, bereits traditionelles Merkmal der Theologie jener Gemeinde gewesen sein. Mit anderen Worten: Er hat in ihr eine lange Vorgeschichte gehabt[104].

---

104 Diese Bemerkungen bedeuten keine Zustimmung zu Salles' Literarkritik (s.o. A 82), sosehr Verf. m.E. mit seiner Annahme recht hat, daß ein genetischer Zusammenhang zwischen den antipaulinischen Abschnitten der PsKl und den Gegnern des Paulus besteht. – Strecker, Judenchristentum, spricht davon, daß die antipaulinische Polemik unserer Abschnitte „das Bild von der paulinisch-judaistischen Diskussion im Urchristentum" bereichere, obwohl die „Polemik (...) vielmehr literarisch bestimmt" (S. 196) sei.

12. ANTIPAULINISMUS DER JUDENCHRISTEN DES IRENÄUS (HAER I 26,2)[1]

Irenäus besitzt keine Primärkenntnis der von ihm Ebioniten genannten Judenchristen. Er reproduziert ab haer I 23 eine Quelle[2]. Seine an anderen Stellen[3] gemachten Angaben, die die Ebioniten, Valentinianer und Marcioniten über einen Kamm scheren[4], sind ein deutlicher Beweis für seine Unkenntnis der Ebioniten.

Wenden wir uns dem Inhalt des Referats der Quelle zu, so schreibt diese den Ebioniten folgende Lehreigentümlichkeiten zu:

1. Monotheismus,
2. Adoptionschristologie[5],

---

[1] Qui autem dicuntur Ebionaei consentiunt quidem mundum a Deo factum, ea autem, quae sunt erga dominum, (non) similiter ut Cerinthus et Carpocrates opinantur. solo autem eo, quod est secundum Matthaeum evangelio, utuntur et apostolum Paulum recusant, apostatam eum legis dicentes. quae autem sunt prophetica, curiosius exponere nituntur; et circumciduntur ac perseverant in his consuetudinibus, quae sunt secundum legem, et iudaico charactere vitae, uti et Hierosolymam adorent, quasi domus sit Dei.

[2] Dazu Lüdemann, Untersuchungen, S. 35f.

[3] Zur Abfassungszeit von adv. haer. vgl. Lipsius, Quellenkritik, S. 50f; Harnack, Geschichte II.1, S. 320f.

[4] Vgl. IV 33,2–4.

[5] *non* ist aus den bei Stieren, App. z.St., genannten Gründen zu streichen: gegen Klijn-Reinink, Evidence, S. 20. Daß es zu streichen sei, ergibt sich aus syntaktischen Gründen: Nachdem im Vordersatz der Unterschied zur vorher genannten Gruppe hervorgehoben wurde, unterstreicht der nachfolgende Satz die trotz des genannten Unterschiedes bestehende Gemeinsamkeit in der Christologie. Sodann wäre bei der Voraussetzung der Richtigkeit der Lesart *non similiter* doch zu erwarten gewesen, daß der Unterschied näher ausgeführt würde. Die Verfasser berufen sich zugunsten ihres Vorschlages darauf, „that in this part of his book (...) Irenaeus is primarily interested not in doctrines about Christ but in ideas about God. Therefore there is no reason for him to go into details about the Christological beliefs of the Ebionites" (Evidence, S. 20). Dazu: Der übergreifende Abschnitt, in dem das Ebionitenreferat steht, beginnt in 23,1. Der Skopus dieses Abschnittes ist bis zum Beweis des Gegenteils die Ableitung aller Häresien von Simon Magus. Daß die Gotteslehre hier eine besondere Rolle spielt, sehe ich nicht. Damit ist gleichzeitig gesagt, daß Irenäus in Kap. 26,2 Quellen ausschreibt und nicht selbst die Feder führt, wie die Verfasser fälschlich annehmen.

3. alleinige Benutzung des Mt[6],
4. Paulusablehnung,
5. eigentümliche[7] Benutzung der prophetischen Schriften,
6. Gesetzesbeobachtung inklusive Beschneidung,
7. Gebetsrichtung nach Jerusalem.

Da es sich hier um ein Ketzerreferat handelt und nicht um eine Originalquelle oder wenigstens um einen aus eigenen Kenntnissen schöpfenden Bericht[8], ist es aussichtslos, die Ebioniten von Irenäus, haer I 26,2, und ihren Antipaulinismus chronologisch (über ihren terminus ad quem hinaus), geographisch und historisch-theologisch einzuordnen. Man wird ferner nicht voraussetzen dürfen, daß das Referat historisch eine bestimmte Gemeinde beschreibt. Vielmehr faßt es typisierend eine Vielzahl von judenchristlichen Gemeinden, für die die aufgeführten Lehreigentümlichkeiten zutreffen[9], unter dem Namen ‚Ebioniten' zusammen[10, 11]. Der Name ‚Ebioniten' dürfte dabei die Selbstbezeichnung[12] einer dieser Gruppen sein. Irenäus bzw. seine Quelle gebraucht ihn ohne weiteren Kommentar – wohl deswegen, weil er/sie darüber nichts Näheres auszuführen wußte[13]. Er geht auf das hebräische Wort אביונים zurück. Mit dieser Selbstprädikation bedienten sich die betreffenden Judenchristen einer jüdischen Ehrenbezeichnung[14]. Ob man weitergehend behaupten darf, sie nähmen von der Jerusalemer Urgemeinde den Titel ‚die Armen' auf[15], ist un-

6 Wohl eine um die Genealogie verkürzte Fassung des Mt, vgl. Harnack, Geschichte II.1, S. 630ff. Vgl. aber anders Bacon, Studies, S. 519–527 („Matthew and the Jewish Christian Gospels").

7 Griechisch: περιεργοτέρως, das Klijn-Reinink mit ‚diligently' bzw. ‚carefully' übersetzen (Evidence, S. 20); vgl. dazu Strecker, Judenchristentum, S. 277. Vgl. noch Harnack, Geschichte II.1, S. 631: „sie haben eine eigenthümliche Auslegung der Propheten (verwerfen sie also nicht)." Mit gnostischer Exegese hat der Ausdruck in keinem Fall notwendig etwas zu tun (gegen Thomas Ebionites, S. 268).

8 Ob der Verfasser der Quelle persönliche Kenntnisse hatte, wissen wir nicht.

9 Unsere Ausführungen im 2. Hauptteil sind geeignet, dem Referat (bes. bezüglich des Antipaulinismus) eine nicht geringe historische Glaubwürdigkeit zu bescheinigen.

10 Vgl. das oben S. 179 zu den Desposynoi Gesagte.

11 Zur Aufnahme des Begriffs ‚Ebioniten' bei den Kirchenvätern s.o. Kap. 1, passim, und Strecker, Ebioniten, Sp. 488. Strecker, ebd., kommt das Verdienst zu, auf das häresiologische Verständnis der Ebioniten durch die Kirchenväter aufmerksam gemacht zu haben.

12 Vgl. Harnack, Mission, S. 412.

13 Vgl. Keck, Saints, S. 56.

14 Vgl. Ps 86,1f; 132,15f; Jes 61,1ff u.a. mit Dibelius, Jak, S. 58ff; D. Michel, Art. Armut II, in: TRE IV, S. 72–76.

15 Lietzmann, Gal, zu Gal 2,10; Strecker, Ebioniten, Sp. 487.

beweisbar, weil kein einziger sicherer Beleg dafür existiert, daß die Jerusalemer Urgemeinde sich so in religiösem Sinne genannt hat[16,17].

Das Irenäus-Referat bildet – wie eingangs (S. 57) gesagt – die obere Grenze unserer Untersuchung. Denn in ihm wird erstmalig das antipaulinische Judenchristentum für häretisch erklärt. Man kann die Ironie in dem hier über eineinhalb Jahrhunderte sich abspielenden Prozeß abschließend mit den Worten Walter Bauers beschreiben:

„So ist also, wenn man sich etwas zugespitzt ausdrücken darf, der Apostel Paulus das einzige Ketzerhaupt gewesen, das die apostolische Zeit kennt, der einzige, der in ihr – wenigstens von gewisser Seite her – so beurteilt worden ist. Wenn man so will, haben die Judenchristen in ihrem Gegensatz zu Paulus den Begriff ‚Ketzerei' in die christliche Betrachtungsweise eingeführt. Der Pfeil ist schnell auf den Schützen zurückgeflogen."[18]

[16] Hier überzeugt Keck, Poor (Lit.); vgl. ders., Art. Armut III, in: TRE IV, S. 76–80. Zu Keck, Poor, vgl. aber noch die bedenkenswerte Anfrage von Stuhlmacher, Evangelium, S. 101f.

[17] Ob die Selbstbezeichnung mit dem von Epiphanius beschriebenen Vorgang (s.u. S. 285) verknüpft werden darf, erscheint zumindest ungewiß.

[18] Bauer, Rechtgläubigkeit, S. 238. Vgl. auch Kümmel, in: ThR NF 14.1942, S. 93: Die Judaisten hätten zuerst den Begriff der Ketzerei im Kampf gegen Paulus in die christliche Betrachtungsweise eingeführt.

13. ZUSAMMENFASSUNG

13.1. Zusammenfassung der Ergebnisse des II. Hauptteils

Der Hauptteil II machte uns mit einer überraschenden Fülle von Texten/Traditionen bekannt, die von einem Antipaulinismus ihrer Träger Zeugnis ablegten. Der z.T. fragmentarische Zustand der vorhandenen Zeugnisse brachte es dabei mit sich, daß nur verschiedene Grade von Wahrscheinlichkeitsurteilen erreicht wurden. Doch kann im Blick auf das Ganze – selbst wenn der eine oder andere Zeuge des Antipaulinismus ausfallen sollte – kein Zweifel an der relativ großen Zahl von antipaulinischen Texten/Traditionen möglich sein.

Die Zeugnisse (bzw. ihre Träger) erstreckten sich über einen Zeitraum von etwa 100 Jahrem (80–180 n.Chr.) und gehören geographisch dem syrisch-palästinischen Raum an[1]. Sie haben überwiegend Paulus selbst – und nicht Paulusschüler – im Blick[2], sei es, daß ihr Antipaulinismus bereits Bestandteil der Tradition ihrer Gemeinde war (Desposynoi, Elkesaiten, Jak) und/oder daß auf der traditionellen Grundlage einer Paulusablehnung ihrer Gemeinde Paulus selbst neu angegriffen wurde (Jak, R I-Quelle, pskl Homilien)[3]. Beides, die Polemik gegen den historischen Paulus oder seine Briefe und der Befund, daß der Antipaulinismus in den meisten Fällen eine Vorgeschichte hatte, d.h. seinen Trägern bereits überkommen war, gibt zur Frage Anlaß, ob nicht die antipaulinischen Einstellungen der verschiedenen Gruppen eine gemeinsame Wurzel haben bzw. – um dasselbe Bild zu benutzen – Äste desselben Stamms sind (vgl. weiter unten S. 263).

Der Antipaulinismus war in verschiedener Weise der Theologie seiner Träger zugeordnet bzw. nicht zugeordnet. Wir beobachteten judenchristliche und heidenchristliche Antipauliner. Die Existenz von heidenchristlichen antipaulinischen Gemeinden (Jak, Hegesipp, R I-

---

[1] Die elkesaitische Muttergemeinde in Südbabylonien ist nur eine scheinbare Ausnahme, da Elkesai im *syrisch*-parthischen Grenzgebiet gewirkt hat und die Bewegung von hier ausgegangen ist.

[2] Ausnahme: Hegesipp.

[3] Aus dem Obigen legt sich nahe, daß auch die Judenchristen Justins eine Paulusablehnung bereits *übernommen* haben.

Quelle) ließ sich aber nur aus ihrer inneren Entwicklung heraus erklären. Sie dürften als Resultat von theologischen und politischen Einwirkungen ihre jüdische Lebensweise aufgegeben haben und als Folge heidenchristlich geworden sein. Aus ihrer judenchristlichen Vergangenheit stammt dabei der Antipaulinismus. Insofern sind die Ergebnisse des II. Hauptteils geeignet, die These zu fundieren: *Antipaulinismus ist auch in der Zeit nach 70 ursprünglich auf judenchristliche Gemeinden beschränkt gewesen.*

Die studierten Texte und ihre Trägergruppen sind weit davon entfernt, eine einheitliche Theologie zu besitzen. Die Elkesaiten und die Träger des Jak stehen an den beiden äußersten Enden der behandelten Texte/Traditionen. Die ersteren entwickelten sich auf judenchristlicher Grundlage zu einer die Rolle des Propheten Elkesai immer mehr betonenden *neuen* Religion. Die letzteren näherten sich in ihrer Gesetzeslehre der katholischen Durchschnittsanschauung des 2. Jahrhunderts an. Ihnen entsprechen darin die Träger der R I-Quelle, in der die ursprüngliche judenchristliche Grundlage noch deutlicher als im Jak ist[4]. Die Beobachtungen zur Theologie der antipaulinischen Texte/Traditionen zeigen also eine erstaunliche *Entwicklungsfähigkeit*[5] des Judenchristentums.

13.2. Verzahnung der Resultate des I. und II. Hauptteils

Oben wurde als Ergebnis des I. Hauptteils ausgeführt, daß eine antipaulinische Einstellung seit Anfang der fünfziger Jahre sowohl von liberalen als auch konservativen Judenchristen Jerusalems geteilt wurde. Eines der Ergebnisse des II. Hauptteils lautete, die antipaulinischen Haltungen der verschiedenen Gemeinden wiesen auf eine ge-

---

[4] Vgl. das oben S. 226 zur Gemeinde Hegesipps Ausgeführte.

[5] Ich befinde mich hier im Gegensatz zu den meisten Forschern, von Ritschl an angefangen. Einige Proben: Ritschl, Entstehung, S. 23: „Vielmehr werden wir den Mangel der Entwicklungsfähigkeit des Judenchristenthums noch schärfer hervorzuheben haben, als früher"; Achelis, Christentum I, S. 240: „Wir sehen, daß sie (sc. die Judenchristen) eine Rückentwicklung zum Judentum hin durchgemacht haben" (ähnlich sogar Strecker, Judentum, S. 469 [= Eschaton, S. 302]); Bauer, Rechtgläubigkeit, S. 238: „Ihre Unfähigkeit, einer Entwicklung zu folgen, die sich auf dem Boden gräzisierten Heidentums vollzog, ließ die Judaisten bald zu einer von den Heidenchristen mit Überzeugung abgelehnten Häresie werden. Sie waren wohl im wesentlichen das geblieben, was sie schon zur Zeit des gerechten Jakobus gewesen waren." Vgl. ähnlich Goppelt, Christentum, S. 167f; Dunn, Unity, S. 244f; Drane, Paul, S. 121.176 u.a.

meinsame Wurzel zurück. Unter Verzahnung der Ergebnisse der beiden Hauptteile sei formuliert: Der scheinbar unzusammenhängende Antipaulinismus der in Teil II studierten Texte/Traditionen wird am besten durch die Hypothese erklärt, daß er Ableger des zeitlich früheren Antipaulinismus der Jerusalemer ist. Die hinter ihm stehenden Gemeinden setzen nach dem Jüdischen Krieg nur fort, was die Jerusalemer Muttergemeinde aktiv betrieben hatte. Durch ihre gemeinsame Wurzel hängen die antipaulinischen Attacken genetisch zusammen und sind nicht isoliert zu sehende Phänomene.

Wir sagten oben am Ende des I. Hauptteils, der Widerstand der Jerusalemer habe sich notwendig am Heidenapostolat des Paulus entzündet. Bezüglich der Antipauliner nach 70 kann man das so nicht mehr sagen. Denn a) ist ihr Antipaulinismus bereits traditionelles ‚Lehrstück' und zeigt abgesehen von den Traditionen der pskl Homilien keine echte Auseinandersetzung mit Paulus und b) betreiben einige antipaulinische Gemeinden selbst aktiv Heidenmission: Soweit die Heiden dann doch wieder auf das Gesetz verpflichtet werden, fällt von hierher indirekt ein Licht auf das theologische Recht des Paulus zur gesetzesfreien Heidenmission. Soweit aber den Heiden von antipaulinischer Seite ein ‚gesetzesfreies' Evangelium gepredigt wird, so erfährt das Werk des Heidenapostels dadurch ironischerweise eine späte Rechtfertigung.

Anhang: Die Nachfolger der Jerusalemer Urgemeinde. Analyse der Pella-Tradition*

1. EINLEITUNG UND PROBLEMSTELLUNG

Nicht viele Thesen zur frühen Geschichte des Christentums haben solch allgemeine Zustimmung gefunden, wie die Annahme, die Jerusalemer Gemeinde sei vor Beginn des Jüdischen Krieges nach Pella[1] geflohen[2]. Von den wenigen Forschern, die die Historizität jener Flucht bezweifelten[3], versuchte nur S. F. G. Brandon[4], die obige

---

* Dem Anhang liegt ein Referat zugrunde, das am 11.6.1977 der Habilitationskommission der Theologischen Fakultät der Universität Göttingen vorgetragen wurde. Eine englische Fassung des Vortrags erschien in: E. P. Sanders (ed.), Jewish and Christian Self-Definition I: The Shaping of Christianity in the Second and Third Centuries, London–Philadelphia 1980, S. 161–173.245–254. Die vorliegende Fassung ist eine erweiterte Überarbeitung der englischen (Abdruck mit Genehmigung des SCM-Verlags, London).

[1] Zu Ausgrabungen in Pella vgl. R. H. Smith, in: IDBSV, 1976, S. 651f (Lit.); ders., in: RB 75.1968, S. 105ff. Vgl. jetzt Meyers-Strange, Archaeology, S. 104f.

[2] Aus der älteren Forschung vgl. McGiffert, History, S. 562f; Hort, Christianity, S. 174ff; Purves, Christianity, S. 163f; Ritschl, Entstehung, S. 152. Aus der neueren Forschung vgl. Goppelt, Christentum, S. 164; Schoeps, Theologie, S. 262ff; Elliott-Binns, Christianity, S. 65ff; Jocz, People, S. 165f. Jüngstens hat sich selbst Pesch, Mk II, S. 291f, zur Historizität der Pella-Flucht bekannt (anders noch ders., Naherwartungen, S. 217 A 29).

[3] Vgl. Schwartz, Aeren, S. 376; ders., Chronologie, S. 150 A 1; Farmer, Maccabees, S. 128 A 2; Strecker, Judenchristentum, S. 229ff und S. 283–286 (Auseinandersetzung mit Simon, Migration); Munck, Christianity, S. 103f; Gaston, Stone, S. 142; Schneemelcher, Urchristentum, S. 11.52.164. In der älteren Forschung hat allein Joël, Blicke, S. 83ff, die Historizität der Pella-Flucht (mit beachtlichen Gründen) bestritten. Conzelmann, Geschichte, S. 94.118, läßt die Frage wohl offen.

[4] Brandon, Fall, S. 168ff; ders., Jesus, S. 208ff. Leider wird Brandons Kritik an der Pella-Tradition oft in einem Atemzug mit seiner in der Tat unhaltbaren Auffassung des Zelotismus Jesu und seiner Jünger verworfen. Zur Kritik an letzterem vgl. M. Hengel, Bespr. von Brandon, Jesus, in: JSS 14.1969, S. 231–240. – Es fällt auf, mit welcher Bestimmtheit die Pella-Tradition ohne nähere Prüfung der Texte für historisch zuverlässig gehalten wird: vgl. z.B. Kretschmar, Bedeutung, S. 116 A 1; Kümmel, in: ThR NF 22. 1954, S. 152f (zu Brandon, Fall): „Wieder ist klar, daß diese ganze Geschichtsdarstellung auf (...) einer völlig unbegründeten Beseitigung der späteren Nachricht von der Flucht der Jerusalemer Christen nach dem Ostjordanland basiert."

These ausführlich zu widerlegen. Seine Ausführungen übten nicht nur keinen Einfluß auf die allgemeine Meinung aus, sondern wurden in jüngster Zeit unabhängig voneinander in Aufsätzen von S. Sowers[5], M. Simon[6], J. J. Gunther[7] und B. C. Gray[8] scharf angegriffen. Ist das Pella-Problem angesichts einer solchen Mehrheit endgültig zugunsten der Historizität der Pellaflucht gelöst? Diese Frage ist m.E. entschieden zu verneinen. Gleichzeitig muß darauf hingewiesen werden, daß die Pella-Diskussion an einer methodologischen Schwäche krankt. Der Untertitel des Aufsatzes von M. Simon, ‚Legende oder Wahrheit?', mag das illustrieren. Die meisten Gelehrten haben sich dem Pella-Problem mit der Alternative genähert: die Pella-Flucht ist entweder historisch oder unhistorisch. Diese Frage, die bei der Exegese der betreffenden Texte wichtig bleibt, hält zuweilen die Forscher davon ab, Fragen zu stellen, die vor Entscheid der obigen Alternative zu behandeln und die sogar leichter beantwortbar sind. Ähnlich wie in der Forschung über den historischen Jesus, wo Literarkritik, Formgeschichte und Redaktionsgeschichte zuerst zu leisten sind (ein methodisches Vorgehen, das zu unerwarteten Einsichten in das Selbstverständnis der urchristlichen Gemeinden geführt hat), sollte in der Pella-Frage eine Analyse unter denselben (genannten) methodischen Aspekten *vor* der historischen Frage durchgeführt werden.

Zusätzlich ist auf die Grenzen einer solchen Untersuchung der Pella-Tradition hinzuweisen. Diejenigen, die eine Flucht nach Pella in Abrede stellten, haben zuweilen die Bedeutung eines solchen Schlusses überschätzt. Bei Brandon z.B. ist die Leugnung einer Flucht nach Pella eng mit seiner weiteren Annahme verknüpft, die Jerusalemer Christen hätten gemeinsame Sache mit den Zeloten gemacht. D.h. die Bestreitung einer Flucht nach Pella dient ihm dazu, die These von der revolutionären Rolle der Jerusalemer Christen während des Aufstandes gegen die Römer zu stützen. – Auf der anderen Seite will Munck aufzeigen, daß das (häretische) Judenchristentum nach 70 keine Verbindung mit der Jerusalemer Gemeinde vor dem Kriege hat[9]. Die Bestreitung der Pella-Flucht dient ihm dazu, jeglichen histo-

---

5 Sowers, Circumstances.

6 Simon, Migration.

7 Gunther, Fate.

8 Gray, Movements.

9 Das entspricht seiner anderen These, daß Pauli galatische Gegner Heidenchristen seien und in keiner Weise die Meinungen der Judenchristen Jerusalems wiedergeben; vgl. oben S. 48.

rischen Zusammenhang zwischen beiden abzuschneiden. – Munck und Brandon gehen von derselben Voraussetzung auf: eine Unhistorizität der Pella-Flucht schließe einen historischen Zusammenhang zwischen Jerusalemer Gemeinde und dem Judenchristentum nach 70 aus. Für die These beider Forscher ist es wichtig, daß die Jerusalemer Gemeinde während des Krieges unterging. Im anderen Fall hätte Brandon seine Hauptthese zumindest zu modifizieren und Munck wäre mit ernsten Einwänden gegen seine These konfrontiert, das (häretische) Judenchristentum sei erst in der nachapostolischen Epoche nach 70 entstanden.

Brandon und Munck haben daher mit Sicherheit ihre ansonsten fundierte Kritik an der Pella-Tradition überzogen und dabei übersehen, daß ihre Verwertung jener Kritik nur zwei von anderen möglichen Folgerungen ist. Die Bestreitung der Historizität der Flucht nach Pella schließt nicht automatisch ein, die Jerusalemer Christen hätten gemeinsame Sache mit den Zeloten gemacht, oder sie seien während des Krieges in Jerusalem geblieben oder im Laufe des Aufstands umgekommen. Urteile wie die Muncks und Brandons setzen etliche weitere Untersuchungen voraus, so z.B. eine Analyse der Haltung der Jerusalemer Gemeinde zu jüdischen Instanzen oder eine über das Verhältnis der theologischen Lehren der Jerusalemer Gemeinde vor 70 zu denen der (häretischen) Judenchristen nach 70.

Wir müssen daher in der folgenden Untersuchung zweierlei zu vermeiden suchen: a) eine historisierende Exegese, die nur die Alternative ‚historisch oder unhistorisch?' im Blick hat; b) eine Exegese, die zu schnell von dem Ergebnis der Analyse der Pella-Tradition zu allgemeinen Theorien über das Judenchristentum vor und nach 70 fortschreitet. Wenn, wie unten vertreten werden wird, die erhaltenen Pella-Texte nicht den Schluß gestatten, eine Flucht der Jerusalemer Christen nach Pella habe stattgefunden, so heißt das (gegen Brandon und Munck) weder, kein Christ habe Jerusalem zu jenem Zeitpunkt verlassen[10], noch, das Jerusalemer Christentum sei während des Krieges untergegangen, so daß kein historisches Verbindungsglied zwischen Judenchristentum vor und nach 70 vorhanden sei.

---

10 Die allgemeine Überlegung, daß eine Flucht irgendwann stattgefunden habe, führt bei manchen Forschern zur irrtümlichen Annahme, die ganze Gemeinde sei nach Pella geflohen; vgl. z.B. Theißen, Studien, S. 118. Ist es wirklich sicher, daß die ‚Zeloten des Gesetzes' (Apg 21,20) nicht schließlich doch zu den Waffen gegriffen haben? Vgl. zu diesem Problem die ausgewogenen Bemerkungen von Rhoads, Israel, S. 92, und Grant, Jews, S. 210. Vgl. noch oben S. 101f.

Eine Methode, wie sie oben entwickelt wurde, erfordert folgende Schritte: 1. Zunächst ist eine literarische Analyse jener Texte vorzunehmen, die ausdrücklich die Flucht der Jerusalemer Gemeinde nach Pella beschreiben. In diesem Abschnitt soll dann auch versucht werden, Redaktion und Tradition voneinander zu scheiden. Sobald wir eine solide Kenntnis der ältesten Bestandteile der Pella-Tradition erlangt haben, können wir zur Frage übergehen, ob andere Texte uns weitere Informationen über die Pella-Tradition zu liefern vermögen. Es handelt sich hierbei um Texte, die noch nicht im ersten Abschnitt behandelt werden konnten, weil ihr Bezug auf die Pella-Tradition nur implizit und durchaus nicht über allen Zweifel erhaben ist. 2. Wir fragen daher: Welche Texte kommen als indirekte Zeugen für die Pella-Tradition in Betracht? Erweitern sie unsere Kenntnis derselben? – Nach dieser unter 1. und 2. vorgenommenen literarischen Bestandsaufnahme und Analyse der Pella-Texte fragen wir 3. Gab es konkurrierende Versionen über das Schicksal der Jerusalemer Kirche während des Jüdischen Krieges? Erst hernach stellen wir in der Form eines Exkurses die Frage nach den Bedingungen und Möglichkeiten zur Flucht einer Gruppe von Jerusalem nach Pella während und vor dem Krieg.

Nachdem wir unter 1. bis 3. zeigen werden, daß die Pella-Tradition mit überwältigenden literarischen und sachlichen Schwierigkeiten konfrontiert ist, die ihre Zuverlässigkeit als historischen Bericht über das Schicksal der Jerusalemer Gemeinde ausschließen, schreiten wir in einem letzten Abschnitt 4. dazu, ihren wirklichen historischen Wert aufzuzeigen (der im übrigen ein weiteres Argument gegen ihre Historizität im obigen Sinne als Bericht über das vor dem Krieg Geschehene ist). Dieser Abschnitt trägt die Überschrift: ‚Die Nachfolger der Jerusalemer Urgemeinde'. In ihm soll dargelegt werden, daß die Pella-Tradition ihren Ursprung in der judenchristlichen Gemeinde Pellas hat, die mit ihr den Anspruch erhob, die wahre Nachfolgerin der Jerusalemer Urgemeinde zu sein.

2. LITERARISCHE ANALYSE DER EXPLIZITEN PELLA-TEXTE

Der älteste erhaltene explizite Pella-Text steht bei Euseb, KG III 5,3[11]:

„... als endlich die Kirchengemeinde in Jerusalem in einer Offenbarung, die ihren Führern geworden war, die Weissagung erhalten hatte, noch vor dem Krieg die Stadt zu verlassen und sich in einer Stadt Peräas, namens Pella, niederzulassen ..."

Epiphanius von Salamis erwähnt den Exodus nach Pella dreimal[12]:

haer 29,7,7f: „Diese Häresie der Nazoräer besteht in Beröa in der Nachbarschaft von Coelesyrien und in der Dekapolis in der Nachbarschaft Pellas und in der Basanitis im sogenannten Kokabe, Chochabe auf Hebräisch. Nämlich von dort nahmen sie ihren Anfang, nachdem alle Jünger Jerusalem verlassen und sich in Pella niedergelassen hatten; wobei Christus ihnen gesagt hatte, Jerusalem zu verlassen und sich zu entfernen, weil es umzingelt würde. Wegen dieser Weisung lebten sie in Peräa und zogen sich dorthin, wie ich gesagt habe, zurück. Hier nahm die Häresie der Nazoräer ihren Anfang."

haer 30,2,7: „Nachdem alle an Christus Glaubenden sich zu jener Zeit überwiegend in Peräa niedergelassen hatten, nämlich in Pella, einer Stadt in der Dekapolis (von der Dekapolis wird im Evangelium berichtet; sie befindet sich nahe an Batanäa und Basanitis), und nachdem sie dorthin gezogen waren und dort lebten, empfing daraus Ebion den Anstoß (zu seiner Predigt)."

De Mens. 15[13]: „Als die Stadt (sc. Jerusalem) unmittelbar vor der Einnahme durch die Römer stand, wurde allen Jüngern durch einen Engel Gottes im voraus offenbart, sie sollten die Stadt verlassen, da sie völlig zerstört werden würde. Sie hielten sich als Emigranten in Pella, der oben genannten Stadt, in Transjordanien auf. Und diese Stadt soll zur Dekapolis gehören. (Aber nach der Zerstörung Jerusalems, als sie zurückgekehrt waren [...], taten sie große Zeichen.)"

Nach der Zitierung der erhaltenen Texte, die die Pellaflucht beschreiben, ist zu fragen: Besteht ein literarischer Zusammenhang zwischen den obigen vier Texten[14]? M.E. ist darauf eine eindeutige Antwort

---

11 Deutsche Übersetzung nach Kraft (ed.), Kirchengeschichte, S. 154. Die Ausdrücke, die denen der Epiphaniusberichte ähnlich sind oder mit ihnen übereinstimmen, sind unterstrichen.

12 Die deutsche Übersetzung aus dem Panarion ist von mir verantwortet.

13 Textausgabe: J. E. Dean, Epiphanius' Treatise on Weights and Measures. The Syriac Version, Chicago 1935. Dean gibt in den Anmerkungen an, wann das griechische Original von der syrischen Übersetzung abweicht. Wir legen den aus Deans Ausgabe rekonstruierbaren griechischen Text bei der Übersetzung zugrunde.

14 Die folgenden Ausführungen von Gray, Movements, sind ein extremes Beispiel dafür, wie zugunsten einer historisierenden Exegese die Frage der literarischen Beziehung einfach vernachlässigt werden kann. Die Verf.in schreibt: „Epi-

möglich. Die zahlreichen identischen oder ähnlichen Begriffe[15] legen folgenden Schluß nahe: Epiphanius ist an allen drei Stellen von Euseb, KG III 5,3, abhängig[16]!

---

phanius is not the most trustworthy of historians, but the combined witness of himself, Eusebius, and Hegesippus makes it an almost undeniable fact that there was a Church in Jerusalem between A.D. 70 and 135, and that this Church was composed, at least in part, of those who had made up its number prior to the first revolt" (a.a.O., S. 7). Gray läßt die Frage nach dem Ursprung der Pella-Notiz Eusebs offen und erklärt auch sofort warum: „our concern is in the trustworthiness of the statement that before the fall of Jerusalem in A.D. 70, the Christian community there had fled to Pella" (a.a.O., S. 2).

15 Lawlor, Eusebiana, hat diese Ähnlichkeiten gesammelt und schreibt: „If according to Eusebius the Christians received a *χρησμός*, in De Mens. 15 it is said *προεχρηματίσθησαν*. We have in Eusebius the phrase *μεταναστῆναι τῆς πόλεως* corresponding to *μεταστῆναι ἀπὸ τῆς πόλεως* in De Mens. 15 and reminding us of *ἀπὸ τῶν Ἱεροσολύμων μετάστασις* in Haer. 29, *μεταναστάντες* in Haer. 30, and *μετανάσται* in De Mens. 15. Jerusalem is *ἡ πόλις* in Eusebius and De Mens. 15, and Pella is *τις πόλις* in Eusebius and Haer. 30. The word *οἰκεῖν* is used in relation to Pella in Eusebius exactly as in the three passages of Epiphanius, *οἱ εἰς Χριστὸν πεπιστευκότες* as in Haer. 30, *ἄρδην* of the destruction of Jerusalem as in De Mens. 15, *Χριστοῦ φήσαντος* as in Haer. 29, though in a different connexion. We may also note that *πόλιν ... Πέλλαν αὐτὴν ὀνομάζουσιν* in Eusebius and *Πέλλῃ ... πόλει καλουμένῃ* in Haer. 30 read very like different paraphrases of the same words" (a.a.O., S. 30).

16 Zu diesem Ergebnis kommen auch Klijn-Reinink, Evidence, S. 28 A 3. Anders Lawlor, Eusebiana, S. 28ff, der wie Zahn, Forschungen VI, S. 269f, und viele andere vertritt, daß Epiphanius seine Pella-Notiz von Hegesipp erhalten habe. Obwohl wir uns unten zum Problem äußern werden, ob Hegesipp die Pella-Flucht wegen seiner eigenen Theologie überhaupt hätte berichten können (s.S. 272ff), verdienen die sorgfältigen Darlegungen Zahns und Lawlors bereits hier eine (vorläufige) Entgegnung: Zahn, Forschungen VI, S. 270f A 3, schließt daraus, daß Epiphanius die altertümliche Bezeichnung ‚Dekapolis' in Verbindung mit Pella benutze – während sie Euseb angeblich nicht gebrauche –, Epiphanius sei an jener Stelle von Hegesipp abhängig. Das ist nicht überzeugend, da (vgl. K. Holl, Epiphanius I, GCS 25, Leipzig 1915, S. 330) Euseb diese altertümliche Bezeichnung ‚Dekapolis' in Verbindung mit Pella in seinem Onomasticon (p. 80,16f Klostermann) hat. Man mag noch hinzufügen, daß bei Epiphanius der Ausdruck ‚Dekapolis' aus seiner eigenen Lektüre des Neuen Testaments stammen mag (vgl. haer 30,2,7; s.o. S. 269). – Nach Lawlor, Eusebiana, kann Euseb, KG, nicht des Epiphanius Quelle gewesen sein, „for he states definitely that the Christians left Jerusalem in obedience to a command of Christ (Haer. 29) which was conveyed by an angel (De Mens. 15), while Eusebius merely says that they had 'some sort of (*τινὰ*) divine intimation (*χρησμόν*) granted by revelation'" (a.a.O., S. 29f). M.E. können diese geringen Abweichungen nicht als Argument für eine Abhängigkeit des Epiphanius von Hegesipp verwendet werden, um so weniger, als Lawlor selbst bereits die verschiedenen Versionen von De Mens. und haer harmonisiert. Vielmehr werden die obigen von Lawlor herausgestellten Unterschiede zwischen Euseb und Epiphanius auf

Ehe wir uns nun denjenigen Texten zuwenden, die zuweilen als implizite Zeugen für die Pella-Tradition herangezogen werden, müssen wir versuchen, Redaktion und Tradition im obigen Euseb-Text zu scheiden und die Herkunft der Tradition zu ermitteln. Wir fragen also:

a) Geht KG III 5,3 auf Euseb selbst zurück oder auf die Benutzung einer Quelle? (Falls das Letztere zutrifft:)

b) Welche Elemente von KG III 5,3 entstammen der betreffenden Quelle?

c) Woher stammt die Quelle selbst?

Zu a): Der wichtigste Grund dafür, daß KG III 5,3 nicht auf Euseb zurückgeht, besteht darin: die Flucht nach Pella wird an keiner anderen Stelle seiner Werke erwähnt, obgleich Gelegenheit dazu bestanden hätte, sie zu verarbeiten[17].

Zu b): Im Kontext von KG III 5,3 erklärt Euseb, der Zorn Gottes sei über die Juden als Strafe für die Verbrechen gegen Jesus, Stephanus, Jakobus, den Sohn des Zebedäus, und Jakobus Justus gekommen. Eine derartige Deutung der Zerstörung Jerusalems ist Gemeingut der frühchristlichen Literatur[18]. Aus diesem Grund kann sie nicht mit genügender Sicherheit auf Eusebius' Pella-Quelle zurückgeführt werden, sondern wird höchstwahrscheinlich der Feder Eusebs entstammen.

Welchen Umfang und Inhalt hatte nun aber die von Euseb benutzte Quelle? M.E. ordnete sie die wunderhafte Rettung der Jerusalemer Christen der Zerstörung Jerusalems zu, ohne die Flucht präzise zu datieren. Die Quelle sprach weiter von einem Sich-Niederlassen der Jerusalemer Christen in Pella. Formgeschichtlich geurteilt, enthält Eusebs Quelle die Bausteine der Gründungslegende der Pella-Gemein-

---

das Konto des letzteren gehen, der die ihm vorliegende Beschreibung der Pellaflucht durch Eusebius in typischer Weise ausgemalt hat. Ferner: Lawlors Annahme, Epiphanius habe Hegesipps Hypomnemata überhaupt benutzt, ist fragwürdig: vgl. K. Holls Bemerkungen zu haer 27,6,1ff (GCS 25, S. 308f) mit Lawlor, Eusebiana, S. 9f (Lit.).

[17] In Demonstratio Evangelica VI 18,14 scheint Eusebius keinen Raum für die Pella-Tradition zu lassen, wenn er sagt, daß die Apostel, Jünger und gläubigen Juden außerhalb Palästinas missionarisch tätig waren und daher der Katastrophe entkamen, die Jerusalem im Jüdischen Krieg ereilte.

[18] Vgl. Fascher, Untergang (Lit.); Brandon, Fall, S. 12ff; zur Interpretation des Falles Jerusalems im Judentum vgl. Schoeps, Zeit, S. 144–183.

de, welch letztere nach dem Jüdischen Krieg entstand[19]. Es sollte hervorgehoben werden, daß die Quelle[20] jedenfalls keine Rückkehr der Pella-Christen nach Jerusalem voraussetzte[21].

Zu c): Oben (A 16) wurde die Vermutung verworfen, *Epiphanius* verdanke seine Kenntnis der Pella-Tradition dem Hegesipp. Da jedoch *Euseb* bei seinen Berichten über das palästinische Christentum oft von Hegesipp abhängig ist, müssen wir zunächst die Ansicht untersuchen, Euseb verdanke dem Hegesipp die Pella-Tradition:

Hegesipp beschreibt in seinem Werk Hypomnemata[22] in Einzelheiten den Märtyrertod des Herrenbruders Jakobus (Euseb, KG II 23,4ff), die Belagerung Jerusalems durch Vespasian (Euseb, KG II 23,18) und die Wahl des Symeon als Nachfolger des Jakobus auf dem Bischofsstuhl von Jerusalem (Euseb, KG II 22,4). Sollte Hegesipp nicht auch eine Flucht der Jerusalemer Gemeinde nach Pella und ihre Rückkehr nach Jerusalem beschrieben haben, wo die Wahl des Symeon stattgefunden hätte? Obgleich m.E. der Annahme zuzustimmen ist, daß laut Hegesipp die Wahl in Jerusalem abgehalten wurde[23], sind trotz-

---

19 Keck, Saints, hält es sogar für „possible that the tradition goes back no farther than the Hadrianic war in A.D. 135, though for apologetic reasons such a group would encourage the belief that its lineage goes back to those who endured the great revolt of A.D. 66–70" (S. 65 A 36). Dieser beachtliche Vorschlag hat allerdings mit einer chronologischen Schwierigkeit zu kämpfen, falls Aristo von Pella Gewährsmann der Pella-Tradition ist. Sollte ihm, der kurz nach dem Barkochbakrieg schrieb, bereits eine Verwechslung der beiden Kriege unterlaufen sein? Ferner: Daß viele Judenchristen bereits vor 135 in Transjordanien lebten, ist ein Faktum. Warum soll dann die Pella-Tradition *nach* 135 aufgekommen sein?

20 Die formkritische Frage, ob Eusebs Pella-Tradition Teil eines Wunderberichts, einer Apokalypse oder eines Geschichtsberichts gewesen sei, kann wegen des fragmentarischen Charakters der Tradition nicht beantwortet werden. (Trotzdem kann soviel gesagt werden, daß sie als eine Art Gründungslegende der Pella-Gemeinde anzusprechen ist; s.o. S. 271). Es sollte aber klar sein, daß die Pella-Tradition die Rettung der gesamten Gemeinde aussagt. Es ist unerlaubt mit Jocz, People, S. 166 (mit S. 371 A 121), nur von einem Auszug der „more prominent members of the Christian community" (S. 166) zu sprechen. Diese erhalten nach Euseb, KG III 5,3, nur die Weisung für die *ganze* Gemeinde.

21 Gegen Jeremias, Golgotha, S. 11, der wie manche andere (ein extremes Beispiel ist Bagatti, Eglise, S. 5–10) die vorhandenen Pella-Texte einfach addiert und harmonisiert, statt zunächst das literarkritische Verhältnis der Texte zueinander zu prüfen.

22 Zu diesem Ausdruck vgl. Hyldahl, Hypomnemata.

23 Allerdings haben wir keine explizite Erwähnung des Wahlortes. Selbst der genaue Zeitpunkt der Wahl (vor oder nach dem Krieg) ist unklar. Es wäre daher falsch zu sagen: „According to tradition, when hostilities started in 66, the

dem schwerwiegende Einwände gegen die obige Vermutung vorzubringen, Euseb verdanke seine Pella-Notiz Hegesipp:

1. Der Kern der Pella-Tradition setzt Pella als Emigrationsort und nicht als zeitweiligen Unterschlupf voraus.

2. Euseb kennzeichnet die Berichte über die Jerusalemer Kirche oft als Zitate aus Hegesipp. Das ist bei der Pella-Notiz jedoch nicht der Fall[24]. Die Vertreter der Auffassung, daß die Pella-Notiz dem Werk Hegesipps entnommen sei, haben diese Ausnahme zu erklären.

3. In jenen Partien, wo Euseb Hegesipp in aller Ausführlichkeit ausschreibt, wird Pella nicht genannt, obgleich ein Hinweis auf Pella zu erwarten gewesen wäre[25].

4. Die erhaltenen Fragmente des Hegesippschen Werkes sind darin in sich stimmig, daß sie hervorheben, nach der Abweisung des ersten Ketzers, Thebutis, sei die Nachfolge des Jakobus durch die Wahl Symeons[26] gut geregelt worden. Die Pella-Flucht ist hierbei entbehrlich

---

entire Christian church of Jerusalem, led by its chief Simon (...), proceeded upon a single organized flight to Pella" (Grant, Jews, S. 210). Dagegen spricht auch die Beobachtung, daß Symeon gar nicht in der Pella-Tradition Eusebs genannt wird.

[24] Dagegen stellt Lawlor, Eusebiana, fest, „that Eusebius introduces his account of the flight with a reference to the Memoirs" of Hegesippus (a.a.O., S. 32). Lawlor denkt an folgenden Satz im Kontext des Berichtes von der Pella-Flucht: „als schließlich Jakobus, welcher nach der Himmelfahrt unseres Erlösers zuerst den bischöflichen Stuhl in Jerusalem erhalten hatte, auf die angegebene Weise beseitigt worden war, ..." (Euseb, KG III 5,2). Das kann nicht überzeugen. Gewiß hatte Euseb den Bericht vom Martyrium des Jakobus dem Werk Hegesipps entnommen. Doch ist der obige Satz nur Teil der Einleitung *Eusebs* zum Bericht über die Pella-Flucht, in dem die Verbrechen der Juden aufgereiht werden. Die Hinrichtung des Jakobus ist nur eines von vielen Verbrechen. Man sollte also besser sagen: Euseb führt die Pella-Tradition mit einem Summarium ein, in dem er sich auf eine der Hegesipp-Erzählungen bezieht. Das kann natürlich nicht wahrscheinlich machen, daß die Pella-Tradition auch den Hegesippschen Hypomnemata entnommen wurde.

[25] Lawlor, Eusebiana, S. 33, glaubt dagegen, daß in Euseb, KG III 11, der Ausdruck *πανταχόθεν* Pella einschließe und sich auf das Kommen der Jünger von Pella nach Jerusalem bezieht. Eine solche Annahme liest etwas in den Text hinein, was er einfach nicht enthält, es sei denn, man wäre mit Lawlor von vornherein der Meinung, Hegesipp habe den Auszug nach Pella erwähnt. Ferner: Euseb, KG III 11, ist nicht ein Zitat Hegesipps, sondern eine Zusammenfassung eines Zitats, das in KG IV 22,4f rein erscheint; vgl. Zahn, Forschungen VI, S. 235, und die zutreffenden Bemerkungen von Kemler, Herrenbruder, S. 6ff; vgl. auch oben S. 218f.

[26] Vgl. Euseb, KG IV 22,4f, und den Kommentar Zahns, Forschungen VI, S. 235ff.

und sollte deswegen auch nicht in die erhaltenen Fragmente hineingelesen werden[27].

Summa: Hegesipps Hypomnemata sind höchstwahrscheinlich nicht Eusebs Quelle für den Bericht über die Pellaflucht.

Woher könnte Eusebs Quelle aber dann stammen? A. Harnack[28] und A. Schlatter[29] haben vorgeschlagen, in Aristo von Pella Eusebs Informanten zu sehen. Aristos ‚Dialog zwischen Jason und Papiscus'[30] stammt aus der Mitte des 2. Jahrhunderts und wurde von Euseb für den Barkochbakrieg benutzt; vgl. KG IV 6,3:

„Durch Gesetzesbestimmung und durch Verordnungen Hadrians wurde dem gesamten Volke verboten, das Gebiet um Jerusalem von nun ab überhaupt noch zu betreten. Nach der Weisung Hadrians sollten die Juden den heimatlichen Boden nicht einmal mehr aus der Ferne sehen. So berichtet Ariston von Pella."

Hat Aristo den zweiten jüdischen Krieg beschrieben, so ist es durchaus erwägenswert, daß er auch über den (ersten) Jüdischen Krieg berichtete und in diesem Zusammenhang von der Pellaflucht zu erzählen wußte, um so mehr, als er selbst in Pella zu Hause war. Man wird daher mit Harnacks Vorschlag vorsichtig weiterarbeiten dürfen.

---

[27] Trotzdem hält es Stevenson, Eusebius, S. 7, für sicher, daß Hegesipp von der Flucht nach Pella berichtete; ebenso wohl auch Conzelmann, Geschichte, S. 118.

[28] Harnack, Überlieferung, S. 124f.

[29] Schlatter, Synagoge, S. 154 (aus: ders., Die Kirche Jerusalems vom Jahre 70 bis 130, Gütersloh 1898).

[30] Vgl. dazu Harnack, Geschichte I.1, S. 92ff (Lit.). Vgl. ferner A. Harnack, Die Altercatio Simonis Iudaei et Theophili Christiani, TU 1.3, Leipzig 1883, S. 1–136; Zahn, Forschungen IV, S. 308–329; P. Corssen, Die Altercatio Simonis Iudaei et Theophili Christiani auf ihre Quellen geprüft, Jever 1890 (dazu Harnack, in: ThLZ 15.1890, Sp. 624–626). In der Forschung ist oft der Versuch unternommen worden, den vollständigen Text dieses Dialogs wiederzuentdecken, der dem Celsus bekannt war. Wahrscheinlich hat Tertullian ihn benutzt (in: AdvJud), ferner wohl Justin (in: Dial) und Euagrius (Altercatio Legis inter Simonem Iudaeum et Theophilum Christianum [CSEL 45, ed. E. Bratke]). Folgende weitere Dialoge sollen den verlorenen Dialog Aristos benutzt haben: Dialogue between a Christian and a Jew (ed. A. C. McGiffert), New York 1889; The Dialogues of Athanasius and Zacchaeus and of Timothy and Aquila (ed. F. C. Conybeare), Oxford 1898; vgl. zum letzteren: E. J. Goodspeed, 'The Dialogue of Timothy and Aquila': Two Unpublished Manuscripts, in: JBL 24.1905, S. 58–78; R. G. Robertson, The Dialogue of Timothy and Aquila: The Need for a New Edition, in: VigChr 32.1978, S. 276–288; J. N. Birdsall, The Dialogue of Timothy and Aquila and the Early Harmonistic Traditions, in: NT 22.1980, S. 66–77. Vgl. zu den obigen Dialogen noch J. E. Bruns, The Altercatio Jasonis et Papisci, Philo, and Anastasius the Sinaite, in: ThSt 34.1973, S. 287–294. Die ganze Frage verdient eine neue Untersuchung. Von den erhaltenen Fragmenten her zu urteilen, hatte Aristo Beziehungen zum Judenchristentum. Wahrscheinlich hat er Aquilas Übersetzung des Alten Testaments benutzt: vgl. dazu A. L. Williams, Adversus Judaeos, Cambridge 1935, S. 29.

3. ANALYSE VON TEXTEN, DIE ALS IMPLIZITE ZEUGEN DER PELLA-TRADITION GELTEN

1. *Mk 16,7*: W. Marxsen benutzt die Pella-Tradition als Basis für seine eigene Interpretation des Mk, das seiner Meinung nach zwischen 66 und 70 n.Chr. abgefaßt wurde. In Mk 16,7: *προάγει ὑμᾶς εἰς τὴν Γαλιλαίαν · ἐκεῖ αὐτὸν ὄψεσθε*, fordere der Evangelist die Christen auf, Jerusalem zu verlassen und nach Galiläa zu ziehen, um hier die Parusie zu erleben[31].

Gleichwohl hat Marxsen ein schwieriges Problem zu meistern: Da Pella nicht zu Galiläa gehört[32], muß er annehmen, daß die Gemeinde, die Jerusalem in Richtung auf Galiläa verließ, schließlich nach Pella zog, wovon der Verfasser des Mk noch nichts gewußt habe[33]. – Eine solche Interpretation, die eine Hypothese auf der anderen errichtet, ist kaum dazu angetan, einen indirekten Hinweis in Mk 16,7 auf Pella wahrscheinlich zu machen. Marxsens Vorschlag beruht auf einer Hypothese vierten Grades, denn weder kann Galiläa als der ursprüngliche Ort der Parusie, noch die Versetzung des ursprünglichen Fluchtweges etwas nach Osten, noch Pella als der neue Parusieort, noch die Abfassung des Mk während des Jüdischen Krieges plausibel gemacht werden. Mk 16,7 hat daher als impliziter Hinweis auf die Pella-Tradition auszuscheiden.

2. *Mk 13*: Die meisten Forscher kommen darin überein, daß Mk 13 ältere Tradition zugrundeliegt[34]. Unsere einzige Aufgabe wird darin bestehen, die Thesen derjenigen zu untersuchen, die nach Rekonstruktion der in Mk 13 enthaltenen Traditionen diese mit der von Euseb, KG III 5,3, berichteten Weissagung verbinden.

---

31 Marxsen, Evangelist, S. 142.

32 Zu Galiläa im frühen Christentum vgl. die gründlichen Untersuchungen von Stemberger, in: Davies, Gospel, S. 409–438 (‚Galilee – Land of Salvation?'), und Freyne, Galilee, S. 344–391. Zum Umfang Galiläas vgl. Stemberger, a.a.O., S. 415f, und Freyne, a.a.O., S. 3f.

33 Marxsen, Evangelist, S. 76 A 3.

34 Vgl. die Überblicke in Pesch, Naherwartungen, S. 19–47, und Hahn, Rede, S. 240–266. Hahn denkt an eine christliche Tradition als Vorlage (aus den Jahren 66–70), Pesch (a.a.O., S. 207–218) dagegen an einen jüdischen Text als Vorlage (aus dem Jahr 40, als Caligula seine Statue im Tempel von Jerusalem errichten lassen wollte). Anders jetzt Pesch, Mk II, S. 290ff, der nun Mk 13,14ff als aktuelles vaticinium versteht und es mit der Pella-Tradition verknüpft.

Nach der Meinung C. H. Dodds[35] und H. J. Schoeps'[36] beginnt die Tradition in Mk 13,14 und ist mit der obigen Weissagung zu identifizieren[37]. Dieser Vorschlag ist aus folgenden Gründen abzulehnen:

a) Mk 13,14ff spricht nur allgemein von einer Flucht (ohne bestimmtes Ziel)[38], falls man nicht bereit ist, Schoeps' Gleichsetzung des Gebirges (Mk 13,14) mit dem Bergland östlich des Jordans (und Pella einschließend) zu akzeptieren[39].

b) Mk 13,14ff setzt eine andere Chronologie der Flucht voraus als die bei Euseb aufbewahrte Weissagung. Die letztere wurde *vor* dem Krieg erteilt, während Mk 13,14ff zum Verlassen Jerusalems beim Anblick des ‚Greuels der Verwüstung' auffordert, d.h. inmitten des Krieges (falls Mk 13,14ff überhaupt auf den Jüdischen Krieg zu beziehen ist). Daher kann auch Mk 13,14ff nicht als indirekter Hinweis auf die Pella-Tradition verstanden werden.

3. *Luk 21*: In der zweiten apokalyptischen Rede hat der Verfasser des dritten Evangeliums im Unterschied zu Mk 13,14a folgenden Satz (Luk 21,20): *Ὅταν δὲ ἴδητε κυκλουμένην ὑπὸ στρατοπέδων Ἰερουσαλήμ, τότε γνῶτε ὅτι ἤγγικεν ἡ ἐρήμωσις αὐτῆς*. Der darauf folgende Satz (Luk 21,21a) stimmt demgegenüber mit Mk 13,14b wörtlich überein: *τότε οἱ ἐν τῇ Ἰουδαίᾳ φευγέτωσαν εἰς τὰ ὄρη*. Nur eine historisierende Exegese ist in der Lage, die obige lukanische Passage als indirekten Hinweis auf die Pella-Tradition zu verstehen[40]. Dagegen hat eine sachgemäße Interpretation von der allgemein anerkannten Voraussetzung auszugehen, daß Luk 21,20f die Passage Mk 13,14 voraussetzt[41]. Lukas interpretiert die mk Vorlage im Lichte der Zerstörung Jerusalems[42] (vgl. Luk 19,41ff) und historisiert somit seine Quelle dadurch, daß er den „Greuel der Verwüstung" auf die Belagerung Jerusalems bezieht[43]. Lukas will hervorheben: Mit der

---

35 Dodd, Parables, S. 46f.

36 Schoeps, Studien, S. 70f (aus: ders., Ebionitische Apokalyptik im Neuen Testament, in: ZNW 51.1960).

37 Vgl. Beasley-Murray, Jesus, S. 242ff, für weitere Beispiele eines solchen Interpretationstyps.

38 Vgl. zutreffend Hahn, Rede, S. 259 A 74.

39 Schoeps, Studien, S. 70.

40 So z.B. Weiß, Urchristentum, S. 556f.

41 Vgl. Zmijewski, Eschatologiereden, S. 59ff (Lit.); Geiger, Endzeitreden, S. 149ff.

42 Gegen Flückiger, Zerstörung.

43 In Luk 21,16 einen möglichen Bezug auf das Martyrium des Jakobus zu sehen (so Simon, Migration, S. 40 A 10), ist willkürlich, da dieser Vers Mk 13,12 voraussetzt.

Belagerung Jerusalems wird die Zerstörung Jerusalems eingeleitet[44]. Luk 21,20f kann daher auf keinen Fall als indirekter Zeuge für die Pella-Tradition in Anspruch genommen werden.

Nach diesem Überblick und der Besprechung jener neutestamentlichen Texte, die zuweilen als (indirekte) Belege für die Pella-Tradition angeführt werden[45], muß als Zusammenfassung hervorgehoben werden: Die Pella-Tradition wird in keinem neutestamentlichen Text auch nur andeutungsweise erwähnt. Bisher konnte als Beleg für sie nur ein einziger Text angegeben werden, der wahrscheinlich aus der christlichen Gemeinde Pellas stammt.

Besitzen wir andere Texte außerhalb des Neuen Testaments, die die Pella-Tradition bezeugen? Oder ist eine Quelle vorhanden, die sogar aus der Umgebung Pellas stammt? Zwecks Beantwortung dieser Frage wenden wir uns den pskl Rekognitionen zu:

R I 37,2 (syrisch): *οἱ αὐτῷ* (sc. *τῷ προφήτῳ*) *πιστεύοντες θεοῦ σοφίᾳ εἰς ἰσχυρὸν τῆς χώρας τόπον εἰς σωτηρίαν συνηγμένοι, τηρηθεῖεν διὰ τὸν πόλεμον, ὃς τοῖς ἀπιστοῦσι διὰ τὴν διχόνοιαν εἰς ὄλεθρον ἐπελεύσεται* (griechische Rückübersetzung nach W. Frankenberg).
R I 39,3: omnis qui credens prophetae huic (...) ab excidio belli quod incredulae genti inminet ac loco ipsi, servaretur inlaesus, non credentes vero extorres loco et regno fiant, ut vel inviti intellegant et oboediant voluntati dei.

Beide Texte sagen übereinstimmend aus, daß die an den wahren Propheten Jesus Glaubenden vor dem drohenden Krieg an einem sicheren Ort gerettet würden, während der Krieg den Ungläubigen zum Verderben gereichen werde. Vergleichen wir diese Aussagen mit den oben eruierten authentischen Elementen der Pella-Tradition, so ergibt sich folgendes:

---

44 Sowers, Circumstances, S. 307, schreibt: „Had not the flight from the city been an open possibility at some time during the war, it would have made no sense for Luke to have included an entreaty to flee directed to the folk in Jerusalem." Sowers schreibt dem Verfasser des dritten Evangeliums eine Kenntnis des Jüdischen Krieges zu, die zuvor hätte bewiesen werden müssen; vgl. ähnlich ebd.: „evidence that flight from Jerusalem was possible at least during the earlier period of the conclict is found" in Luk 21,20. Sowers hält es dabei für möglich, daß „Luke may be thinking of the earlier encirclement by the Idumean troops" (Bell IV 282) (a.a.O., S. 320 A 44).

45 Andere neutestamentliche Texte, die manchmal als implizite Zeugen der Pella-Tradition herangezogen werden, sind Mt 10,23 (so Robinson, Jesus, S. 76 – dagegen: Bammel, Matthäus) und Apk 12,6ff (vgl. Schoeps, Theologie, S. 267f [Lit.]).

a) Beide Traditionen unterscheiden dualistisch Gerettete und Verlorene.

b) Die Quelle, der die beiden Stellen aus R angehören[46], entstammt einer christlichen Gemeinde bei oder in Pella[47]. Falls *Euseb* seine Informationen über die Pellaflucht Aristo von Pella verdankt, ist es um so wahrscheinlicher, daß eine Quelle aus der Umgebung Pellas, wenn sie die Rettung der an den wahren Propheten Jesus Glaubenden vor dem Krieg an einem sicheren Ort beschreibt, auch an Pella als sicheren Ort denkt. Wir dürfen daher wohl die beiden pskl Passagen als weitere Pella-Texte ansehen. Sie erhöhen ihre Anzahl und bestätigen zugleich die obige Vermutung zum Herkunftsort der Pella-Tradition.

Wie sollen wir nun unsere Untersuchung fortsetzen? Können wir bereits jetzt die historische Frage stellen, ob nämlich die Pella-Tradition von Wert für das wirklich im Jüdischen Krieg Geschehene ist? Bevor wir zu dieser wichtigen Frage kommen, ist zu untersuchen, ob verschiedene oder gar konkurrierende Versionen über das Schicksal der Jerusalemer Kirche vor und nach dem Jüdischen Krieg bestanden haben. Diese Frage muß deshalb vorher gestellt werden, um die Pella-Tradition in den Kontext der frühchristlichen Anschauungen über die Jerusalemer Kirche vor und nach dem Krieg zu stellen. Hält man sich einmal die Exklusivität der Pella-Tradition vor Augen (sie setzt keine Rückkehr der Emigranten voraus), so ist es von vornherein wahrscheinlich, daß andere Traditionen über das Jerusalemer Christentum bestanden. Falls diese Annahme wahrscheinlich gemacht werden kann, so hätte das zweifellos einige Wichtigkeit für die korrekte Beurteilung der Pella-Tradition.

4. KONKURRIERENDE TRADITIONEN ÜBER DAS GESCHICK DER JERUSALEMER GEMEINDE WÄHREND UND NACH DEM JÜDISCHEN KRIEG

Wir hatten oben bei der Besprechung Hegesipps auf zweierlei hingewiesen: Hegesipp sah Symeon als den zweiten Bischof Jerusalems an (Euseb, KG IV 22,4), und die Jerusalemer Gemeinde existierte auch (unmittelbar) nach dem Jüdischen Krieg in Jerusalem, wobei Jakobus

---

[46] Vgl. zu ihr oben S. 242ff. Wir nennen sie dort unter kritischer Verarbeitung der Analysen Streckers (Judenchristentum, S. 221–254) ‚R I-Quelle'.
[47] Vgl. Strecker, Judenchristentum, S. 253; s.o. S. 243.

als erster Bischof[48] der dortigen Gemeinde der eigentliche Gründer der Gesamtkirche[49] war. Hegesipps Sicht steht somit in Konflikt mit der Pella-Tradition, die keine Kontinuität der Urgemeinde in Jerusalem kennt, sondern stattdessen in Pella die Jerusalemer Tradition fortgesetzt sieht.

Eine ähnliche Auffassung der Kontinuität der Jerusalemer Gemeinde wie bei Hegesipp liegt der Liste der 15 judenchristlichen Bischöfe bis 135 n.Chr. zugrunde[50], die bei Euseb, KG IV 5, erscheint[51]. Auch diese Liste schließt – unabhängig von ihrem Ursprung[52] – eine andauernde Emigration der Jerusalemer Gemeinde aus und steht gleichfalls in Spannung zur Pella-Tradition.

Schließlich sei ein Text genannt, der ebenfalls die ständige Existenz einer Gemeinde in Jerusalem aufzeigt:

Epiphanius, De Mens. 14: „(Hadrian fand) den Tempel Gottes niedergerissen und die ganze Stadt zerstört außer ein paar Häuser und eine kleine Kirche Gottes, in deren oberen Raum die Jünger gegangen waren nach der Himmelfahrt des Retters vom Ölberg aus. Denn dort war sie gebaut worden, und zwar auf jenem Teil des Zion, der der Zerstörung entgangen war."

---

48 Es sollte hier betont werden, daß wir nicht mit der Frage befaßt sind, ob Jakobus wirklich der erste und Symeon tatsächlich der zweite Bischof von Jerusalem ist. Vielmehr fragen wir nach *Hegesipps* Auffassung. Da eine solche Unterscheidung oft nicht eingehalten wird, sei sofort hinzugefügt, daß Jakobus (natürlich) nicht (erster) *Bischof* von Jerusalem war: vgl. McGiffert, History, S. 564f; E. Schwartz, Eusebius Werke II. Die Kirchengeschichte 3. Teil, GCS 9.3, Leipzig 1909, S. CCXXVIf. Auf der anderen Seite verdient eine andere Frage mehr Aufmerksamkeit: Inwiefern enthält Hegesipps Bericht über die Wahl Symeons darin historische Wirklichkeit, daß er eine Art Kalifat im frühen Christentum reflektiert. Vgl. v. Campenhausen, Nachfolge, und Stauffer, Kalifat, sowie unsere Bemerkungen oben S. 168f.

49 Vgl. Andresen, Kirchen, S. 135: Hegesipp machte „jene Überlieferung zur Basis seiner Arbeit (...), die in Jakobus dem Gerechten den Begründer der Gesamtkirche sah, wobei er sich primär an der Kontinuität der Amtsinhaber auf der Jerusalemer Kathedra orientierte (...) und sich darin als Sprecher einer judenchristlichen Ekklesiologie erweist."

50 Vgl. auch Euseb, Demonstratio Evangelica III 5, 108: *καὶ ἡ ἱστορία δὲ κατέχει ὡς καὶ μεγίστη τις ἦν ἐκκλησία Χριστοῦ ἐν τοῖς Ἱεροσολύμοις ὑπὸ Ἰουδαίων συγκροτουμένη μέχρι τῶν χρόνων τῆς κατ᾽ Ἀδριανὸν πολιορκίας.*

51 Vgl. bereits die zutreffenden Bemerkungen von Joël, Blicke, S. 84.

52 Die Tatsache, daß laut Euseb (KG V 12) 15 heidenchristliche Bischöfe in Jerusalem auf 15 judenchristliche folgten (in der Liste KG V 12 sind zwei Namen ausgefallen), läßt natürlich den Verdacht aufkommen, der obige Parallelismus (2 x 15) sei fingiert und gehe auf den 15. heidenchristlichen Bischof, Narcissus, zurück, der überhaupt der Urheber der jetzigen Form der Liste sein wird (zu Prigent, Fin, S. 81; vgl. auch Andresen, Kirchen, S. 214; Carrington, Church I, S. 418). Andererseits wird Narcissus älteres Listenmaterial benutzt haben, da er wohl nicht der erste monarchische Bischof in Aelia gewesen ist.

Der soeben zitierte Text zeigt, wie es möglich war, die Zerstörung Jerusalems mit der Vorstellung zu verbinden, daß das christliche Gebäude (und damit auch die christliche Gemeinde) nicht zerstört wurde(n). Ein Exodus war daher entbehrlich.

Andererseits ist Epiphanius selbst ein Beispiel dafür, wie man die Auszugstradition mit der Vorstellung einer andauernden Existenz der Kirche in Jerusalem verbinden konnte: Wie oben gezeigt wurde, kannte Epiphanius die Pella-Tradition aus seiner Lektüre der KG Eusebs. Wie würde er jene Tradition der anderen zuordnen? An dieser Stelle sei der Leser auf den oben zitierten Text Epiphanius, De Mens. 15, zurückverwiesen. Der Kirchenvater stellt hier fest, die Jünger der Apostel[53] seien *nach* der Zerstörung Jerusalems von Pella dorthin zurückgekehrt. Für Epiphanius bedeutet das: Die (wahren) Nachfolger der Urgemeinde sind auch nach 70 in Jerusalem zu suchen. Offensichtlich hatte Epiphanius Gründe für diese Behauptung. Er kannte aus Erfahrungen erster Hand (s.u. S. 285) den Anspruch von Christen – Bewohner Pellas und anderer Orte in Transjordanien – auf das Erbe der Jerusalemer Urgemeinde. So wird die Vorstellung einer Rückwanderung von Pella nach Jerusalem auf das Bemühen zurückgehen, Ansprüche wie den erwähnten abzuweisen.

Die in diesem Abschnitt gewonnenen Einsichten haben darin einigen historischen Wert, daß sie uns dazu verhelfen, die verschiedenen Varianten über die andauernde Existenz der Jerusalemer Kirche in Jerusalem auch nach 70 zu beurteilen. Außerdem wird dadurch die mit dem obigen Anspruch in Konflikt stehende Behauptung der Pella-Gemeinde erhellt und ihr Kontext im frühen Christentum beleuchtet.

Die weitere Frage, ob die Pella-Tradition von historischem Wert für die Frage ist, was mit der Jerusalemer Gemeinde während des Krieges geschah, muß jedoch aus folgenden Gründen negativ beantwortet werden:

1. Die Bezeugung einer Flucht nach Pella ist nur spärlich und auf die Gegend um Pella beschränkt;

2. die Quellen sind relativ spät;

3. sie stehen in Widerspruch zu anderen Zeugnissen.

---

[53] Nicht die Nachkommen der Jünger der Apostel, wie Simon, Migration, S. 53, voraussetzt. Simon bezieht sich offensichtlich auf die syrische Übersetzung (Kap. 15 Anfang), die bereits Aquila-Geschichte und Pella-Tradition harmonisiert. Das griechische Original liest „die Jünger der Apostel".

Der folgende Exkurs kann die soeben aus dem literarischen Befund gezogenen Folgerungen nur bekräftigen. Er behandelt die Frage, ob es einer Gruppe überhaupt möglich war, kurz vor oder während des Jüdischen Kriegs Jerusalem zu verlassen.

Exkurs: Die Bedingungen und Möglichkeiten zur Flucht von Jerusalem nach Pella kurz vor oder während des Jüdischen Krieges

Da S. G. F. Brandon zu unserer Frage bereits ausführlich Stellung genommen hat (s.o. A 4), können wir uns auf einige Bemerkungen beschränken. Ohne Zweifel verließen kurz vor dem Krieg einige[54] Juden Jerusalem[55], um in auswärtigen Provinzen Schutz zu suchen[56]. Freilich muß ein Verlassen Jerusalems von 67 n.Chr. an sehr schwierig[57] gewesen sein und für eine Gruppe geradezu ausgeschlossen[58]. Daher wird es unsere Aufgabe sein nachzuprüfen, ob es der Jerusalemer Gemeinde *vor* 66 n.Chr. historisch möglich gewesen sein kann, nach Pella zu entfliehen.

Folgende Gründe stehen jener Möglichkeit entgegen:

1. Pella war ein heidnische Stadt[59]. Ist es wahrscheinlich, daß die Jerusalemer nach einer solchen Stadt Ausschau gehalten[60] und dort Schutz gefunden hätten[61]?

---

54 Es sollte von vornherein klargestellt werden, daß die Flucht Johanan ben Zakkais keine Analogie zur Pella-Flucht ist, wie manchmal behauptet wird (so Richardson, Israel, S. 35 A 4). Johanan entkam als einzelner, die Jerusalemer Gemeinde soll als Gruppe entkommen sein. Zu Johanan vgl. Neusner, Life; Saldarini, Johanan. Saldarini hält es für möglich, daß Johanans Flucht nicht zur ältesten Traditionsstufe gehört (Johanan, S. 203f). Sollte das richtig sein, liegt vielleicht eine interessante Analogie zur Pella-Tradition vor. – Zur Flucht Johanans vgl. jetzt P. Schäfer, Die Flucht Johanan b. Zakkais aus Jerusalem und die Gründung des ‚Lehrhauses' in Jabne, in: ANRW II 19.2 (ed. W. Haase), Berlin/New York 1979, S. 43–101.

55 Vgl. Josephus, Ant XX 256/Bell II 279: Ende 64 mit dem Amtsantritt von Gessius Florus. Natürlich sind die Stellen aus Josephus *keine* Anspielungen auf die Pellaflucht (zu Klausner, Paul, S. 599 A 19).

56 Vgl. noch Bell II 556: Ende 66.

57 In dieser Frage stimmt Simon, Migration, S. 43, Brandon zu.

58 Vgl. Josephus, Bell II 562: „Die (Juden), die Cestius verfolgt hatten, brachten bei ihrer Rückkehr nach Jerusalem teils mit Gewalt teils durch Überredung solche auf ihre Seite, die noch pro-römisch waren".

59 Vgl. Schürer, Geschichte II, S. 173–176 (engl. Neuausgabe II, S. 145–148).

60 Simon, Migration, S. 42, meint jedoch, die Flucht der Essener in das heidnische Damaskus sei eine gute Parallele; ebenso Elliott-Binns, Christianity, S.

2. Laut Josephus, Bell II 458, wurde Pella in einem Vergeltungsakt für ein Judenpogrom in Cäsarea eingeäschert[62]. Wenn Pella so unbewohnbar gemacht worden war, ist es schwer vorstellbar, wie die Flüchtlinge hier hätten Schutz finden können. Falls sie vor dem Vergeltungsakt angekommen waren, hätten sie als Deserteure kaum dem Zorn ihrer Landsleute entgehen können[63]. Sollte Pella nur angegriffen oder lediglich z.T. zerstört worden sein[64], so ist es gleichfalls unwahrscheinlich, daß die Flüchtlinge hier hätten Zuflucht finden können; denn nach einer (lebensgefährlichen) Bedrohung durch Juden wären die heidnischen Bewohner kaum geneigt, Judenchristen den Zuzug in ihre Stadt zu erlauben[65].

Die soeben durchgeführte Prüfung, ob eine jüdische Gruppe kurz vor 66 n.Chr. ohne größere Schwierigkeiten von Jerusalem nach Pella hätte fliehen können, bestätigt somit die Ergebnisse unserer literarischen Arbeit: Die Pella-Tradition hat keinerlei Wert für die Frage nach dem Schicksal der Jerusalemer Gemeinde während des Jüdischen Kriegs.

---

67. Dieser Vorschlag berücksichtigt nicht genügend, daß ein wörtliches Verständnis von ‚Damaskus' im Qumranschrifttum äußerst fragwürdig ist; vgl. Davies, Gospel, S. 223f (Lit.); Charlesworth, John, S. 104f (Lit.); gegen Simons Verständnis vgl. auch Reinink, in: JSJ 5.1974, S. 77f.

61 Gunther, Fate, S. 91, bejaht dies, weil „scout-messengers from the Jerusalem church must have prepared the way for the gathering of Judaean and Galilean refugees" bzw. „Jews and Christians had become distinguished since Nero's persecutions of A.D. 64" (a.a.O., S. 90). Auch *Juden*christen und Juden?

62 Die Ausführungen von Kraft, Entstehung, S. 288, sind im Lichte der obigen Josephus-Stelle zu korrigieren.

63 Anders Simon, Migration, S. 43: „La qualité de Juif, même quand il s'agissait de judéo-chrétiens suffisait probablement à conférer l'impunité." Galt das auch für jüdische Deserteure?

64 Diese Möglichkeit muß ernsthaft in Betracht gezogen werden; vgl. Simon, Migration, S. 46 (Hinweis auf Th. Reinach); vgl. auch Gray, Movements, S. 4. Zugunsten eines solchen Vorschlags sei darauf hingewiesen, daß Städte wie Scythopolis, Ascalon und andere, deren Einäscherung (zusammen mit der von Pella) in Bell II 458f berichtet wurde, im unmittelbaren Kontext dieser Stelle wieder genannt werden (II 477f). Das scheint nahezulegen, daß sie nicht vollständig zerstört worden waren, und eröffnet die Möglichkeit, daß Pella ebenfalls nicht eingeäschert wurde, obwohl wir keinen Bericht über Pella nach Bell II 458f besitzen.

65 Gray, Movements, S. 4, schreibt: „If Pella was not pro-nationalist at the onset of war, after this incident (sc. as reported in Bell II 458) it was probably even less so, and there is no reason to believe that it would have been hostile to others fleeing from the Jews." Gegen diese Erwägungen mag man vergleichen, was die (heidnische) Bevölkerung von Scythopolis den dort ansässigen Juden antat, obgleich sich diese am Kampf gegen die aufständischen Juden beteiligen wollten (Josephus, Bell II 466ff.477; Vita 26f).

Sie ist gleichwohl darin von höchstem historischen Wert, daß sie die Ansprüche einer christlichen Gemeinde in oder bei Pella im 2. Jahrhundert reflektiert. Um diesen Anspruch recht würdigen und einordnen zu können, müssen wir in einem letzten Abschnitt versuchen, analoge Ansprüche in anderen christlichen Gruppen jener Zeit aufzuweisen und sie mit dem der Pella-Gemeinde zu vergleichen. Gelingt eine solche Zuordnung, ist ein weiteres Argument gegen die Historizität der Pella-Tradition im obigen Sinne erbracht.

5. DIE NACHFOLGER DER JERUSALEMER URGEMEINDE

Durch den Tod der ersten christlichen Generation und insbesondere der Apostel entstand ein Problem[66] im frühen Christentum. Wer und welche christliche Gemeinde konnte den Anspruch erheben, legitime(r) Nachfolger(in) der Apostel zu sein? Im paulinischen Einflußbereich führte dieses durch den Tod des Apostels entstandene Autoritätsloch zur Abfassung der Past, die u.a. eine wohl unter Berufung auf Paulus vertretene gnostisierende Lehre bekämpften[67]. Allgemeiner gesagt: Das ganze Korpus der pseudonymen Schriften im NT versuchte unter Gebrauch des Namens eines Apostels oder unter indirektem Hinweis auf apostolische Verfasserschaft[68] den Graben zwischen gegenwärtiger und apostolischer Zeit zu überbrücken[69]. Ein solches Bemühen, die gegenwärtige Form des Christentums aus der apostolischen abzuleiten, scheint fast allen christlichen Gruppen von 70 bis zum Ende des 2. Jahrhunderts gemeinsam gewesen zu sein[70].

---

66 Mit den obigen knappen Bemerkungen wollen wir das Phänomen, das der Pella-Tradition zugrunde liegt, verwandten gleichzeitigen Erscheinungen zuordnen. Erschöpfende Behandlung des Problems bei v. Campenhausen, Amt, S. 82–194; vgl. auch Blum, Tradition (vgl. dazu K. Beyschlag, in: ThLZ 92.1967, Sp. 112–115).

67 Vgl. dazu Müller, Theologiegeschichte, S. 67–74.

68 Hebr erweckt durch seinen Schluß den Anschein, ein Paulusbrief zu sein; vgl. Wrede, Rätsel, S. 62f.

69 Vgl. die Sammlung von Brox, Pseudepigraphie.

70 Ausnahmen sind die Ignatiusschriften (dazu: Campenhausen, Amt, S. 106f) und die Did. Vgl. noch Grant, Succession, S. 180f. – Hegesipp kennt zwar nicht die Apostel als Autoritätsträger (s.o. S. 217ff), trotzdem liegt bei ihm ein ähnliches Phänomen vor, da für ihn (aus ‚apostolischer' Zeit) die Jerusalemer Gemeinde und der Herrenbruder Jakobus für die Kirche seiner Gegenwart von maßgeblicher Bedeutung sind.

Ohne hier in die Einzelheiten zu gehen, sei doch hervorgehoben, daß das beschriebene Phänomen auch in häretisch-gnostischen Kreisen verbreitet war[71]: Basilides bezog sich auf Glaukias, den Übersetzer des Petrus (ClemAlex, Strom VII 106,4), Valentin soll von Theodas, einem Paulusschüler, unterwiesen worden sein (ebd.), Ptolemäus erhob bereits in den vierziger Jahren des 2. Jahrhunderts[72] in Rom den Anspruch, apostolische Überlieferung zu besitzen, die er durch ‚diadoche' erhalten habe (Epiphanius, haer 33,7,9)[73].

M.E. verdankt die Pella-Tradition ihre Existenz diesem Phänomen, das als Anspruch auf Apostolizität im weitesten Sinne[74] wiedergegeben werden kann. Bei den Pellensern konkretisierte er sich in der Behauptung, Nachfolger der *Jerusalemer* Urgemeinde zu sein.

Es ist nun allgemein anerkannt, daß die Jerusalemer Gemeinde, die zu Pauli Lebzeiten so einflußreich war, ihre alleinige Geltung nach dem Jüdischen Krieg niemals wieder erlangt hat[75]. Als die Pella-Gemeinde[76] den Anspruch erhob, die (legitime) Nachfolgerin der Jerusalemer Urgemeinde zu sein, hielt sie eine Ansicht über die Bedeutung des Jerusalemer Christentums hoch, die andere heidenchristliche Gemeinden kaum hätten teilen können. Aus diesem Grunde kann m.E. die Pella-Tradition wohl nur einer (ursprünglich) judenchristlichen[77] Gemeinde entstammen, die es im 2. Jahrhundert im-

---

[71] Irenäus (und seine Vorlage in haer I 23ff) leitete die Gnostiker aus polemischen Gründen aus der apostolischen Zeit ab, nämlich von Simon Magus; vgl. Lüdemann, Untersuchungen, S. 36f.

[72] Vgl. Lüdemann, Geschichte, S. 97ff.

[73] Aus diesem Grund waren die Gnostiker wahrscheinlich nicht durch Tertullians Behauptung zu beeindrucken, ihre Lehre habe keinen apostolischen Ursprung, sondern sei erst kürzlich entstanden (Praescr 30).

[74] Wir sprechen von ‚Apostolizität im weitesten Sinn', weil es hier um Autoritätsträger aus der Urzeit des Christentums geht, ob sie nun zu den Aposteln gehörten oder nicht (vgl. auch A 70).

[75] Zur Aelia-Kirche und ihrem Verhältnis zu anderen Kirchen vgl. Harnack, Mission II, S. 638ff.646.

[76] Brandon, Fall, S. 173, meint, die Träger der Pella-Tradition befänden sich unter den Heidenchristen Aelias, die nach 135 von Pella nach Jerusalem zogen und mittels der Pella-Tradition den Anspruch erhoben, von der Jerusalemer Mutterkirche abzustammen. M.E. paßt ein judenchristlicher Kontext besser, um so mehr, als im 2. Jahrhundert Judenchristen in Pella lebten. Ferner setzen die Einzelelemente der Pella-Tradition keine Rückkehr nach Jerusalem voraus. Schließlich ist daran zu zweifeln, daß Heidenchristen in relativ früher Zeit (unmittelbar nach 135) stolz waren, von der Jerusalemer Mutterkirche abzustammen.

[77] Zum Begriff Judenchristen s.o. S. 54f.

mer noch für Wert erachtete, ihre Existenz von einem Christentum abzuleiten, das spätestens ab der Mitte des 2. Jahrhunderts im Westen suspekt geworden war (Justin, Dial 47).

Einen Analogiefall für einen solchen von uns für die Pella-Gemeinde postulierten Anspruch finden wir in Epiphanius, haer 30,17,2, für die sogenannten Ebioniten bezeugt, die sich ausdrücklich mit den in Apg 4,32.35 genannten ‚Armen' identifizieren[78] und nicht weit entfernt von Pella wohnten[79].

Epiphanius berichtet:

„Sie sind offensichtlich stolz auf sich selbst. Sie sagen, sie seien arm, weil sie ihre Habe zZt der Apostel verkauft und das Geld zu Füßen der Apostel gelegt haben und weil sie nach Armut Ausschau hielten und nicht nach weltlichen Gütern."

Wie reagierten andere Christen auf solche Ansprüche? Wir haben bereits hervorgehoben, daß Hegesipp, das Jerusalemer Christentum, wie es sich in der Jerusalemer Bischofsliste reflektiert, und Epiphanius eine solche Behauptung durch die These zu widerlegen suchten, die Jerusalemer Gemeinde hätte nie oder nur vorübergehend Jerusalem verlassen.

Welche der beiden Parteien steht, historisch gesehen, der Geschichte, so wie sie sich wirklich ereignet hat, näher?

Unsere Behauptung, der Exodus nach Pella sei nicht historisch zu verifizieren, soll nicht die Sicht der Kirchenväter rehabilitieren, daß die Judenchristen jenseits des Jordans häretisch und die wahren Nachfolger der Urgemeinde in Jerusalem zu finden seien. Unsere Arbeit war überhaupt weder befaßt mit der Frage der historischen Kontinuität[80] zwischen der Pellenser und der Jerusalemer Urgemeinde noch mit der nach dem Schicksal der letzteren während des Jüdischen Krieges. Diese Fragen verdienen zweifellos weiter Aufmerksamkeit[81].

---

78 Zu beachten ist, daß die R I-Quelle eine teilweise Korrektur der kanonischen Apg darstellt.

79 Epiphanius zählt mehrere Orte nicht weit entfernt von Pella auf: Moabitis, Kokabe, Basanitis (30,18,1). Aus seiner Angabe, Ebion habe den Anstoß (zu seiner Predigt) in Pella empfangen (30,2,7), mag man schließen, daß diese Gruppen, die den Anspruch erhoben, die Armen der apostolischen Zeit zu sein, auch in Pella lebten. Oder waren sie gar die Begründer der Pella-Tradition?

80 Simon, Israel, S. 511, führt m.R. gegen Munck aus: „même s'il était prouvé à l'évidence que cett, migration n'est qu'un mythe, la preuve ne serait pas faite encore que le premier judéo-christianisme s'est éteint en 70."

81 Vgl. unseren Versuch in Kap. 6.

Gleichwohl kann die Pella-Tradition nicht als *Bindeglied* zwischen dem Jerusalemer und Pellenser Christentum benutzt werden. Stattdessen gibt sie uns interessante Aufschlüsse über den Anspruch[82] einer judenchristlichen Gemeinde in Pella im 2. Jahrhundert, die wahre Nachfolgerin der Jerusalemer Urgemeinde zu sein.

---

[82] Funk-Richardson, Sounding, S. 87, stellen fest: „it is difficult to reject the tradition (sc. of the flight to Pella) because there is no ostensible motive in the choice of Pella on the part of the early church." Wir haben uns bemüht aufzuzeigen, warum Pella „gewählt" wurde.

LITERATURVERZEICHNIS

Vorbemerkung: Um Raum zu sparen, werden die benutzten Arbeiten von Anfang an abgekürzt zitiert (Verfassername und erstes Substantiv im Titel; bei Kommentaren Verfassername und Kurzform der kommentierten Schrift). Im allgemeinen werden Literatur*hinweise* jeweils vollständig nachgewiesen, aber nicht ins Verzeichnis aufgenommen. Bei Aufsätzen, die in Sammlungen erneut abgedruckt wurden, wird zuweilen nur *eine* Seitenangabe gegeben, deren Ort dem Literaturverzeichnis entnommen werden mag. Auf ein Quellenverzeichnis wurde verzichtet; die benutzten Ausgaben sind, soweit sie sich nicht von selbst verstehen, jeweils am Ort angegeben. Nicht ins Verzeichnis aufgenommen wurden Wörterbuchartikel (aus: RE, RGG, ThWNT, TRE).

Abel, Félix-Marie: Histoire de la Palestine depuis la conquête d'Alexandre jusqu'à l'invasion arabe I.II, EtB, Paris 1952.

Abramowski, Luise: διαδοχή und ὀρϑὸς λόγος bei Hegesipp, in: ZKG 87. 1976, S. 321–327 (abgekürzt: Abramowski, Diadoche).

Achelis, Hans: Das Christentum in den ersten drei Jahrhunderten I.II, Leipzig 1912; 2. Aufl. (gekürzt in einem Band) ebd. 1925.

Aland, Kurt: Der Herrenbruder Jakobus und der Jakobusbrief, in: ThLZ 69. 1944, Sp. 97–104 = in: ders., Neutestamentliche Entwürfe, ThB 63, München 1979, S. 233–245.

Allen, Edgar Leonard: Controversy in the New Testament, in: NTS 1. 1954/55, S. 143–149.

Allo, Ernest-Bernard: Saint Paul. Première Epître aux Corinthiens, EtB, Paris ^{2}1956.

Alon, Gedalyahu: Jews, Judaism and the Classical World, Jerusalem 1977.

Alsup, John E.: The Post Resurrection Appearance Stories of the Gospel Tradition, CThM A.5, Stuttgart 1975.

Andresen, Carl: Die Kirchen der alten Christenheit, RM 29.1/2, Stuttgart u.a. 1971.

Avi-Yonah, Michael: Geschichte der Juden im Zeitalter des Talmud, SJ 2, Berlin 1962.

—: The Holy Land, Grand Rapids 1966.

Bacon, Benjamin W.: Studies in Matthew, New York 1930.

Bagatti, Bellamino: L'Eglise de la Circoncision, Jerusalem 1965 (= engl.: The Church from the Circumcision, ebd. 1971).

Bammel, Ernst: Herkunft und Funktion der Traditionselemente in 1.Kor. 15,1–11, in: ThZ 11. 1955, S. 401–419.

—: ‚Matthäus 10,23', in: StTh 15. 1961, S. 79–92.

Barnard, Leslie William: Justin Martyr. His Life and Thought, London 1967.

Barnett, Albert E.: Paul Becomes a Literary Influence, Chicago 1941.

Barrett, Charles Kingsley: Paul and the Pillar Apostles, in: J. N. Sevenster (ed.), Studia Paulina (FS J. de Zwaan), Haarlem 1953, S. 1–19.

—: A Commentary on the Epistle to the Romans, BNTC, London 1957 = HNTC, New York 1958.

—: Cephas and Corinth, in: O. Betz/M. Hengel/P. Schmidt (edd.), Abraham unser Vater (FS O. Michel), AGJU 5, Leiden/Köln 1963, S. 1–12.
—: Christianity at Corinth, in: BJRL 46. 1963/64, S. 269–297.
—: Things Sacrificed to Idols, in: NTS 11. 1965, S. 138–153.
—: Ὁ ἈΔΙΚΗΣΑΣ (2Cor. 7.12), in: O. Böcher/K. Haacker (edd.), Verborum Veritas (FS G. Stählin), Wuppertal 1970, S. 149–157 (abgekürzt: Barrett, Adikesas).
—: ΨΕΥΔΑΠΟΣΤΟΛΟΙ (2Cor 11.13), in: A. Descamps/A. de Halleux (edd.), Mélanges Bibliques (FS B. Rigaux), Gembloux 1970, S. 377–396 (abgekürzt: Barrett, Pseudapostoloi).
—: Paul's Opponents in II Corinthians, in: NTS 17. 1970/71, S. 233–254.
—: A Commentary on the First Epistle to the Corinthians, BNTC, London [2]1971 = HNTC, New York 1968.
—: A Commentary on the Second Epistle to the Corinthians, BNTC, London 1973 = HNTC, New York 1974.
—: Pauline Controversies in the Post-Pauline Period, in: NTS 20. 1973/74, S. 229–245.
—: *Shaliah* and Apostle, in: C. K. Barrett/E. Bammel/W. D. Davies (edd.), Donum Gentilicium (FS D. Daube), Oxford 1978, S. 88–102.
Bartsch, Christian: ‚Frühkatholizismus' als Kategorie historisch-kritischer Theologie, Studien zu jüdischem Volk und christlicher Gemeinde 3, Berlin 1980.
Bartsch, Hans-Werner: Die Argumentation des Paulus in I Cor 15,3–11, in ZNW 55. 1964, S. 261–274.
Bauer, Johannes B.: Uxores circumducere (1Kor 9,5), in: BZ NF 3. 1959, S. 94–102.
Bauer, Walter: Griechisch-deutsches Wörterbuch zu den Schriften des Neuen Testaments und der übrigen urchristlichen Literatur, Berlin/New York [5]1958; mehrere Nachdrucke.
—: Rechtgläubigkeit und Ketzerei im ältesten Christentum, mit einem Nachtrag hrg. v. G. Strecker, BHTh 10, Tübingen [2]1964.
Baumbach, Günther: Die von Paulus im Philipperbrief bekämpften Irrlehrer, in: Kairos 13. 1971, S. 252–266 = in: K.-W. Tröger (ed.), Gnosis und Neues Testament, Berlin/Gütersloh 1973, S. 293–310.
—: Der sadduzäische Konservatismus, in: J. Maier/J. Schreiner (edd.), Literatur und Religion des Frühjudentums, Würzburg/Gütersloh 1973, S. 201–213.
Baur, Ferdinand Christian: De orationis habitae a Stephano Act. Cap. VII. consilio, et de Protomartyris hujus in christianae rei primordiis momento. Adduntur critica quaedam de loco Act. XXI.20, Schulprogramm Tübingen 1829 (abgekürzt: Baur, consilio).
—: De Ebionitarum origine et doctrina, ab Essenis repetenda, Schulprogramm Tübingen 1831.
—: Die Christuspartei in der korinthischen Gemeinde, der Gegensatz des petrinischen und paulinischen Christenthums in der alten Kirche, der Apostel Petrus in Rom, in: TZTh 1831, S. 61–206 = in: K. Scholder (ed.), Ferdinand Christian Baur. Ausgewählte Werke in Einzelausgaben I: Historisch-kritische Untersuchungen zum Neuen Testament, mit einer Einführung v. E. Käsemann, Stuttgart–Bad Cannstatt 1963, S. 1–146.
—: Die christliche Gnosis oder die christliche Religions-Philosophie in ihrer geschichtlichen Entwicklung, Tübingen 1835 = Darmstadt 1967.
—: Die sogenannten Pastoralbriefe des Apostels Paulus aufs neue kritisch untersucht, Stuttgart/Tübingen 1835.

–: Über Zweck und Veranlassung des Römerbriefs und die damit zusammenhängenden Verhältnisse der römischen Gemeinde, in: TZTh 1836, S. 179–232 = in: K. Scholder (ed.), Ausgewählte Werke I, a.a.O., S. 147–266.

–: Paulus, der Apostel Jesu Christi, Stuttgart 1845; 2. Aufl. ed. E. Zeller, I.II, Leipzig 1866.1867.

–: Das Christenthum und die christliche Kirche der drei ersten Jahrhunderte, Tübingen 1853; [2]1860 = K. Scholder (ed.), Ferdinand Christian Baur. Ausgewählte Werke in Einzelausgaben III, mit einer Einführung v. U. Wickert, Stuttgart–Bad Cannstatt 1966.

–: Die Tübinger Schule und ihre Stellung zur Gegenwart, Tübingen [2]1860 = in: K. Scholder (ed.), Ferdinand Christian Baur. Ausgewählte Werke in Einzelausgaben V: Für und wider die Tübinger Schule, Stuttgart–Bad Cannstatt 1975, S. 293–465.

–: Kirchengeschichte des neunzehnten Jahrhunderts, ed. E. Zeller, Tübingen 1862 = K. Scholder (ed.), Ferdinand Christian Baur. Ausgewählte Werke in Einzelausgaben IV, mit einer Einführung v. H. Liebing, Stuttgart–Bad Cannstatt 1970.

Beare, Francis Wright: A Commentary on the Epistle to the Philippians, BNTC, London [3]1973 = HNTC, New York 1959.

Beasley-Murray, George R.: Jesus and the Future, London 1954.

Beckh, Heinrich: Die Tübinger historische Schule, in: ZPK NF 47. 1864, S. 1–57.69–95.133–178.203–244.

Berger, Klaus: Die Auferstehung des Propheten und die Erhöhung des Menschensohnes, StUNT 13, Göttingen 1976.

–: Almosen für Israel, in: NTS 23. 1977, S. 180–204.

–: Zur Diskussion über die Herkunft von I Kor. II.9, in: NTS 24. 1978, S. 271–283.

–: Die impliziten Gegner. Zur Methode der Erschließung von ‚Gegnern' in neutestamentlichen Texten, in: D. Lührmann/G. Strecker (edd.), Kirche (FS G. Bornkamm), Tübingen 1980, S. 373–400.

Betz, Hans-Dieter: Nachfolge und Nachahmung Jesu Christi im Neuen Testament, BHTh 37, Tübingen 1967.

–: Eine Christus-Aretalogie bei Paulus, in: ZThK 66. 1969, S. 288–305.

–: Der Apostel Paulus und die sokratische Tradition, BHTh 45, Tübingen 1972.

–: 2Cor 6:14–7:1, An Anti-Pauline Fragment?, in: JBL 92. 1973, S. 88–108.

–: Geist, Freiheit und Gesetz. Die Botschaft des Paulus an die Gemeinden in Galatien, in: ZThK 71. 1974, S. 78–93.

–: Die Makarismen der Bergpredigt (Matthäus 5,3–12), in: ZThK 75. 1978, S. 3–19.

–: Galatians: A Commentary on Paul's Letter to the Churches in Galatia, Hermeneia, Philadelphia 1979.

–: The Sermon on the Mount: Its Literary Genre and Function, in: JR 59. 1979, S. 285–297.

–: Eine Episode im Jüngsten Gericht (Mt 7,21–23), in: ZThK 78. 1981, S. 1–30.

Beyschlag, Karlmann: Das Jakobusmartyrium und seine Verwandten in der frühchristlichen Literatur, in: ZNW 56. 1965, S. 149–178.

Billerbeck, Paul: Kommentar zum Neuen Testament aus Talmud und Midrasch I–VI, München 1922–1961; mehrere Nachdrucke.

Black, Matthew: The Scrolls and Christian Origins, London u.a. 1961 = New York 1961.

Blank, Josef: Paulus und Jesus, StANT 18, München 1968.

Blaß, Friedrich/Debrunner, Albert: Grammatik des neutestamentlichen Griechisch, Göttingen [13]1970, mit einem Ergänzungsheft von D. Tabachovitz ebd. [2]1970; [14]1976, bearbeitet von F. Rehkopf; [15]1979.
Blinzler, Josef: Aus der Welt und Umwelt des Neuen Testaments, Gesammelte Aufsätze I, SBB, Stuttgart 1969.
Blum, Günther Georg: Tradition und Sukzession, Berlin/Hamburg 1963.
Böhlig, Alexander: Der judenchristliche Hintergrund in gnostischen Schriften von Nag Hammadi, in: ders., Mysterion und Wahrheit, AGJU 6, Leiden 1968, S. 102–111.
–/ Labib, Pahor: Koptisch-gnostische Apokalypsen aus Codex V von Nag Hammadi im Koptischen Museum zu Alt-Kairo, Halle 1963.
Bornkamm, Günther: Besprechung zu Schoeps, Theologie und Geschichte des Judenchristentums, in: ZKG 64. 1952/53, S. 196–204.
–: Der Römerbrief als Testament des Paulus, in: ders., Geschichte und Glaube II, Gesammelte Aufsätze IV, BEvTh 53, München 1971, S. 120–139.
–: Theologie als Teufelskunst, in: ders., Geschichte und Glaube II, a.a.O., S. 140–148.
–: Das missionarische Verhalten des Paulus nach 1Kor 9,19–23 und in der Apostelgeschichte (1966), in: ders., Geschichte und Glaube II, a.a.O., S. 149–161.
–: Die Vorgeschichte des sogenannten Zweiten Korintherbriefes (1961), in: ders., Geschichte und Glaube II, a.a.O., S. 162–194.
Borse, Udo: Der Standort des Galaterbriefes, BBB 41, Köln/Bonn 1972.
–: Paulus in Jerusalem, in: P.-G. Müller/W. Stenger (edd.), Kontinuität und Einheit (FS F. Mußner), Freiburg/Basel/Wien 1981, S. 43–64.
Bousset, Wilhelm: Kyrios Christos. Geschichte des Christus-Glaubens von den Anfängen des Christentums bis Irenaeus, FRLANT 21, Göttingen [2]1921; [6]1967, mit einem Geleitwort von R. Bultmann.
–: Die Religion des Judentums im späthellenistischen Zeitalter, ed. H. Greßmann, HNT 21, Tübingen [3]1926; [4]1966.
Brandon, Samuel G. F.: The Death of James the Just. A New Interpretation, in: Studies in Mysticism and Religion (FS G. G. Scholem), Jerusalem 1967, S. 57–69.
–: Jesus and the Zealots, Manchester 1967.
–: The Trial of Jesus of Nazareth, London 1968.
–: The Fall of Jerusalem and the Christian Church, London [2]1957.
Brandt, Wilhelm: Die jüdischen Baptismen oder das religiöse Waschen und Baden im Judentum mit Einschluß des Judenchristentums, BZNW 18, Gießen 1910.
–: Elchasai, ein Religionsstifter und sein Werk, Leipzig 1912 = Amsterdam 1971.
Braun, Herbert: Qumran und das Neue Testament II, Tübingen 1966.
Brown, Scott Kent: James. A religio-historical study of the relations between Jewish, Gnostic, and Catholic Christianity in the early period through an investigation of the traditions about James the Lord's brother, PhD Brown University 1972.
–: Jewish and Gnostic Elements in the second Apocalypse of James (CG V,4), in: NT 17. 1975, S. 225–237.
Brown, Schuyler: The Matthean Community and the Gentile Mission, in: Nov Test 22.1980, S. 193–221.
Brox, Norbert (ed.): Pseudepigraphie in der heidnischen und jüdisch-christlichen Antike, WdF 484, Darmstadt 1977.

Bruce, Frederick Fyvie: The History of New Testament Study, in: I. H. Marshall (ed.), New Testament Interpretation, Exeter/Grand Rapids 1977, S. 21–59.
–: Paul. Apostle of the Free Spirit, Exeter 1977.
–: Men and Movements in the Primitve Church. Studies in Early Non-Pauline Christianity, Exeter 1979.
Bultmann, Rudolf: Der Stil der paulinischen Predigt und die kynisch-stoische Diatribe, FRLANT 13, Göttingen 1910.
–: Besprechung zu Schoeps, Theologie und Geschichte des Judenchristentums, in: Gn 26. 1954, S. 177–189.
–: Ein neues Paulus-Verständnis?, in: ThLZ 84. 1959, Sp. 481–486.
–: Exegetische Probleme des zweiten Korintherbriefes (1947), in: ders., Exegetica, ed. E. Dinkler, Tübingen 1967, S. 298–322.
–: Der zweite Brief des Paulus an die Korinther, ed. E. Dinkler, KEK Sonderband, Göttingen 1976.
Burchard, Christoph: Gemeinde in der strohernen Epistel. Mutmaßungen über Jakobus, in: D. Lührmann/G. Strecker (edd.), Kirche (FS G. Bornkamm), Tübingen 1980, S. 315–328.
–: Zu Jakobus 2,14–26, in: ZNW 71. 1980, S. 27–45.
Burger, Christoph: Jesus als Davidssohn, FRLANT 98, Göttingen 1970.
Burkitt, Francis Crawford: Christian Beginnings, London 1924.
Campenhausen, Hans von: Die Nachfolge des Jakobus, in: ZKG 63. 1950, S. 133–144 = in: ders., Aus der Frühzeit des Christentums, Tübingen 1963, S. 135–151.
–: Kirchliches Amt und geistliche Vollmacht in den ersten drei Jahrhunderten, BHTh 14, Tübingen ²1963.
–: Die Entstehung der christlichen Bibel, BHTh 39, Tübingen 1968.
Carrington, Philip: The Early Christian Church I: The First Christian Century; II: The Second Christian Century, Cambridge 1957.
Carroll, Kenneth L.: The Place of James in the Early Church, in: BJRL 44. 1961/62, S. 49–67.
Cassels, Walter R.: Supernatural Religion I.II, London ²1874.
Chadwick, Owen: The Victorian Church II, New York 1970.
Chapman, Dom John: On the Date of the Clementines, in: ZNW 9. 1908, S. 21–34.147–159.
–: La date du livre d'Elchasai, in: RBen 26. 1909, S. 221–223.
Charlesworth, James H. (ed.): John and Qumran, London 1972.
Chwolsohn, Daniel: Die Ssabier und der Ssabismus I, Petersburg 1856 = Amsterdam 1965.
Clemen, Carl: Mohammeds Abhängigkeit von der Gnosis, in: Harnack-Ehrung, Leipzig 1921, S. 249–262.
Collange, Jean-François: L'épître de Saint Paul aux Philippiens, CNT(N) 10a, Paris 1973.
Conybeare, Frederick Cornwallis: History of New Testament Criticism, London 1910 = New York 1910.
Conzelmann, Hans: Der erste Brief an die Korinther, KEK 5, 11. Aufl. Göttingen ¹1969; 12. Aufl., ebd. ²1981.
–: Die Apostelgeschichte, HNT 7, Tübingen ²1972.
–: Geschichte des Urchristentums, GNT 5, Göttingen ³1976; ⁴1978.
–: Heiden – Juden – Christen, BHTh 62, Tübingen 1981.
Craig, Clarence Tucker: The Beginning of Christianity, New York/Nashville 1943.

Credner, Karl August: Über Essäer und Ebioniten und einen theilweisen Zusammenhang derselben, in: ZWTh 1. 1829, S. 211–264.277–328.
—: Beiträge zur Einleitung in die biblischen Schriften I: Die Evangelien der Petriner oder der Judenchristen, Halle 1832.
Cullmann, Oscar: Le problème littéraire et historique du roman pseudo-clémentin, EHPhR 23, Paris 1930.
—: Petrus. Jünger – Apostel – Märtyrer, Zürich/Stuttgart ²1960 = Siebenstern TB 90/91, München/Hamburg 1967.
—: ‚Dissensions within the Early Church', in: USQR 22. 1967, S. 83–92.
—: Jesus und die Revolutionäre seiner Zeit, Tübingen ²1970.
—: Courants multiples dans la communauté primitive. A propos du martyre de Jacques fils de Zébédée, in: RSR 60. 1972, S. 55–68.
Dahl, Nils Alstrup: Paul and the Church at Corinth (1967), in: ders., Studies in Paul, Minneapolis 1977, S. 40–61.
Daniélou, Jean: Théologie du Judéo-Christianisme, Paris 1958.
Dannreuther, Henri: Du témoignage d'Hégésippe sur l'Eglise Chrétienne, Nancy 1878.
Dassmann, Ernst: Der Stachel im Fleisch. Paulus in der frühchristlichen Literatur bis Irenäus, Münster 1979.
Dautzenberg, Gerhard: Der Verzicht auf das apostolische Unterhaltsrecht. Eine exegetische Untersuchung zu 1Kor 9, in: Biblica 50. 1969, S. 212–232.
Davies, William David: The Gospel and the Land, Berkeley/Los Angeles/London 1974.
—: Paul and Rabbinic Judaism, Philadelphia ⁴1980.
Dibelius, Martin: An die Thessalonicher I.II. An die Philipper, HNT 11, Tübingen ²1925; ³1937.
—: Der Brief des Jakobus, ed. H. Greeven, KEK 15, 11. Aufl., Göttingen ⁵1964.
Dietzfelbinger, Christian: Was ist Irrlehre?, TEH 143, München 1967.
Dilthey, Wilhelm: Ferdinand Christian Baur (1865), in: ders., Gesammelte Schriften IV, Leipzig/Berlin 1921, S. 403–432.
Dix, Gregory: Jew and Greek, London ²1955.
Dobschütz, Ernst von: Die urchristlichen Gemeinden. Sittengeschichtliche Bilder, Leipzig 1902.
—: Probleme des Apostolischen Zeitalters, Leipzig 1904.
Dodd, Charles Harold: The Parables of the Kingdom, New York 1961.
Drane, John William: Paul Libertine or Legalist?, London 1975.
Drijvers, Hans J. W.: Mani und Bardaiṣan. Ein Beitrag zur Vorgeschichte des Manichäismus, in: Mélanges d'Histoire des Religions (FS H.-C. Puech), Paris 1974, S. 459–469.
Duncan, George S.: St. Paul's Ephesian Ministry, New York 1930.
Dungan, David L.: The Sayings of Jesus in the Churches of Paul, Oxford/Philadelphia 1971.
Dunn, James D. G.: Unity and Diversity in the New Testament, Philadelphia 1977.
Eckert, Jost: Die urchristliche Verkündigung im Streit zwischen Paulus und seinen Gegnern nach dem Galaterbrief, BU 6, Regensburg 1971.
Ehrhardt, Arnold: The Apostolic Succession, London 1953.
Elliott-Binns, Leonard Elliott: Galilean Christianity, SBT 16, London 1956 = Chicago 1956.
Ellis, Edward Earle: Prophecy and Hermeneutic in Early Christianity, WUNT 18, Tübingen 1978 = Grand Rapids 1978.

Elsas, Christoph: Neuplatonische und gnostische Weltablehnung in der Schule Plotins, RVV 34, Berlin/New York 1975.
Engelhardt, Moritz von: Das Christentum Justins des Märtyrers, Erlangen 1878.
Farmer, William Reuben: Maccabees, Zealots, and Josephus, New York 1956.
Fascher, Erich: Jerusalems Untergang in der urchristlichen und altkirchlichen Überlieferung, in: ThLZ 89. 1964, S. 81–98.
Filson, Floyd V.: Geschichte des Urchristentums in neutestamentlicher Zeit, Düsseldorf 1967.
Flückiger, Felix: Luk. 21,20–24 und die Zerstörung Jerusalems, in: ThZ 28. 1972, S. 385–390.
Flusser, David: Salvation Present and Future, in: Numen 16. 1969, S. 139–155.
Foerster, Werner: Die δοκοῦντες in Gal 2, in: ZNW 36. 1937, S. 286–292 (abgekürzt: Foerster, Gal 2).
Fraedrich, Gerhard: Ferdinand Christian Baur der Begründer der Tübinger Schule als Theologe, Schriftsteller und Charakter, Gotha 1909.
Freyne, Sean: Galilee from Alexander the Great to Hadrian 323 B.C.E. to 135 C.E., University of Notre Dame Center for the Study of Judaism and Christianity 5, Wilmington/Notre Dame 1980.
Friedrich, Gerhard: Die Gegner des Paulus im 2. Korintherbrief, in: O. Betz/ M. Hengel/P. Schmidt (edd.), Abraham unser Vater (FS O. Michel), AGJU 5, Leiden/Köln 1963, S. 181–215 = in: ders., Auf das Wort kommt es an, ed. J. H. Friedrich, Göttingen 1978, S. 189–223.
Fueter, Eduard: Geschichte der neueren Historiographie, HMANG.A 1, München/ Berlin 31936.
Funk, Robert W./Richardson, H. Neil: The 1958 Sounding at Pella, in: BA 21. 1958, S. 82–96.
Funk, Wolf-Peter: Die zweite Apokalypse des Jakobus aus Nag-Hammadi-Codex V, TU 119, Berlin 1976.
Gaechter, Paul: Petrus und seine Zeit, Innsbruck/Wien/München 1958.
Gasque, W. Ward: A History of the Criticism of the Acts of the Apostles, BGBE 17, Tübingen 1975.
Gaston, Lloyd: No Stone On Another, NT.S 23, Leiden 1970.
Geiger, Ruthild: Die Lukanischen Endzeitreden, EHS.T 16, Frankfurt/Bern 21976.
Geiger, Wolfgang: Spekulation und Kritik. Die Geschichtstheologie Ferdinand Christian Baurs, FGLP X.28, München 1964.
Georgi, Dieter: Die Gegner des Paulus im 2. Korintherbrief, WMANT 11, Neukirchen-Vluyn 1964.
–: Die Geschichte der Kollekte des Paulus für Jerusalem, ThF 38, Hamburg-Bergestedt 1965.
Georgii, Ludwig: Über den Charakter der christlichen Geschichte in den ersten zwei Jahrhunderten, in: Deutsche Jahrbücher für Wissenschaft und Kunst 229. 1842, S. 913–927.
Gieseler, Johann Karl Ludwig: Über die Nazaräer und Ebioniten, in: Archiv für Kirchengeschichte 4. 1820, S. 279–330.
Gnilka, Joachim: Der Philipperbrief, HThK 10.3, Freiburg/Basel/Wien 21976; 31980.
Goguel, Maurice: L'apôtre Pierre a-t-il joué un rôle personnel dans les crises de Grèce et de Galatie?, in: RHPhR 14. 1934, S. 461–500.
–: La Naissance du Christianisme, Paris 1946.

Goppelt, Leonhard: Christentum und Judentum im ersten und zweiten Jahrhundert, BFChTh II.55, Gütersloh 1954.
—: Die apostolische und nachapostolische Zeit, KIG A, Göttingen ²1966.
Gräßer, Erich: Das Problem in der Parusieverzögerung in den synoptischen Evangelien und in der Apostelgeschichte, BZNW 22, Berlin ³1978.
Grant, Michael: The Jews in the Roman World, New York 1973.
Grant, Robert M.: Early Episcopal Succession, in: F. L. Cross (ed.), StPatr XI, TU 108, Berlin 1972, S. 179–184.
—: Early Christianity and Society, New York u.a. 1977.
—: Eusebius and Gnostic Origins, in: A. Benoît/M. Philonenko/C. Vogel (edd.), Paganisme, Judaïsme, Christianisme (FS M. Simon), Paris 1978, S. 195–205 (abgekürzt: Grant, Origins).
—: Eusebius as Church Historian, Oxford 1980.
Graß, Hans: Ostergeschehen und Osterberichte, Göttingen ⁴1970.
Gray, Barbara C.: The Movements of the Jerusalem Church During the First Jewish War, in: JEH 24. 1973, S. 1–7.
Grillmeier, Aloys: Hellenisierung – Judaisierung des Christentums als Deuteprinzipien der Geschichte des kirchlichen Dogmas, in: Schol. 33. 1958, S. 321–355.528–558.
Güttgemanns, Erhardt: Der leidende Apostel und sein Herr, FRLANT 90, Göttingen 1966.
Gunther, John J.: Paul. Messenger and Exile, Valley Forge 1972.
—: The Fate of the Jerusalem Church, in: ThZ 29. 1973, S. 81–94.
—: St. Paul's Opponents and their Background, NT.S 35, Leiden 1973.
Gustafsson, B.: Hegesippus' Sources and His Reliability, in: F. L. Cross (ed.), StPatr III, TU 78, Berlin 1961, S. 227–232.
Haacker, Klaus: Exegetische Probleme des Römerbriefs, in: NT 20. 1978, S. 1–21.
Haenchen, Ernst: Petrus-Probleme, in: NTS 7. 1960/61, S. 187–197 = in: ders., Gott und Mensch, Gesammelte Aufsätze [I], Tübingen 1965, S. 55–67.
—: Die Apostelgeschichte, KEK 3, 16. Aufl., Göttingen ⁷1977.
Hahn, Ferdinand: Das Verständnis der Mission im Neuen Testament, WMANT 13, Neukirchen-Vluyn 1963.
—: Der Apostolat im Urchristentum, in: KuD 20. 1974, S. 54–77.
—: Christologische Hoheitstitel, FRLANT 83, Göttingen ⁴1974.
—: Die Rede von der Parusie des Menschensohnes Markus 13, in: R. Pesch/R. Schnackenburg/O. Kaiser (edd.), Jesus und der Menschensohn (FS A. Vögtle), Freiburg/Basel/Wien 1975, S. 240–266.
Hainz, Josef: Gemeinschaft (κοινωνία) zwischen Paulus und Jerusalem (Gal 2,9f.), in: P.-G. Müller/W. Stenger (edd.), Kontinuität und Einheit (FS F. Mußner), Freiburg/Basel/Wien 1981, S. 30–42.
Harnack, Adolf (von): Kritische Übersicht über die kirchengeschichtlichen Arbeiten der letzten Jahre I: Geschichte der Kirche bis zum Conzil von Nicäa, in: ZKG 2. 1878, S. 56–111.
—: Die Überlieferung der griechischen Apologeten des zweiten Jahrhunderts in der alten Kirche und im Mittelalter, TU 1.1, Leipzig 1883.
—: Beiträge zur Einleitung in das Neue Testament III: Die Apostelgeschichte, Leipzig 1908.
—: Lehrbuch der Dogmengeschichte I: Die Entstehung des kirchlichen Dogmas; II: Die Entwicklung des kirchlichen Dogmas, Tübingen ⁴1909.

—: Entstehung und Entwicklung des Kirchenrechts in den zwei ersten Jahrhunderten, Leipzig 1910 = Darmstadt 1978.
—: Beiträge zur Einleitung in das Neue Testament IV: Neue Untersuchungen zur Apostelgeschichte und zur Abfassungszeit der synoptischen Evangelien, Leipzig 1911 (abgekürzt: Harnack, Untersuchungen).
—: Judentum und Judenchristentum in Justins Dialog mit Trypho, TU 39.1, Leipzig 1913, S. 47–92.
—: Die Verklärungsgeschichte Jesu, der Bericht des Paulus (I. Kor. 15,3ff.) und die beiden Christusvisionen des Petrus, SPAW.PH 1922, S. 62–80.
—: Die Mission und Ausbreitung des Christentums in den ersten drei Jahrhunderten I.II, Leipzig [4]1924 = Wiesbaden 1981.
—: Die Neuheit des Evangeliums nach Marcion, in: ders., Aus der Werkstatt des Vollendeten, Gießen 1930, S. 128–143.
—: Geschichte der altchristlichen Literatur bis Eusebius I: Die Überlieferung und der Bestand; II: Die Chronologie, Leipzig [2]1958.
Harris, Horton: The Tübingen School, Oxford 1975.
Hausrath, Adolf: Der Vier-Capitel-Brief des Paulus an die Korinther, Heidelberg 1870.
Hefner, Philip: Baur versus Ritschl on Early Christianity, in: ChH 31. 1962, S. 259–278.
—: Faith and the Vitalities of History, New York 1966.
Heinrici, C. F. Georg: Der erste Brief an die Korinther, KEK 5, 8. Aufl., Göttingen [3]1896.
Hengel, Martin: Maria Magdalena und die Frauen als Zeugen, in: O. Betz/M. Hengel/P. Schmidt (edd.), Abraham unser Vater (FS O. Michel), AGJU 5, Leiden/Köln 1963, S. 243–256.
—: Nachfolge und Charisma, BZNW 34, Berlin 1968.
—: Die Ursprünge der christlichen Mission, in: NTS 18. 1971/72, S. 15–38.
—: Zwischen Jesus und Paulus, in: ZThK 72. 1975, S. 151–206.
—: Die Zeloten, AGJU 1, Leiden/Köln [2]1976.
—: Zur urchristlichen Geschichtsschreibung, Stuttgart 1979.
Henrichs, Albert: Mani and the Babylonian Baptists, in: HSCP 77. 1973, S. 23–59.
—: The Cologne Mani Codex Reconsidered, in: HSCP 83. 1979, S. 339–367.
—/ Koenen, Ludwig: Ein griechischer Mani-Codex, in: ZPE 5. 1970, S. 97–216.
—/—: Der Kölner Mani-Codex (P. Colon, inv. nr. 4780) ΠΕΡΙ ΤΗΣ ΓΕΝΝΗΣ ΤΟΥ ΣΩΜΑΤΟΣ ΑΥΤΟΥ. Edition der Seiten 1–72[,7], in: ZPE 19. 1975, S. 1–85; Edition der Seiten 72,8–99,9, in: ZPE 32. 1978, S. 87–199; Edition der Seiten 99,10–120, in: ZPE 44. 1981, S. 201–318.
Herzog, Eduard: Die Gefangennehmung des Apostels Paulus in Jerusalem, in: RITh 13. 1905, S. 193–224.
Hilgenfeld, Adolf: Das Urchristenthum, Jena 1885.
—: Das Urchristenthum und seine neuesten Bearbeitungen von Lechler und Ritschl, in: ZWTh 1. 1858, S. 54–140.377–440.565–602.
—: Die Theologie des neunzehnten Jahrhunderts nach ihrer Stellung zu Religion und Christenthum unter besonderer Berücksichtigung auf Baur's Darstellung, in: ZWTh 6. 1863, S. 1–40.
—: Baur's kritische Urgeschichte des Christenthums und ihre neueste Bearbeitung, in: ZWTh 7. 1864, S. 113–145.
—: Historisch-kritische Einleitung in das Neue Testament, Leipzig 1875.

—: Hegesippus, in: ZWTh 19. 1876, S. 177–229.
—: Noch einmal Hegesippus, in: ZWTh 21. 1878, S. 297–321.
—: Die Ketzergeschichte des Urchristenthums, Leipzig 1884 = Hildesheim 1963; Darmstadt 1966.
—: Judenthum und Judenchristenthum. Eine Nachlese zur Ketzergeschichte des Urchristenthums, Leipzig 1886 = Hildesheim 1966.
—: Das Urchristenthum und seine neuesten Bearbeitungen durch G. V. Lechler und A. Harnack, in: ZWTh 29. 1886, S. 385–441.
—: Ferdinand Christian Baur nach seiner wissenschaftlichen Entwickelung und Bedeutung, in: ZWTh 36. 1893, S. 222–224.
Hirsch, Emanuel: Petrus und Paulus, in: ZNW 29. 1930, S. 63–76.
—: Zwei Fragen zu Galater 6, in: ZNW 29. 1930, S. 192–197.
—: Geschichte der neuern evangelischen Theologie III.V, Gütersloh [3]1964; [4]1968.
Hock, Ronald F.: The Social Context of Paul's Ministry, Philadelphia 1980.
Hoennicke, Gustav: Das Judenchristentum im ersten und zweiten Jahrhundert, Berlin 1908.
Hoffmann, Paul: Studien zur Theologie der Logienquelle, NTA NF 8, Münster 1972.
Holl, Karl: Der Kirchenbegriff des Paulus in seinem Verhältnis zu dem der Urgemeinde, SPAW.PH 1921, S. 920–947 = in: ders., Gesammelte Aufsätze zur Kirchengeschichte II: Der Osten, Tübingen 1928 (= Darmstadt 1964), S. 44–67 = in: K. H. Rengstorf (ed.), Das Paulusbild in der neueren deutschen Forschung, WdF 24, Darmstadt [2]1969, S. 144–178.
Holmberg, Bengt: Paul and Power. The Structure of Authority in the Primitive Church, CB.NT 11, Lund 1978.
Holsten, Carl: Das Evangelium des Paulus dargestellt I: Die äußere entwicklungsgeschichte des paulinischen evangeliums. Abt. 1: Der brief an die gemeinden Galatiens und der erste brief an die gemeinde zu Korinth, Berlin 1880.
Holtzmann, Heinrich Julius: Lehrbuch der historisch-kritischen Einleitung in das Neue Testament, Freiburg [3]1892.
—: Baur und die neutestamentliche Kritik der Gegenwart, in: PrM 1. 1897, S. 177–188.225–239.
—: Zur neuesten Literatur über neutestamentliche Probleme, in: ARW 12. 1897, S. 382–408.
—: Lehrbuch der neutestamentlichen Theologie I.II, Tübingen [2]1911.
Holtzmann, Oscar: Zu Emanuel Hirsch. Zwei Fragen zu Galater 6, in: ZNW 30. 1931, S. 76–83 (abgekürzt: Holtzmann, Hirsch).
Hoppe, Rudolf: Der theologische Hintergrund des Jakobusbriefes, FzB 28, Würzburg 1977.
Hort, Fenton John Antony: Notes Introductory to the Study of the Clementine Recognitions, London 1901.
—: Judaistic Christianity, London [2]1904.
Howard, George: Paul – Crisis in Galatia. A Study in Early Christian Theology, MSSNTS 35, Cambridge 1979.
Hurd, John Coolidge: The Origin of 1 Corinthian, London 1965 = New York 1965.
Hyldahl, Niels: Hegesipps Hypomnemata, in: StTh 14. 1960, S. 70–113.
Irmscher, Johannes: Das Buch des Elchasai, in: NTApo[3,4] II, S. 529–532.
Jackson, F. J. Foakes/Lake, Kirsopp (edd.): The Beginnings of Christianity I. 1–5, London 1920–1933 (abgekürzt: Beg.).

Jeremias, Joachim: Golgotha, Angelos Beih. 1, Leipzig 1926.
—: Zur Gedankenführung in den paulinischen Briefen, in: J. N. Sevenster (ed.), Studia Paulina (FS J. de Zwaan), Haarlem 1953, S. 146–154 = in: ders., Abba, Göttingen 1966, S. 269–276.
—: Chiasmus in den Paulusbriefen, in: ZNW 49. 1958, S. 145–156 = in: ders., Abba, Göttingen 1966, S. 276–290.
—: Jerusalem zur Zeit Jesu, Göttingen [3]1963.
Jervell, Jacob: Luke and the people of God, Minneapolis 1972.
—: Der schwache Charismatiker, in: J. Friedrich/W. Pöhlmann/P. Stuhlmacher (edd.), Rechtfertigung (FS E. Käsemann), Tübingen/Göttingen 1976, S. 185–198.
Jewett, Robert: The Agitators and the Galatian Congregation, in: NTS 17. 1970/71, S. 198–212.
—: Paul's Anthropological Terms. A Study of their Use in Conflict Settings, AGJU 10, Leiden 1971.
Jocz, Jacob: The Jewish People and Jesus Christ, London 1954.
Joël, Manuel: Blicke in die Religionsgeschichte zu Anfang des zweiten christlichen Jahrhunderts mit Berücksichtigung der angrenzenden Zeiten II, Breslau 1883 = Amsterdam 1971.
Johnson, Luke Timothy: The Literary Function of Possessions in Luke-Acts, SBLDS 39, Missoula 1977.
Johnson, Marshall D.: The Purpose of the Biblical Genealogies with Special Reference to the Setting of the Genealogies of Jesus, MSSNTS 8, Cambridge 1969.
Jülicher, Adolf: Die jüdischen Schranken des Harnackschen Paulus, in: PrM 17. 1913, S. 193–224.
Käsemann, Ernst: Die Legitimität des Apostels, in: ZNW 41. 1942, S. 33–71 = in: K. H. Rengstorf (ed.), Das Paulusbild in der neueren deutschen Forschung, WdF 24, Darmstadt [2]1969, S. 475–521.
—: An die Römer, HNT 8a, Tübingen [3]1974; [4]1980.
Kasting, Heinrich: Die Anfänge der urchristlichen Mission, BEvTh 55, München 1969.
Kattenbusch, Ferdinand: Die Vorzugsstellung des Petrus und der Charakter der Urgemeinde zu Jerusalem, in: Festgabe von Fachgenossen und Freunden Karl Müller zum siebzigsten Geburtstag dargebracht, Tübingen 1922, S. 322–351.
Keck, Leander E.: The Poor among the Saints in the New Testament, in: ZNW 56. 1965, S. 100–129.
—: The Poor among the Saints in Jewish Christianity and Qumran, in: ZNW 57. 1966, S. 54–78 (abgekürzt: Keck, Saints).
Kemler, Herbert: Der Herrenbruder Jakobus bei Hegesipp und in der frühchristlichen Literatur, theol. Diss., (Teildruck) Göttingen 1966.
Kertelge, Karl: ‚Rechtfertigung' bei Paulus, NTA NF 3, Münster 1967.
Kittel, Gerhard: Paulus im Talmud, in: ders., Rabbinica, Leipzig 1920, S. 1–16.
—: Die Stellung des Jakobus zu Judentum und Heidenchristentum, in: ZNW 30. 1931, S. 145–157.
—: Der geschichtliche Ort des Jakobusbriefes, in: ZNW 41. 1942, S. 71–105.
—: Der Jakobusbrief und die Apostolischen Väter, in: ZNW 43. 1950/51, S. 54–112.

Klausner, Joseph: Jesus of Nazareth, London 1929.
–: From Jesus to Paul, London 1943 (abgekürzt: Klausner, Paul).
Klein, Günter: Die zwölf Apostel, FRLANT 77, Göttingen 1961.
–: Galater 2,6–9 und die Geschichte der Jerusalemer Urgemeinde, in: ZThK 57. 1960, S. 275–295 = in: ders., Rekonstruktion und Interpretation, BEvTh 50, München 1969, S. 99–118 (mit Nachtrag S. 118–128).
–: Die Verleugnung des Petrus, in: ZThK 58. 1961, S. 285–328 = in: ders., Rekonstruktion und Interpretation, a.a.O., S. 49–90 (mit Nachtrag S. 90–98).
Klijn, Albertus Frederik Johannes: The Study of Jewish Christianity, in: NTS 20. 1973/74, S. 419–431.
–/Reinink, G. J.: Patristic Evidence for Jewish-Christian Sects, NT.S 36, Leiden 1973.
–/–: Elchasai and Mani, in: VigChr 28. 1974, S. 277–289.
Knopf, Rudolf: Das nachapostolische Zeitalter, Tübingen 1905.
–: Die Apostolischen Väter I. Die Lehre der zwölf Apostel. Die zwei Clemensbriefe, HNT Ergänzungsband, Tübingen 1920.
Knox, John: Chapters in a Life of Paul, New York 1950 = Leiden 1954.
Knox, Wilfred L.: St Paul and the Church of Jerusalem, Cambridge 1925.
Koch, Glenn Alan: A Critical Investigation of Epiphanius' Knowledge of the Ebionites, PhD University of Pennsylvania 1976.
Koch, Hugo: Zur Jakobusfrage Gal 1,19, in: ZNW 33. 1934, S. 204–209.
Koenen, Ludwig: Augustine and Manichaeism in Light of the Cologne Mani Codex, in: Illinois Classical Studies 3. 1978, S. 154–195.
Köster, Helmut: The Purpose of the Polemic of a Pauline Fragment, in: NTS 8. 1961/62, S. 317–332.
–: Einführung in das Neue Testament im Rahmen der Religionsgeschichte und Kulturgeschichte der hellenistischen und römischen Zeit, Berlin/New York 1980.
Köstlin, Karl Reinhold: Zur Geschichte des Urchristenthums, in: ThJb(T) 9. 1850, S. 1–62.235–302.
Koschorke, Klaus: Die Polemik der Gnostiker gegen das kirchliche Christentum, Nag Hammadi Studies 12, Leiden 1978.
Kraft, Heinrich: Die Entstehung des Christentums, Darmstadt 1981.
Kraft, Robert A.: In Search of ‚Jewish Christianity' and its ‚Theology', in: RSR 60. 1972, S. 81–92.
Kremer, Jacob: Das älteste Zeugnis von der Auferstehung Christi, SBS 17, Stuttgart 1966.
– (ed.): Les Actes des Apôtres. Traditions, rédaction, théologie, BEThL 48, Gembloux/Leuven 1979.
Kretschmar, Georg: Die Bedeutung der Liturgiegeschichte für die Frage nach der Kontinuität des Judenchristentums in nachapostolischer Zeit, in: Aspects du Judéo-Christianisme, Paris 1965, S. 113–137.
Krüger, Gustav: Das Dogma vom neuen Testament, Gießen 1896.
Kümmel, Werner Georg: Das Urchristentum, in: ThR NF 14. 1942, S. 81–95. 155–173; 17. 1948/49, S. 3–50.103–142; 18. 1950, S. 1–53; 22. 1954, S. 138–170.191–211.
–: Kirchenbegriff und Geschichtsbewußtsein in der Urgemeinde und bei Jesus, SyBu 1, Zürich/Uppsala 1943.
–: Theologie und Geschichte des Judenchristentums, in: StTh 3. 1949, S. 188–194.

–: Das Neue Testament. Geschichte der Erforschung seiner Probleme, OA III.3, Freiburg/München [2]1970.
–: Das Neue Testament im 20. Jahrhundert. Ein Forschungsbericht, SBS 50, Stuttgart 1970.
–: Einleitung in das Neue Testament, Heidelberg [18]1976; [20]1980.
Lagrange, Marie-Joseph: Saint Paul. Epître aux Galates, EtB, Paris [2]1925.
Lake, Kirsopp: The Earlier Epistles of St. Paul, London [2]1927.
Lange, Johann Peter: Die Geschichte der Kirche I: Das apostolische Zeitalter. Erster Band, Braunschweig 1853.
Laufen, Rudolf: Die Doppelüberlieferungen der Logienquelle und des Markusevangeliums, BBB 54, Königstein/Bonn 1980.
Lawlor, Hugh Jackson: Eusebiana, Oxford 1912.
–/ Oulton, John Ernest Leonhard: Eusebius. The Ecclesiastical History and the Martyrs of Palestine translated with introduction and notes I: Translation; II: Introduction, Notes, and Index, London 1928.
Laws, Sophie: A Commentary on the Epistle of James, BNTC, London 1980 = HNTC, New York 1980.
Lechler, Gotthard Victor: Das apostolische und das nachapostolische Zeitalter, Haarlem 1851; Stuttgart [2]1857; [3]1885.
Le Moine, Jean: Les Sadducéens, EtB, Paris 1972.
Lietzmann, Hans: An die Korinther I.II, ergänzt von W. G. Kümmel, HNT 9, Tübingen [5]1969.
–: An die Galater, HNT 10, Tübingen [4]1971.
–: An die Römer, HNT 8, Tübingen [5]1971.
Lightfoot, Joseph Barber: S. Clement of Rome. The Two Epistles to the Corinthians, London/Cambridge 1869.
–: Essays on the Work Entitled ‚Supernatural Religion', London/New York 1889.
–: Saint Paul's Epistle to the Galatians, London/New York [10]1890.
–: Dissertations on the Apostolic Age, London 1892.
Lindemann, Andreas: Paulus im ältesten Christentum. Das Bild des Apostels und die Rezeption der paulinischen Theologie in der frühchristlichen Literatur bis Marcion, BHTh 58, Tübingen 1979.
Lipsius, Richard Adelbert: Ferdinand Christian Baur und die Tübinger Schule, in: Unsere Zeit 6. 1862, S. 229–254.
–: Zur Quellenkritik des Epiphanios, Wien 1865.
–: Die apokryphen Apostelgeschichten und Apostellegenden II.2, Braunschweig 1884.
Little, Donald Henry: The Death of James, the Brother of Jesus, PhD Rice University 1971.
Lohmeyer, Ernst: Galiläa und Jerusalem, FRLANT 52, Göttingen 1936.
–: Kultus und Evangelium, Göttingen 1942.
Lohse, Eduard: Glaube und Werke. Zur Theologie des Jakobusbriefes (1957), in: ders., Die Einheit des Neuen Testaments, Göttingen 1973, S. 285–306.
–/ Vögtle, Anton: Geschichte des Urchristentums, in: R. Kottje/B. Moeller (edd.), Ökumenische Kirchengeschichte I: Alte Kirche und Ostkirche, Mainz/München 1970, S. 3–69.
Longenecker, Richard N.: Paul, Apostle of Liberty, New York 1964.
–: The Christology of Early Jewish Christianity, London 1970.
Lüdemann, Gerd: Untersuchungen zur simonianischen Gnosis, GTA 1, Göttingen 1975.

–: Zur Geschichte des ältesten Christentums in Rom I. Valentin und Marcion II. Ptolemäus und Justin, in: ZNW 70. 1979, S. 86–114.
–: Zum Antipaulinismus im frühen Christentum, in: EvTh 40. 1980, S. 437–455.
–: Paulus, der Heidenapostel I: Studien zur Chronologie, FRLANT 123, Göttingen 1980 (abgekürzt: Band I).
Lührmann, Dieter: Das Offenbarungsverständnis bei Paulus und in paulinischen Gemeinden, WMANT 16, Neukirchen-Vluyn 1965.
–: Glaube im frühen Christentum, Gütersloh 1976.
–: Der Brief an die Galater, ZBK.NT 7, Zürich 1978.
–: Tage, Monate, Jahreszeiten, Jahre (Gal 4,10), in: R. Albertz u.a. (edd.), Werden und Wirken des Alten Testaments (FS C. Westermann), Göttingen/Neukirchen-Vluyn 1980, S. 428–445.
Lütgert, Wilhelm: Freiheitspredigt und Schwarmgeister in Korinth. Ein Beitrag zur Charakteristik der Christuspartei, Gütersloh 1908; (erweiterte Fassung) BFChTh XII.3, ebd. 1908.
–: Die Irrlehrer der Pastoralbriefe, BFChTh XIII.3, Gütersloh 1909.
–: Die Vollkommenen im Philipperbrief und Die Enthusiasten in Thessalonich, BFChTh XIII.6, Gütersloh 1909.
–: Amt und Geist im Kampf. Studien zur Geschichte des Urchristentums, BFChTh XV.4–5, Gütersloh 1911.
–: Gesetz und Geist. Eine Untersuchung zur Vorgeschichte des Galaterbriefes, BFChTh XXII.6, Gütersloh 1919.
Lutterbeck, Johann Anton Bernhard: Die Neutestamentlichen Lehrbegriffe II: Die nachchristliche Entwicklung, Mainz 1852.
Luz, Ulrich: Das Geschichtsverständnis des Paulus, BEvTh 49, München 1968.
–: Die wiederentdeckte Logienquelle, in: EvTh 33. 1973, S. 527–533.
Mackay, Robert William: The Tübingen School and its Antecedents, Edinburgh 1863.
Maier, Johann/Schreiner, Josef (edd.): Literatur und Religion des Frühjudentums, Würzburg/Gütersloh 1973.
–/ Schubert, Kurt: Die Qumran-Essener, UTB 224, München/Basel 1973 = 1982.
Manson, Thomas Walter: Studies in the Gospels and Epistles, ed. M. Black, Manchester 1962 = Philadelphia 1962.
Martyn, J. Louis: Clementine Recognitions 1,33–71, Jewish Christianity, and the Fourth Gospel, in: J. Jervell/W. A. Meeks (edd.), God's Christ and His People (FS N. A. Dahl), Oslo/Bergen/Tromsö 1977, S. 265–295.
–: The Gospel of John in Christian History, New York/Ramsey/Toronto 1978.
Marxsen, Willi: Der Evangelist Markus, FRLANT 67, Göttingen [2]1959.
–: Einleitung in das Neue Testament, Gütersloh [4]1978.
Mattill, Andrew Jacob: Luke as a Historian in Criticism since 1840, PhD Vanderbilt 1959.
–: The Purpose of Acts. Schneckenburger Reconsidered, in: W. W. Gasque/R. P. Martin (edd.), Apostolic History and the Gospel (FS F. F. Bruce), Exeter/Grand Rapids 1970, S. 108–122.
Mayor, Joseph B.: The Epistle of St. James, London [2]1897; [3]1910 = Grand Rapids 1978.
McGiffert, Arthur Cushman: A History of Christianity in the Apostolic Age, New York [2]1914.
Meeks, Wayne A./Francis, Fred O. (edd.): Conflict at Colossae, Missoula 1975.
Mensching, Gustav: Die Religion. Erscheinungsformen, Strukturtypen und Lebensgesetze, Stuttgart 1959.

Meyer, Eduard: Ursprung und Anfänge des Christentums III: Die Apostelgeschichte und die Anfänge des Christentums, Stuttgart/Berlin $^{1-3}$1923.

Meyers, Eric M./Strange, James F.: Archaeology, the Rabbis, and Early Christianity, Nashville 1981.

Michaelis, Wilhelm: Judaistische Heidenchristen, in: ZNW 30. 1931, S. 83–89.

Molland, Einar: La circoncision, le baptême et l'autorité du décret apostolique (Actes XV, 28 sq.) dans les milieux judéo-chrétiens des Pseudo-Clémentines, in: StTh 9. 1955, S. 1–39 = in: ders., Opuscula Patristica, Oslo/Bergen/Tromsö 1970, S. 25–59.

Momigliano, Arnaldo: Studies in Historiography, London 1966.

Morgan, Robert: F. C. Baur's Lectures on New Testament Theology, in: ET 88. 1976/77, S. 202–206.

—: Biblical Classics II: F. C. Baur: Paul, in: ET 90. 1978/79, S. 4–9.

Müller, Karl: Kirchengeschichte, GThW 4.1, Freiburg 1892.

Müller, Ulrich B.: Zur frühchristlichen Theologiegeschichte. Judenchristentum und Paulinismus in Kleinasien an der Wende vom ersten zum zweiten Jahrhundert, Gütersloh 1976.

Munck, Johannes: Paulus und die Heilsgeschichte, Kopenhagen 1954.

—: Jewish Christianity in Post-Apostolic Times, in: NTS 6. 1959/60, S. 103–116.

—: The New Testament and Gnosticism, in: W. Klassen/G. F. Snyder (edd.), Current Issues in New Testament Interpretation (FS O. A. Piper), New York 1962, S. 224–238.

—: Primitive Jewish Christianity and Later Jewish Christianity: Continuation or Rupture?, in: Aspects du Judéo-Christianisme, Paris 1965, S. 77–93.

Murphy-O'Connor, Jerome: The Essenes and their History, in: RB 81. 1974, S. 215–244.

—: Tradition and Redaction in 1 Cor 15:3–7, in: CBQ 43. 1981, S. 582–589.

Murray, Robert: Recent Studies in Early Symbolic Theology, in: HeyJ 6. 1965, S. 412–433.

—: On Early Christianity and Judaism: Some Recent Studies, in: HeyJ 13. 1972, S. 441–451.

—: Defining Judaeo-Christianity, in: HeyJ 15. 1974, S. 303–310.

Mußner, Franz: Der Jakobusbrief, HThK 13.1, Freiburg/Basel/Wien 1964; ^{4}1981.

—: Der Galaterbrief, HThK 9, Freiburg/Basel/Wien 1974; ^{4}1981.

Neander, August: Genetische Entwickelung der vornehmsten gnostischen Systeme, Berlin 1818.

—: Geschichte der Pflanzung und Leitung der christlichen Kirche durch die Apostel II, Hamburg 1833.

Neill, Stephen: The Interpretation of the New Testament 1861–1961, London 1964.

Neusner, Jacob: A Life of Yohanan Ben Zakkai Ca. 1–80 C.E., SPB 6, Leiden ^{2}1970.

Nickle, Keith Fullerton: The Collection. A Study in Paul's Strategy, London 1966.

Nitzsch, Friedrich: Grundriss der Christlichen Dogmengeschichte I: Die patristische Periode, Berlin 1870.

Oepke, Albrecht: Der Brief des Paulus an die Galater, bearbeitet von J. Rohde, ThHK 9, Berlin ^{3}1973; ^{4}1979.

Ollrog, Wolf-Henning: Paulus und seine Mitarbeiter, WMANT 50, Neukirchen-Vluyn 1979.

Oostendorp, Derk William: Another Jesus. A Gospel of Jewish-Christian Superiority in II Corinthians, Kampen 1967.
Osten-Sacken, Peter von der: Die Apologie des paulinischen Apostolats in 1Kor 15,1–11, in: ZNW 64. 1973, S. 245–262.
Overbeck, Franz: Kurze Erklärung der Apostelgeschichte von Dr. W. M. L. de Wette. Vierte Auflage bearbeitet und stark erweitert von Lic. th. Franz Overbeck, Leipzig 1870 (abgekürzt: Overbeck, Apg).
–: Über das Verhältnis Justins des Märtyrers zur Apostelgeschichte, in: ZWTh 15. 1872, S. 305–349.
–: Über die Auffassung des Streits des Paulus mit Petrus in Antiochien (Gal. 2,11ff.) bei den Kirchenvätern, Basel 1877 = Libelli 183, Darmstadt 1968.
Panikulam, George: Koinonia in the New Testament. A Dynamic Expression of Christian Life, AnBib 85, Rom 1979.
Peake, Arthur Samuel: Paul and the Jewish Christians, in: BJRL 13. 1929, S. 31–62.
Penzel, Klaus: Church History in Context: The Case of Philip Schaff, in: J. Deschner/L. T. Howe/K. Penzel (edd.), Our Common History (FS A. C. Outler), New York 1975, S. 217–260.
Pesch, Rudolf: Naherwartungen, KBANT, Düsseldorf 1968.
–: Das Markusevangelium II, HThK 2.2, Freiburg/Basel/Wien 1977; ²1980.
Peterson, Erik: Frühkirche, Judentum und Gnosis, Rom/Freiburg/Wien 1959.
Pfleiderer, Otto: Paulinische Studien 2. Der Apostelkonvent, in: JPTh 9. 1883, S. 78–104.241–262.
–: Der Paulinismus. Ein Beitrag zur Geschichte der urchristlichen Theologie, Leipzig ²1890.
–: Die Entwicklung der protestantischen Theologie in Deutschland seit Kant und in Großbritannien seit 1825, Freiburg 1891.
–: Das Urchristentum I.II, Berlin ²1902.
–: Die Entstehung des Christentums, München ²1907.
–: Theologie und Geschichtswissenschaft (1894), in: ders., Reden und Aufsätze, München 1909, S. 222–242.
Pieper, Karl: Die Kirche Palästinas bis zum Jahre 135. Ihre äußere Geschichte und ihr innerer Zustand. Ein Beitrag zur Erkenntnis des Urchristentums, PDVHL 16, Köln 1938.
Planck, Karl: Das Princip des Ebionitismus, in: ThJb(T) 2. 1843, S. 1–34.
–: Judenthum und Urchristenthum, in: ThJb(T) 6. 1847, S. 258–293.409–434. 448–506.
Pölcher, Helmut: Adolf Hilgenfeld und das Ende der Tübinger Schule. Untersuchungen zur Geschichte der Religionswissenschaft im 19. Jahrhundert, phil. Diss. Erlangen 1961; Teildruck München 1962.
Pratscher, Wilhelm: Der Verzicht des Paulus auf finanziellen Unterhalt durch seine Gemeinden: ein Aspekt seiner Missionsweise, in: NTS 25. 1979, S. 284–298.
Prigent, Pierre: Ce que l'œil n'a pas vu, I Cor. 2,9, in: ThZ 14. 1958, S. 416–429.
–: La fin de Jérusalem, Archéologie Biblique 17, Neuchâtel 1969.
Purves, George Tybout: Christianity in the Apostolic Age, New York 1900; zahlreiche Nachdrucke.
Quispel, Gilles: The Discussion of Judaic Christianity, in: ders., Gnostic Studies II, Istanbul 1975, S. 146–158.

Radl, Walter: Paulus und Jesus im lukanischen Doppelwerk, EHS.T 49, Bern/Frankfurt 1975.
Rehm, Bernhard: Zur Entstehung der pseudoclementinischen Schriften, in: ZNW 37. 1938, S. 77–184.
Reicke, Bo: Neutestamentliche Zeitgeschichte, Berlin [2]1968 ([3]1982).
Reinink, G. J.: Das Land ‚Seiris' (Šir) und das Volk der Serer in jüdischen und christlichen Traditionen, in: JSJ 6, 1975, S. 72–85.
Reitzenstein, Richard: Die hellenistischen Mysterienreligionen nach ihren Grundgedanken und Wirkungen, Leipzig/Berlin [3]1927.
Rensberger, David K.: As the Apostle Teaches. The Development of the Use of Paul's Letters in the Second Century, PhD Yale 1981.
Réville, Jean: Les origines de l'épiscopat, Paris 1894.
Rhoads, David M.: Israel in Revolution 6–74 C.E., Philadelphia 1976.
Richardson, Peter: Israel in the Apostolic Church, MSSNTS 10, Cambridge 1969.
Ritschl, Albrecht: Die Entstehung der altkatholischen Kirche, Bonn [2]1857.
–: Die christliche Lehre von der Rechtfertigung und Versöhnung I–III, Bonn [4]1895.
Ritschl, Otto: Albrecht Ritschls Leben I: 1822–1864, Freiburg 1892.
Robertson, Archibald/Plummer, Alfred: A Critical and Exegetical Commentary on the First Epistle of St Paul to the Corinthians, ICC, Edinburgh [2]1914.
Robinson, John A. T.: Jesus and His Coming, London 1957.
Roloff, Jürgen: Apostolat – Verkündigung – Kirche, Gütersloh 1965.
Ropes, James Hardy: The Apostolic Age in the Light of Modern Criticism, New York 1912.
–: A Critical and Exegetical Commentary on the Epistle of St. James, ICC, New York 1916.
–: The Epistle to the Romans and Jewish Christianity, in: S. J. Case (ed.), Studies in Early Christianity, New York/London 1928, S. 353–365.
–: The Singular Problem of the Epistle to the Galatians, HThSt 14, Cambridge 1929.
Rudolph, Kurt: Die Mandäer I: Das Mandäerproblem, FRLANT 74, Göttingen 1960.
–: Die Bedeutung des Kölner Mani-Codex für die Manichäismusforschung. Vorläufige Anmerkungen, in: Mélanges d'Histoire des Religions (FS H.-C. Puech), Paris 1974, S. 471–486.
–: Antike Baptisten. Zu den Überlieferungen über frühjüdische und -christliche Taufsekten, SSAW.PH 121.4, Berlin 1981.
Saldarini, Anthony J.: Johanan's Escape from Jerusalem. Origin and Development of a Rabbinic Story, in: JSJ 6. 1975, S. 189–204.
Salles, A.: La diatribe anti-paulinienne dans le „roman pseudo-clémentin" et l'origine des „kérygmes de Pierre", in: RB 64. 1957, S. 516–551.
Sandelin, Karl-Gustav: Die Auseinandersetzung mit der Weisheit in 1. Korinther 15, Abo 1976.
Sanders, Ed P.: On the Question of Fulfilling the Law in Paul and in Rabbinic Judaism, in: C. K. Barrett/E. Bammel/W. D. Davies (edd.), Donum Gentilicium (FS D. Daube), Oxford 1978, S. 103–126.
Schaff, Philip: History of the Christian Church I.II, New York [2]1886.
Schenke, Hans-Martin/Fischer, Karl Martin: Einleitung in die Schriften des Neuen Testaments I: Die Briefe des Paulus und Schriften des Paulinismus, Berlin 1978 = Gütersloh 1978; II: Die Evangelien und die anderen neutestamentlichen Schriften, ebd. 1979.

Schille, Gottfried: Anfänge der Kirche, BEvTh 43, München 1966.
—: Anfänge der christlichen Mission, in: KuD 15. 1969, S. 320–339.
—: Das vorsynoptische Judenchristentum, Stuttgart 1970.
—: Osterglaube, Berlin 1973.
Schlatter, Adolf: Die Geschichte der ersten Christenheit, BFChTh II.11, Gütersloh 1926; Stuttgart [5]1971.
—: Synagoge und Kirche bis zum Barkochba-Aufstand, Stuttgart 1966.
Schliemann, Adolph: Die Clementinen nebst den verwandten Schriften und der Ebionitismus, Hamburg 1844.
Schmahl, Günter: Die Zwölf im Markusevangelium, TThSt 30, Trier 1974.
Schmidt, Carl: Studien zu den Pseudo-Clementinen, TU 46.1, Leipzig 1929.
Schmidtke, Alfred: Neue Fragmente und Untersuchungen zu den judenchristlichen Evangelien. Ein Beitrag zur Literatur und Geschichte der Judenchristen, TU 37.1, Leipzig 1911.
Schmithals, Walter: Das kirchliche Apostelamt, FRLANT 79, Göttingen 1961.
—: Paulus und Jakobus, FRLANT 85, Göttingen 1963.
—: Paulus und die Gnostiker, ThF 35, Hamburg 1965 (abgekürzt: Schmithals, Gnostiker).
—: Die Gnosis in Korinth, FRLANT 66, Göttingen [3]1969.
—: Der Römerbrief als historisches Problem, StNT 9, Gütersloh 1975.
Schnackenburg, Rudolf: Das Urchristentum, in: J. Maier/J. Schreiner (edd.), Literatur und Religion des Frühjudentums, Würzburg/Gütersloh 1973, S. 284–309.
Schneckenburger, Matthias: Ueber den Zweck der Apostelgeschichte, Bern 1841.
Schneemelcher, Wilhelm: Das Problem des Judenchristentums, in: VuF [5.] 1949/50, S. 229–238.
—: Paulus in der griechischen Kirche des zweiten Jahrhunderts, in: ZKG 75. 1964, S. 1–20.
—: Das Urchristentum, UB 336, Stuttgart u.a. 1981.
Schoeps, Hans-Joachim: Theologie und Geschichte des Judenchristentums, Tübingen 1949.
—: Aus frühchristlicher Zeit, Tübingen 1950.
—: Urgemeinde, Judenchristentum, Gnosis, Tübingen 1956.
—: Paulus, Tübingen 1959 = Darmstadt 1972.
—: Studien zur unbekannten Religions- und Geistesgeschichte, Veröffentlichungen der Gesellschaft für Geistesgeschichte 3, Göttingen 1963.
—: Das Judenchristentum, DTb 376, Bern/München 1964.
Scholder, Klaus: Ferdinand Christian Baur als Historiker, in: EvTh 21. 1961, S. 435–458.
Schrage, Wolfgang: Der Jakobusbrief, in: H. Balz/W. Schrage, Die katholischen Briefe, NTD 10, 11. Aufl., Göttingen 1973 ([2]1980), S. 5–58.
Schreiber, Alfred: Die Gemeinde in Korinth. Versuch einer gruppendynamischen Betrachtung der Entwicklung der Gemeinde von Korinth auf der Basis des ersten Korintherbriefes, NTA NF 12, Münster 1977.
Schürer, Emil: Geschichte des jüdischen Volkes im Zeitalter Jesu Christi I–III, Leipzig [4]1901–1911 = Hildesheim 1964; 1970.
—: The History of the Jewish People in the Age of Jesus Christ (175 B.C.–A.D. 135). A New English Version revised and edited by G. Vermes, F. Millar, M. Black I–II, Edinburgh 1973. 1979 (abgekürzt: englische Neuausgabe I.II).

Schulz, Siegfried: Q – Die Spruchquelle der Evangelisten, Zürich 1972.
—: Die Mitte der Schrift, Stuttgart/Berlin 1976.
Schwartz, Eduard: Zu Eusebius Kirchengeschichte, in: ZNW 4. 1903, S. 48–66.
—: Ueber den Tod der Söhne Zebedaei, AAWG.PH NF 7.5, Berlin 1904 = in: ders., Zum Neuen Testament und zum frühen Christentum, Gesammelte Schriften V, Berlin 1963, S. 48–123.
—: Die Aeren von Gerasa und Eleutheropolis, NGWG.PH 1906, S. 340–395.
—: Unzeitgemäße Beobachtungen zu den Clementinen, in: ZNW 31. 1932, S. 151–199.
Schwegler, Albert: Der Montanismus und die christliche Kirche des zweiten Jahrhunderts, Tübingen 1841.
—: Ueber den Charakter des nachapostolischen Zeitalters, in: ThJb 2. 1843, S. 176–194.
—: Das Nachapostolische Zeitalter in den Hauptmomenten seiner Entwicklung I.II, Tübingen 1847 = Graz 1977.
Scott, J. J.: Parties in the Church of Jerusalem as Seen in the Book of Acts, in: JETS 18. 1975, S. 217–227.
Seeberg, Alfred: Der Katechismus der Urchristenheit, Leipzig 1903 = ThB 26, München 1966, mit einer Einführung von F. Hahn.
Seeberg, Bengt: Die Geschichtstheologie Justins des Märtyrers, in: ZKG 58. 1939, S. 1–81.
Serkland, John D.: The Dissension at Corinth. An Exploration, in: LexTQ 8. 1973, S. 27–36.
Siegert, Folker: Gottesfürchtige und Sympathisanten, in: JSJ 4. 1973, S. 109–164.
Simon, Marcel: St Stephen and the Hellenists in the Primitive Church, London/New York/Toronto 1958.
—: Verus Israel, Paris ²1964.
—: Problèmes du Judéo-Christianisme, in: Aspects du Judéo-Christianisme, Paris 1965, S. 1–17.
—: La migration à Pella. Légende ou réalité?, in: RSR 60. 1972, S. 37–54.
—: Réflexions sur le Judéo-Christianisme, in: J. Neusner (ed.), Christianity, Judaism, and Other Greco-Roman Cults II: Early Christianity, SJLA 12.2, Leiden 1975, S. 53–76.
—/ Benoît, André: Le Judaïsme et le Christianisme antique d'Antiochus Epiphane à Constantin, NC(C) 10, Paris 1968 (abgekürzt: Simon, Judaïsme).
Slenczka, Reinhard: Geschichtlichkeit und Personsein Jesu Christi, FSÖTh 18, Göttingen 1967.
Slingerland, H. Dixon: The Testaments of the Twelve Patriarchs. A Critical History of Research, SBLMS 21, Missoula 1977.
Smith, Morton: Pauline Problems, in: HThR 50. 1957, S. 107–131.
—: The Reason for the Persecution of Paul and the Obscurity of Acts, in: Studies in Mysticism and Religion (FS G. G. Scholem), Jerusalem 1967, S. 261–268.
—: Clement of Alexandria and a Secret Gospel of Mark, Cambridge (Mass.) 1973.
—: Early Christianity and Judaism, in: S. Wagner/A. Breck (edd.), Great Confrontations in Jewish History, Denver 1977, S. 41–61.
—: Jesus the Magician, New York 1978.

Sophocles, Evangelinus Apostolides: Greek Lexicon of the Roman and Byzantine Periods, New York 1900; mehrere Nachdrucke.
Sorley, William Ritchie: Jewish Christians and Judaism, Cambridge 1881.
Sowers, Sidney: The Circumstances and Recollection of the Pella Flight, in: ThZ 26. 1970, S. 305–320.
Staehelin, Hans: Die gnostischen Quellen Hippolyts in seiner Hauptschrift gegen die Häretiker, TU 6.3, Leipzig 1890.
Stauffer, Ethelbert: Zum Kalifat des Jacobus, in: ZRGG 4. 1952, S. 193–214.
–: Petrus und Jakobus in Jerusalem, in: M. Roessle/O. Cullmann (edd.), Begegnung der Christen, Stuttgart/Frankfurt 1960, S. 361–372.
Stevenson, James (ed.): A New Eusebius, London [6]1974.
Stötzel, Arnold: Die Darstellung der ältesten Kirchengeschichte nach den Pseudo-Clementinen, in: VigChr 36. 1982, S. 24–37.
Stolle, Volker: Der Zeuge als Angeklagter, BWANT 102, Stuttgart u.a. 1973.
Stowers, Stanley Kent: A Critical Reassessment of Paul and the Diatribe. The Dialogical Element in Paul's Letter to the Romans, PhD Yale 1979.
Strecker, Georg: Christentum und Judentum in den ersten beiden Jahrhunderten, in: EvTh 16. 1956, S. 458–477 = in: ders., Eschaton und Historie, Göttingen 1979, S. 291–310.
–: Art. Ebioniten, in: RAC IV, Sp. 487–500.
–: Art. Elkesai, in: RAC IV, Sp. 1171–1186 = in: ders., Eschaton und Historie, a.a.O., S. 320–333.
–: Art. Die Kerygmata Petrou, in: NTApo[3,4] II, S. 63–80.
–: Strukturen einer neutestamentlichen Ethik, in: ZThK 75. 1978, S. 117–146.
–: Judenchristentum und Gnosis, in: K.-W. Tröger (ed.), Altes Testament – Frühjudentum – Gnosis, Gütersloh 1980, S. 261–282 (abgekürzt: Strecker, Gnosis).
–: Das Judenchristentum in den Pseudoklementinen, TU 70, Berlin [2]1981.
Strobel, August: Das Aposteldekret als Folge des antiochenischen Streites, in: P.-G. Müller/W. Stenger (edd.), Kontinuität und Einheit (FS F. Mußner), Freiburg/Basel/Wien 1981, S. 81–104.
Stuhlmacher, Peter: Gerechtigkeit Gottes bei Paulus, FRLANT 87, Göttingen [2]1966.
–: Das paulinische Evangelium I: Vorgeschichte, FRLANT 95, Göttingen 1968.
–: Das Evangelium von der Versöhnung in Christus, in: ders./H. Claß, Das Evangelium von der Versöhnung in Christus, Stuttgart 1979, S. 13–54 (abgekürzt: Stuhlmacher, Versöhnung).
–: Vom Verstehen des Neuen Testaments, GNT 6, Göttingen 1979.
Stylianopoulos, Theodore: Justin Martyr and the Mosaic Law, SBLDS 20, Missoula 1975.
Suhl, Alfred: Paulus und seine Briefe, StNT 11, Gütersloh 1975.
Surkau, Hans-Werner: Martyrien in jüdischer und frühchristlicher Zeit, FRLANT 54, Göttingen 1938.
Telfer, William: Was Hegesippus a Jew?, in: HThR 53. 1960, S. 143–153.
–: The Office of a Bishop, London 1962.
Theißen, Gerd: Studien zur Soziologie des Urchristentums, WUNT 19, Tübingen 1979.
Thomas, Joseph: Les Ebionites baptistes, in: RHE 30. 1934, S. 257–296.
–: Le mouvement baptiste en Palestine et Syrie, Gembloux 1935.
Thrall, Margaret E.: Super-Apostles, Servants of Christ, and Servants of Satan, in: Journal for the Study of the New Testament 6. 1980, S. 42–57.

Trocmé, Etienne: Les Eglises pauliniennes vues du dehors, Jacques 2,1 à 3,13, StEv II, TU 87, Berlin 1964, S. 660–669.
Trudinger, L. Paul: "ΕΤΕΡΟΝ ΔΕ ΤΩΝ ΑΠΟΣΤΟΛΩΝ ΟΥΚ ΕΙΔΟΝ ΕΙ ΜΗ ΙΑΚΩΒΟΝ: A Note on Gal i 19, in: NovTest 17. 1975, S. 200–202 (abgekürzt: Trudinger, Note).
Turner, Cuthbert Hamilton: The Early Episcopal Lists II, in: JThSt 1. 1900, S. 529–553.
Uhlhorn, Gerhard: Die Homilien und Recognitionen des Clemens Romanus, Göttingen 1854.
–: Die älteste Kirchengeschichte in der Darstellung der Tübinger Schule, in: JDTh 3. 1858, S. 280–349 = in: K. Scholder (ed.), Ferdinand Christian Baur. Ausgewählte Werke in Einzelausgaben V: Für und wider die Tübinger Schule, Stuttgart-Bad Cannstatt 1975, S. 222–291.
Urbach, Ephraim E.: The Sages. Their Concepts and Beliefs I.II, Jerusalem 1975.
Vermes, Geza: Jesus the Jew, Oxford 1974.
Verweijs, Pieter Godfried: Evangelium und neues Gesetz in der ältesten Christenheit bis auf Marcion, Utrecht 1960.
Vielhauer, Philipp: Art. Judenchristliche Evangelien, in: NTApo[3,4] I, S. 75–108.
–: Geschichte der urchristlichen Literatur, Berlin/New York 1975.
–: Paulus und die Kephaspartei in Korinth, in: NTS 21. 1975, S. 341–352 = in: ders., Oikodome, ed. G. Klein, ThB 65, München 1969, S. 169–182 (abgekürzt: Vielhauer, Kephaspartei).
Vincent, Marvin R.: A Critical and Exegetical Commentary on the Epistles to the Philippians and to Philemon, ICC, Edinburgh [5]1955.
Völker, Walther: Von welchen Tendenzen ließ sich Euseb bei der Abfassung seiner ‚Kirchengeschichte' leiten?, in: VigChr 4. 1950, S. 157–180.
Wagenmann, Julius: Die Stellung des Apostels Paulus neben den Zwölf in den ersten beiden Jahrhunderten, BZNW 3, Gießen 1926.
Wagner, Harald: An den Ursprüngen des frühkatholischen Problems. Die Ortsbestimmung des Katholizismus im älteren Luthertum, FTS 14, Frankfurt 1973.
Wagner, Siegfried: Die Essener in der wissenschaftlichen Diskussion, BZAW 79, Berlin 1959.
Waitz, Hans: Die Pseudoklementinen, TU 25.4, Leipzig 1904.
–: Das Buch des Elchasai, das heilige Buch der judenchristlichen Sekte der Sobiai, in: Harnack-Ehrung, Leipzig 1921, S. 87–104.
Walker, Rolf: Allein aus Werken. Zur Auslegung von Jakobus 2,14–26, in: ZThK 61. 1964, S. 155–192.
Ward, Roy Bowen: James of Jerusalem, in: RestQ 16. 1973, S. 174–190.
Weiß, Johannes: Der erste Korintherbrief, KEK 5, 9. Aufl., Göttingen 1910 = ebd. 1970.
–: Das Urchristentum, ed. R. Knopf, Göttingen 1917.
Weizsäcker, Carl: Das apostolische Zeitalter der christlichen Kirche, Tübingen/Leipzig [3]1902.
Wellhausen, Julius: Einleitung in die drei ersten Evangelien, Berlin [2]1911.
Wette, Wilhelm Martin Leberecht de: Lehrbuch der historisch-kritischen Einleitung in die kanonischen Bücher des Neuen Testaments II, Berlin [4]1842.
Wilckens, Ulrich: Der Ursprung der Überlieferung der Erscheinungen des Auferstandenen, in: W. Joest/W. Pannenberg (edd.), Dogma und Denkstrukturen (FS E. Schlink), Göttingen 1963, S. 56–95.

—: Der Brief an die Römer I, EKK 6.1, Neukirchen-Vluyn 1978.
Windisch, Hans: Der zweite Korintherbrief, KEK 6, 9. Aufl., Göttingen 1924 = ebd. 1970, ed. G. Strecker.
—: Urchristentum, in: ThR NF 5. 1933, S. 186–200.239–258.289–301.319–334.
Winter, Martin: Pneumatiker und Psychiker in Korinth, MThSt 12, Marburg 1975.
Winter, Paul: I Corinthians XV 3b–7, in: NT 2. 1957/58, S. 142–150.
Wischmeyer, Oda: Der höchste Weg. Das 13. Kapitel des 1. Korintherbriefes, StNT 13, Gütersloh 1981.
Wisse, Frederik: The ‚Opponents' in the New Testament in Light of the Nag Hammadi Writings, in: B. Barc (ed.), Colloque international sur les textes de Nag Hammadi, Québec/Louvain 1981, S. 99–120.
Wrede, William: Paulus, RV I.5–6, Halle 1904 = in: K. H. Rengstorf (ed.), Das Paulusbild in der neueren deutschen Forschung, WdF 24, Darmstadt [2]1969, S. 1–97.
—: Das literarische Rätsel des Hebräerbriefes, FRLANT 8, Göttingen 1906.
—: Vorträge und Studien, ed. A. Wrede, Tübingen 1907.
Wuellner, Wilhelm H.: Der Jakobusbrief im Licht der Rhetorik und Textpragmatik, in: LingBibl 43. 1978, S. 5–66.
Zahn, Theodor: Forschungen zur Geschichte des neutestamentlichen Kanons und der altkirchlichen Literatur I: Tatian's Diatessaron, Erlangen 1881; IV, Erlangen/Leipzig 1891; VI: 1. Apostel und Apostelschüler in der Provinz Asien. 2. Brüder und Vettern Jesu, Leipzig 1900.
—: Geschichte des neutestamentlichen Kanons II.2, Erlangen/Leipzig 1892.
—: Einleitung in das Neue Testament I, Leipzig [3]1924.
Zeller, Eduard: Die Apostelgeschichte nach ihrem Inhalt und Ursprung kritisch untersucht, Stuttgart 1854.
—: Die Tübinger historische Schule, in: HZ 4. 1860, S. 90–173 = in: ders., Vorträge und Abhandlungen I, Leipzig[2] 1875, S. 294–389.
—: Albert Schwegler, in: ders., Vorträge und Abhandlungen II, Leipzig 1877, S. 329–363.
Zmijewski, Josef: Die Eschatologiereden des Lukas-Evangeliums, BBB 40, Bonn 1972.
Zuckschwerdt, Ernst: Das Naziräat des Herrenbruders Jakobus nach Hegesipp (Euseb, h.e. II 23,5–6), in: ZNW 68. 1977, S. 276–287.

Nachtrag zum Literaturverzeichnis

Burton, Ernest de Witt: A Critical and Exegetical Commentary on the Epistle to the Galatians, ICC, Edinburgh 1921.
Eckert, Jost: Die Kollekte des Paulus für Jerusalem, in: P.-G. Müller/W. Stenger (edd.), Kontinuität und Einheit (FS F. Mußner), Freiburg/Basel/Wien 1981, S. 65–80.
Lehmann, Karl: Auferweckt am dritten Tag nach der Schrift, Freiburg/Basel/Wien 1968.
Moore, George Foot: Judaism in the First Centuries of the Christian Era: The Age of the Tannaim, vol. II, Schocken Books, New York 1971.
Windisch, Hans: Die katholischen Briefe, HNT 15, Tübingen [3]1951.

AUTORENVERZEICHNIS

STELLENREGISTER (von J. Wehnert)

c) Judentum

e) Gnosis

f) griech. und lat. Schriftsteller

g) Sonstige

Paulusstudien

– in den „Forschungen zur Religion und Literatur des Alten und Neuen Testaments“

85 **Walter Schmithals · Paulus und Jakobus**
103 Seiten, broschiert

87 **Peter Stuhlmacher · Gottes Gerechtigkeit bei Paulus**
2. Auflage. 276 Seiten, Leinen

95 **Peter Stuhlmacher · Das paulinische Evangelium**
Vorgeschichte. 315 Seiten, kartoniert und Leinen

110 **Wolfgang Harnisch · Eschatologische Existenz**
Ein exegetischer Beitrag zum Sachanliegen von 1. Thess. 4,13–5,11. 187 Seiten, kart.; Ln.

112 **Peter von der Osten-Sacken**
Römer 8 als Beispiel paulinischer Soteriologie
339 Seiten, Leinen

119 **Hans Hübner · Das Gesetz bei Paulus**
Ein Beitrag zum Werden der paulinischen Theologie. 2., erg. Aufl. 207 Seiten, kart.

125 **Hans Weder · Das Kreuz Jesu bei Paulus**
Ein Versuch, über den Geschichtsbezug des christlichen Glaubens nachzudenken. 275 Seiten, kartoniert und Leinen

127 **Walter Klaiber · Rechtfertigung und Gemeinde**
Eine Untersuchung zum paulinischen Kirchenverständnis. 306 Seiten, kart.; Ln.

– in den „Göttinger Theologischen Arbeiten“

8 **Ernst Synofzik · Die Gerichts- und Vergeltungsaussagen bei Paulus**
Eine traditionsgeschichtliche Untersuchung. 167 Seiten, kartoniert

18 **Hans-Heinrich Schade · Apokalyptische Christologie bei Paulus**
Studien zum Zusammenhang von Christologie und Eschatologie in den Paulusbriefen. 337 Seiten, kartoniert

24 **Udo Schnelle · Gerechtigkeit und Christusgegenwart**
Vorpaulinische und paulinische Tauftheologie. 279 Seiten, kartoniert

– in den „Studien zur Umwelt des Neuen Testaments“

16 **Gottfried Nebe · „Hoffnung“ bei Paulus**
Elpis und ihre Synonyme im Zusammenhang der Eschatologie. 440 Seiten, kartoniert

---

Die Paulinische Literatur und Theologie. The Pauline Literature and Theology
Anläßlich der 50jährigen Gründungs-Feier der Universität von Aarhus hrsg. von Sigfred Pedersen. 224 Seiten, geb.

Vandenhoeck & Ruprecht in Göttingen und Zürich